PICCOLA BIBLIOTECA EINAUDI   50

Arte. Architettura. Urbanistica. Musica.
Cinema. Teatro. Fotografia. Giochi. Sport

© 1964, 1968 e 1987 Giulio Einaudi editore s. p. a., Torino

Decima edizione

ISBN 88-06-59827-9

ENRICO FUBINI

L'ESTETICA MUSICALE DAL SETTECENTO A OGGI

Nuova edizione ampliata

Piccola
Biblioteca
Einaudi

Indice

ML 3845 music
F82 E8
1987

Introduzione

Si è voluto in questo studio tracciare uno schizzo storico allo scopo di individuare le correnti piú importanti del pensiero musicale dall'illuminismo ai nostri giorni.

Sarà bene chiarire subito alcuni problemi fondamentali. Anzitutto che cosa s'intende per estetica musicale? Con quale legittimità si può distinguere un'estetica particolare della musica dall'estetica concepita come meditazione generale sull'arte e sul bello? Richiede effettivamente la musica una trattazione a parte dalle altre arti? Quali problemi particolari essa pone al filosofo? La risposta a questi innocenti interrogativi è tuttavia già compromettente perché implica necessariamente una presa di posizione di fronte a problemi estetici fondamentali. Se si accettasse l'affermazione di Schumann per cui «l'estetica di un'arte è uguale a quella di un'altra arte: è la materia soltanto che differisce», non ci sarebbe forse motivo di questo libro. Ma di fronte alle tante affermazioni di origine idealistica e crociana sull'unità delle arti, che qui non s'intende certo confutare, accettare o rifiutare, può fornirci una prima risposta al nostro problema, la constatazione del tutto empirica del fatto che fin dalla piú remota antichità filosofi, pensatori e musicisti, ecc., ci hanno tramandato le loro meditazioni sulla musica, considerandola un po' come un'arte particolare, dotata di poteri speciali, espressioni di armonie celesti come di virtú diaboliche. Sta di fatto che il rapporto tra la musica e le altre arti si è rivelato uno dei problemi non marginali nella storia dell'estetica. La musica è stata a volte condannata, a volte esaltata, ma tutti coloro che ne hanno parlato ne hanno avvertito il fascino, tutti hanno intuito che tra le arti occupa un posto a sé ponendo dei problemi del tutto particolari. In effetti la musica rispetto alle altre arti ha uno *status* suo, procuratole anzitutto dalla complessità dei mezzi tecnici e del linguaggio di cui si serve. Il fascino che essa ha sempre esercitato, il suo carattere enigmatico le deriva anzitutto dal suo tipo di espressività: essa esprime senza che si possa mai afferrare il suo oggetto. Il complesso linguaggio della musica non dice nulla attorno a nulla eppure tutti e in qualche modo anche i piú rigorosi formalisti, concordano nel riconoscere alla musica un certo potere espressivo, senza tuttavia saper mai precisare che cosa la musica esprima, e in che modo. Questo carattere enigmatico dell'espressione musicale, non è poi altro che il vecchissimo problema della semanticità della musica, problema che continua attraverso i secoli, dalla Grecia antica a oggi a ripresentarsi, anche se in forme diverse, sostanzialmente immutato. In questo senso l'estetica musicale o piú semplicemente diremo la riflessione sulla musica si è sviluppata con una certa indipendenza di problemi e di metodi nel corso dei secoli rispetto alla filosofia dell'arte in generale. Il semplice riconoscimento di questo fatto quindi non compromette in alcun modo una fondamentale unità dell'espressione artistica.

La storia dell'estetica musicale si potrebbe configurare – per lo meno in certi periodi – come la storia dei rapporti della musica con le altre arti in relazione al suo potere semantico. Il problema centrale della semanticità della musica in definitiva ha determinato, a seconda della sua impostazione, il problema della relazione della musica con le altre arti, e quindi il suo posto nella gerarchia delle arti, il suo valore, le sue funzioni e i suoi compiti.

Che s'intenderà dunque per estetica musicale? Una risposta che avesse valore normativo sarebbe priva di senso. È compito dello storico scoprire volta per volta lo sviluppo, la direzione e il significato che ha assunto la riflessione sul fenomeno musicale: sarebbe assurdo stabilire aprioristicamente le fonti di una presunta estetica musicale, cioè decidere chi è legittimamente autorizzato a parlare di musica. Ci sono pervenute riflessioni a livello filosofico sulla musica da parte di matematici, filosofi, letterati, musicisti, critici, ecc.; e non è casuale che la musica sia stata presa in considerazione da categorie cosí diverse di studiosi. La musica si presenta come un fenomeno estremamente complesso, poliedrico, e l'attenzione del pensatore può essere via via polarizzata dal suono come elemento fisico-matematico, dalla funzione tecnico-linguistica della musica, dalla sua funzione sociale, artistica, ecc. Il fatto che in certi periodi storici troviamo le fonti di un'estetica musicale ad esempio negli scritti di matematici, o di letterati o ancora di musicologi è già tuttavia un indizio di un certo modo preferenziale d'impostare il problema, e rivela già quale aspetto della musica si intende privilegiare rispetto agli altri. Può essere un esempio significativo che le considerazioni piú rilevanti sulla musica nell'antica Grecia si trovino in Platone e Aristotele, ma in scritti in cui l'interesse prevalente è politico, rispettivamente cioè nella *Repubblica* e nella *Politica*. Ciò sta a mostrare che nonostante le profonde divergenze tra i due filosofi, essi concordano nel considerare la musica come valore non autonomo, ma strumentale: il suo valore o meglio il suo potere rappresenta un mezzo per ottenere dei fini in un certo contesto sociale e politico.

Ancora un chiarimento: perché scegliere questo periodo dalla fine dell'illuminismo ai giorni nostri, facendo centro sul romanticismo per questo breve schizzo storico? Non c'è nessun motivo o pregiudiziale teoretica: questa scelta non vuole assolutamente presupporre che l'estetica musicale e l'estetica in genere abbia inizio con il Settecento. Riflessioni di carattere filosofico sulla musica se ne possono trovare sin dalla piú remota antichità; il pitagorismo è stato fino ad oggi una delle componenti determinanti nella filosofia della musica. Questa scelta piuttosto rappresenta semplicemente il tentativo di delimitare un periodo storico che oltre ad essere piú vicino ai nostri interessi, presenti una certa unità di problemi e di svolgimento. Se fino al Settecento le riflessioni sulla musica avevano per lo piú un carattere sporadico e occasionale, in questo secolo si precisano e si concretano gli interessi dei filosofi, dei teorici e del pubblico verso i problemi musicali, si sviluppa la critica e nasce la storiografia. Se si volesse fissare una data che segni l'inizio di un'estetica musicale moderna, intendendo per moderna l'epoca in cui si sono sviluppati e fissati quei concetti e problemi che ancor oggi ritroviamo discussi e riproposti, risolti o irrisolti nella nostra cultura, dovremmo proprio rivolgerci al Settecento, il secolo che ha assistito alla faticosa e lenta liberazione dell'estetica musicale dal razionalismo e dall'intellettualismo di origine cartesiana, che aveva relegato la musica all'ultimo posto nella gerarchia delle arti. Questo processo di *liberazione* della musica alla ricerca della sua autonomia e originalità sia rispetto alle altre forme di attività umana, sia rispetto alle altre forme di espressione artistica, se è maturato pienamente solo alla fine del romanticismo, tuttavia ha avuto inizio proprio nel Settecento con l'illuminismo e gli enciclopedisti attraverso sia pur deboli spiragli, pentimenti, ritorni, eccessi polemici.

Illuminismo e romanticismo rivelano dunque una continuità di interesse: la relazione della musica con le altre arti rimane il problema centrale dell'estetica musicale nonostante il capovolgimento dei concetti operatosi nel passaggio dal Settecento all'Ottocento. Soltanto nella seconda metà del secolo scorso, con Hanslick e l'inizio del processo di dissoluzione del romanticismo, l'estetica musicale si apre a nuovi problemi e prospettive.

Una volta assicurato alla musica il suo posto d'onore tra le arti, l'attenzione degli studiosi è attratta dalla musica nei suoi caratteri più peculiari, dando ormai per scontato la sua autonomia espressiva e la sua piena dignità di arte. Il positivismo ha avuto questo merito se non altro, di avere centrato il suo interesse sui problemi più propriamente tecnici e storici della musica anche se col rischio di isolarla dal contesto culturale e umano da cui sorge.

Il nostro secolo ha assistito ad una notevole fioritura di studi di carattere filosofico sulla musica: ma i temi che oggi si dibattono, i concetti che troviamo usati nelle ricerche estetiche contemporanee si sono formati ed hanno la loro origine più o meno scoperta nel secolo dell'illuminismo. Oggi l'estetica musicale anche se si è trovata di fronte a nuovi problemi posti dalla nuova realtà storica della musica tuttavia sostanzialmente è ancora centrata attorno alla vecchia questione della semanticità della musica, problema vecchio come il mondo ma che è stato impostato in termini più consapevoli solo nel Settecento.

Ottobre 1964.

Avvertenza alla seconda edizione.

Questa seconda edizione si presenta non solo ritoccata in molti particolari, corretta per alcuni errori, ma soprattutto ampliata ed allargata in molte parti.

Per quanto riguarda il Settecento si è soprattutto ampliato il discorso sugli enciclopedisti trattando molti autori assenti o appena nominati nella prima edizione, cercando cosí di correggere la prospettiva comunemente accettata per cui gli enciclopedisti costituirebbero un unico blocco, tutti concordi nel difendere e propugnare le stesse idee. Cosí pure si può dire che la loro influenza si è esercitata in varie direzioni come dimostra soprattutto la cultura musicale italiana e inglese, trattate molto piú diffusamente in questa edizione.

Nell'Ottocento molti nomi erano assenti o trattati insufficientemente. La trattazione piú ampia di filosofi quali Herder, Schelling e Nietzsche si è rivelata indispensabile per un quadro piú completo del romanticismo, cosí come quella di altri scrittori e musicisti prima visti solamente di scorcio quali Mozart, Goethe, Beethoven, Jean Paul, ecc.

Infine per la parte contemporanea si è ritenuto opportuno da un lato aggiornare il testo con l'esame di studi apparsi contemporaneamente o poco dopo la prima edizione di questo volumetto tra i quali alcuni saggi importanti della Brelet e di Lévi-Strauss, e dall'altra di colmare qualche lacuna ricordando un teorico quale Boris de Schloezer la cui opera ci è parsa particolarmente significativa.

Con ciò non si è voluto trasformare il volumetto in un ampio e completo trattato; lacune ve ne saranno certo ancora molte. Si è cercato solamente di sviluppare alcuni problemi, portare in luce ciò che prima era forse stato lasciato in ombra, senza pertanto alterare le linee generali di ciò che si presenta come uno schizzo storico, volto a chiarire alcuni grandi problemi della cultura estetica e musicale degli ultimi due secoli.

Luglio 1968.

Avvertenza alla terza edizione.

Quasi vent'anni sono passati dalla precedente edizione e un'opera di aggiornamento era ormai necessaria per offrire al lettore una visione piú completa degli ultimi sviluppi del pensiero musicale contemporaneo. Tuttavia rileggendo dopo tanti anni questo lavoro per certi aspetti inevitabilmente invecchiato era chiaro che non bastava aggiungere un capitolo al volumetto ma che era necessaria un'opera di revisione di molte parti, di ampliamento nella trattazione di autori, di problemi, di correnti non sufficientemente approfondite nella precedente edizione. Inoltre tutta la trattazione del Novecento è stata ripresa e ampliata con un nuovo criterio forse piú funzionale: non piú ordinata secondo le aree linguistiche, ma secondo i problemi e i tipi diversi di approccio del pensiero contemporaneo al poliedrico fenomeno che è la musica. Ad alcune problematiche è stato dedicato maggior spazio, come alla prospettiva sociologica, ampliando la trattazione di alcuni autori come Adorno e inserendone molti altri quali Dahlhaus, Lissa, Assafjew, e alcuni teorici dei paesi dell'Est europeo; cosí pure è stata dedicata maggior attenzione ad alcune correnti del pensiero contemporaneo piú recente quali la linguistica, la semiologia, la psicologia della musica, ecc. L'insieme del lavoro è rimasto pertanto nell'ambito di uno schizzo storico di una materia che non si lascia esaurire ma rivela sempre nuovi volti e nuove aperture anche di carattere interdisciplinare; perciò risulta sempre piú difficile tracciare dei limiti precisi tra l'estetica musicale e i molti campi confinanti. Pur non pretendendo di aver raggiunto la completezza, il volume dovrebbe presentarsi in questa nuova stesura assai piú ampio, senza tuttavia perdere la snellezza e la leggibilità anche per il lettore non specialista.

Marzo 1987.

L'ESTETICA MUSICALE
DAL SETTECENTO A OGGI

Capitolo primo
Dal razionalismo barocco all'estetica del sentimento

1. *Armonia e melodramma.*

Due episodi hanno contrassegnato l'inizio di una nuova era nella storia della musica: l'invenzione dell'armonia e l'invenzione del melodramma. Tutte le polemiche sulla musica svoltesi nel Seicento e Settecento hanno avuto origine da questi due eventi rivoluzionari che hanno polarizzato l'attenzione dei filosofi, dei letterati e del pubblico colto. Armonia e melodramma nascono non a caso contemporaneamente, dal momento che il melodramma implica necessariamente un accompagnamento musicale che consenta e favorisca una successione temporale dei dialoghi e dell'azione drammatica, ciò che la polifonia con il suo sovrapporsi parallelo di piú voci svolgentesi contemporaneamente non poteva permettere. Questa rivoluzione che all'inizio del Seicento ha rinnovato totalmente il mondo musicale creando un universo sonoro, dotato di nuove possibilità, aperto a un nuovo sviluppo, rompendo l'oramai secolare e gloriosa tradizione polifonica, ha allo stesso tempo creato un gran numero di problemi estetici, filosofici, musicali, e persino matematici e acustici, di cui si trova l'eco negli innumerevoli articoli, opuscoli, pamphlet, trattati che abbondano nel Seicento e Settecento. Non è qui il luogo di ricordare tutti gli elementi che hanno contribuito a provocare le crisi della polifonia e la nascita del melodramma e delle altre nuove forme musicali, ché il discorso ci porterebbe troppo indietro nel tempo e lontano dal nostro argomento. Ciò che qui interessa è di mettere in luce i grandi temi, i concetti, le categorie filosofiche che ricorrono negli innumerevoli scritti sulla musica nei secoli che hanno seguito l'invenzione dell'armonia e del melodramma.

Armonia e melodramma si implicano a vicenda e non per nulla i numerosi teorizzatori dell'uno e dell'altro fenomeno pongono l'accento piú sull'armonia o piú sul melodramma, ma hanno la precisa coscienza che vi è una stretta relazione tra i due eventi. Il nuovo rapporto musica-poesia implica necessariamente un nuovo linguaggio musicale che dia forma al senso dello svolgimento temporale degli eventi, proprio alla poesia barocca. La rivoluzione linguistica avvenuta tra rinascimento e barocco ha creato una prospettiva radicalmente nuova alla musica: per la prima volta essa si è posta come spettacolo, come flusso di eventi, di fronte ad un pubblico che si fa spettatore distaccato. Il linguaggio degli affetti che solo il fluire del discorso armonico-melodico riesce a rendere efficace, a produrre effetti sullo spettatore, pone le premesse di un nuovo *uso* della musica e al tempo stesso sollecita i teorici e i filosofi ad un ripensamento radicale del modo di pensare la musica e i suoi fondamenti.

Spesso si associa la nascita dell'armonia e quella della scienza moderna. In effetti anche se in questo campo i parallelismi sono sempre un po' azzardati, si può riscontrare certe analogie forse non casuali e soprattutto non è casuale il fatto che tra coloro che nel Seicento hanno indagato sui fondamenti filosofici dell'armonia si trovano proprio alcuni pensatori che sono tra i fondatori della filosofia moderna e del metodo scientifico, Cartesio, Mersenne, Leibniz, per non citare che i nomi che ricorrono piú spesso. Indubbiamente tra le affinità formali tra armonia e scienza moderna vi è lo spirito razionalistico, la tensione verso la semplificazione razionale del mondo, la cui molteplicità può e deve essere ricondotta a poche e chiare leggi fondamentali. Questa tendenza è già chiaramente riscontrabile nelle opere teoriche del veneziano Gioseffo Zarlino nella seconda metà del Cinquecento e nel suo riuscito tentativo di ricondurre il mondo plurimodale della polifonia rinascimentale ai soli due modi maggiore e minore. D'altra parte non si trattava solamente di una semplificazione e di una riduzione di numero dei modi medievali, ma di una razionalizzazione dell'universo sonoro: infatti i due modi maggiore e minore in realtà sono ancora riducibili ad un solo modo, il maggiore (il minore non è che una varietà o sottospecie del maggiore) e quest'ultimo trova la sua legittimità non piú nell'autorità della tradizione o in motivazioni di natura extramusicale ma nella natura stessa del suono.

È noto che per i teorici che si sono posti sulla via tracciata da Zarlino la *natura* rappresenterà sempre la fonte di ogni legittimità e le leggi dell'armonia sono tali perché si possono agevolmente evincere da quel gran libro, aperto a coloro che lo sanno leggere, che è la natura. Questo libro è scritto, come diceva Galileo, in «lingua matematica» e perciò il teorico della musica può ricavare dall'attenta osservazione della natura, le leggi eterne che regolano il mondo dei suoni. Zarlino per l'appunto attraverso una divisione matematica dello spazio sonoro compreso in un'ottava (1/2) individuò la divisione armonica fondamentale, cioè la terza maggiore che corrisponde al rapporto di 4/5, la terza minore di 5/6 e la quinta di 1/3. Questi intervalli sono consonanti, cioè producono tale impressione al nostro orecchio, proprio perché corrispondono ad una divisione matematica della scala. Questo primo ma importante approccio all'armonia attraverso l'individuazione dell'accordo perfetto maggiore come suo fondamento, non è che il primo passo verso ulteriori deduzioni che aprono la strada a ben piú rilevanti implicazioni sul piano musicale. Qual era l'obbiettivo di Zarlino nell'operare questa radicale razionalizzazione a sfondo matematico dell'universo sonoro che a prima vista si presenta all'uomo secondo un aspetto caotico e magmatico, o, nella civiltà occidentale, ordinato secondo schemi consuetudinari, tramandati passivamente dalle generazioni passate? A qual fine, nel momento in cui viveva Zarlino, tendere a questa nuova schematizzazione che per molti aspetti sembrava condurre ad un impoverimento della varietà plurimodale precedente? L'obbiettivo di Zarlino e dei teorici che l'hanno seguito sino al grande Rameau, era chiaro ed esplicito: non si trattava di un esercizio scientifico o di un autocompiacimento generato dall'applicazione delle nuove scoperte al campo della musica; ma, ben consci del proprio fine, si mirava ad ottenere attraverso la conoscenza scientifica della *natura* della musica, il maggior effetto possibile sull'ascoltatore. Produrre effetti sull'animo equivale a dire provocare *movimenti* nell'animo dell'ascoltatore, o, per dirla nei termini usati a quei tempi, suscitare *affetti* o ancora, come aveva affermato Aristotele, anche se in tutt'altro contesto, muovere «a pietà e terrore».

Il nesso tra il piano matematico-scientifico e quello degli affetti era molto chiaro a Zarlino come lo sarà poi a Cartesio, a Leibniz e a Rameau. Anche l'uomo è *natura*; anche il suo animo è in definitiva *sensibile* alle leggi della natura perché, anche se è fatto di materia piú fine, è pur sempre natura. Perciò il musicista che conosce la natura dei suoni, sa come usarli per produrre il massimo degli effetti o degli affetti su quell'altra natura, ma pur sempre natura soggetta alle medesime leggi, che è l'animo umano. Ciò spiega perché le consonanze procurano piacere e le dissonanze dispiacere, perché certi accordi muovono a tristezza, altri a gioia e via dicendo. Forse alla radice di questa fede nella possibilità di *parlare* al cuore dell'uomo vi è ancora l'idea pitagorica che la musica abbia una sostanziale affinità con l'animo umano, perché fatti entrambi di numero. Ma solo una conoscenza profonda, autentica della natura degli strumenti che si possiedono dànno la garanzia di potersene servire adeguatamente e di produrre con essi gli effetti voluti sull'animo dell'ascoltatore. «Muovere gli affetti» è la parola d'ordine che compare in tutti i trattati teorici dalla seconda metà del Cinquecento in poi. Musicisti strumentali cosí come musicisti operisti mirano allo stesso scopo, muovere gli affetti, far piangere, far ridere, commuovere; la musica acquista questa precisa direzionalità, si proietta verso un pubblico, verso un ascoltatore che dall'altra parte della barricata si protende verso di essa. L'efficacia del *discorso* musicale, strumentale o melodrammatico, si fonda pertanto sul nuovo linguaggio armonico-melodico, cioè su un linguaggio che nella sua razionale chiarezza, nella sua semplicità di funzionamento, nella certezza delle sue regole permette un preciso calcolo al musicista per prevederne e regolarne la sua efficacia sull'animo dell'ascoltatore. Razionalità fondata sulla natura, semplicità fondata sulla certezza della legge, vanno dunque di pari passo con l'efficacia affettiva. Ragione e cuore s'implicano a vicenda: uno è la condizione dell'altro. In questa geometria o meccanica degli affetti nasce dunque il nuovo grande spettacolo «affettuosissimo» che è il melodramma, con le sue convenzioni retoriche, con il suo apparato scenico, il suo linguaggio o meglio la sua strana e tanto discussa mistura di piú linguaggi e in particolare di musica e di poesia, linguaggi per certi versi cosí simili, per altri cosí dissimili. Ma che si tratti di spettacolo melodrammatico o di *spettacolo* puramente musicale, cioè di musica strumentale, suo fine è sempre il medesimo, muovere gli affetti. I due linguaggi, quello della musica strumentale e quello della musica melodrammatica, nel corso del Seicento, si sono infatti sempre piú avvicinati, le loro forme hanno subito reciproche influenze, i generi in origine cosí diversi si sono indissolubilmente intrecciati. Ouvertures, arie, duetti, cori ecc. delle opere, hanno preso a prestito le loro forme dalle contemporanee suites strumentali, concerti grossi, concerti solisti, sonate e viceversa. Ma sul piano teorico le cose non sono andate parallelamente: al contrario si è aperta una profonda frattura tra musica strumentale e musica vocale. Alla radice del grande dibattito che ha fatto convergere per quasi due secoli l'attenzione dei filosofi e dei critici sta ancora da una parte l'esigenza sempre riaffermata da Zarlino in poi che la musica debba muovere gli affetti o in altre parole comunicare affetti, *esprimere* – per usare un termine piú moderno – emozioni, essere *significativa*; dall'altra il dubbio che la musica strumentale, da sola, senza l'aiuto della parola, sia inadeguata a questo obbiettivo primario e irrinunciabile. L'intellettualismo umanistico, il privilegiamento del linguaggio verbale rispetto agli altri linguaggi e, dal Seicento sino alla fine del Settecento, l'orrore per ogni concezione estetica dell'arte e della musica in particolare puramente edonistica, ha suscitato il forte sospetto di insignificanza nei confronti della pura musica strumentale e perciò l'accusa di mancanza di autonomia.

2. *Musica, scienza e filosofia.*

Se l'intellettualismo di origine razionalistico e cartesiano nei confronti della musica è una costante nell'estetica musicale almeno sino alla metà del Settecento, pur nella varietà di forme, nelle sue diverse sfumature, tuttavia si possono individuare almeno due grossi filoni, in parte divergenti negli

esiti, le cui origini risalgono ai teorici della seconda metà del
Cinquecento, nei decenni che hanno preceduto l'invenzione
del melodramma. Da una parte Zarlino aveva mirato a individuare i fondamenti razionali e naturali dell'armonia, come
specifico linguaggio della musica: a questa posizione si sono
riallacciati tutti i teorici dell'armonia sino a Rameau e oltre,
mirando a fondare l'autonomia e la validità della musica come autosufficiente linguaggio degli affetti, individuando nei
procedimenti armonici, nelle leggi che regolano la concatenazione degli accordi, negli intervalli consonanti e dissonanti, nelle *figure* armoniche, un vero e proprio vocabolario degli affetti. Dall'altra Caccini, Peri, sino a Monteverdi, seguendo le indicazioni di Vincenzo Galilei, della Camerata
fiorentina del conte Bardi e dei primi teorici del melodramma, hanno sottolineato il valore melodico della musica piú
che quello armonico, e con ciò l'hanno indissolubilmente legata al destino della parola. Il mito della classicità e della rinascita della tragedia greca aveva la funzione di affermare il
principio dell'unione di poesia e musica come forma di potenziamento reciproco al fine di muovere gli affetti. La curva melodica della musica, o, come si diceva allora, il *recitar
cantando*, doveva umilmente assecondare, sottolineare ed
esaltare gli accenti delle parole, il loro significato fonico e semantico, accrescendone l'effetto sull'ascoltatore. La musica senza parole perciò rischiava inevitabilmente di trasformarsi in vuoto involucro, capace al piú di procurare un esteriore piacere uditivo ma non di scaldare il cuore. Ma se tra i
due grandi filoni di ricerca cui si è già accennato non vi è
possibilità d'intesa né di mediazione, rimanendo ognuno arroccato sulle sue posizioni, all'interno del campo melodrammatico la polemica si è invece sviluppata con estrema vivacità. Infatti la musica può essere accettata come parte integrante della parola, come suo completamento espressivo, ma
può anche essere tollerata semplicemente come suo ornamento, come suo orpello piú o meno essenziale, o anche addirittura essere respinta come causa prima della corruzione
dell'essenzialità tragica e poetica del testo, come assecondi-
mento di un gusto corrotto e lascivo del pubblico. Le posizioni all'interno del campo dei critici e dei filosofi che si sono occupati di melodramma, sono dunque assai varie e i di-

battiti che hanno generato hanno dominato la scena culturale europea per oltre un secolo con vivaci *querelles*.

Nel turbinio di queste polemiche, svoltesi per lo piú in ambiente letterario e umanistico, spesso con la partecipazione degli stessi protagonisti, cioè musicisti e librettisti, a margine hanno continuato silenziosamente il loro lavoro gli *scienziati*, i teorici dell'armonia, gli indagatori dei misteri dei suoni, i fisici acustici. Cartesio nel suo giovanile *Compendium Musicae*, scritto nel 1618 ma pubblicato postumo nel 1650, lontano dalle polemiche che già infuriavano sul *recitar cantando*, sul teatro degli antichi e dei moderni, descrive in un breve saggio d'impronta scientifica, l'efficacia della musica sull'animo umano, anticipando, almeno sul piano filosofico il suo futuro trattato *Le passioni dell'anima*. Scopo di Cartesio è spiegare il meccanismo acustico e fisiologico in grazia del quale la musica produce i suoi effetti sui sensi e attraverso i sensi sull'anima. Il rapporto musica-poesia è quindi del tutto fuori dal suo orizzonte. Cartesio, premettendo che «la musica ha lo scopo di divertire e di suscitare in noi diversi sentimenti», ritiene che «sia compito dei fisici studiare la natura del suono, da che corpo sia generato e in che condizioni risulti piú gradevole»[1]. Entro questo quadro si svolge la sua ricerca sui parametri del suono, quello ritmico e soprattutto quello intervallare, ricerca fisica ma anche psicologica al tempo stesso: ad ogni tipo d'intervallo infatti corrisponde un certo effetto sui sensi e quindi sull'animo, che va dal semplice gradimento o divertimento alle piú complesse e sfumate emozioni e passioni. Cartesio si pone su di un piano prettamente materialistico-scientifico che non è quello di Zarlino, come non sarà poi quello di Leibniz e tanto meno di Rameau. La relazione tra un certo intervallo e uno stato d'animo è di natura meccanica: non vi è nessuna affinità metafisica tra i due fenomeni e neppure il piacere estetico può rapportarsi ad una bellezza intrinseca di certi rapporti numerici rispetto ad altri, come affermava Zarlino sulla scia di una ben piú antica tradizione. Pertanto lo studio di Cartesio ha rappresentato un primo e potente stimolo allo

[1] R. Descartes, *Compendium Musicae*, 1650 (cfr. trad. it. a cura di L. Zanoncelli, Corbo e Fiore, Venezia 1979, p. 73).

sviluppo di studi scientifici sul suono e sull'armonia, che ha condotto all'affermazione dell'autonomia della musica fondata su proprie leggi e su di un preciso e identificabile rapporto psico-fisico con la nostra sensibilità emotiva-acustica.

Pur nell'oscillazione tra posizioni diverse i teorici del Seicento sono accomunati dallo stesso fine, cioè cercare anche per vie diverse di ordinare razionalmente il mondo dei suoni e il corrispondente mondo degli affetti. Teorici francesi come il gesuita Marino Mersenne o tedeschi come Athanasius Kircher o Johannes Keplero e altri ancora, perseguono tutti questo medesimo fine. Cartesio propendeva esplicitamente per una sistemazione razionalistica e *laica* del mondo dei suoni e dei loro effetti, escludendo ogni metafisica relativa al loro rapporto con l'anima; il loro potere andava ricercato esclusivamente in un meccanismo di causa ed effetto; altri teorici oscillavano tra posizioni ancora legate alle piú antiche concezioni pitagoriche sull'affinità tra musica e anima, riadattate alla nuova teologia cristiana, e posizioni piú *scientifiche* e empiristiche. Tutti hanno però in comune la stessa aspirazione ad una sistemazione piú razionale dell'universo sonoro, con una ricerca che ne metta in luce le sue intrinseche leggi, la sua autonomia e soprattutto i modi per mezzo dei quali esplica i suoi effetti sull'animo umano, fine ultimo della musica.

Marino Mersenne, corrispondente di Cartesio sui problemi musicali, nella sua grande opera enciclopedica *Harmonie Universelle* (1637), pur riprendendo una cosmologia di origine medievale e rinascimentale, in cui la musica e l'armonia venivano messe in relazione con l'ordine cosmico e con la natura trinitaria della divinità, cionondimeno prosegue le ricerche *empiriche* di Cartesio sulla fisica acustica e sull'armonia, intuendo chiaramente che le frequenze armoniche multiple sono un dato *naturale* di ogni corpo vibrante. In fondo l'idea di un Dio, supremo architetto e geometra del mondo, idea elaborata non dal misticismo ma dal razionalismo seicentesco, non contrasta affatto con le ricerche empiriche sulla natura armonica dei suoni. La vecchia teoria della *musica mundana* viene ripresa dunque, ma sotto un nuovo segno: l'accordo perfetto maggiore, la cui esistenza ha un preciso riscontro nella natura, forse che non è ancora maggiormente avvalorato dalla trinità? L'armonia celeste digrada dunque anche sulla terra. Nella stessa ottica si pone il grande scienziato Johannes Keplero nel suo trattato *Harmonices Mundi* (1619). La legittimazione della musica per questi teorici va di pari passo con l'individuazione di un suo fondamento naturale, dove per natura si deve intendere il mondo naturale e soprannaturale insieme, due ordini che non possono essere che paralleli e concordi secondo la metafisica seicentesca. Il grande e ambizioso programma seicentesco di ricondurre natura e spirito sotto una comune legge sembra che colga nella musica il punto piú delicato e piú significativo di questa convergenza; la musica infatti piú di ogni altra arte incarna il punto d'incontro tra l'idea di un universo armonico e l'idea dell'armonia dell'anima. Questo concetto che può prestarsi alla formulazione di ardite costruzioni e speculazioni metafisiche, come ad esempio negli incisivi accenni di Leibniz[2], può anche cristallizzarsi in una direzione piú scolastica, nella formulazione di un repertorio di affetti, quasi un vocabolario di passioni, un repertorio in cui vengono fissate le corrispondenze tra le figure del nuovo linguaggio musicale e gli effetti da esse prodotte sull'animo umano.

La teoria, conosciuta con il nome di *Affektenlehre* si muove proprio in questa direzione e le premesse in fondo si trovano già in Zarlino; ma il suo primo codificatore è stato il gesuita Athanasius Kircher, il quale nei suoi due poderosi volumi *Misurgia Universalis sive ars Magna consoni et dissoni* (1650), oltre a lasciare una vastissima testimonianza su tutta la teoria e pratica musicale dei suoi tempi, ha posto le basi della cosiddetta teoria degli affetti, che godrà di tanta fortuna per oltre un secolo. Ciò è comprensibile, dal momento che tutti i nuovi linguaggi artistici, dopo gli anni della sperimentazione, delle polemiche, delle battaglie per la propria autoaffermazione, degli entusiasmi per la novità, tendono poi inevitabilmente a fissarsi e a schematizzarsi nel loro uso e nelle loro funzioni: in altre parole tendono a codificarsi in una loro grammatica e in una loro sintassi e infine, ciò che è piú importante, tendono a fissarsi in una retorica. La teoria

---

[2] Cfr. E. Fubini, *L'estetica musicale dall'antichità al Settecento*, Einaudi, Torino 1976, pp. 145-48.

degli affetti non è altro che la *Retorica* del nuovo linguaggio armonico-melodico. Il padre Athanasius Kircher ha steso con grande fortuna una prima traccia di questa nuova scienza che è la retorica della nuova musica. Infatti per la prima volta cerca di tracciare una mappa sistematica degli effetti prodotti dai vari tipi di musica. «L'animo – afferma Kircher – possiede un certo carattere che dipende dal temperamento innato di ogni individuo, e in base a questo il musicista è incline a un tipo di composizione piuttosto che ad un altro. Infatti la varietà di composizioni è quasi altrettanto ampia che la varietà dei temperamenti che si possono trovare negli individui»[3]. Vi è dunque una relazione precisa tra ogni stato d'animo e la corrispondente armonia o stile musicale. Riprendendo le ben piú antiche classificazioni di origine greca come la dottrina dei *temperamenti* di Ippocrate (flemmatico, sanguigno, collerico ecc.), giunge a delineare delle *figure* musicali con la funzione di modelli formali, cristallizzati, catalogati, che aderiscono perfettamente ai corrispondenti effetti psicologici. Allo stesso scopo individua tre stili fondamentali nella musica che chiama rispettivamente *individuale*, *nazionale*, *funzionale*, e suddivide quest'ultimo in ulteriori numerose sottospeci. Non è qui importante discutere la validità di queste classificazioni, spesso cervellotiche; ciò che è da sottolineare piuttosto è il fatto che esse rispecchiano questo momento di consolidamento, di razionalizzazione e anche di tendenza alla cristallizzazione del nuovo linguaggio armonico-melodico; sia nel campo vocale-teatrale, sia nel campo strumentale, dalla fluidità e vaghezza melodica dei suoi primi passi, esso tende a fissarsi in figure e forme dotate di un significato affettivo sempre piú preciso, codificato e codificabile. Tale linguaggio era nato proprio con il proposito di individuare un *meccanismo* sonoro atto a «muovere gli affetti» ed è naturale e logico che la teoria degli affetti o come dicono i teorici tedeschi la *Affektenlehre* incarni perfettamente questa tendenza al consolidamento e alla istituzionalizzazione di ciò che in origine era solamente un'aspirazione e un movimento tendenziale.

[3] A. Kircher, *Misurgia Universalis*, Roma 1650, parte II, cap. v, p. 581.

3. *La crisi del «recitar cantando»*.

L'incontro musica-poesia è di per sé problematico e tale è sempre stato sin dai tempi della Grecia antica. Ma si è visto come la crisi della polifonia, l'invenzione del melodramma e del nuovo linguaggio armonico-melodico abbiano riportato tale problema di estrema attualità sino a farlo diventare assolutamente centrale nell'età barocca per tutta la speculazione teorico-estetica sulla musica. Se si pone mente all'origine del melodramma, alle teorizzazioni della Camerata fiorentina[1], alle speculazioni di Vincenzo Galilei non può non suscitare meraviglia che questa nuova grande invenzione che è il melodramma, questo nuovo spettacolo che ha lasciato un segno profondissimo in tutta la civiltà musicale dell'Occidente, nato nel segno della concordia, tra letterati e musicisti sia ben presto diventato il pomo della discordia. All'origine deve esserci stato evidentemente un grosso equivoco: il mito del ritorno alle origini gioca spesso dei brutti scherzi anche se indubbiamente esercita sempre un grande fascino e un potere giustificativo e fondante per tutti i fenomeni storici che rappresentano una rivoluzione rispetto alla tradizione; e cosí è stato anche per il melodramma. Il mito del teatro greco come modello originario di un corretto rapporto musica-poesia serviva a legittimare il nuovo linguaggio e le sue nuove forme di spettacolarità. Tale mito però si riallacciava non solo a uno specifico evento storico quale era il teatro dell'età periclea ma anche ad un concetto piú vago e indeterminato quale era quello di linguaggio originario, di cui il teatro greco non era che un esempio e un'illustre incarnazione. Tale linguaggio era naturalmente modulato: la musica non ha che il compito di *riconoscere* la musicalità intrinseca del linguaggio per sottolinearla, esaltarla, intensificarla, piú che inventare un suo proprio linguaggio. Il melodramma non sarebbe quindi che il tentativo di restaurazione di questo linguaggio piú primitivo, originario dell'uomo, cosí come veniva idealizzato dalla civiltà umanistica al tramonto, nell'aspirazione a ricondurre l'espressione ad un'unità perduta,

---

[1] Cfr. Fubini, *L'estetica musicale dall'antichità al Settecento* cit., pp. 125 sgg.

ma tuttavia sotto l'egida del linguaggio verbale. Il famoso e tanto discusso *recitar cantando* è per l'appunto la effimera realizzazione di questo ideale umanistico in cui il linguaggio, potenziato di tutti gli elementi musicali, espressivi e teatrali, di cui la civiltà polifonica l'aveva privato, corrompendo l'antica semplicità della musica greca, può interamente esprimere il ruolo che gli è proprio, cioè di muovere gli affetti.

Anche sotto il profilo filosofico non si può non riscontrare una qualche analogia con l'antica dottrina pitagorico-platonica dell'*ethos* musicale, almeno nelle intenzioni dei musicisti e letterati della Camerata fiorentina e nelle loro enfatiche affermazioni sugli *effetti* straordinari della musica degli antichi, piú semplice, meno *progredita* di quella dei loro tempi, ma tanto piú *efficace*. Può sembrare curioso che questa dottrina che avrebbe dovuto riconciliare musica e poesia, rifondarle in un'unità originaria perduta, ha invece di fatto aperto la strada ad una delle piú aspre *querelle*.

Si è detto che il *recitar cantando* ha avuto una vita del tutto effimera, se mai è veramente nato. La storia andava in un'altra direzione e dal *recitar cantando* nel volgere di pochissimi anni è nata quella dimensione teatrale e spettacolare della musica come fatto nuovo e imprevedibile, che si è ben presto imposto come nuovo linguaggio capace a sua volta d'inglobare il linguaggio verbale conferendo una nuova dimensione al tempo e allo spazio, una nuova logica degli affetti, un nuovo modo di porsi di fronte al pubblico e al fruitore. Questo processo è stato rapidissimo e a distanza di pochi anni dagli entusiasmi della Camerata fiorentina sul *recitar cantando*, si levano già le prime voci di dubbio, voci che percepiscono con chiarezza che tale formula ha sí incarnato per un breve momento l'esigenza di rottura con la musica della tradizione polifonica, ma che il rinnovamento doveva essere ben piú profondo e che il *recitar cantando* era già superato nei fatti.

L'austerità e la volontà quasi di mortificazione del musicista presente all'inizio della rivoluzione armonica, già in Monteverdi è largamente superata e dall'*Orfeo* del 1607 all'*Incoronazione di Poppea* del 1643 il salto è immenso; i critici di allora avevano perfettamente compreso quanto era avvenuto all'interno del melodramma nel volgere di pochi anni. Già nel 1628 Vincenzo Giustiniani dilettante di musica, collezionista e amatore d'arte scriveva con compiacimento nel suo *Discorso sopra la musica dei suoi tempi* che si era ormai progredito ed andati ben oltre quel canto «rozzo e senza varietà di consonanza né di ornamenti» che non era altro che l'ormai vecchio e logoro *recitar cantando*. Non rinnega l'esigenza di «far sentire bene le parole» ma «con modi e passaggi squisiti e con affetto straordinario e talento particolare». Quello che il Giustiniani chiama «stile recitativo» è insopportabilmente noioso e «riesce tanto rozzo e senza varietà di consonanza né di ornamenti che se non venisse moderata la noia che si sente nella presenza di quelle recitanti, l'auditorio lascerebbe li banchi e la stanza vuoti affatto»; ma fortunatamente – è sempre il Giustiniani che parla – questo stile si è ben presto perfezionato con l'introduzione di una «grande varietà» e «diversità degli ornamenti... accompagnamento di sinfonie di vari istromenti»[2]. Pochi anni piú tardi Giovanni Battista Doni nel suo *Trattato sulla musica scenica*, si porrà sulla stessa linea del Giustiniani e rifiuterà con ancora maggiore energia il *recitar cantando* accusato di essere noioso e stucchevole: «questo moderno stile è manchevole in molte parti, che non lasciano fare ch'egli operi quegli effetti che nell'antica musica si leggono, né rechi quel diletto agli uditori che doverebbe»[3]. Se il fine continua ad essere quello di emozionare e dilettare gli ascoltatori, ad esso è del tutto insufficiente il *recitar cantando* adatto solamente «nelle narrazioni e ragionamenti senz'affetto» e se si continua troppo a lungo «presto verrebbe in fastidio» perché è «disdicevole e noioso». La *musicalità* dunque, cacciata dalla porta, rientra dalla finestra *sub specie* teatralità musicale, in nome del diletto e degli affetti del pubblico, con ben maggior vigore e impeto rispetto al passato. La musicalità del madrigale, sommessa, delicata, sottoposta a mille regole, attenta alla fonetica e alla semantica delle parole poetiche del testo, ora irrompe senza freni; per far procedere scenicamente l'azione si definisce ben presto, già nel tratta-

---

[2] Cfr. V. Giustiniani, in A. Solerti, *Le origini del melodramma*, Bocca, Torino 1903, pp. 107-10.
[3] *Ibid.*, pp. 215 sgg.

to del Doni, una parte riservata al *recitar cantando*, nelle
«narrazioni e ragionamenti senz'affetto». Ormai si profila
nettamente il recitativo e l'aria come due momenti distinti
e separati, con funzioni differenziate. Ma l'incanto è rotto:
dal primitivo progetto, del nobile e austero ideale della Camerata fiorentina non è rimasto piú nulla. Al posto suo si
sviluppa con energia insospettata questo spettacolo tipicamente barocco, ben lontano dalla compostezza affettiva del
rinascimento; ma come diceva il Doni «non sempre le cose
mezzane piacciono di piú...»

L'ideale recupero di una lontana e mitica civiltà perduta,
avvolta da un'aureola di compostezza e di classicità, è stata
ben presto sostituita dallo spasmodico tendersi dei sentimenti e degli affetti, travolto dal prorompere della musicalità, recuperata curiosamente proprio attraverso il contatto
fecondante con la nuova poesia barocca. Quasi paradossalmente la musica ritrova una sua dimensione autonoma, prima sconosciuta, elabora un nuovo linguaggio degli affetti
con mezzi suoi propri, sganciandosi dall'appoggio della poesia. Non per nulla lo sviluppo di una musica strumentale,
complessa e articolata, autonoma nei suoi significati, nelle
sue articolazioni, è parallela alla nascita del melodramma.
Ma tutto ciò non è avvenuto senza traumi: non è un caso
che la vita del melodramma sia stata da una parte cosí trionfante sui palcoscenici, ma dall'altra cosí tormentata e travagliata nella mente dei suoi critici. In esso infatti due forze di
segno contrario hanno agito lacerandolo e dilaniandolo. Il
sogno della riconquista della perduta innocenza originaria
ha continuato ad essere vagheggiato dai filosofi e a volte dai
letterati e persino dai musicisti. Ma la realtà procedeva su
binari ben diversi: uno spettacolo tutto proteso verso il pubblico, dove la parola veniva riassorbita e strumentalizzata in
una dimensione del tutto estranea ad essa. Un nuovo senso
del flusso temporale degli eventi e soprattutto degli affetti
veniva forgiato grazie esclusivamente al prorompere del
nuovo linguaggio musicale.

Il tendersi e distendersi dell'arco melodico scandiva e pla-
smava le tensioni affettive e la loro complessa dinamica. Ormai la musica era adulta e il nuovo linguaggio poteva eman-
ciparsi totalmente dalla servitú della parola, parabola esat-

tamente opposta a quella immaginata da Monteverdi. Le nuove forme strumentali, nate dalla danza, dalle arie dei melodrammi, dalle *ouverture* e anche in modo del tutto autonomo, ormai possono far commuovere, ridere e piangere. Ma proprio da questo processo che ha segnato la storia della musica dal barocco alla fine del romanticismo, nasce il lungo e complicato travaglio critico che ha dovuto con fatica apprestare i nuovi strumenti intellettuali, estetici e filosofici atti a comprendere e a spiegare la nuova realtà di questo nuovo ed inedito mondo sonoro.

4. *Musica e poesia.*

Non è forse casuale che la teoria degli affetti si sia sviluppata soprattutto nel mondo tedesco, cioè nei paesi in cui si è maggiormente sviluppata la pratica strumentale. Infatti tale dottrina mira a porre le basi dell'autonomia del linguaggio musicale, capace di competere nel suscitare affetti sull'animo umano con il linguaggio verbale, anche se su di un terreno diverso, con mezzi e strumenti propri appunto del linguaggio musicale. Ma nei paesi latini e in particolare in Italia, patria d'origine del melodramma, il problema della musica è rimasto strettamente legato alla sua preponderante funzione di accompagnare le parole del testo poetico, l'azione teatrale o ancora il testo liturgico. Accompagnare il testo o sottolinearlo o adornarlo o ancora renderlo più piacevole, più accetto allo spirito, o addirittura oscurarlo con le sue lusinghe? Questi pertanto sono i termini del problema. La prospettiva globale in cui s'inserisce dunque il dibattito estetico, in Italia e in Francia, paesi in cui il melodramma, per oltre due secoli ha rappresentato l'asse portante della vita musicale, è segnato in modo prevalente da questo assillante problema dei rapporti musica-poesia, sulla scia del dibattito iniziato alla fine del Cinquecento dalla Camerata fiorentina del conte Bardi. Questo nodo di problemi che spesso si troverà camuffato in varie forme, nelle polemiche, nelle numerose *querelles* del Sei-Settecento, in definitiva si riduce al problema più ampio che sta a monte di essi, cioè la coesistenza di due linguaggi così diversi non solo per il loro di-

verso spessore semantico ma per le loro specifiche caratteristiche grammaticali e sintattiche.

La classificazione gerarchica delle varie arti, le dispute
sulla musica italiana e francese, la svalutazione della musica
strumentale, e molte altre questioni musicali e paramusicali
che sono state ripetutamente affrontate dai dotti del tempo,
si possono in definitiva ricondurre alla preoccupazione di
definire in qualche modo i rapporti tra musica e poesia. Nella civiltà musicale del Seicento e del Settecento il posto d'o-
nore spetta senza dubbio al melodramma, ed è proprio questo genere cosí complesso, contraddittorio forse, in cui si incontrano cosí problematicamente musica e poesia, che affa-
tica tanto le menti dei teorici. La posizione della cultura ufficiale fu di condanna per il melodramma, condanna a sfondo moralistico piú che estetico, per cui stupisce che nonostante l'atteggiamento ostile dei filosofi, dei teorici, dei polemisti, il melodramma abbia continuato la sua strada, indifferente ai richiami che gli giungevano da piú parti, affermandosi sempre piú come elemento fondamentale nella vita
sociale del tempo, incontrando un crescente successo presso il pubblico sia aristocratico che borghese.

Alla base della condanna del melodramma e della musica
in particolare si può facilmente scorgere un motivo piú generale dell'estetica del tempo: la condanna dell'arte in quanto
arte. Per lo spirito razionalistico-cartesiano che domina nella cultura seicentesca l'arte e il sentimento non hanno una
loro autonomia e non assolvono a nessuna funzione essenziale nella vita dell'uomo; essi rappresentano solamente forme inferiori di conoscenza. Nelle classificazioni gerarchiche
delle arti, si trova solitamente la musica all'ultimo posto, la
poesia al primo. Questo privilegio accordato alla poesia non
corrisponde certo ad un suo maggior pregio artistico, ma
piuttosto ad un maggior contenuto concettuale e didascali-
co. La musica si rivolge ai sensi, all'udito; la poesia alla ragione: questo fatto in ultima analisi costituisce il motivo della sua supremazia. L'unione di queste due arti cosí eterogenee e lontane non può dar luogo che ad un assurdo, ad un
insieme incoerente e inverosimile, che guasterà il gusto del
pubblico diseducandolo, incantandolo, seducendolo e blan-
dendolo con il fascino dei suoni, allontanandolo però dal-

l'autentico spettacolo tragico. La tragedia non guadagna nulla dall'aggiunta della musica secondo i teorici del Seicento, anzi viene da essa corrotta trasformandosi in uno spettacolo confuso e inverosimile, dove i personaggi si muovono sulla scena in modo ridicolo e innaturale e muoiono cantando. Saint-Evremond, letterato francese dell'epoca, sintetizza efficacemente i motivi piú comuni della condanna del melodramma: «Se desiderate sapere che cos'è un'opera, vi dirò che è un lavoro bizzarro fatto di poesia e di musica, dove il poeta e il musicista, egualmente impediti l'uno dall'altro si dànno una gran pena per fare un cattivo lavoro» e ancora soggiunge: «Una stupidaggine (une sottise) piena di musica, di danze, di macchine, di decorazioni, una magnifica stupidaggine, ma pur sempre una stupidaggine: un brutto interno nascosto da una bella facciata» e ciò che è peggio è che tutti s'intestardiscono a voler vedere l'opera e cosí «si rovinerà la tragedia, che è la cosa piú bella che possediamo, la piú adatta a elevare l'animo, e a formare lo spirito». L'immaginazione è ferita nel sentire cantare nell'opera «dall'inizio alla fine come se i personaggi si fossero ridicolmente preparati a trattare in musica tutti gli affari della loro vita dai piú banali ai piú importanti». Mentre Saint-Evremond formulava questa condanna irrevocabile, il melodramma trionfava con successo crescente in tutti i teatri d'Europa.

Ma, come si è già detto, piú importante della censura estetica che pesa sul melodramma è la censura morale. La musica infatti è considerata fondamentalmente un'arte immorale, dal momento che non dice nulla al nostro spirito, alla nostra ragione, e non è un linguaggio che ci comunichi alcunché; la musica rappresenta solamente un diletto per i nostri sensi, per l'udito, accarezzato dal gioco dei suoni, dalle dolci melodie. Ma la ragione sarà costretta a rimanere inerte e sarà distratta dalle seducenti sensazioni dell'insignificante mondo dei suoni. Esiste un solo linguaggio valido per l'uomo ed è il linguaggio della ragione, il linguaggio della verità. L'arte può essere ammessa solamente se serve a presentarci delle verità di ragione sotto un aspetto meno grave e severo, quando la poesia non sarà un vano gioco di suoni o di parole, ma ci fornirà sotto forma piacevole e dilettevole la verità. Ma la musica non trova salvezza: di per sé non potrà mai significare nulla; tutt'al piú potrà parzialmente redimersi da questo peccato originale se si limiterà ad essere umile ancella della poesia. Nel melodramma però raramente la musica si accontenta di questa posizione subordinata e tende inevitabilmente a sovrapporsi al libretto, che a sua volta servilmente si adatta allo spirito della musica con i suoi soggetti vani e inconsistenti, trasformando gli eroi antichi in frivoli pastori e pastorelle innamorate. Dopo aver assistito ad una di queste rappresentazioni, «gli spettatori – scrive il Muratori – non si partono pieni di gravità, o di nobili affetti; ma solamente di una femminil tenerezza, indegna degli animi virili e delle savie e valorose persone... Certo è, che la moderna musica de' Teatri è sommamente dannosa ai costumi del popolo, divenendo questo sempre piú vile, e volto alla lascivia, in ascoltarla». Per una mentalità rigidamente razionalistica, c'è un'inconciliabilità originaria tra poesia e musica: esse tendono in due direzioni diverse senza potersi incontrare, escludendosi a vicenda; «perciò – è ancora l'austero Muratori che scrive – si son veduti parecchi Drammi tessuti dai piú valenti Poeti rimaner senza plauso; e questo essersi conceduto ad altri ch'erano sconciamente nella poesia difettosi. Anzi non s'amano troppo da' Maestri della Musica que' drammi che sono molto studiati, e contengono sentimenti ingegnosi, perché ai versi e alle Ariette di questi non si sa cosí facilmente adattar la Musica». Si potrebbero moltiplicare queste citazioni, ma non si troverebbe altro che la riconferma di questo atteggiamento di ostilità: Gravina, Maffei, Baretti, Milizia ecc., per limitarsi all'Italia, la patria del bel canto, tutti sono concordi in questa condanna moralistica e intellettualistica del teatro musicale; altri come Algarotti e Planelli, pur essendo appassionati dell'opera, ne auspicano una profonda riforma. Lo stesso preromantico Alfieri poteva ancora scrivere alla fine del Settecento nella prefazione dell'*Abele*: «Avvezzi dunque gli Italiani a marcir ne' teatri senza pur aver teatro, coll'opera in musica hanno ritrovato uno stucchevole trastullo all'orecchio, che a poco a poco li ha fatti incapaci di esercitare in questi loro sedicenti teatri nessuna di quelle facoltà intellettuali necessarie per sentire, gustare e giudicare o intendere alcuna vera tragedia. Cosí tutta orecchi e niente mentale trovandosi essere la platea italiana, da questi orecchiuti giudici ne scaturiscono dei vieppiú orecchiuti scrittori ed attori».

5. *L'imitazione della natura*.

In queste polemiche sul melodramma, iniziate nel Seicento e protrattesi fino alla fine del Settecento, ricorre con grande frequenza il principio dell'arte come imitazione della natura, concetto questo assai complesso che si presta ad assumere significati assai diversi e anche contrastanti, usato tuttavia con grande disinvoltura per giustificare e convalidare le tesi piú disparate sulla musica e sul melodramma. Nasce perciò il sospetto che con questa formula ripetuta sempre identica fino alla sazietà, a cui i polemisti, i filosofi, i critici e i poeti stessi per piú di due secoli si sono appellati per fare le proprie ragioni, si intendano cose assai diverse. I concetti di imitazione e di natura variano estremamente il loro significato a seconda del contesto in cui sono inseriti, e nel corso del Seicento e del Settecento assumono valori anche opposti. Nel Seicento il termine natura è per lo piú usato come sinonimo di ragione e di verità, e il termine imitazione per indicare il procedimento che abbellirà e renderà piú accetta e piacevole la verità di ragione. Ma nella seconda metà del Settecento quasi paradossalmente troveremo usato il termine natura quale sinonimo di sentimento, di spontaneità, di espressività, e il termine imitazione per indicare la coerenza e la verità drammatica, il legame dell'arte con la realtà. Questa compiacente dottrina dell'arte come imitazione della natura si presenta pronta a tutto giustificare, comoda arma polemica di cui si servono le diverse fazioni in lotta. Una storia dell'estetica musicale del Seicento e del Settecento potrebbe coincidere a grandi linee con la storia del concetto di imitazione della natura nelle sue varie interpretazioni. Tale principio, che i filosofi del Seicento hanno ereditato da Aristotele attraverso la mediazione dei teorici del rinascimento, viene dapprima usato per giustificare il gusto aulico e classicistico della poesia del tempo, in particolare francese; tuttavia se svolto fino in fondo con rigida coerenza porterà inevitabilmente alla condanna dell'arte e alla negazione della sua autonomia. Infatti l'arte risulterà cosí assimilata alla conoscenza e si presenterà come un tipo di verità piacevole, anche se inferiore perché sprovvista di rigore. Alla luce di questa concezione dell'arte come piacevole imitazione della natura-ragione-verità attraverso la finzione poetica, solo la poesia può essere ammessa nel regno delle arti, ma non la musica, la quale non potrà in alcun modo imitare la natura essendo solamente un piacevole gioco di suoni, capace al piú di accarezzare il senso dell'udito. La musica, oggetto di piacere e di divertimento, non si presta per sua natura ad esercitare una funzione piú elevata che quella di stimolo emotivo. Finché non si interpreterà con maggiore elasticità il principio dell'imitazione della natura, la musica continuerà ad essere bandita dai filosofi dal regno delle belle arti, o al piú male accetta come ornamento della poesia.

6. *Raguenet e Lecerf: la polemica tra Francia e Italia*.

Il concetto di imitazione della natura si modificherà sino ad accogliere e giustificare, sempre entro certi limiti, l'esistenza della musica come arte, soprattutto per l'insorgere di una grande polemica dottrinaria nata nella seconda metà del Seicento e svoltasi a piú riprese e con grande fortuna per piú di un secolo. Si allude alla polemica tra i fautori del melodramma italiano e i fautori del melodramma francese; polemica che presenta punti di contatto con la *querelle des anciens et des modernes* e che non rivela solo un orientamento diverso del gusto ma una scelta di carattere estetico-filosofica.

È noto che il melodramma francese, sviluppatosi nella scia indicata da Lulli secondo una tradizione di serietà, di austera semplicità, ligio alle regole tradizionali, delle unità di tempo, luogo e azione per quanto riguarda il soggetto tragico e mitologico, si è conformato al gusto aulico e classicheggiante degli ambienti aristocratici di corte. Il melodramma italiano, spettacolo piú popolare, ha permesso invece alla musica di svilupparsi con un piú largo margine di libertà, lasciando ampio sfogo alla vena melodica, al virtuosismo dei cantanti a scapito dell'azione tragica, creando quel genere tutto particolare che è l'opera buffa o comica di soggetto borghese. La polemica prende lo spunto dal riconoscimento di questo stato di fatto.

A partire dal 1645 la «Gazette de France», fondata nel 1631, dava i resoconti delle opere italiane rappresentate a Parigi, e a proposito della rappresentazione dell'*Orfeo* di Luigi Rossi abbozzava un primo ed implicito parallelo fra musica francese e musica italiana, lodando senza riserve la bellezza variopinta del canto e della melodia italiana che pur essendo sempre appropriata a ciò che vuole esprimere, non annoia lo spirito (sottinteso: «come la musica francese»), ma procura «un perpetuo divertimento agli ascoltatori». Ma per arrivare ad una presa di posizione più chiara e più esplicita devono ancora passare alcuni decenni. Nel 1698 l'abate francese François Raguenet compí un viaggio a Roma dove ebbe modo di conoscere da vicino la musica e il melodramma italiano; quattro anni dopo pubblicò il famoso *Parallèle des Italiens et des Français en ce qui regarde la musique et les opéras*, un breve opuscolo polemico primo di una lunga serie in cui viene impostato il problema con grande lucidità e chiarezza di idee.

Il Raguenet riconosce che dal punto di vista razionalista la palma della vittoria spetterebbe alla Francia, le cui opere «sono scritte molto meglio di quelle italiane, sempre coerenti nel disegno e, anche se rappresentate senza musica, ci avvincono come qualsiasi altro pezzo puramente drammatico». Le opere italiane invece sono «povere e incoerenti rapsodie senza alcuna connessione o disegno... le loro scene consistono di dialoghi e soliloqui banali, al termine dei quali viene inserito di soppiatto una delle loro migliori arie per concludere la scena». Ma, per il Raguenet, l'opera italiana presenta un pregio di tutt'altro ordine, tale da farla preferire di gran lunga: la musicalità. Forse per la prima volta la musica viene riconosciuta come elemento del tutto autonomo, indipendente dalla poesia e soprattutto libera da doveri morali, educativi o intellettuali. Il Raguenet ama la musica italiana perché è più espressiva, più brillante, più fantasiosa, più melodica, in altre parole più piacevole. Non importa se vengono continuamente violate le regole drammatiche, se vengono avvicinati stili diversi, ritenuti, secondo il gusto dei francesi, incompatibili; ciò che conta è la bellezza della musica, l'inventiva inesauribile degli italiani di fronte al talento «stretto ed angusto» dei francesi. I termini della polemica sono ormai chiari: da una parte i difensori della tradizione razionalistica e classicistica incarnatasi nel melodramma di Lulli e dei suoi seguaci; dall'altra gli amatori «del bel canto italiano», cioè coloro che difendono l'autonomia dei valori musicali e le esigenze dell'orecchio.

La risposta allo scritto del Raguenet non tardò a venire. Due anni piú tardi, nel 1704 Lecerf de La Vieuville, Seigneur de Freneuse, grande ammiratore di Lulli pubblicò la sua *Comparaison de la musique italienne et de la musique française* cui seguí un *Traité du bon goût en musique*, opera questa piú complessa di quella del Raguenet, in forma di dialogo dal tono salottiero, in cui l'autore stesso risponde garbatamente ai suoi tre interlocutori indicando le regole del buon gusto. Lecerf è una tipica figura di conservatore moderato: il suo ideale è il giusto mezzo. Le regole fondamentali da osservare sono la naturalezza, la semplicità; bisogna evitare gli eccessi, abolire il superfluo. L'esatta osservanza di queste regole non può non riportare il buon gusto. Il cattivo gusto naturalmente è rappresentato dalla musica italiana, la quale non urta l'orecchio ma urta il cuore, il che è peggio; gli italiani sforzano troppo i loro strumenti, ornano eccessivamente e capricciosamente la loro melodia, si abbandonano al piacere prodotto dal bel suono. «Immaginatevi – scrive Lecerf – una vecchia e raffinata civettuola cosparsa di bianco, di rosso e di nei; tutto questo però spalmato con tutta la cura e l'abilità che si possono immaginare; che sorride e fa le smorfie nel modo piú scaltro e studiato, che largisce sorrisi a destra e a manca, facendo ininterrottamente le smorfie; sempre brillante e vivace ma senza assennatezza né misura; un atteggiamento allettante, un desiderio perpetuo di piacere a tutti: ma senza cuore, senz'anima, senza sincerità, volubile, desiderando ad ogni istante mutare luogo e piaceri. Ecco la musica italiana». Sotto questa sferzante ironia si rivela il teorico del «giusto mezzo»: egli riconosce che la musica si rivolge all'udito per rallegrarlo e lusingarlo, d'altra parte la musica esiste come dato di fatto e bisogna quindi ridurre il piú possibile questo male originario: «la vera bellezza è nel giusto mezzo. Bisogna dunque sapersi fermare a questo giusto mezzo. L'eccessiva povertà di ornamenti significa nudità, ed è un difetto. Un eccesso di ornamenti significa confusione ed è un difetto, è una mostruosità».

Lecerf e Raguenet sono agli antipodi; tuttavia a ben vedere concordano nell'esame dei fatti, anche se divergono nella valutazione di essi. Entrambi riconoscono che la musica è un piacevole divertimento estraneo alla ragione e quindi nettamente inferiore da questo punto di vista alle arti che fanno appello alla ragione e allo spirito. Entrambi concordano nel riconoscere che l'opera francese è superiore dal punto di vista letterario e drammatico. Ma il Raguenet è il dilettante di gusto che viaggia e apprezza ciò che gli piace, ed in questo anticipa l'atteggiamento critico piú libero e spregiudicato di molti illuministi; Lecerf è l'uomo che si lascia guidare dalla *ragione* e cioè dalla dottrina. Se non può eliminare di fatto la musica che la ragione di diritto respinge, si adoprerà come può affinché la musica diventi per lo meno *ragionevole*. Ad uno degli interlocutori dei suoi dialoghi, il quale chiede perché non ci si deve fidare di tante persone anche illustri che amano l'opera italiana, viene risposto che se vale il principio d'autorità bisogna allora appellarsi al gusto del re. La ragione che per Lecerf significa ragionevolezza, tradizione e in definitiva autorità, è l'arma con cui vince la sua battaglia. Il Raguenet evoca le sue emozioni, e si appella al suo gusto, Lecerf tratta una questione di principio. Il Raguenet scriverà ancora una difesa del suo *Parallèle* ma è un dialogo tra persone che parlano una lingua diversa. Si tratta di una lotta tra orecchio e ragione; da una parte l'orecchio non può difendersi finché non troverà *le sue ragioni*; dall'altra la condanna avverrà non sul terreno estetico ma su quello moralistico. Quando Lecerf cercherà di ricondurre il piacere musicale ad un fine che ne legittimi entro certi limiti l'attrattiva, non saprà trovar di meglio che richiamarsi all'amore universale come sua presunta origine, riconducendolo cosí ad un motivo etico-religioso.

La Francia è la patria d'elezione per queste dispute che si svolgono con sempre maggior fervore polemico nel corso di tutto il Settecento, facendosi sempre piú aspre e battagliere, fino ad assumere in seguito un colorito politico. Si è già detto che la musica e il melodramma in particolare occupano un posto centrale nella civiltà del Seicento e del Settecento e ciò spiega l'interesse e la passione sollevata in ogni ambiente da tali polemiche, che spesso nascondono problemi e fratture di piú larga portata mascherati tuttavia prudentemente sotto la forma della *querelle* artistica. D'Alembert nel suo saggio *De la liberté de la musique* del 1760 quando la polemica si svolgeva tra i sostenitori dell'opera buffa italiana e l'opera seria tradizionale, nota con singolare acume: «On aura peine à la croire, mais il est exactement vrai que dans le Dictionnaire de certaines gens, Bouffoniste, Républicain, Frondeur, Athée (j'oubliois Matérialiste) sont autant de termes synonimes». Il campo è ormai nettamente diviso tra i sostenitori del vecchio ordine, della tragedia in musica di Lulli, dell'estetica razionalistica e i sostenitori della nuova musica identificata dai francesi, senza troppe sottigliezze con le melodie che provengono d'oltr'Alpe, con l'opera buffa, con lo slancio melodico ed espressivo, con un'estetica che riconosce l'autonomia dell'arte di fronte alla ragione e l'indipendenza della musica come linguaggio del sentimento e del cuore. Il principio dell'imitazione della natura tuttavia rimane intatto e si salva in mezzo a queste burrasche: nessuno osa toccarlo. D'altra parte si presenta come una formula cosí generica ed equivoca, da poter rendere utili servizi a chiunque. Pertanto a seconda dei contesti in cui essa viene usata assume ormai dei significati piú precisi. La piú chiara formulazione del principio di imitazione a difesa del classicismo francese, la si trova ancora in Lecerf. La natura si identifica con la ragione, e la ragione con la chiarezza, la semplicità, il che giustifica anche la monotonia di cui è sovente accusata l'opera francese, dal momento che l'imitazione deve proporsi questo tipo di natura come suo oggetto. È chiaro che l'arte e la musica intese come prodotti della fantasia non trovano posto in questa prospettiva, anzi l'*arte* che nella terminologia del Lecerf si identifica con *artificio* si oppone alla natura: «L'arte è la nemica della natura. Rappresenta un non so che di cui non si può spiegare né la funzione né la necessità; subiamo i suoi capricci e le sue grazie con stupore e diffidenza; ma noi la sottomettiamo alla ragione e la riduciamo al minimo»[1].

Cercando di ridurre al minimo la varietà viene cosí incoraggiata la monotonia nella musica e allo stesso tempo viene giustificato l'uso dell'ornamentazione come elemento aggiunto il quale anche se in sede teorica non dovrebbe essere ammesso in quanto artificio, rappresenta però in sede pratica l'unico elemento capace di render meglio accette, se non piacevoli, le solenni verità di ragione. La monotonia viene inoltre legittimata dal fatto che – sempre secondo Lecerf – per ogni espressione verbale non vi sono piú che due o tre accompagnamenti musicali che siano giusti e *naturali*. La musica si troverebbe cosí in un instabile equilibrio, in bilico tra arte e verità; «la legge della discrezione» sarà la sua guida ideale per mantenersi nel «giusto mezzo» ed evitare ogni eccesso sia verso la monotonia, sia verso il capriccio.

7. *Il sentimento nella musica.*

Tutti parlano di imitazione della natura come principio sovrano cui devono attenersi tutte le arti belle, pena l'insignificanza e il fallimento. Ma se è piú o meno chiaro ciò che s'intende per imitazione per quanto riguarda la pittura o la poesia, risulta alquanto piú oscuro e nebuloso per quanto riguarda la musica.

L'accusa che piú frequentemente si rivolgeva alla musica si riferiva appunto alla sua insignificanza e quindi alla sua incapacità di imitare alcunché. Nel melodramma il suo ufficio sarebbe limitato a ornare convenientemente e modestamente i concetti espressi dalle parole per renderli meglio accetti alla ragione. Ma di fronte ad una musica che tendeva ad estendere sempre piú il suo dominio nel campo del melodramma e allo stesso tempo si imponeva ormai anche come musica strumentale, bisognava pur, se non si voleva, come molti hanno voluto, chiudere gli occhi di fronte alla realtà, includerla nel Parnaso e attribuirle quindi un qualche potere

---

[1] *Comparaison de la musique italienne et de la musique française*, p. 10.

imitativo. Nelle *Réflexions critiques sur la peinture et la poésie*
dell'abate Du Bos, pubblicate nel 1719, si trovano degli interessanti spunti per una teoria della musica come arte imi-
tativa e vale la pena di accennarvi, in quanto rappresentano
uno dei primi tentativi coscienti per conferire alla musica la
dignità di arte.

Secondo il Du Bos il piacere prodotto dalle arti deriva dal
fatto che esse imitano quegli oggetti capaci di produrre in
noi delle passioni. Ma le passioni suscitate dagli oggetti imitati hanno carattere fittizio, artificiale; anche se sono passioni dello stesso tipo di quelle prodotte dagli oggetti originali,
tuttavia sono piú deboli, meno «serie», e non lasciano traccia su di noi. Di qui deriva il piacere prodotto dall'imitazione, la quale suscita passioni transitorie, non violente e senza
alcuna conseguenza dannosa. L'imitazione della natura non
deve però essere indiscriminata ma piuttosto una oculata
scelta di oggetti «ritenuti interessanti» e capaci di «commuoverci».

Ciò che *piace*, o meglio ciò che *tocca* non sarà solo l'oggetto imitato, ma soprattutto il *modo* con cui lo si è imitato; infatti per il Du Bos, la meraviglia, lo stupore, l'illusione, la
verità stessa non sono altrettanti ingredienti dell'emozione
estetica, tanto è vero che i soggetti per i pittori e i poeti sono
inesauribili e lo stesso soggetto può dar vita a mille quadri
diversi. Lo *stile* è allora per il Du Bos l'elemento proprio del-
l'opera d'arte, anche se non bisogna considerarlo solo dal
punto di vista formalistico, ma sempre come il modo peculiare con cui viene presentato un certo soggetto dal genio
dell'artista.

In questa prospettiva estetica notevolmente lontana dal
classicismo di Boileau ma ancora oscillante tra empirismo e
razionalismo, tra sensualismo e intellettualismo, il posto assegnato alla musica riflette significativamente questa situazione di difficile equilibrio.

Il Du Bos accetta esteriormente il principio dell'imitazione ma lo precisa al riguardo della musica affermando che la
musica ha un suo campo particolare d'imitazione, cioè quello dei sentimenti: «Come il Pittore imita i tratti e i colori
della natura, cosí il Musicista imita i toni, gli accenti e i so-

spiri, le inflessioni della voce e infine tutti quei suoni con l'aiuto dei quali la natura stessa esprime i suoi sentimenti e le passioni»[1].

La musica quindi realizza lo stesso fine delle altre arti; non solo, ma esiste una segreta complicità e affinità tra musica e sentimenti per cui di fronte ad essi la musica appare in una posizione quasi di privilegio rispetto alla poesia e alla pittura. Inoltre diversamente dalla poesia che imita le passioni servendosi delle parole, segni arbitrari istituiti dagli uomini, la musica è dotata «di una forza meravigliosa per commuoverci», perché i suoni sono «i segni stessi della passione istituiti dalla natura da cui essi hanno ricevuto la loro forza»[2].

È importante notare come con queste affermazioni il Du Bos si stacchi dai suoi contemporanei, i quali consideravano per lo piú la musica, nel melodramma, come un'aggiunta, un ornamento spesso dannoso al testo poetico, con la funzione di rendere piú facile e gradevole ad intendersi il discorso poetico, blandendo il nostro orecchio, a scapito però della drammaticità e soprattutto della verosimiglianza.

Il Du Bos, come spesso altri teorici del Settecento, rinnova il significato dei concetti senza mutare la terminologia tradizionale; quindi non rinnega apparentemente né il concetto di verosimiglianza né quello di verità. La musica e in particolare il melodramma possono cosí essere considerati veri e verosimili, ma la verità di cui parla qui il Du Bos non è piú la verità razionalistica come la intendeva Boileau, ma la verità dei sentimenti di cui la musica rappresenta l'espressione o meglio – per usare il linguaggio del Du Bos – l'imitazione piú diretta e naturale. «Vi è dunque una verità nei racconti delle Opere e questa verità consiste nell'imitazione dei toni, degli accenti, dei sospiri e dei suoni che sono propri naturalmente ai sentimenti contenuti nelle parole. La stessa verità può trovarsi allora nell'armonia e nel ritmo di tutta la composizione»[3]. La musica pertanto, afferma ancora il Du Bos, «rende le parole stesse piú capaci di commuoverci», ri-

[1] *Réflexions critiques sur la peinture et la poésie*, vol. I, pp. 435-36 (le citazioni si riferiscono all'edizione in 3 voll. del 1745).
[2] *Ibid.*, pp. 435-36.
[3] *Ibid.*, p. 438.

fiutando cosí l'idea che sia un'arte che faccia appello solamente ai nostri sensi – e questa era l'accusa piú frequente
che le veniva rivolta – perché «il piacere dell'orecchio diventa il piacere del cuore»[4]. La musica viene cosí riscattata
dall'accusa di essere un mero stimolo sensibile, ché in questo caso scade al rango dei «quadri che sono solamente ben
dipinti e delle poesie che hanno solamente una buona versi-
ficazione»[5].

Sin qui le osservazioni del Du Bos riguardano soprattutto
la musica come integrazione e potenziamento e completamento del linguaggio verbale; tuttavia non è assente l'esigenza di dare una adeguata spiegazione anche alla musica
strumentale, alle *symphonies*, sempre nell'ambito della sua
estetica, cioè senza cadere nel sensualismo o nell'intellettualismo. Per salvare la musica pura il Du Bos ne ha ridotto il
suo compito all'imitazione dei rumori della natura, rinunciando alla felice intuizione precedente della musica come
linguaggio proprio dei sentimenti, anche se deve ammettere
che spesso le *sinfonie* non imitano alcun suono esistente in
natura. Il Du Bos esce dalla difficoltà affermando che «per
quanto queste sinfonie siano in un certo senso inventate liberamente, tuttavia esse rappresentano un valido aiuto per
rendere lo spettacolo piú toccante e l'azione piú patetica»[6].
Ma cosí ritorna, senza volerlo, a riconsiderare tale musica in
funzione melodrammatica, come introduzione o preparazione all'azione del dramma.

Ancora una volta si può osservare che il principio dell'i-
mitazione della natura si presenta inadatto a rendere ragione delle cosiddette arti asemantiche come la musica. L'esigenza di unire la musica al linguaggio pertanto riappare sotto una forma piú significativa nel terzo volume dell'opera
del Du Bos, quasi come un preannuncio delle future teorie
illuministiche e romantiche sull'unità originaria di queste
due arti. La tesi illustrata dal Du Bos in questa parte della
sua opera, oggi poco conosciuta, tesi peraltro smentita dalle piú aggiornate ricerche, sostiene che nel teatro antico, la

---

[4] *Ibid.*
[5] *Ibid.*, p. 453.
[6] *Ibid.*, p. 450.

declamazione era determinata in modo preciso da una notazione di tipo musicale, rimpiangendo che oggi tale uso sia
scomparso nel teatro. Il Du Bos era portato a sostenere questa strana tesi dall'esigenza di affermare che musica e poesia
si integrano vicendevolmente; gli antichi quindi, ben consci
di questo principio, ritenevano che la poesia doveva trovare
il suo completamento nella declamazione, cioè negli accenti,
nei sospiri, nelle modulazioni della voce che l'avrebbero ac-
compagnata nella recitazione. La musica era cosí un'arte
ben piú vasta e completa e l'insegnamento di essa includeva
molte altre arti. Oltre alla danza, all'arte dei gesti, anche
«l'arte poetica era una delle arti subordinate alla Musica e di
conseguenza era la Musica che insegnava la costruzione dei
versi di ogni tipo»[7]. Queste affermazioni ci appaiono come
importanti preannunci della teoria della unità originaria del-
l'espressione artistica e in particolare di musica e poesia, an-
ticipo non solo di Rousseau ma ancora di Herder sino a
Nietzsche e Wagner. La via appena tracciata dal Du Bos si
dimostrerà ben presto come la piú feconda: rivalutare la musica nei suoi stessi fondamenti ritornando alle sue origini
storiche e mitiche. Lo stesso romanticismo non ha fatto che
sviluppare il concetto, appena adombrato nelle *Réflexions*
del Du Bos, di musica come linguaggio originario e privilegiato dei sentimenti.

Qualche decennio piú tardi il Batteux riprenderà questi
temi, anche se con una problematica piú semplice, meno ricca, ma compiendo un ulteriore passo avanti verso una concezione della musica come autonomo linguaggio delle passioni e dei sentimenti, con una interpretazione meno rigida
e letterale del concetto di imitazione.

Nel suo famoso saggio pubblicato nel 1747 dal titolo assai
significativo, *Les beaux arts reduits à un même principe*, il cui
principio è naturalmente l'imitazione della natura, riprende
il concetto della Natura come oggetto delle arti belle e della
verosimiglianza come criterio dell'imitazione. Ma l'artista
secondo il Batteux, deve compiere «una scelta tra le parti
piú belle della Natura, per formare un tutto squisito, che sarà piú perfetto della stessa Natura senza cessare tuttavia di

[7] *Ibid.*, vol. III, p. 2.

essere naturale» (p. 8). È strano che non si è mai parlato tanto di Natura come in questo secolo cosí artificioso, ma dopo queste precisazioni è chiaro che l'appello alla natura tradisce in realtà un gusto quanto mai lontano da qualsiasi tentazione realistica o naturalistica. Natura è sinonimo di artificio, di classicismo arcadico, termine capace di evocare scene pastorali e idilliche, ninfette o eroi che si muovono tra scenari di cartapesta e che parlano con la grazia e il tono dell'elegante e raffinata nobiltà di corte.

L'arte imita la natura, dice il Batteux, ma anche la supera e la perfeziona in quanto sceglie i tratti migliori scartando tutto ciò che di brutto e spiacevole può presentare la realtà. Se la natura può essere libera, mescolando a piacimento suoni e colori, l'arte deve invece sottoporsi alle regole dell'imitazione conciliando esattezza e libertà; quest'ultima dovrà dosarsi con molta prudenza perché un pizzico di libertà servirà ad animare l'imitazione, ma se si passa la misura si cadrà nell'anarchia, calpestando le regole del buon gusto. La musica, come già diceva il Du Bos, ha per compito di imitare i sentimenti e le passioni mentre la poesia imita le azioni.

Si delinea ormai chiaramente una concezione del sentimento come autonomo e insostituibile nella sua funzione, e della musica come il linguaggio piú appropriato ad esso; la poesia è «il linguaggio dello spirito», mentre la musica è «il linguaggio del cuore» scrive il Batteux; ormai affiora la frattura irreparabile tra ragione e sentimento, frattura che si andrà sempre piú approfondendo e su cui si imposteranno tutti i futuri problemi di estetica musicale. Ciò che appartiene al cuore viene inteso immediatamente; «è sufficiente sentire – afferma il Batteux – non è necessario nominare». «Il cuore ha una sua intelligenza indipendente dalle parole» (pp. 285-86): il cuore è il regno della musica e ad esso la musica si rivolge per essere intesa immediatamente, per parlargli senza bisogno di intermediari, in un linguaggio universale, privo di convenzioni. Queste luminose intuizioni aprono uno spiraglio ad una piena comprensione della musica strumentale anche se il Batteux non ne è consapevole e rimane ancora in fondo ancorato in larga misura agli ideali di un classicismo accademico o di maniera che continua a riconoscere nella «tragédie lyrique» di Lulli il proprio insuperabile modello.

8. *Le ragioni del cuore*.

L'estetica musicale settecentesca procede nel suo filone maestro approfondendo quella che si può chiamare *la via del cuore*, che porterà diritta, nella sua piú matura formulazione, al pensiero degli enciclopedisti. Il lento cammino di rivalutazione della musica passerà attraverso la progressiva scoperta di quella che Pascal chiamava *le ragioni del cuore*; o in altre parole alla scoperta dell'autonomia del gusto, della creatività del genio. Ma tale strada lunga e travagliata è rimasta tuttavia fedele ad alcuni assunti iniziali: 1) le considerazioni sei-settecentesche sulla musica nella stragrande maggioranza dei casi riguardano il melodramma; 2) pur mirando a isolare in qualche modo il *territorio*, poi definito come il *gusto*, riservato all'apprezzamento della musica, permane sempre implicitamente uno sfondo intellettualistico, per cui il cuore è commosso solo se la musica passa dalle orecchie al cuore ma attraverso l'intelletto. Proprio perciò la musica strumentale che pur si stava trionfalmente diffondendo nelle sue fiorenti scuole in Italia e in Europa, viene o trascurata o rifiutata radicalmente perché insignificante per l'intelletto, in quanto puro arabesco e perciò irrilevante anche per il cuore. Solo il melodramma può riscattare da questa condanna la musica mescolandola variamente alla parola, alla poesia, l'unica arte che si rivolge direttamente alla ragione, all'intelletto e può perciò sopportare questa unione, questa mescolanza, questa ibrida fusione con la musica. In questa prospettiva le considerazioni sul melodramma, come si è visto, possono largamente oscillare: esso può essere condannato senza possibilità di appello, come moderna corruzione della tragedia, oppure, attraverso molte sfumature intermedie, può essere considerato come un'intensificazione della poesia o addirittura ritrovamento di un piú potente linguaggio primitivo e originario dell'uomo in cui cuore e intelletto recuperano la loro unità perduta. Tuttavia nell'un caso come nell'altro la musica viene sempre vista come un elemento conturbante e disturbante, per certi aspetti persino eversivo, capace di mettere in forse i parametri della ragione e dell'ordine costituito; elemento che va neutralizzato, se deve essere accettato, da tenersi a freno limitando nei limiti del possibile i suoi danni.

In questa prospettiva, fedeli piú che alle premesse che stavano alla base dell'invenzione del melodramma, al razionalismo di origine cartesiana, molti filosofi e letterati sviluppano con sfumature diverse, ma entro un'eguale cornice concettuale, un'estetica che tende comunque a relegare la musica ai margini del Parnaso. I principî già enunciati dal Lecerf, vengono ripresi e sviluppati con maggior vigore nei decenni successivi, in particolare nella cultura francese. La teorizzazione segue raramente la via del rigore filosofico, ma piuttosto quella del compromesso e della conciliazione. Non è piú possibile ignorare o negare la musica: tanto vale venire a patti con l'avversario e rassegnarsi al minor male, accettando l'arte dei suoni ma nelle sue forme piú monotone, piú docilmente sottomesse alla parola.

La funzione del *cuore* e del *sentimento* viene ormai accettata ma sempre accanto alla ragione che domina sovrana dettando le supreme regole. La musica entrata ormai stabilmente a far parte dell'orizzonte artistico e culturale per lo meno nella forma del melodramma viene accettata seppure a malincuore ma limitata nelle sue pretese come corteggio della sua sorella maggiore la poesia, di cui deve seguire puntualmente il significato.

I principî della monotonia, dell'uniformità, del giusto mezzo, della complementarità e sostanziale identità tra cuore e ragione tante volte riaffermati nei dialoghi del Lecerf si ritrovano pressoché identici negli scritti di quasi tutti i filosofi dei primi decenni del Settecento. Il Crousaz nel suo *Traité du Beau*, pur non occupandosi di musica, avanza principî identici che se estesi all'arte dei suoni condurrebbero a identiche conclusioni. Il buon gusto, anche per il Crousaz ci permette di «giudicare con il sentimento ciò che la Ragione avrebbe approvato se avesse avuto a sua disposizione sufficiente tempo per giudicare in base a giuste idee...»[1]. Lo spirito umano in definitiva è in grado in base «ai principî speculativi che possiede di decidere a sangue freddo se un oggetto è bello o brutto»[2]. Anche per il Crousaz la varietà deve essere temperata e ridotta al minimo necessario; la stessa molteplicità del creato è piú apparente che reale dal momento che essa può ridursi a due o tre principî generali molto semplici facendo cosí trionfare la regolarità, l'ordine e la proporzione «tre cose che piacciono necessariamente allo spirito umano»[3].

Le teorie del Crousaz, inserite in una rigida cornice classicista, portano implicitamente alla stessa condanna della musica come l'unica arte che tende a presentarsi come puro piacere sensibile. La sua presenza, sempre piú ingombrante per l'estetica classicistica porta cosí i filosofi o a eludere l'argomento, come fa il Crousaz, o a tentare abili compromessi. La via maestra già indicata dal primo classicismo è sempre quella della rigida separazione di forma e contenuto: la musica – la forma – è ammessa purché ricopra e orni ma senza sommergerlo un valido contenuto – la poesia. La forma rappresenta la concessione al piacere sensibile; il contenuto si rivolge allo spirito, alla ragione. A questo proposito l'abate Pluche merita essere ricordato come uno dei piú tipici esponenti di questo classicismo moderato, del compromesso ipocrita con cui si cerca di salvare i diritti della ragione senza negare quella piccola parte di soddisfazione alle esigenze dell'orecchio che reclamava con crescente vigore la sua parte.

Nella sua grande opera enciclopedica, *Le spectacle de la nature* molte pagine sono dedicate alla musica ed è sintomatico che di tale arte si parli nel VII libro tra le *Professioni istruttive*. Nel suo grande disegno onnicomprensivo in cui la natura è presentata come un tutto armonico retto dal suo autore divino, anche la musica deve trovare il suo posto e nemmeno il piacere da essa prodotto deve essere del tutto scartato. «Tutti i piaceri che possiamo provare – afferma

---

[1] *Traité sur le beau*, Amsterdam 1715, p. 69.
[2] *Ibid.*, p. 11.
[3] *Ibid.*, p. 14.

Pluche – sono stati creati per un fine saggio e per invitarci
ad ottenere, sotto l'egida delle regole, un bene utile al singolo senza nuocere alla società... Ma separate questo bene o il
fine desiderato dall'autore della natura dal piacere che ne è
solamente il segno e la sua attrattiva e avremo il disordine.
Presentate il piacere per il piacere; questo è sovvertimento
o parlando piú chiaramente è prostituzione. La ragione deve
respingere qualsiasi piacere quando esso non opera piú questo bene...»[4]. Tutto questo discorso in cui il piacere viene
accettato purché strumentalizzato ad altri fini è riferito alla
musica. Di qui discende logicamente la condanna della musica italiana o piú in generale della *musique baroque*, cioè di
quella musica che vuole sorprendere per l'ardire dei suoi
suoni e delle sue armonie; la sua protesta è diretta piú genericamente verso la musica moderna e neppure Rameau, che
s'affacciava proprio in quegli anni alle soglie del teatro ope-
ristico, si sottraeva alla sua condanna e la sua musica che
suonava cosí ardita alle orecchie piú conservatrici veniva definita «*diabolique*».

Quale tipo di musica allora potrà ammettere il rigido intellettualismo moralistico del Pluche? Il suono è un po' come il colore in un quadro. Il colore se non è il colore di un
determinato oggetto, di una determinata figura non ci dice
nulla. «Lo spirito non cerca colori ma "oggetti" colorati. Allo stesso modo i suoni nella loro varietà ci aiutano a conferire un colorito ad un'infinità di cose e pensieri. Ma se i suoni
seguono uno dopo l'altro senza riferimento né ad un oggetto
né ad un pensiero, incominciamo ad annoiarci e non sono
piú segno di nulla... Vi è un non so che di assurdo, un inevitabile disgusto in un lungo seguito di suoni, di per sé sempre
insignificanti... Il piú bel canto quando è solo strumentale
risulta freddo ed anche noioso, non esprimendo nulla. È come un bell'abito separato dal corpo ed appeso ad un attacca-
panni... Le sonate sono musica come una parete variegata è
pittura... La musica pura è una marionetta che volteggia
inutilmente; anzi neppur questo. Infatti ci può essere ancora
una parvenza di senso nei movimenti di una marionetta...

---

[4] *Le spectacle de la nature*, 1732, VII, p. 110.

del pensiero. Ma non si può dire altrettanto di uno spirito che passa dalla tristezza agli scoppi di riso, dallo scherzo alla tenerezza, alla collera e alla rabbia, senza alcun motivo di ridere o d'arrabbiarsi. Ebbene, le sonate e tante altre musiche sono forse altro che questo?»[5]. Per il Pluche offrire musica all'orecchio umano – e allude qui in particolare alla musica degli italiani o di quei francesi che a suo parere italianeggiano come Rameau – significa abbassare l'uomo al livello dei «fringuelli o degli stornelli che non pensano a nulla e che passano la giornata intera ad ascoltare e a ripetere puri suoni»[6].

Che spazio rimane ancora alla musica? Il Pluche l'ha indicato chiaramente con l'immagine del vestito senza il corpo. La musica non può esistere altro che come rivestimento del pensiero; ma come l'abito deve attenersi a certe regole di decenza, di buon gusto, di modestia, cosí la musica deve rivestire la parola ma con *semplicità* e *discrezione*. Ritroviamo le categorie critiche già enunciate dal Lecerf: la giustificazione su basi filosofiche della monotonia e di una ridotta ornamentazione trova ancora una volta una precisa conferma. Ma rispetto al primo classicismo per cui il fine dell'arte era anzitutto istruire dilettando, il Pluche come già il Lecerf aggiunge un'altra esigenza: l'arte deve anche commuovere. Di qui l'accusa di aridità a quella musica che si propone solamente il piacere dell'orecchio. *Il di piú* che l'arte ci dà rispetto al discorso puramente razionale è proprio quel pizzico di emozione, di commozione che però non deve mai giungere a sconvolgere l'animo: la musica rispetto al linguaggio ha la funzione appunto di favorire il sorgere di quella innocua lacrimuccia. L'arte deve «occupare lo spirito con un pensiero giusto, con un'immagine commovente, aggiungendovi con la scelta dei vostri suoni un'emozione proporzionata»[7].

Ormai la musica viene accettata proprio in questa funzione accessoria e in fondo inessenziale di rendere commovente il linguaggio, di addolcire la ragione, senza peraltro giungere a mutarne la natura. Non c'è quindi da stupirsi se tutti

[5] *Ibid.*, pp. 112-16.
[6] *Ibid.*, p. 133.
[7] *Ibid.*, p. 119.

gli intellettualisti e razionalisti, seguaci ideali di Boileau, invocano continuamente i diritti del cuore, rivolgendo all'odiata quanto poco conosciuta musica italiana l'accusa di aridità e cerebralismo. Il Pluche alla «musique baroque» contrappone la «musique chantante» cioè quella che «trae i suoi canti dai suoni naturali della gola e dagli accenti della voce umana, che parla per comunicare agli altri ciò che ci tocca, senza smorfie e senza sforzo»[8]. Questa cantabilità a cui allude il Pluche, non va fraintesa: non si tratta certo del gusto per la libera melodia, quella che sarà poi prediletta da Rousseau e dagli enciclopedisti, ma di quella musica che conscia della sua dipendenza, non si stacca, non si allontana dalla voce umana, dalla parola che accompagna.

È curioso ma in fondo non contraddittorio che per questi teorici del giusto mezzo, della *discrezione* e della *semplicità*, l'accusa di aridità, di cerebralismo si accoppi sempre con quella di edonismo. Il giusto mezzo consiste appunto nell'evitare l'eccesso nell'ornamentazione, l'artificio tecnico, volti solamente a «divertire l'orecchio» senza istruire né toccare il cuore, pur senza cadere nell'arte che educhi solamente senza concedere nulla al diletto. Il razionalismo del 1730, quando scriveva il Pluche, era ormai lontano dalle sue origini cartesiane e per sopravvivere si è dovuto piegare a questi sottili compromessi. Al rifiuto incondizionato della musica in tutte le sue forme si è sostituito una sua cauta quanto ipocrita inclusione nel regno delle arti. Alla condanna del piacere dell'orecchio è subentrata una sua condizionata accettazione: il Lecerf giustifica e legittima l'attrattiva della musica e il piacere da essa prodotto richiamandosi all'amore universale che ne sta all'origine, con vaghe reminiscenze classiche che ricordano Plutarco e Teofrasto. Il Pluche ricorre all'idea dell'armonia universale e alla bontà di tutto il creato, ma non si stanca di ripetere che il piacere scisso da un fine nobile, istruttivo, e persino dal proposito di giungere a toccare quello strano organo sempre al servizio della ragione che è il cuore, può persino «portarci al crimine».

Il classicismo nonostante questi aggiustamenti opportunistici pertanto si è dimostrato incapace sul piano estetico e fi-

[8] *Ibid.*, p. 116.

losofico di accettare e giustificare la musica tra le altre arti, accanto alle altre forme di espressione. Sprovvista di una qualsiasi forma di autonomia, relegata a inutile corteggio della poesia, in bilico tra cuore e ragione, alla musica è stato negato sul piano teorico ciò a cui invece tendeva con tutte le sue forze sul piano pratico, cioè il piacere dell'orecchio. La rigida divisione tra forma e contenuto riaffermata da tutti i teorici del classicismo porta al trionfo dell'ornamentazione concepita come un'aggiunta, come un *ornamento* appunto, per variare senza alterare la linea semplice e discorsiva della musica che deve accompagnare il testo poetico. Il principio dell'imitazione della natura che in termini musicali significa al limite la rinuncia alla musica in favore della poesia e praticamente la sua riduzione ad accompagnamento pedissequo del testo letterario o, come dice il Pluche, ad aiuto e sollecitazione per la memoria, si contrappone al principio del piacere dell'orecchio che trova il suo sbocco nell'ornamentazione. La bellezza musicale consiste nel saper trovare il giusto mezzo, il punto d'equilibrio tra imitazione e piacere, due principî inconciliabili teoricamente, ma conciliabili sul piano pratico. Musica francese e musica italiana si trovano per i critici del 1730 su due versanti opposti, la prima per amore della verità, cioè dell'imitazione rischia la monotonia, la seconda per amore della varietà, del piacere, scivola verso l'aridità e l'edonismo. Ardua è la ricerca della via di mezzo, cercata e indicata come possibile soluzione del dilemma; ricerca di un compromesso impossibile perché fondato su premesse filosofiche ed estetiche che si sono dimostrate del tutto inadatte a comprendere la natura della musica e la sua evoluzione storica.

9. *Il pitagorismo nella musica.*

Se quella che abbiamo chiamato *la via del cuore* è indubbiamente quella preminente nell'estetica musicale settecentesca e se, come si è visto, trae le sue origini ancora dall'estetica del melodramma nata nell'ambiente degli umanisti fiorentini, tuttavia, si è sempre dovuta confrontare con la corrente matematico-razionalistica che si può far risalire, nelle sue origini, sino a Pitagora, ma che venendo a tempi piú vicini a noi, può contare tra i suoi fondatori il teorico veneziano Gioseffo Zarlino. Si è già accennato come nel Seicento parecchi teorici avessero proseguito sulla via indicata da Zarlino, nell'approfondimento della *natura* dell'armonia, natura essenzialmente matematica e perciò razionale. Queste ricerche, a parte gli esiti sul piano scientifico, comunque rilevanti, sul versante estetico e filosofico miravano ad individuare la legittimità di cui doveva e poteva godere la musica in quanto tale, prescindendo da ogni suo ipotetico legame con la parola o altre arti. Questo filone di pensiero, anche se non maggioritario, ha avuto una sua rilevanza e una sua continuità di sviluppo e da Zarlino si è snodato in una serie di importanti teorici sino a Rameau che ha rappresentato una tappa conclusiva in questo processo. In questo filone di pensiero si può collocare anche l'*Essai sur le Beau* del padre gesuita Yves-Marie André, pubblicato a Parigi nel 1741, quando Rameau aveva già pubblicato il suo *Traité de l'harmonie*. Ciò dimostra come anche in un'epoca di ormai trionfante empirismo illuministico, continuasse a sopravvivere un filone di speculazione metafisica e razionalistica sull'arte e sulla musica. L'impostazione del pensiero dell'André, se pur filosofo e non musicista come Rameau, è radicalmente diversa rispetto a quella dei critici e musicisti interessati soprattutto al problema del melodramma e al confronto degli stili. La diversità degli stili, che si spiegherebbe secondo gli illuministi soprattutto con la differenza di indole dei popoli, non interessa all'André che centra invece la sua attenzione su ciò che vi è di permanente e di immutabile nella musica, cioè l'armonia, la concatenazione degli accordi. La musica è considerata infatti dall'André un'arte del tutto autosufficiente, che si regge con le sue sole forze: al melodramma, nei suoi scritti, non si accenna neppure una volta, nonostante esso fosse il genere musicale al centro degli interessi teorici generali. Secondo l'André la musica non si appoggia a nessuna arte, ma anzi deve avere in uno studio sulle arti una trattazione isolata e a parte perché essa è non solo un'arte diversa dalle altre ma anche per certi aspetti privilegiata.

Anzitutto la musica dal punto di vista del soggetto si rivolge «al piú sottile e piú spirituale dei nostri sensi» e in quanto tale essa «è la scienza dei suoni armonici e dei loro accordi»[1]. L'André accoglie dunque due concetti che sembrerebbero contraddittori: da una parte la musica come scienza, dall'altra la musica come oggetto del nostro udito cioè come oggetto di percezione sensibile. La cultura estetica del Settecento ha per l'appunto approfondito questo solco, accentuando la separazione tra intelletto e sensibilità, ponendo in antitesi il piacere dei sensi e la ragione. L'André rifiuta quest'alternativa riconoscendo alla musica una doppia funzione: «Il fine della musica è duplice come il suo oggetto; la musica vuole piacere all'orecchio, che è il suo giudice naturale; essa vuole piacere alla ragione che presiede essenzialmente ai giudizi dell'orecchio; per mezzo del piacere che essa provoca nell'uno e nell'altra, essa vuole stimolare nell'animo i moti piú consoni a potenziare tutte le sue facoltà»[2]. Il fatto che la musica si rivolga in definitiva in egual modo a orecchio e ragione significa che orecchio e ragione non sono due facoltà antitetiche ma due aspetti complementari ed entrambi necessari della nostra personalità. Non per nulla l'udito è «il senso piú sottile e spirituale» e d'altra parte la ragione non fa che constatare, rendere esplicita la *natura* sensibile e matematica della musica.

Un'estetica della musica, secondo l'André, deve perciò chiarire il bello musicale nella sua duplice natura, sensibile e razionale; duplicità piú apparente che reale perché si tratta solo di due modi diversi di osservare e percepire lo stesso fenomeno. L'André è sufficientemente accorto come filosofo per avvertire le grosse difficoltà e soprattutto le piú ovvie obbiezioni a cui una concezione di questo tipo poteva andare incontro nel suo tempo. La relatività storica e geografica dell'orecchio umano, cioè la storicità dei modi di percezione della musica fin nei suoi elementi piú semplici, in altre parole la storicità del gusto era ormai a metà del Settecento quasi un luogo comune; ma in un'arte che sembrava priva di contenuto intellettuale, la constatazione della relatività del gusto musicale si traduceva di fatto in un declassamento della musica: puro stimolo emotivo, privo di regole e di leggi, sog-

---

[1] Y.-M. André, *Essai sur le Beau*, Paris 1741, pp. 66-67.
[2] *Ibid.*, p. 69.

getto alle mode passeggere, alle diverse sensibilità dei popoli, essa non può aspirare alla dignità artistica. L'André previene queste obbiezioni ponendosi su di un altro piano. La musica è fondamentalmente sempre eguale, eterna ed immutabile come la natura, come l'orecchio umano; i vari sistemi musicali succedutisi dalla Grecia antica sino ai suoi tempi non sono che lo sforzo di adeguamento a questa eterna legge, il progressivo disvelamento dell'arte musicale in tutta la sua ricchezza e pienezza.

L'esperienza dei musicisti non può contraddire lo sforzo dei matematici nello studio della natura degli intervalli: l'orecchio non può che confermare la teoria e viceversa. Musicisti e teorici nel loro lavoro secolare, dai tempi di Pitagora sino a Rameau hanno cercato unicamente di perfezionare la musica nel senso di scoprire con l'orecchio e la ragione le leggi naturali di quest'arte. Ma non perciò, aggiunge l'André, nel corso dei secoli «è mutato il giudizio dell'orecchio». In questa prospettiva è logico che all'André non interessassero affatto le polemiche musicali che tanto appassionavano i suoi contemporanei e che traevano origine proprio da una concezione relativistica del gusto musicale; l'André si limita a mostrare una certa insofferenza per le nuove mode, comprensibile in un filosofo che cerca, oltre le mutevoli apparenze di un'arte, il suo fondamento eterno. Ma il problema delle *querelles* tuttavia «non entra nei suoi propositi» e «la questione d'altra parte non è né importante e neppure ragionevole»[3].

L'*Essai sur le Beau* dell'André pertanto è un trattato sistematico sulla bellezza e non solo sulla bellezza musicale; perciò i problemi sulla natura della musica cui si è sopra accennato acquistano il giusto rilievo se inseriti nella sua metafisica del bello. L'André si propone infatti di applicare anche alla musica il suo schema di divisione del bello in tre generi. Vi è quindi 1) «un bello musicale essenziale, assoluto, indipendente da qualsiasi istituzione, anche divina; 2) un bello musicale naturale dipendente da un'istituzione del Creatore ma indipendente dalle nostre opinioni e dai nostri gusti; 3) un bello musicale artificiale in qualche modo arbitrario, ma

[3] *Ibid.*, p. 75.

sempre dipendente dalle leggi eterne dell'armonia»[4]. L'André sembra qui riprendere, pur nell'ambito di questi generi derivanti dalla scolastica cartesiana e dall'estetica del Crousaz, uno schema medievale di origine platonica con il riconoscimento di due diversi mondi musicali, uno inaccessibile all'uomo, archetipo della bellezza musicale, e l'altro creato dall'uomo per il suo piacere, soggetto alle mode, convenzionale e arbitrario. Ma a ben vedere l'André è proprio da questo schema che cerca di uscire, schema che in fondo l'empirismo accetta in parte abolendo il primo termine e riconoscendo come valido il secondo. Il problema per l'André è anzitutto di esaminare se esistono rapporti tra i diversi tipi di bellezza musicale e come si possono configurare. Il «bello musicale essenziale e assoluto» per l'André non è separato e scisso dal «bello musicale artificiale»; anzi esso in qualche modo si rivela solo attraverso quest'ultimo. I principî di ordine, di proporzione, di decoro, di armonia non si traducono in una regola esteriore da imporre al musicista, ma, con un evidente richiamo agostiniano, costituiscono un ideale trascendente e immanente al tempo stesso. Questa musica che ha il suo principio in una «luce superiore ai sensi», tuttavia ci si rivela proprio attraverso ai sensi, e solo con l'*ascolto* fisico di essa possiamo accedere alla sua natura piú essenziale. Tra la musica che si ascolta con i sensi e la musica che si rivolge alla ragione tuttavia vi è un ben preciso gioco di richiami e una stretta interdipendenza. Il richiamo all'esperienza interiore (un maître de musique intérieur) è la via per ritrovare questa armonia superiore di cui quella sensibile è l'incarnazione. «Il grande libro della ragione» è dentro e non fuori di noi, ed è aperto a tutti. Ascoltando la musica con attenzione in tutte le sue manifestazioni sensibili, si dispiega in *interiore homine*, l'altra musica scritta «in note eterne», ma a quest'ultima non si accede senza la prima. L'armonia della musica perciò si può ben dire che è fondamentalmente una, ma si rivela a noi a diversi livelli, attraverso un passaggio dai gradini piú bassi, cioè quando l'armonia è sentita come piacere sensibile delle consonanze, sino al livello piú alto, puramente intelligibile, con la consapevolez-

[4] *Ibid.*, p. 78.

za dell'eternità delle sue leggi. Ma l'uomo può godere di essa e giungere a questa superiore consapevolezza perché «la struttura del corpo umano è tutta armonica»[5]. L'uomo, corpo e spirito, vibra all'unisono con la musica e per questo motivo l'André privilegia la voce umana rispetto agli strumenti: «di tutti gli strumenti musicali la voce umana è quello il cui suono simpatizza maggiormente con le nostre disposizioni interiori... E come non sarebbe cosí, dal momento che per sua natura la voce umana deve essere necessariamente piú all'unisono con l'armonia del nostro corpo e della nostra anima?»[6].

L'André nel terminare il suo *quarto discorso* sulla bellezza musicale afferma che la musica è un'arte superiore alle altre, che la bellezza musicale è piú alta, piú *espressiva* delle altre bellezze; certo la terminologia filosofica ed estetica del tempo non gli era di aiuto nel sostenere questa tesi ed infatti le conclusioni dell'André rivelano proprio questa mancanza di strumenti concettuali adeguati, ma non perciò è meno significativo il suo sforzo d'individuare, seppure confusamente, allo stato d'intuizione, motivi estetici che saranno poi chiariti e portati ad una condizione di maggior chiarezza e consapevolezza solo nei decenni successivi. L'elemento originale e peculiare della musica emerge solo dal confronto con la pittura: «prima di terminare – afferma l'André – vorremmo per un momento metterle in parallelo (musica e pittura), ma quale parallelo o piuttosto quale contrasto! Non vi è persona che non sappia che questi due generi di bellezza consistono nell'imitazione o se si preferisce nell'espressione. Ecco un punto in cui musica e pittura si trovano uniti nello stesso fine. Ma quale differenza nell'esecuzione!»[7]. Qui l'André nelle critiche mosse alla pittura si riallaccia a numerosi precedenti, da Roger de Piles al Du Bos e lo stesso tema sarà ampiamente sviluppato dagli enciclopedisti. La pittura in sostanza è un'arte la cui imitazione è esemplare, perfetta ed adeguata al suo oggetto, ma non ci dà la vita. La pittura ci dà solamente la superficie degli oggetti imitati ma non coglie

[5] *Ibid.*, p. 81.
[6] *Ibid.*, p. 83.
[7] *Ibid.*, p. 93.

la loro dimensione piú essenziale, piú profonda; la pittura rappresenta «unicamente la superficie dei corpi, un viso, degli occhi, colori fissi e inanimati...»; ma la musica «ci scava sino in fondo all'anima... la musica dipinge il movimento...»[8]. In altre parole la pittura ha un campo d'azione ben determinato e limitato; la musica, in apparenza piú lontana dalla natura, cioè dagli oggetti, ha un campo d'azione illimitato perché i mezzi di cui si serve sono piú indiretti o potremmo dire oggi piú metaforici. «Ci vorrebbero venti quadri per riunire tutto ciò che racchiude la piú irrilevante cantata o sonata»[9]. Infatti la musica agisce evocando e non descrivendo o imitando come la pittura. Il termine espressione viene usato dall'André con maggior insistenza parlando della musica e della sua superiorità di fronte alla pittura. Quest'ultima non manca di «perfezione», ma «non ha ricevuto dalla natura altrettanti doni della sua rivale. Vorrei dire – continua l'André – che per esempio i colori non sono cosí espressivi come i suoni...» «Ora – conclude – con tutti questi vantaggi, c'è forse da sorprendersi che il bello musicale possieda grazie piú sublimi e piú delicate, piú forti e piú tenere rispetto a qualsiasi altra arte?»[10].

Se si dimentica per un momento la scolastica distinzione dei tre tipi di bellezza musicale che l'André ci propone per mantenere la simmetria di costruzione con le altre bellezze, se si vuole cogliere il significato complessivo del suo discorso, si deve rilevare che proprio attraverso la musica l'André tenta di andare oltre la prospettiva pitagorica tradizionale mirando ad individuare l'unità profonda del fatto musicale, la sua natura fisica e insieme spirituale. La duplice natura della musica, che si presenta come vocabolario delle passioni ma al tempo stesso come rimando ad un orizzonte metafisico, ci lascia intravvedere un mondo in cui un'armonia superiore regge ed unisce uomo e natura in un'unità organica. Infatti la conclusione dell'André è che «in una sola istituzione... si ritrovano tutti e tre i generi di bellezza»; si direbbe che l'impianto scolastico della sua estetica venga dallo stesso

[8] *Ibid.*, p. 94.
[9] *Ibid.*
[10] *Ibid.*, p. 95.

André compromessa e messa in crisi a contatto con quest'arte «piú sublime e piú delicata, piú forte e piú tenera» che è la musica.

L'estetica dell'imitazione, sia nella prospettiva empiristica dell'estetica del gusto, sia nella prospettiva metafisica pitagorica-platonica per tutto il Settecento viene messa in crisi dalla presenza disturbante ma stimolante della musica. Gli spunti presenti nell'estetica dell'André non andranno persi; Rameau da una parte e Diderot tra gli enciclopedisti sapranno riprenderli in un orizzonte filosofico piú consono al loro organico sviluppo.

Capitolo secondo

L'illuminismo e gli enciclopedisti

1. *L'unità tra arte e ragione: Rameau.*

Negli ambienti aristocratici e tradizionalisti, l'avvento di Rameau sulla scena musicale francese nei primi decenni del Settecento suscitò un'ondata generale di ostile diffidenza. La sua musica fu giudicata «barocca e barbara», «un orribile strepito, un fracasso da cui si rimane storditi» (La Borde) piena di dissonanze, di artifici inutili; le sue opere incoerenti, rumorose, prive di accordo tra musica e parole. In breve Rameau è accusato di «italianismi» e questa rappresentava l'accusa piú infamante per un musicista francese. «Non nasceranno piú dei compositori francesi per le nostre opere, ed io sarò destinato ad udire per tutta la mia vita solamente questa musica straniera, barocca ed inumana?» esclama il nostalgico marchese d'Argenson nelle sue memorie. Un giornalista dopo la prima rappresentazione di *Hippolyte et Aricie* nel 1733 scrive questo mordente epigramma:

Si le difficile est le beau
C'est un grand homme que Rameau;
Mais si le beau par aventure
N'était que la simple Nature
Quel petit homme que Rameau.

I lullisti si appellano ancora alla semplicità, alla ingenuità, al sentimentalismo facile. Rameau a loro giudizio vuol fare della musica una scienza quando quest'arte «non richiede che gusto e sentimento» («Mercure de France», 1714). Ma Rameau non intendeva essere un rivoluzionario e non lo fu in realtà, non essendo certo animato da uno spirito di opposizione al passato. In testa alle *Indes galantes* si legge: «sempre ammirato della bella declamazione e del bel canto che regnano nel recitativo di Lulli, cerco di imitarlo, non come un copista servile ma prendendo come modello come già lui fece, la bella e semplice natura». Rameau in realtà come musicista rientra nella tradizione di Lulli e ben presto se ne accorsero i suoi contemporanei. Rameau fu riconosciuto come il musicista dell'aristocrazia conservatrice, il portabandiera del gusto classico, il difensore dell'intera opera francese di fronte all'invadenza crescente del barbaro e popolare melodramma italiano. Ma la complessa personalità del musicista, parte in causa nelle polemiche correnti prima tra *ramisti* e *lullisti*, e poi tra *buffonisti* e *antibuffonisti*, non si esaurisce qui. La sua opera di teorico non si inserisce direttamente nelle dispute tra difensori del gusto italiano e francese e costituisce un po' un capitolo a parte nella storia dell'estetica musicale del Settecento. Rameau non è stato un rivoluzionario come musicista, e non intendeva esserlo nemmeno come filosofo e teorico della musica. Comunque il significato delle sue teorie sull'armonia va forse al di là delle sue intenzioni. La cultura del tempo aveva posto una rigida barriera tra arte e ragione, tra sentimento e verità, tra piacere dell'udito e imitazione razionale della natura; si trattava di due regni ben distinti, senza possibilità d'intesa tra l'uno e l'altro, all'infuori di un estrinseco avvicinamento. Rameau non aveva profonda cultura filosofica ed ancor meno letteraria e affrontò quindi il problema della musica da un altro punto di vista, cioè sotto il profilo fisico-matematico. Questo approccio scientifico alla musica ha illustri precedenti e presuppone l'inserimento in una ben determinata corrente di pensiero. Già Pitagora riteneva che la musica fosse il simbolo o espressione di un'armonia superiore che si esplicava per mezzo di proporzioni numeriche per cui la musica stessa poteva ridursi a numeri. Questa antichissima dottrina è rimasta viva nei secoli: nei trattati dei teorici medievali, nel rinascimento con il pensiero di Zarlino e poi nei trattati di Cartesio, Mersenne, Eulero ed infine Rameau. I filosofi del Seicento e del Settecento avevano considerato la musica come un'arte minore o addirittura come un «innocente lusso» per il suo carattere «capriccioso» e per la sua intrinseca mancanza di razionalità, ed è proprio contro costoro che Rameau quasi inconsapevolmente combatte la sua battaglia. Se la musica nei suoi fondamenti può essere ridotta a scienza, se può essere razionalizzata nei suoi principî, se può rivelare nella sua essenza un ordine naturale eterno e immutabile, non potrà piú essere considerata solo un piacere dei sensi estranea al nostro intelletto e alla nostra razionalità. «Il mio fine è di restituire alla ragione i diritti che essa ha perduto nel campo musicale», afferma Rameau. Non interessa qui esaminare dettagliatamente tutte le sue teorie sull'armonia; sarà sufficiente mettere in luce lo spirito informatore di queste ricerche condotte con viva passione per tutta la vita. Il musicista francese, mosso in tutti i suoi studi da un'esigenza unitaria e da uno spirito fortemente razionalista di stampo cartesiano, inizia a scrivere il suo primo trattato animato da una convinzione saldissima che non lo abbandonerà mai: l'armonia si fonda su di un principio naturale e originario e quindi razionale ed eterno. «La musica è una scienza che deve avere delle regole stabilite, queste regole devono derivare da un principio evidente, e questo principio non può rivelarsi senza l'aiuto della matematica»[1]. È noto che secondo Rameau questo principio è contenuto in qualsiasi corpo sonoro che vibrando produce l'accordo perfetto maggiore che è dato in natura nel quarto quinto e sesto armonico, e da cui deriverebbero tutti gli altri accordi possibili. Solo la triade minore non è riducibile alla triade maggiore e dal momento che nel suo sistema non devono esistere eccezioni – in natura non si dànno eccezioni – Rameau si trae dall'imbarazzo con l'artificiosa spiegazione degli armonici inferiori; comunque solo il modo maggiore avrebbe pieno diritto di cittadinanza nel mondo dell'armonia e il modo minore sarebbe una varietà strana, imperfetta, organizzata e determinata a sua volta dal maggiore. Tutta la ricchezza della musica e le sue infinite possibilità espressive derivano da questo unico principio e si fondano sulla proprietà del «corps sonore» di contenere già in se stesso, nei suoi armonici, l'accordo perfetto. «Come è meraviglioso questo principio nella sua semplicità! – esclama con mistico entusiasmo Rameau nel suo *Traité de l'harmonie*. – Tanti accordi, tante belle melodie, questa infinita varietà, queste espressioni cosí belle e cosí giuste, sen-

---

[1] *Traité de l'harmonie réduite à son principe naturel*, Introduzione.

timenti resi con tanta evidenza, tutto deriva da due o tre intervalli, disposti per terze, il cui principio è contenuto in un solo suono!» Questa concezione rigidamente razionalistica cui Rameau è rimasto fedele in tutti i suoi numerosissimi scritti teorici e polemici e che nelle ultime opere si colora di venature mistiche e religiose, non esclude i diritti dell'orecchio come non esclude una relazione fra musica e sentimento. La musica ci piace, proviamo piacere ad udirla proprio perché essa esprime attraverso l'armonia il divino ordine universale, la natura stessa. Anche Rameau ci parla di imitazione della natura ma per natura intende un sistema di leggi matematiche e non i quadri idillici e pastorali cui si riferivano generalmente i filosofi del tempo. Rameau con la sua austera e rigorosa concezione della natura si ricollega non all'estetica contemporanea, ma piuttosto al meccanicismo proprio della concezione newtoniana del mondo. Un concetto fondamentale sta alla base del pensiero di Rameau: tra ragione e sentimento, tra intelletto e sensibilità, tra natura e legge matematica non c'è nessun contrasto, ma esiste di fatto e soprattutto di diritto un perfetto accordo: questi elementi devono quindi armonicamente cooperare. La musica non è sufficiente *sentirla* ma bisogna anche renderla intelligibile nelle leggi eterne che reggono la sua costruzione; tuttavia la ragione ha autorità soltanto nella misura in cui non contrasta con l'esperienza e l'udito. Rameau supera cosí le posizioni dei suoi contemporanei e si pone idealmente fuori dalle polemiche in cui suo malgrado si trova immerso. Infatti non sente alcuna esigenza di prendere posizione a favore della musica italiana o francese: la musica è anzitutto razionalità pura ed è quindi per sua natura il linguaggio piú universale; «vi sono teste egualmente bene organizzate in tutte le nazioni dove regna la musica» ed è assurdo voler pretendere che «una nazione possa essere piú favorita di un'altra». Le differenze tra una nazione e l'altra riguardano essenzialmente la melodia la quale ha a che fare soprattutto con il *gusto*. La priorità dell'armonia sulla melodia nel pensiero di Rameau è ideale e si fonda sul fatto che non si possono fornire «regole certe» per la melodia anche se quest'ultima non ha meno forza espressiva. L'armonia rappresenta il *primum* ideale da cui derivano tutte le altre qualità della musica, compreso il ritmo stesso.

Armonia e melodia diventeranno d'ora innanzi i cavalli di battaglia degli animatori delle nuove dispute sulla musica, simboli di gusti diversi, di poetiche diverse, dietro cui si trinceranno ancora una volta i difensori della tradizione classica francese da una parte e gli amatori del «bel canto» italiano dall'altra. Rameau fu preso nel giro di queste polemiche a cui non era interessato, e a cui avrebbe forse voluto rimanere estraneo anche per il suo carattere schivo e taciturno. La sua opera di teorico non fu capita dai suoi contemporanei e Rameau fu accusato di essere un arido intellettualista, di voler fare della musica una scienza, negando il valore della melodia. In realtà nessuno come Rameau nel suo tempo aveva saputo mettere in luce il potere espressivo del linguaggio musicale e la sua autonomia di fronte agli altri linguaggi artistici. Privilegiare l'armonia significava dare una priorità ai valori piú essenziali della musica avviandosi ad un riconoscimento della musica strumentale o pura come l'hanno poi chiamata i romantici. Rameau anche come musicista ha mostrato di possedere una vena piú felice per la musica strumentale che per quella vocale in cui poco si curava dei valori letterari del testo. Un suo biografo, il Decroix, riferisce che Rameau si sarebbe vantato di mettere in musica anche la «Gazette de Hollande», tanto era grande la sua indifferenza per il testo da musicare, puro pretesto per la sua costruzione musicale il cui intento descrittivo non assume mai un carattere impressionistico ma viene sempre contenuto in ben definiti schemi architettonici. Rameau pur partecipando della mentalità illuminista, rimane una figura isolata nel Settecento: la sua vita lo dimostra. Dopo gli anni del successo per le sue opere, dopo la prima ondata di interesse suscitato dai suoi trattati teorici, Rameau si trovò nella vecchiaia solo contro tutti. Dopo il significativo rifiuto dell'incarico di stendere le voci musicali dell'*Enciclopedia*, iniziano nel 1754 i dissensi con gli enciclopedici e in particolare con Rousseau e D'Alembert che si protrarranno con fitto scambio di *pamphlets* polemici fino alla morte. Rameau e gli enciclopedisti parlano linguaggi diversi, non si possono comprendere, e si limitano cosí a lanciarsi reciproche accuse d'incompetenza. Rameau isolato e incompreso nel suo secolo ha offerto tuttavia un'alternativa originale alla concezione illuministica della musica come *innocente lusso* e rimarrà un importante punto di riferimento per il pensiero romantico, preannunciando la futura concezione della musica come linguaggio privilegiato, espressiva non solo delle emozioni e sentimenti individuali, ma della divina e razionale unità del mondo.

2. *Gli enciclopedisti e il mito della musica italiana.*

Già alla fine del Seicento la musica italiana rappresentava un punto di riferimento polemico anche se in realtà a Parigi veramente non la si conosceva gran che. Le prime rappresentazioni del 1729 a Parigi di opere buffe italiane e di intermezzi passarono del tutto inosservate. Doveva ancora passare piú di una ventina d'anni perché il pubblico e la critica si accorgessero dell'esistenza dell'opera buffa italiana: la rappresentazione del 1752 della *Serva padrona*, da parte di una mediocre *troupe* di Buffoni, suonò come lo squillo di battaglia che diede inizio alla celebre guerra tra buffonisti e antibuffonisti. Questa nuova *querelle* che appassionò tanto tutti i francesi non fu che la versione aggiornata della precedente disputa tra *lullisti* e *ramisti* e si prolungò poi nella lotta tra gluckisti e piccinnisti. Si trattava ancora una volta non solo del contrasto tra due gusti diversi ma piuttosto di una complessa polemica che sottintendeva motivi estetici, culturali, filosofici ed anche politici, dalla quale emerse una nuova concezione della musica. «Tutta Parigi – scrive Rousseau – si divide in due partiti piú combattivi che se si fosse trattato d'un affare di Stato o di religione. L'uno piú potente, piú numeroso, costituito dai grandi, dai ricchi e dalle donne sosteneva la musica francese; l'altro piú vivo, piú fiero, piú entusiasta, era composto dai veri conoscitori e dalle persone intelligenti».

Da una parte troviamo ancora i difensori del gusto aulico e classicheggiante della tradizione francese, gli aristocratici legati all'ambiente di corte, i frequentatori del *coin du roi*, e lo stesso Rameau, involontariamente divenuto simbolo di questa tradizione. Dall'altra soprattutto gli enciclopedisti, i quali, pur nell'ambito di una concezione illuministica della musica, hanno contribuito, pur tra molti pentimenti, incertezze, ritorni a formare la base della futura concezione della musica come espressione privilegiata dei sentimenti. La terminologia di cui si servono Rousseau, Grimm, Diderot, D'Alembert, Marmontel, Voltaire, La Harpe, ecc., è pur sempre quella di un tempo: l'imitazione della natura, il buon gusto, la ragione, l'espressione degli affetti, ma questi termini si svuotano sempre piú del loro significato originario, fino ad assumere valori del tutto nuovi, magari opposti a quelli tradizionali.

La maggior parte degli enciclopedisti presero parte alla polemica, anche se non tutti erano competenti: tutti però potevano dirsi *amateurs*, dilettanti di musica, e con questo spirito presero parte alla battaglia in qualità di critici e abili polemisti piú che di teorici o di filosofi, schierandosi naturalmente a favore della musica italiana. Riconoscevano in essa la piú qualificata antagonista della tradizione classica francese che si identificava ormai con il melodramma di Lulli e Rameau. Tuttavia se a prima vista i gusti degli enciclopedisti in fatto di musica appaiono abbastanza uniformi, non si può perciò concludere che condividano lo stesso concetto della musica. Troppo spesso si è voluto vedere in essi un'omogeneità che un piú attento esame smentisce rivelando invece una piú complessa varietà di posizioni. All'interno stesso del gruppo degli enciclopedisti, non solo per il problema musicale, non è difficile constatare che dietro il comune e generico entusiasmo per la musica italiana, mitizzata nei suoi caratteri distintivi, si ritrovano spunti originali di nuove teorie filosofiche sulla musica accanto a posizioni radicate nelle vecchie concezioni classistiche e razionalistiche, cosí come concetti e strumenti di giudizio critico o storiografico assai diversi e a volte opposti tra loro.

L'*Enciclopedia* è un'opera troppo vasta e multiforme perché si possa immaginare in essa una uniformità di pensiero: basta por mente al fatto che alla sola stesura delle voci musicali – circa 1700 tenendo conto anche dei supplementi – hanno collaborato oltre a Rousseau, personalità cosí diverse tra loro come Diderot, Cahusac, D'Alembert, De Jaucourt, Brossard, Goussier, Marmontel, Sulzer, Schulze, Kirnberger e ancora altri minori. È impossibile nell'ambito di questo breve panorama rendersi conto delle concezioni della musica degli enciclopedisti da un esame delle voci ad essa dedicate; questa enorme mole di materiale mostra pertanto chiaramente che la musica occupa un posto di non secondaria importanza nella cultura degli enciclopedisti. Ci limiteremo qui a prendere in esame alcune tra le personalità piú significative analizzando piú che le voci dell'enciclopedia, gli scritti veri e propri sulla musica che ci hanno lasciato.

Rousseau è indubbiamente la personalità di maggior rilievo, il teorico piú accreditato dei buffonisti; fu forse anche per la sua particolare competenza che gli fu affidata la stesura del nucleo piú importante di voci musicali dell'*Enciclopedia* che piú tardi formarono il corpo del suo *Dictionnaire de musique*. Nei gusti musicali Rousseau non mostra una grande originalità né si discosta gran che dai suoi contemporanei: ama l'opera italiana per la sua melodiosità, semplicità, spontaneità, freschezza, naturalezza; ama il canto come effusione del cuore; aborre la musica francese per il suo carattere artificioso, le sue astruserie armoniche, la sua mancanza di immediatezza e di naturalezza; aborre la musica strumentale, la polifonia, il contrappunto, in quanto insignificanti, irrazionali e contrari alla natura. Strano osservare come quegli stessi difetti che mezzo secolo prima Lecerf aveva attribuito all'opera italiana, vengano addebitati da Rousseau all'opera francese: un tempo la musica italiana era considerata barocca sovraccarica, complicata, innaturale, e quella francese semplice, lineare e naturale. Ora i termini sono invertiti: la musica francese è diventata sinonimo di artificio intellettualistico e quella italiana di spontaneità melodica. Nel contempo però è mutato anche il concetto di natura. Per Lecerf natura equivaleva a ragione e tradizione; per Rousseau a sentimento e immediatezza istintiva. L'originalità di Rousseau consiste nell'aver saputo sviluppare adeguatamente questo concetto di musica come linguaggio dei sentimenti e di aver elaborato una teoria sull'origine del linguaggio che giustificasse e fondasse tale concetto. Per la prima volta la polemica sulla musica italiana e francese non è piú solo una questione di gusto, di preferenza personale, ma trova nel pensiero di Rousseau una seria giustificazione teorica e filosofica.

Rousseau, si è già detto, non ama la musica strumentale, «les sonates et les symphonies», e concepisce la musica solamente come canto; ma non perché la consideri come piacevole ornamento della poesia e prediliga i valori concettuali e razionali in essa espressi. Al contrario, Rousseau predilige il canto perché in esso la musica ritrova la sua natura originaria. In un mitico passato, quando l'uomo era allo stato di natura, musica e parola costituivano un nesso inscindibile e l'uomo poteva esprimere nel modo piú completo le sue passioni e i suoi sentimenti. In altre parole all'origine le lingue erano musicalmente accentuate e fu un triste effetto della civiltà se oggi ritroviamo da una parte le lingue private della loro melodiosità originaria e ormai atte solo ad esprimere dei ragionamenti; dall'altra i suoni musicali che un tempo costituivano l'accento del linguaggio e ne rappresentavano il lievito vitale, isolati ed impoveriti nella loro portata espressiva. Il canto melodico ricostituisce questa unità: infatti in origine «non ci fu altra musica che la melodia, né altra melodia che il suono modulato della parola; gli accenti formavano il canto, le quantità formavano la misura e si parlava sia per mezzo dei suoni che del ritmo che delle articolazioni e delle voci» (*Essai sur l'origine des langues*, XII). Tuttavia questa riconciliazione, questa ricostituzione dell'unità spezzata può avvenire solamente se il linguaggio non ha perduto completamente la sua originaria musicalità. Le lingue nordiche (francese, inglese, tedesco) sono precise, esatte, dure e articolate, parlano alla ragione ma non al cuore e si prestano ad essere scritte e lette. Le lingue orientali e meridionali (arabo, persiano e soprattutto l'italiano) sono molli, musicali, sonore e si prestano ad essere parlate e udite. L'unione di musica e poesia per Rousseau significa un potenziamento espressivo dell'una e dell'altra, significa ritrovare quell'arte che, per la sua espressività, può piú compiutamente realizzare l'imitazione delle passioni e dei sentimenti.

Nel pensiero di Rousseau armonia e melodia appaiono come due elementi contrastanti, come i due nemici che si combattono senza requie nella musica, escludendosi a vicenda.

Se la musica deve ritrovare la sua condizione originaria come accento delle parole, la sua essenza sarà la successione temporale, cioè la melodia. L'armonia, ossia la contemporaneità dei suoni rappresenta una deviazione, una corruzione, un atto arbitrario, «un'invenzione gotica e barbara» che corrompe la vera essenza della musica. Rousseau senza troppo sottilizzare identifica armonia, polifonia, contrappunto, fuga, ecc. ponendo tutto nello stesso calderone, e non si stanca di ripetere che si tratta di un'invenzione, di una cattiva invenzione, di un fatto storico e non naturale, frutto quindi di una convenzione sociale. L'armonia non offre che una «bellezza convenzionale» che non ci toccherà però mai nel profondo del cuore; essa ci procurerà un diletto superficiale e passeggero ma non susciterà mai alcuna passione. L'armonia infine, e questa è la sua deficienza piú grave, non imita la natura, la quale «ispira dei canti e non degli accordi, detta melodie non armonie». Essa è inerte perché non ha nulla in comune con le nostre passioni; al piú può assolvere ad una funzione secondaria se concorre a precisare e mettere in evidenza la linea melodica. Anche Rousseau si serve dunque del concetto di imitazione della natura come strumento critico e categoria estetica ma lo usa secondo un nuovo significato. Natura è sinonimo di passione, sentimento, immediatezza ed è nettamente e polemicamente contrapposta a ragione. Il concetto di imitazione è usato in modo piú ambiguo. La melodia, afferma Rousseau imita «le inflessioni della voce, esprime i lamenti, i gridi di dolore o di gioia, le minacce, i gemiti... Essa non imita solamente, essa parla; e il suo linguaggio inarticolato ma vivo, ardente, appassionato, possiede cento volte piú di energia della parola stessa. Ecco donde nasce la forza dell'imitazione musicale, ecco donde attinge il potere che essa esercita sui cuori sensibili» (*Essai sur l'origine des langues*, XII).

La melodia imita le passioni ma indirettamente; le imita in virtú di un'affinità originaria con la forma in cui si esprimono i nostri sentimenti; se imita oggetti del mondo naturale essa imita il sentimento che essi susciterebbero «nel cuore di chi li contempla». La melodia «non rappresenta direttamente le cose ma eccita nell'anima gli stessi sentimenti che si prova vedendo le stesse cose». La musica sarebbe allora un'arte di espressione e di imitazione; di qui l'ambiguità di questi due termini, usati a volte come sinonimi a volte quasi in opposizione. Rimane sempre il dubbio se secondo Rousseau la musica esprime i sentimenti o imiti l'espressione dei sentimenti. Questa ambiguità tuttavia è significativa: ormai la concezione della musica si è profondamente trasformata e il concetto *imitazione della natura* viene ancora usato ma solo per inerzia; esso non si presta piú a spiegare e giustificare le nuove idee che si stanno ormai sempre piú largamente affermando.

Se si confronta il pensiero di Rameau con quello di Rousseau è facile accorgersi che ci si trova di fronte a due diversi, anzi opposti tentativi di rivalutazione della musica. Rameau ha cercato il fondamento eterno, naturale della musica e l'ha individuato nel principio unitario che sta alla base dell'armonia; la musica incarnando con questo principio lo stesso verbo divino ha assunto il ruolo di arte privilegiata ed assoluta. Rousseau, lontano nello spirito da questo pitagorismo del musicista francese, ha rivalutato la musica rivalutando il sentimento e considerandola come il linguaggio che parla piú da vicino al cuore dell'uomo. Secondo Rameau la musica rivela la ragione suprema che è una, uguale in tutti i tempi e per tutti i popoli e quindi universale; secondo Rousseau la musica esprime ed imita le infinite varietà e sfumature del cuore umano. Il carattere della melodia varia da popolo a popolo, da secolo a secolo. Per Rameau la musica è dotata di una comprensibilità universale perché tutti gli uomini sono partecipi della ragione; per Rousseau la comprensione della musica è un fatto storico e culturale: «ognuno – afferma – è toccato solamente dagli accenti che gli sono familiari», e la melodia varia a seconda delle lingue di ogni popolo. La regola ferrea di carattere matematico, che secondo Rameau fonda l'armonia e stabilisce la sua universalità e naturalità, per Rousseau rappresenta un artificio intellettualistico che allontana la musica dall'arte. La grande musica, la melodia, è frutto del genio, e il genio non osserva nessuna regola: il genio come la natura è sinonimo di libertà e di vitalità. Rousseau accusò piú volte Rameau di aver poco genio e molta dottrina; Rameau a sua volta accusò Rousseau e tutti gli enciclopedisti di incompetenza. Sotto il dissidio personale si cela un'incompatibilità ideologica fondamentale. Una sola cosa avvicina i due pensatori, l'aspirazione a restituire alla musica la sua dignità di arte e la sua autonomia espressiva.

Rousseau pertanto esercitò un profondo influsso sulla cultura francese e non solo, e contò numerosi seguaci. Uno di questi è Ernest Grétry, compositore di opere comiche oggi quasi scomparse dai repertori, che merita di essere ricordato per i suoi tre volumi di *Mémoires*[1] fitte di notizie non solo di carattere autobiografico, ma anche sulla vita musicale degli ultimi decenni del Settecento in Francia e in Italia, disseminate di interessanti pensieri e considerazioni sulla musica e sul teatro, di notevole interesse estetico e filosofico. Anche Grétry conserva la tradizionale diffidenza verso la musica strumentale dalle scarse, deboli, vaghe possibilità imitative. La musica per Grétry come per Rousseau trova la sua piú compiuta espressione nella declamazione melodica. Il canto gli appare come l'esaltazione del potere espressivo della parola, e nel melodramma si realizza nel modo piú perfetto questa intima fusione di parola e musica. Il pensiero di Grétry, nonostante risenta ancora della tradizione illuministica per quanto riguarda il rifiuto della musica pura, assume già un colorito nettamente romantico quando, sempre riallacciandosi a Rousseau, ma accentuando ancora il pensiero di quest'ultimo, indugia a considerazioni sul potere del genio. Il genio è al di sopra delle regole, anzi ha egli solo il diritto di imporre le regole. Se il musicista di genio per raggiungere ciò che desidera deve violare una legge dell'armonia, «non deve temere di arricchire la teoria di una nuova regola».

Le grandi dispute musicali del secolo, le numerose *querelles*, che avevano appassionato tutti i francesi indirizzando i loro gusti in una o in un'altra direzione stavano ormai perdendo il loro mordente nei giorni della rivoluzione; ed è significativo che Grétry invitasse allora i critici e gli ascoltatori a non giudicare piú alla luce dei sistemi teorici o prestando ascolto alle vane dispute dei filosofi; l'unico giudice sicuro è il proprio impulso passionale e sentimentale, perché questo è il dominio proprio della musica.

[1] A.-E. Grétry, *Mémoires*, Paris 1789.

Nella famosa polemica tra buffonisti e antibuffonisti, i cui personaggi centrali sono stati senza dubbio Rousseau e Rameau, tutti gli enciclopedisti si schierarono a fianco del filosofo ginevrino; solo D'Alembert, il piú possibilista, in un primo momento aveva assai apprezzato il sistema di Rameau tanto da farne lui stesso il ben noto riassunto pubblicato nel 1752 proprio all'inizio della guerra dei *bouffons* col titolo *Elémens de musique théorique et pratique suivant les principes de M. Rameau, claircis, developpés et simplifiés*, pur cercando di mitigare la rigidezza dottrinaria del testo originale. Tuttavia ben presto si guastarono i rapporti tra Rameau e D'Alembert e se pur con qualche cautela e con minore entusiasmo dei suoi amici, anche quest'ultimo si volse ad abbracciare la causa della musica italiana.

La sua posizione nei riguardi della musica pertanto rimane ancorata alla tradizione razionalistica e nel grande affresco delle attività umane schizzato nel suo *Discours préliminaire*, la parte dedicata alla musica è perlomeno inadeguata allo spirito generale che dovrebbe informare l'*Enciclopedia*.

Egli ricostituisce infatti una rigida gerarchia delle arti fondata sul concetto d'imitazione e la musica si trova all'ultimo posto: «La poesia – afferma D'Alembert – che viene dopo la pittura e la scultura e che si serve per l'imitazione solo delle parole disposte secondo un'armonia gradevole all'orecchio, parla all'immaginazione piú che ai sensi; essa rappresenta gli oggetti che compongono questo mondo in modo vivo e toccante... Infine la musica, che parla all'immaginazione e ai sensi al tempo stesso, è all'ultimo gradino nella scala dell'imitazione; non che la sua imitazione sia meno perfetta riguardo agli oggetti che si propone di rappresentare, ma piuttosto perché sembra che essa sino ad oggi si sia limitata ad un piccolo numero d'immagini; il che forse è da attribuirsi piú che alla sua natura, alla scarsa inventiva e alle poche risorse di coloro che coltivano quest'arte...»

D'Alembert presenta in questo passo un'interpretazione rigida e letterale del concetto d'imitazione e sembra perciò attribuire alla musica poco piú che un potere imitativo di carattere onomatopeico; tuttavia ammorbidisce un poco la sua posizione passando dal piano dell'essere a quello del dover essere. Infatti sembra che la musica, ultima delle arti, sia

stata limitata per colpa dei musicisti a questa funzione secondaria, ma può aumentare notevolmente le sue possibilità
grazie al progresso della teoria musicale – e si allude particolarmente a Rameau – e alla nascita di grandi geni come
Lulli. Questa ambiguità di fondo nel pensiero di D'Alembert che si traduce sostanzialmente nel rifiuto di considerare
la musica come linguaggio originario del sentimento, si rivela chiaramente nell'introduzione al rifacimento, di cui già si
è detto, del *Traité de l'harmonie* di Rameau nei suoi *Elémens
de musique*, in cui afferma: «Si può considerare la musica o
come un'arte che ha per oggetto uno dei principali piaceri
dei sensi, o come una scienza per cui quest'arte può essere
spiegata secondo principî. Questo è il doppio punto di vista
dal quale ci si propone di esaminarla in questo lavoro».

Quest'alternativa fondamentalmente razionalistica non
viene certo smentita dal *Discours préliminaire* nel passo che
segue a quello già citato, dove si accenna ad una teoria sul-
l'origine della musica opposta a quella di Rousseau: «La musica che nella sua origine forse non era destinata a rappresentare che rumori è diventata a poco a poco una specie di
discorso o persino un linguaggio per mezzo del quale esprime i diversi sentimenti dell'anima...» Se per Rousseau la
musica trae il suo carattere linguistico ed espressivo proprio
dalla sua origine, per D'Alembert invece lo trae dal progresso e dai lumi; ciò che per il primo era naturale e originario
per il secondo è artificiale e convenzionale.

Questa prospettiva ancora intellettualistica viene condivisa, anche se senza rigore filosofico da altri enciclopedisti;
Marmontel stesso, autore di numerose voci dell'*Enciclopedia*, nel suo *pamphlet*, *Essai sur les revolutions de la musique
en France*, pubblicato nel 1772, pur schierandosi a favore di
Piccinni e della musica italiana, adduce motivazioni tratte
dall'estetica classicistica e dal Batteux in particolare, come
ad esempio il concetto che la musica deve imitare i suoni
della natura ma abbellendoli e addolcendoli per evitare ogni
sensazione sgradevole per i sensi.

Anche Voltaire, che tra gli enciclopedisti è senza dubbio
quello che dimostra il minore interesse per la musica, nelle
pur frequenti annotazioni sull'arte dei suoni non si discosta
dai principî tradizionali del classicismo razionalistico, per

cui la musica ha una posizione nettamente subordinata rispetto alla poesia. La musica è pur sempre considerata da Voltaire un'arte che si rivolge soprattutto ai sensi e perciò lontana dallo «spirito» senza che ciò comporti tuttavia una condanna pura e semplice dell'esperienza musicale. È per questo motivo che il giudizio sulla musica si limita e si esaurisce nell'affermazione mi piace o non mi piace: «All'Opéra non si possono che criticare dei suoni: quando si è detto "questa ciaccona, questa *loure* non mi piace", si è detto tutto. Ma alla Comédie si esaminano idee, ragionamenti, passioni, la condotta, l'esposizione, il nodo e lo scioglimento drammatico, la lingua. È possibile provarvi metodicamente di conclusione in conclusione che voi siete uno stupido che avete voluto fare dello spirito...»[2]. Questa posizione nettamente intellettualistica portava Voltaire a simpatizzare con il razionalismo cartesiano di Rameau e a rifiutare ovviamente il sentimentalismo di Rousseau contro cui scrisse la nota satira nel 1761 (*IV lettre sur l'Eloise de J.-J. Rousseau*).

Se Rousseau rappresenta indubbiamente un punto fermo, la più compiuta e complessa teorizzazione della concezione della musica come linguaggio del sentimento e della passione, pur senza rinnegare totalmente gli ideali classicistici di un'arte che abbellisce e rende più *agréable* la natura attraverso un'oculata scelta dell'oggetto e dei modi dell'imitazione, Diderot è senza dubbio, tra gli enciclopedisti, la personalità più rivoluzionaria, abbattendo l'ultimo residuo di una poetica che risente ancora dell'ideale classico di un'arte bella e levigata. Tuttavia il suo pensiero è tanto ricco di spunti, fecondo di sviluppi e proseguimenti, denso di richiami e suggestioni, quanto programmaticamente sparso e asistematico; cosicché bisognerebbe ricercare la sua concezione della musica attraverso tutta la sua immensa opera, per coglierla nei suoi molteplici aspetti che ad un'analisi frettolosa potrebbero sembrare contraddittori.

Nello scritto giovanile *Principes généraux d'acoustique*,

---

[2] Nota a *Les Cabales*, 1772, scritto sotto lo pseudonimo di M. de Morza e citato da F. Degrada, *Voltaire e la musica*, in «Quaderni della Rassegna Musicale», n. 3, 1965. A questo studio si rimanda per un approfondimento dei rapporti tra Voltaire e la musica.

pubblicato nel 1748, l'unico insieme a *Leçons de clavecin et principes d'harmonie* del 1771, interamente dedicato alla musica, abbozza, proprio parlando della musica, la famosa teoria dei rapporti, poi esposta nella voce *bello* dell'*Enciclopedia*. Il piacere della musica consisterebbe «nella percezione dei rapporti dei suoni» cosí come in generale anche per le arti il piacere consiste nella percezione dei rapporti. Questo principio con cui Diderot sembra riallacciarsi ad una concezione matematico-pitagorica della musica non è in realtà che una legge psicologica, tanto è vero che il valore della musica è storico e varia da luogo a luogo e da tempo a tempo. Se è eterna nell'uomo la facoltà di percepire i rapporti tra i suoni, variabile invece le modalità secondo cui avviene tale percezione. Se ciò che piú sta a cuore a Diderot in questo scritto è l'aspetto formale e architettonico della musica, non per ciò si può senz'altro definire classicistica la teoria dei rapporti, che solo in apparenza sembra escludere la funzione dei sentimenti. La teoria dei rapporti, ad un'attenta analisi e confrontandola con il contenuto di altre opere, ci lascia intravvedere i futuri sviluppi vitalistici della sua estetica: la percezione dei rapporti inerenti ai suoni ci riporta infatti a un elemento inconscio, istintivo e originario piú vicino certo al sentimento che all'intelletto, se proprio si vogliono contrapporre questi due termini. Percepire i rapporti ed essere quindi un ottimo intenditore di musica, non implica *conoscere* tali rapporti; «l'anima ha le sue conoscenze senza esserne cosciente...», afferma Diderot[3]. È evidente qui il ricordo della famosa definizione di Leibniz «musica est arithmetica nescientis se numerare animi», anche se in questo contesto l'elemento inconscio assume un altro valore e un'altra portata. Pertanto i rapporti presenti nella musica sembra che esprimano il mondo al livello piú elementare ma anche forse piú profondo e generale e la nostra percezione di essi avviene in modo piú diretto e immediato, prima e al di là di ogni convenzione linguistica.

Questa prospettiva, insieme all'affermazione, anche se ancora timidamente enunciata, del primato della musica sulle altre arti, viene presentata in modo piú esplicito nella *Let-*

[3] *Œuvres*, IX, pp. 105-6.

tre sur les sourds et muets del 1752. La superiorità della musica si fonda proprio sul fatto che i rapporti dei suoni colpiscono in modo piú diretto la nostra immaginazione e al tempo stesso essendo la musica meno legata alle apparenze del mondo esterno ci presenta in un certo senso l'essenza delle cose. «Come mai – si chiede Diderot – delle tre arti imitatrici della natura, quella la cui espressione è piú arbitraria e meno precisa, tuttavia parla con piú forza alla nostra anima? Forse che la musica mostrando meno direttamente gli oggetti lascia piú spazio alla nostra immaginazione, oppure avendo noi bisogno come di una scossa per commuoverci, essa è piú atta che non la pittura e la poesia a produrre in noi quest'effetto di tumulto?»[4]. Alla luce di queste affermazioni approfondite e precisate in molte altre opere sino alle *Leçon de clavecin* del 1771, va inteso il concetto di musica come «cris animal». Se tutto il classicismo, fino a Voltaire aveva considerato l'arte e la musica essenzialmente come una funzione della civiltà, come espressione di progresso, Diderot affaccia forse per la prima volta con Rousseau il concetto che l'arte e soprattutto la musica è invece il linguaggio proprio della società piú primitiva. Già nel *Discours sur la poésie dramatique* scriveva con enfasi profetica che «la poesia esige qualcosa di enorme, di barbaro e di selvaggio», e ancora con maggior precisione «in generale piú un popolo è civile e raffinato meno i suoi costumi sono poetici: tutto si affievolisce addolcendosi»[5]. La musica, per la sua immediatezza è tuttora il linguaggio piú originario di cui dispone l'uomo. Cosí, per un certo aspetto si potrebbe dire che la musica è l'arte piú realistica, perché proprio in virtú della sua indeterminatezza concettuale può giungere ad esprimere gli angoli piú segreti e altrimenti inaccessibili della realtà.

La feconda imprecisione semantica della musica è paragonata da Diderot, fine intenditore di pittura, allo schizzo: anche lo schizzo, per la sua brevità, concisione, incompletezza, lascia un piú largo margine all'immaginazione, e, come la musica, esprime meglio la vita nella sua ricchezza e interezza. Questo paragone piú volte proposto da Diderot nei suoi

---

[4] *Ibid.*, I, p. 409.
[5] *Ibid.*, VII, p. 370.

Salons viene ulteriormente allargato e precisato nel *Salon* del 1765, in cui avvicina musica strumentale e schizzo da una parte, e dall'altra musica vocale e quadro. Infatti come le forme finite e concluse del quadro pongono limiti ben precisi alla nostra immaginazione, cosí nella musica vocale le parole del testo precisano e definiscono l'espressione dei suoni: «nella musica vocale bisogna ascoltare proprio ciò che essa vuole esprimere. A una sinfonia ben fatta, posso farle dire ciò che piú mi piace... Avviene all'incirca lo stesso per lo schizzo e per il quadro. Vedo in un quadro la cosa pronunciata; ma quante cose che sono solo annunciate immagino in uno schizzo»[6].

Questo gusto per il non finito, per l'abbozzo, per l'indeterminatezza dell'espressione piuttosto che per la definitezza dell'opera perfettamente compiuta, non significa certo propensione per un vago impressionismo o desiderio di fuga dalla realtà; anzi coincide con un vigoroso appello al realismo, con un'ansia di cogliere la realtà ad un livello piú profondo piuttosto che nella sua vernice esteriore. Per Diderot la musica non rappresenta piú l'evasione nella mitologia, la piacevole cornice dorata di un mondo in declino, ma il linguaggio piú adatto per esprimere il tumulto delle passioni, la vitalità piú istintiva dell'uomo, non velata né addolcita dall'arte, ma espressa nella sua piú cruda verità. Diderot parla ancora di imitazione della natura come compito della musica; ma non intende piú certo per natura l'arcadica visione del Batteux, né per imitazione quel procedimento per addolcire e ammorbidire i contorni. Il concetto di imitazione della natura questa volta coincide con un richiamo alla realtà: natura è «le cris animal», il prorompere degli istinti, ed imitare questa natura significa soprattutto trovare la via della forza e della sincerità espressiva.

Il nipote di Rameau, il personaggio immaginario che Diderot fa intervenire come protagonista nel suo brillante dialogo, troppo spesso ritenuto l'unica fonte della sua estetica musicale, è un nipote degenere del grande zio; ma anche se Diderot lo disprezza per la sua condotta, per il suo animo vile e servile, per la sua bassezza morale, rimane affascinato

[6] *Ibid.*, X, p. 352.

dalle sue intuizioni artistiche e dal suo temperamento musicale. Nella musica, l'arte «piú violenta di tutte», afferma il nipote di Rameau, occorre che «le passioni siano forti»: «niente spirito, niente epigrammi, niente pensieri leggiadri, tutte cose troppo lontane dalla natura schietta»; «solo il grido animale della passione può dettarci la linea che fa per noi». Naturalmente queste qualità, il nipote di Rameau le riconosce alla musica italiana[7], all'opera di Leo, Vinci, Pergolesi, Duni, al cui confronto l'opera francese può far pensare alle *Maximes* di La Rochefoucauld o alle *Pensées* di Pascal messi in musica. Il nipote di Rameau, nonostante la sua bieca personalità morale, ha i gusti artistici di Diderot. «Come mai – gli chiede il filosofo – con un gusto cosí fine, con una cosí grande sensibilità per le bellezze dell'arte musicale siete cosí cieco alle bellezze morali, cosí insensibile al fascino della virtú?» Un grosso problema si adombra dunque in questa contraddittoria personalità: l'indipendenza del piano etico da quello estetico. Il nipote di Rameau rappresenta il mondo della pura animalità, il mondo dell'istinto, il mondo che presenta la maggiore affinità elettiva con l'espressione musicale. La rivalutazione della musica pura e in genere dell'espressione musicale è legata alla scoperta delle emozioni oscure, delle forti passioni incontrollate e istintive, dei sentimenti non definibili con parole o concetti, dei valori privati, individuali e incomunicabili altro che con l'espressione musicale. Rivalutazione della musica e appello al realismo coincidono in Diderot con l'affermazione di un mondo in cui predomina l'energia vitale, lo slancio e l'impulso delle passioni.

Il pensiero di Diderot segna il definitivo tramonto della poetica di un'arte aulica e classicheggiante delle «frasi ingegnose, dei madrigali leggeri, teneri e delicati», riconoscendo il valore della pura sensazione, dell'immediatezza, afferman-

---

[7] Va notato pertanto a questo proposito che Diderot non ha mai preso parte molto attivamente alle *querelles* musicali del suo tempo. Anche se ha affermato, pur senza soverchio entusiasmo e forse piú che altro per accondiscendere alla moda del suo tempo, la propria preferenza per la musica italiana, la sua estetica musicale, confrontata in generale con il pensiero degli enciclopedisti, proprio nelle sue affermazioni teoriche, risulta assai poco compromessa con i gusti e le mode musicali del momento; forse proprio a questa sua indipendenza si deve il maggior interesse che essa presenta per la storia dell'estetica musicale.

do inequivocabilmente per la prima volta forse, l'autonomia artistica della musica.

In questi decenni, gli ultimi del Settecento, cosí travagliati per la storia del pensiero e non solo, si assiste a profondi rivolgimenti e a un rinnovamento delle vecchie strutture concettuali; molti filosofi esprimono idee nuove servendosi ancora del vecchio linguaggio, creando cosí confusioni e ambiguità; e lo stesso Diderot non va esente da questo difetto, anche se supplisce in parte con la vivacità del suo pensiero, l'asistematicità programmatica usata anche a scopo polemico come arma nei confronti del *sistema* filosofico tradizionale. Significative di questa condizione della cultura alla fine del secolo dei lumi, le poche pagine che Kant dedica alla musica nella *Critica del giudizio* e poi ancora pochi anni piú tardi nell'*Antropologia*; il grande filosofo tedesco, del tutto sprovveduto in fatto di musica, riflette evidentemente le idee piú diffuse ai suoi tempi e parla di quest'arte solo perché il suo sistema o «*divisione dalle belle arti*» abbozzato nella *Critica del giudizio* deve essere completo. Tuttavia è già significativo lo scarso peso che Kant stesso attribuisce a questa *divisione* proposta a «titolo di prova» tanto è vero che ne abbozza due diverse e opposte. Nella prima classificazione gerarchica delle arti, Kant con mentalità razionalistica assegna alla musica l'ultimo gradino in quanto «arte del gioco delle sensazioni» dopo «l'arte parlante» e «l'arte figurativa». Fin qui Kant riflette il giudizio piú diffuso nella cultura settecentesca secondo cui la poesia rappresenta l'arte somma e la musica a mala pena l'ultima delle arti. Ma Kant non si ferma qui e aggiunge che considerata da un altro punto di vista, la musica potrebbe risalire nella gerarchia fino ad occupare un posto accanto alla poesia. Infatti «sebbene quest'arte – dice Kant – ci parli per mera sensazione, senza concetti, e quindi non lasci qualcosa alla riflessione, come la poesia, essa commuove lo spirito piú variamente, e piú intimamente, sebbene solo con effetto passeggero; ma essa è piuttosto godimento che cultura... e giudicata dalla ragione ha minor valore di qualunque altra delle arti belle»[8]. Vi sono due modi allora di considerare la musica: secondo la ragione,

---

[8] *Critica del giudizio*, Laterza, Bari, p. 191.

e allora le spetterà l'ultimo posto – e a volte Kant dubita persino che si possa annoverare tra le arti belle – o secondo il piacere, e allora le potrebbe competere anche il primo posto fra le arti. Se si accetta questa seconda alternativa – ma Kant non si pronuncia e lascia aperto il problema – la musica rappresenterebbe allora «il linguaggio degli affetti», «la lingua universale della sensazione, comprensibile ad ogni uomo», pur non comunicando concetti o pensieri determinati. L'alternativa proposta da Kant in queste pagine non del tutto limpide è tuttavia assai significativa. Il filosofo tedesco ha intravvisto la possibilità di rivalutare la musica come puro piacere proprio in virtú della sua asemanticità. Il rimprovero che da duecento anni veniva costantemente rivolto alla musica, cioè di essere asemantica – l'astratto arabesco – può anche trasformarsi in un elemento positivo dal punto di vista estetico.

Ma l'importanza di Kant per quanto riguarda l'estetica musicale non sta tanto nelle poche decine di righe dedicate alla musica nelle sue opere, quanto all'influenza indiretta che ha avuto nel suo complesso l'estetica kantiana sui pensatori dell'età successive.

Tutto il pensiero formalista dell'Ottocento e oltre in un certo senso prende le mosse proprio dalla filosofia di Kant e il formalismo trova il suo terreno di piú fertile sviluppo proprio nella musica, arte asemantica per eccellenza, almeno nelle apparenze.

Nella sua filosofia dell'arte, la gerarchizzazione, ereditata dalla filosofia illuministica, che pone per certi riguardi la musica al gradino piú basso (è piú godimento che cultura) è evidentemente la parte piú caduca del suo pensiero, quella piú spesso presa a pretesto per dimostrare la sua assoluta insensibilità alla musica. La musica infatti sarebbe *solamente* «un bel gioco di sensazioni», ma proprio da un approfondimento del valore di questo «gioco» può scaturire la nuova prospettiva estetica del futuro formalismo di Hanslick. Senza addentrarci nelle complicate questioni connesse all'estetica kantiana può essere tuttavia sufficiente ricordare come proprio dal fatto che la musica non possa rappresentare concetti determinati può discendere il rifiuto di una musica descrittiva; cosí l'intuizione kantiana che l'effetto emotivo della musica non è l'elemento essenziale ma puramente sussidiario è stato poi puntualmente ripreso da Hanslick e da tutto il formalismo.

3. *Musica vocale e musica strumentale.*

I numerosi *parallèles* tra la musica francese e italiana, e tutta la fioritura di *pamphlets* sulle *querelles*, prima quella tra lullisti e ramisti e poi piú vivaci quelle tra buffonisti e antibuffonisti e quella tra gluckisti e piccinnisti, costituirono la prima forma di critica, favorirono il sorgere degli studi musicali, e contribuirono a creare una piú precisa coscienza storiografica. La polemica musicale sviluppatasi soprattutto in Francia con tanta vivacità nell'ambiente degli enciclopedisti non tardò ad uscire da questa cerchia e ad influenzare la cultura musicale europea. Rousseau ha rappresentato per tutta la seconda metà del Settecento, anche fuori della Francia un punto di riferimento; sia che se ne condividessero le idee o che le si avversassero, tutti in un modo o nell'altro, dovevano tener conto del suo pensiero sulla musica.

In Italia il problema che impegnò maggiormente i teorici fu ancora la riforma del melodramma e quindi i rapporti tra musica e poesia. Non è qui il caso di soffermarsi sul famoso libretto *Il teatro alla moda* di Benedetto Marcello (1720), gustosa e pungente, ma un po' facile satira delle vuote convenzioni su cui si reggeva buona parte del teatro melodrammatico italiano, ma privo di un vero e proprio impegno teorico. Piú interessante l'opera di alcuni letterati quali l'Algarotti, il Planelli, il Manfredini e soprattutto i due gesuiti spagnoli, ma acquisiti alla cultura italiana perché espulsi dalla loro patria d'origine come gesuiti, l'Eximeno e l'Arteaga. Tutti costoro sono stati fortemente influenzati dalle idee degli enciclopedisti e non si può dire che abbiano portato un contributo particolarmente originale al dibattito sulla musica nel loro tempo. Il loro interesse è polarizzato soprattutto dal problema della riforma del melodramma e seguono su questo punto con poche varianti le idee espresse da Gluck nella sua prefazione all'*Alceste* e dal suo librettista, il poeta Calzabigi, dal momento che per lo piú sono letterati e scrivono dal punto di vista di chi difende le prerogative della poesia rispetto alla prepotenza e invadenza della musica che vorrebbero ridurre ad un ruolo piú modesto.

Nel *Saggio sopra l'opera in musica*, pubblicato per la prima volta nel 1755, l'Algarotti si fa portavoce di questa tendenza che potremmo chiamare *conservatrice*, tendente a riformare l'opera secondo la tradizione francese. Il principio estetico sottinteso alla sua critica dell'opera italiana è che la musica può raggiungere la sua piena espressione solo accompagnando la parola. Cosí riafferma i tradizionali motivi di stampo razionalistico per cui funzione dell'orchestra sarebbe soprattutto quella di sottolineare l'espressione del recitativo; inoltre tutte le arti, architettura, poesia, musica, danza, apparato scenico, devono collaborare e concorrere, senza allontanarsi dalla ragionevolezza e verosimiglianza, a creare l'opera in musica, con uno spettacolo in cui «di mille piaceri se ne formava uno solo ed unico al mondo». Per l'Algarotti in definitiva l'opera si riduce «ad una tragedia recitata per musica»; e per riportarla a questa condizione è necessario che la musica torni ad essere «ministra ed ausiliaria della poesia». L'Algarotti si rifà ad alcune idee degli enciclopedisti, ma soprattutto a D'Alembert e al suo prudente *Discours préliminaire*, di stampo ancora sostanzialmente razionalistico. La riforma di Gluck rappresenterà parecchi anni piú tardi l'attuazione artistica di questi principî.

Le rivoluzioni del teatro musicale italiano dalla sua origine fino al presente dell'Arteaga, furono pubblicate nel 1783. In questa poderosa opera in tre volumi che dovrebbe essere una specie di storia dell'evoluzione dell'opera, non emergono motivi estetici molto differenti da quelli già enunciati dall'Algarotti. Piú evidente appare l'influenza degli enciclopedisti e dei principî della riforma di Gluck, anche se l'Arteaga sembra avversare l'influenza dei francesi. Il suo interesse è tutto concentrato sul libretto e su di esso ritiene che si fondi l'eccellenza dell'opera. L'Arteaga, anche se sotto spoglie piú aggiornate e in parte camuffate, afferma un punto di vista sostanzialmente intellettualistico e razionalistico, incapace a comprendere una qualsiasi autonomia del linguaggio musicale e che non può condurre quindi che ad una piú o meno larvata condanna di esso. La musica infatti viene chiaramente intesa sempre solo come uno strumento della poesia, un ausilio non essenziale al linguaggio, un ornamento gratuito. Nella sua visione storica la «musica teatrale» è in rapida decadenza per essere «troppo raffinata e poco filosofica, proponendosi solamente per fine di grattar l'orecchio, e non di muovere il cuore, né di rendere il senso delle parole come pur dovrebbe essere il principale ed unico uffizio della musica rappresentativa...»[1].

Il progresso della musica strumentale – sempre secondo l'Arteaga – si è maleficamente insinuato anche nel melodramma, portandolo a sicura rovina; nei tempi d'oro di Jommelli, Leo, Vinci, Pergolesi, la musica rimaneva nei propri confini come «un commento fatto sulle parole», mentre ai suoi tempi l'ascoltatore dell'opera non sente piú che «il romore degli strumenti» e «non trova piú verosimiglianza o interesse nell'Opera di quello che troverebbe in un semplice concerto». È assai significativo osservare che l'Arteaga mette fra gli altri sul banco degli imputati «il gran Metastasio». E non a torto, dal suo punto di vista. Infatti il Metastasio «colle sue liriche bellezze ha contribuito a propagare il medesimo difetto (cioè a favorire l'emancipazione della musica strumentale). Le molte comparazioni che arricchiscono le sue arie, e che tanto e sí leggiadre pitture contengono degli oggetti fisici della natura, hanno per necessità dovuto aprire un vastissimo campo all'uso, varietà e forza degli strumenti». In altre parole l'Arteaga acutamente riconosce alla poesia del Metastasio quell'intrinseca musicalità che non poteva venire esplicitata altro che dalla musica vera e propria; le arie del Metastasio sono un suggerimento al musicista, un invito a dire con il linguaggio dei suoni ciò che il linguaggio delle parole non può piú esprimere e che l'Arteaga intellettualisticamente individua poco oltre nelle voci della natura. Ma l'Arteaga vede in questa emancipazione dell'elemento musicale una corruzione rispetto al suo originario destino che è quello di assolvere alla funzione del colorito in un quadro. Il Metastasio è indirettamente colpevole di aver fatto intravvedere agli uomini la possibilità che la musica sia «una

[1] S. Arteaga, *Le rivoluzioni del teatro musicale italiano*, 1783. Tutte le citazioni sono tratte dal cap. XIII.

spezie di nuova lingua inventata dall'arte al fine di supplire all'insufficienza di quella che ci fu data dalla natura».

I letterati e teorici in Italia si sono mostrati poco inclini a riconoscere un valore autonomo a quella «nuova lingua» di cui parlava l'Arteaga. Forse l'unica voce dissenziente rispetto alla posizione piú tradizionalistica è quella dell'Eximeno matematico e teorico, e del Manfredini, maestro di cappella imperiale a Pietroburgo e vivace polemista. Nella cultura musicale italiana nella seconda metà del secolo si formò una vivace e a volte astiosa polemica i cui protagonisti furono oltre all'Arteaga, all'Eximeno e al Manfredini, il vecchio padre Martini di Bologna, storico e teorico della musica oltre che musicista, garante della gloriosa tradizione contrappuntistica.

L'Eximeno, piú giovane di una generazione del Martini sperava di ottenere da quest'ultimo l'approvazione ufficiale al suo grosso volume *Dell'origine e delle regole della musica* (Roma 1774), ma questi gliela negò trovando in esso idee e principî completamente opposti ai suoi. Seguí uno scambio di libelli polemici tra i due. L'Arteaga fece poi da paciere ma in realtà non c'era via d'intesa perché essi parlavano un linguaggio diverso. L'Eximeno era nutrito di cultura enciclopedistica: cita sovente Du Bos, Condillac, le voci musicali dell'*Enciclopedia* e soprattutto Rousseau e si può infatti ritenere il portavoce piú fedele in Italia delle sue idee. Padre Martini invece rappresenta la tradizione pitagorica, la difesa delle regole come principî eterni e fondamento della musica, piú vicino certo a Rameau che a Rousseau.

L'Eximeno, nonostante la sua formazione matematica, anzi, come egli afferma, proprio a causa di questa, ha come principale obbiettivo polemico ogni concezione matematica della musica e quindi le teorie di Eulero, Tartini e Rameau. La musica infatti gravita in un altro mondo che quello dei numeri, delle regole, delle formule. «A che serve la regola di non far saltare una voce di quinta falsa, quando questo salto riesce tante volte gratissimo all'orecchio?»[2]. Sul piacere uditivo si fondano quindi le regole della musica mentre «nulla giova la teorica della Matematica». Ma dove l'Eximeno ri-

[2] *Dell'origine e delle regole della musica*, Prefazione, p. 1.

sente maggiormente della lezione di Rousseau come anche del Condillac è nell'affermare il principio che la musica ha una comune origine col linguaggio: «La Musica ed il linguaggio... procedono da una medesima origine, che secondo il mio parere è l'istinto umano»[3].

Con questa tesi l'Eximeno dà un significato tutto diverso all'esigenza comune a tutto il Settecento di unire musica e poesia. Quello che per l'Algarotti e l'Arteaga era una funzione subordinata, un accompagnamento inessenziale, per l'Eximeno come per Rousseau è ritrovare un'unità originaria dove entrambe le parti sono altrettanto essenziali. Infatti «il primo scopo della Musica è l'istesso che lo scopo del parlare, cioè esprimere colla voce i sentimenti e gli affetti dell'animo»[4]; la musica è quindi contenuta già nello stesso linguaggio e rappresenta la prosodia, l'accento e la quantità delle sillabe. Il concetto non è certo nuovo ma è inusitato nella cultura italiana. Di qui discende l'idea sviluppata poi soprattutto nel romanticismo che la musica varia nei suoi caratteri da popolo a popolo; infatti «dal principio che la Musica consiste nelle modificazioni del linguaggio, si deduce che quelle Nazioni saranno piú atte a esercitare la Musica, le quali parlino un linguaggio piú grato all'orecchio»[5].

La polemica dell'Eximeno contro le concezioni matematiche della musica si articola dunque su questi concetti di chiara derivazione francese e si comprende facilmente come questa mentalità fosse estranea a quella di padre Martini. La posizione del dotto bolognese in fondo non era molto diversa da quella dell'Algarotti, dell'Arteaga o degli altri letterati razionalisti: l'unica differenza è che il primo osserva il problema dal punto di vista di chi fa la musica, gli altri da quello di chi fa la poesia; ma il risultato è il medesimo. Entrambi isolano la musica, l'uno deducendola da astratte regole matematiche, gli altri relegandola a sussidio od ornamento del linguaggio verbale. Legare l'origine della musica a quella del linguaggio si è rivelata pertanto l'unica via che permettesse

[3] *Ibid.*, p. 108.
[4] *Ibid.*, p. 106.
[5] *Ibid.*, p. 13.

di reinserirla nel vivo contesto del linguaggio artistico e al tempo stesso a fondarne l'autonomia.

Merita ancora un cenno l'opera[6] del Manfredini, piú che per profondità di pensiero, per il suo battagliero spirito di brillante polemista. Piú giovane degli altri teorici menzionati, e compositore egli stesso, si fa ardito difensore della musica moderna, contro l'Arteaga e il Martini. Il Manfredini accetta senza riserve il concetto illuministico di progresso ed in base ad esso afferma, in polemica con l'Arteaga, che proprio la musica non può contraddire a questa legge della storia ed essere piú perfetta presso i Greci che ai suoi tempi. Il Manfredini sempre servendosi del concetto di progresso difende forse per la prima volta in Italia la musica strumentale. La separazione di musica e poesia infatti è la conseguenza del progresso dell'una e dell'altra: «una tale separazione doveva risultar naturalmente a misura che le dette facoltà s'ingrandivano e miglioravano... e sebbene unite abbiano piú forza, ne hanno anche molta essendo separate, come lo dimostrano le belle opere che esistono di filosofia, di legislazione, di poesia e di musica strumentale, ch'è la vera essenza della musica, mentre il diletto, che reca la musica vocale, può derivare ancora dalle parole se non in tutto, almeno in parte; ma quando una musica strumentale giunge a toccare, bisogna dire che tutto il merito è della sola musica...»[7].

A questa difesa senza mezzi termini della musica pura come livello piú alto della sua evoluzione, si riallaccia la polemica del Manfredini con il padre Martini a proposito del contrappunto. Armonia e contrappunto, termini usati ambivalentemente con equivoci risultati, erano avversati dai teorici letterati perché vedevano in essi il rischio della degenerazione della musica in musica strumentale autonomamente intesa. Il Martini invece come musicista della vecchia scuola, difende il contrappunto opponendolo alla melodia: l'uno è il fondamento eterno della musica e «non soggiace a vicende o mutazioni di tempo o a varietà di genio»[8], l'altra invece si riferisce «al buon gusto» ed è quindi soggetta ai capricci

6 *Difesa della musica moderna e dei suoi celebri esecutori*, 1788.
7 *Ibid.*, pp. 51-52.
8 G. B. Martini, *Storia della musica*, 3 voll., Bologna 1757, 1770, 1781, II, p. 281.

della moda, quasi come sovrastruttura inessenziale del contrappunto. Il Manfredini, pertanto, che come l'Eximeno non nutre la stessa fiducia nei fondamenti eterni della musica, ritiene che la bellezza si possa fondare solamente sul buon gusto «il quale in ogni genere si può paragonare al vero bello e questo certamente non è soggetto alla moda»[9]. Contrappunto e melodia non vengono piú allora concepiti come termini antitetici ma complementari. In realtà il Manfredini per contrappunto intende l'armonia moderna, che non è che il frutto del perfezionamento e dell'uso giudizioso del contrappunto antico, la cui invenzione risalirebbe addirittura ai Greci. Su questo punto il Manfredini concorda con l'Eximeno, ed è facile capirne la ragione. Per chi difende la musica moderna, e quindi la musica strumentale che sempre piú si afferma nella sua assoluta autonomia fondandosi sull'armonia modernamente intesa, non ha piú senso la scelta tra melodia e armonia, intendendo la prima come discorso chiaro e lineare sul modello di quello verbale, e la seconda come discorso confuso ed intricato per la molteplicità delle voci. Si comprende pure la polemica contro l'Arteaga che sosteneva la superiorità della musica greca perché fondata solo sulla melodia essendo ai Greci sconosciuto il contrappunto.

La polemica evidentemente non era storica, data la mancanza a quel tempo di notizie sicure, ma ideologica: stava ormai per tramontare il mito della Grecia classica ed era piú logico quindi concepire l'armonia come frutto di una secolare evoluzione piuttosto che come invenzione «*gotica e barbara*»; non era piú possibile concepire musica senza armonia, e non aveva piú senso perciò contrapporre un mitico mondo antico, patria della melodia, al mondo moderno corrotto dall'armonia.

4. *Estetica e storiografia.*

I letterati e i musicisti italiani hanno messo in luce soprattutto le implicazioni classicistiche e razionalistiche presenti nella cultura degli enciclopedisti. In Inghilterra, i teorici del-

---

[9] Manfredini, *Difesa della musica moderna* cit., p. 64, nota.

la musica, fedeli alla tradizione lockiana, hanno sviluppato invece i germi empiristici e sensistici del movimento enciclopedistico dando poi un particolare impulso alla storiografia con le due singolari figure di John Hawkins e Charles Burney.

Scarso contributo aveva portato all'estetica musicale lo Addison con i suoi pungenti e arguti articoli sullo «Spectator» del 1711. La sua critica all'incoerenza del melodramma italiano non va piú in là della nota di costume. Tuttavia è importante notare come in questi brevi saggi s'intravveda già come il concetto di gusto, come unico metro di giudizio per valutare la musica, si sostituisca alle regole. In tutto il Settecento inglese critici, teorici e storici si serviranno di questo nuovo concetto preso a prestito dall'estetica empiristica. Al Burke e all'estetica empiristica in generale cosí come a D'Alembert e a Rousseau si richiama pure lo Avison, uno dei piú interessanti trattatisti inglesi del Settecento. Lo Avison considera la musica come uno dei mezzi piú efficaci per suscitare le passioni. Se questa tesi non è originale tuttavia assume un importante significato se si pensa che implicitamente essa assegna alla musica una funzione sua propria accanto alle altre arti, e prelude alla rivalutazione della musica pura. Tutte le arti procurano piacere e la musica è destinata a procurare passioni piacevoli attraverso l'imitazione: «la musica sia con l'imitazione dei vari suoni nella dovuta soggezione alle leggi della melodia e dell'armonia o attraverso altri metodi d'associazione, portando dinnanzi a noi gli oggetti delle nostre passioni... suscita naturalmente una varietà di passioni nel cuore umano...»[1].

L'armonia, conformemente alle idee di Rousseau, anche per lo Avison ha una funzione subordinata e serve solo a conferire bellezza e forza alla melodia e corrisponde perciò alla funzione del colore nella pittura. Come già in Rousseau, anche lo Avison si fonda su questa concezione dell'armonia e della melodia nei suoi giudizi sulla storia della musica: nel mondo antico, a cui era sconosciuta l'armonia e il contrappunto, prevaleva la semplicità e la naturalezza del canto; al mondo antico si contrappone l'artificiosità della polifo-

---

[1] *An Essay on Musical Expression*, London 1752, pp. 3-4.

nia gotica. Nel mondo moderno si sta nuovamente facendo strada, con il prevalere della melodia, l'antica naturalezza.

L'estetica empiristica inglese, per quanto riguarda la musica, ha certamente favorito, con il suo atteggiamento antidogmatico, le ricerche storiografiche. Se alle regole, alla tradizione, all'autorità si sostituisce il principio soggettivo del gusto come organo di giudizio, crollano improvvisamente i tradizionali canoni e schemi storiografici. Sin qui era mancata la sollecitazione a ricerche vere e proprie nel passato musicale, sia per il rapido consumo cui andava soggetta la musica, sia soprattutto perché erano già pronti gli schemi di giudizio su di essa. I primi tentativi di compilare una storia vera e propria della musica che non si riduca a uno schema piú o meno mitico, risalgono proprio alla seconda metà del Settecento; essi non rappresentano piú che tentativi, in quanto mancavano allora i presupposti indispensabili per accingersi a tale lavoro; mancava anzitutto il materiale, cioè una sufficiente conoscenza della musica del passato; mancava anche una adeguata preparazione filologica per colmare tale lacuna; mancava un metodo che permettesse di eseguire organiche ricerche e ordinare con un certo senso storico anche lo scarso materiale a disposizione. Tuttavia, soprattutto nel clima della cultura empiristica inglese, come si è detto, erano presenti quelle sollecitazioni culturali che favorirono l'avvio degli studi storici. Anche l'influenza d'oltre Manica si faceva notevolmente sentire e il dizionario di Rousseau e l'enorme mole di notizie musicali, storiche e teoriche anche se non sempre attendibili, offerte dall'*Enciclopedia*, rappresentavano uno stimolo ad ampliare le ricerche e gli studi.

La figura di Charles Burney, testimonia forse meglio di ogni altra questa felice sintesi tra il metodo empiristico e i concetti degli enciclopedisti e in particolare di Rousseau. Se si esclude la storia della musica, peraltro incompiuta, di padre Martini[2], che interessa piú che altro per la grande quantità di materiale erudito raccolto soprattutto sulla musica antica, il Burney ci ha lasciato la prima storia della musica[3] completa modernamente concepita, con notizie di prima

    [2] G. B. Martini, *Storia della musica* cit.
    [3] C. Burney, *A general History of Music*, 4 voll., London 1776-89.

mano, soprattutto per la parte a lui contemporanea; questa storia però, insieme al diario dei viaggi compiuti in Europa per completare le sue ricerche, ci interessa qui per i criteri estetici e storiografici che l'hanno ispirata.

Il Burney, a parte un breve saggio sulla critica musicale, anteposto al terzo volume della sua storia della musica, non ha mai scritto saggi teorici. Tuttavia da ogni pagina dei suoi scritti traspare con sufficiente chiarezza la sua concezione della musica, che peraltro non si discosta molto dall'estetica del tempo. Se da alcune affermazioni e definizioni programmatiche che troviamo all'inizio della sua opera storica – «la musica è un lusso innocente non indispensabile peraltro alla nostra esistenza, pur portando piacere e progresso al senso dell'udito» – sembra che il Burney voglia coinvolgere la musica nel generale disprezzo in cui era tenuta dal razionalismo settecentesco, d'altra parte tutta la sua opera storiografica sembra invece mirare ad una rivalutazione della musica sul piano della civiltà e della cultura. La musica è per il Burney una funzione diretta della civiltà; essa è un *lusso*, un ornamento della nostra vita, ma integrata talmente al vivere civile da non poter essere disgiunta dalle altre attività umane quali la politica, la religione, la filosofia. Se la musica è un *lusso*, è però un lusso «necessario alla nostra esistenza»; cosí infatti sottolinea chiaramente nel suo diario di viaggio: «Affermare che la musica non è mai stata tenuta in cosí alta considerazione e non mai cosí apprezzata come oggi in tutta l'Europa, non significa altro che affermare che oggi l'umanità è piú civile e colta rispetto ad ogni altro periodo della sua storia»[4]. Le dichiarazioni di principio di stampo sensistico o razionalistico sono dunque smentite da questa piú ampia prospettiva che potremmo chiamare umanistica, che riconduce la musica nella corrente viva della cultura.

Le affermazioni di carattere sensistico avevano pertanto evidentemente un sapore polemico ed erano dirette verso il suo rivale John Hawkins autore dell'altra grande storia della musica del Settecento[5]. Rivali non solo per motivi professio-

[4] *The Present State of Music in France and Italy*, London 1771.
[5] J. Hawkins, *A General History of the Science and Practice of Music*, London 1776.

nali, ma soprattutto perché il Burney e lo Hawkins rappresentano due mentalità storiografiche opposte. Lo Hawkins è ancorato ad una concezione che per brevità potremmo definire razionalistica; egli vuole dimostrare che «i principî della musica sono fondati su alcune leggi generali e universali, alle quali tutto ciò che scopriamo nel mondo materiale di armonia, simmetria, proporzione e ordine sembra essere riconducibile». A questa concezione secondo cui il giudizio sull'opera viene commisurato a regole e principî astratti e prestabiliti, e che non sa giustificare le innovazioni della musica, si contrappone l'*empirismo* del Burney, disposto a rinunciare a regole e leggi per un autentico diletto, pronto ad accettare qualsiasi novità, purché si giustifichi sul piano del *buon gusto* e procuri godimento musicale. Il Burney giudica soltanto sul proprio gusto, parla «in nome dei suoi sentimenti» e non in base a regole o astratti canoni di bellezza; la musica si appella ai nostri sentimenti ed essi sono in una certa misura indiscutibili e irriducibili a ragionamento.

Queste note non sono certo frutto di un'originalità speculativa del Burney; il quale non faceva che orecchiare i concetti estetici piú diffusi riguardo alla musica dal Du Bos sino a Rousseau e Diderot, autori per cui nutriva la piú alta ammirazione. Il suo maggior merito è quello di aver saputo concretamente rendere operativi questi concetti, trasportandoli dal piano teorico a quello pratico, aprendo cosí la via ad una piú moderna critica e storiografia musicale, anche se inevitabilmente è stato portato a mitizzare alcune categorie proprie della storiografia illuministica come il concetto di progresso. Per il Burney infatti la storia della musica era una parabola in continua ascesa il cui vertice era stato toccato proprio dalla musica del suo tempo, con il definitivo abbandono dell'armonia *gotica* e con il prevalere di una piú libera melodicità. Se si esaminano le rispettive proporzioni delle due storie del Burney e dello Hawkins si vede subito che sono inverse: se lo Hawkins si diffonde con maggiore ampiezza di particolari, e bisogna dire anche con maggior competenza, sulla musica dell'antichità – ciò che gli causò derisione ai suoi tempi – arrestandosi alla fine del Seicento, rifiutandosi cosí polemicamente di discutere o giudicare qualsiasi compositore moderno, il Burney invece tratta dell'antichità piú che altro per dovere di completezza, invitando i lettori a sorridere con lui dell'aridità e dell'ingenua sicurezza degli antichi trattatisti; la sua storia si fa piú appassionata e diffusa a mano a mano che si avvicina ai suoi tempi ed un buon terzo dell'intera storia è dedicata ai musicisti moderni. Per lo Hawkins la musica aveva raggiunto il culmine della perfezione con la polifonia e il contrappunto per iniziare poi la sua parabola discendente, degenerando e corrompendosi definitivamente dopo Händel; il Burney nella sua mentalità illuministica concepiva invece la musica inserita nel generale corso della civiltà e perciò in continuo progresso. Qui sta forse il maggior distacco tra l'opere dei due storici rivali: la storia dello Hawkins pur nei suoi innegabili pregi è chiusa e rivolta al passato, tendendo ad isolare la musica e a racchiuderla nelle sue eterne leggi; il Burney con la sua fede nel progresso, ha restituito alla musica la sua piena dignità di arte considerandola elemento costitutivo, e non di secondaria importanza nello svolgersi della civiltà umana.

5. *Bach e l'illuminismo*.

Se nella cultura francese e italiana del Settecento i piú importanti problemi di natura estetica e filosofica sulla musica trovano modo di manifestarsi nelle polemiche sul melodramma, nella cultura tedesca analoghi problemi estetici si ritrovano sottintesi in un'altra significativa polemica sul valore del contrappunto. In questa polemica la musica di J. S. Bach costituisce un punto di riferimento esplicito o piú spesso implicito. Non si tratta piú tanto della questione della prevalenza dell'elemento vocale su quello strumentale o della priorità della poesia sulla musica nel melodramma, come nelle dispute sorte in Francia, ma è in discussione piuttosto lo stile della musica strumentale, cioè della superiorità del contrappunto sulla melodia o viceversa.

È noto che in Germania la musica strumentale ha trovato un terreno di piú fertile sviluppo per cui è stata accettata dai teorici e dai filosofi come un dato di fatto indiscutibile. La polemica estetica è rimasta cosí per lo piú circoscritta nell'ambito della musica, e i musicisti stessi ne furono spesso i protagonisti. La polemica tra J. S. Bach e A. Scheibe, musicista e critico di una ventina d'anni piú giovane, e quindi di gusti diversi, è assai significativa, perché fissò i termini della disputa e chiarí in modo esemplare i motivi estetici e culturali che resero impossibile al razionalismo e all'illuminismo la comprensione dell'arte di Bach. Scheibe in uno dei primi fascicoli della rivista da lui fondata nel 1737 riassunse in un breve saggio i motivi della sua condanna di Bach, di cui merita riportare il passo piú significativo: «È un artista straordinario sul clavicembalo e sull'organo, e non ha incontrato un solo musicista che abbia potuto rivaleggiare con lui. A varie riprese ho inteso suonare questo grande uomo. Ci si meraviglia della sua abilità e appena si può concepire come gli riesca possibile d'incrociare cosí singolarmente e cosí rapidamente le mani e i piedi, di divaricarli e di raggiungere gli intervalli piú larghi senza mescolarvi un solo suono falso e senza spostare il corpo nonostante quel violento agitarsi. Questo grande uomo sarebbe stato la meraviglia di tutte le nazioni se si fosse reso piú piacevole e se non avesse soffocato la naturalezza della sua musica con uno stile ampolloso e non l'avesse resa oscura con un'arte troppo grande. Poiché egli giudica con le sue dita, cosí i suoi pezzi sono estremamente difficili da eseguirsi: egli pretende che cantanti e strumentisti facciano esattamente con la gola e con gli strumenti quello che egli fa col cembalo. Tutte le "maniere", tutti gli ornamenti, tutto ciò che si suona con metodo egli segna con note reali e con ciò toglie ai suoi pezzi non solo la bellezza dell'armonia, ma rende anche il canto assolutamente inafferrabile. In breve: egli è in musica quello che un tempo fu in poesia il signor Lohenstein. L'ampollosità ha condotto entrambi dalla naturalezza all'artificio, dall'altezza sublime all'oscurità. In entrambi si ammira il lavorio greve, pesante e la dura fatica; è però fatica sprecata perché si batte contro la ragione»[1]. Si ritrovano in questo passo tutti i temi già cari al razionalismo francese: la ragione intesa come piacevolezza galante e mondana; la natura come affettazione ed equilibrata ornamentazione, ed infine l'arte intesa, come già l'intendeva Lecerf de La Vieville, come sinonimo di artificio.

---

[1] J. A. Scheibe, in «Der Critische Musikus», fasc. 6, Leipzig 1745.

Non si trattava piú per Scheibe di difendere un particolare stile melodrammatico, ma piuttosto la musica strumentale allora di moda in Germania, lo stile galante e civettuolo pur nella sua signorile semplicità dei Graun, dello Hasse, di Quantz, di Mattheson, e di tutti gli altri numerosi compositori allora presenti in Germania e oggi per lo piú quasi dimenticati, la cui fama era tanto superiore a quella del grande Bach. Il giudizio dello Scheibe, dopo il riconoscimento dell'abilità virtuosistica di Bach, in realtà è assai duro, perché gli nega la naturalezza e la melodiosità, tacciando la sua musica di artificiosità e di ampollosità; cosicché la sua stessa prodigiosa capacità tecnica risulta una ben vana fatica, perché «contro la ragione». Lo stile contrappuntistico di molta musica di Bach, che lo faceva apparire come un musicista antiquato e retrogrado agli occhi dei suoi contemporanei e immediati successori, apparve allo Scheibe, ai critici e ai musicisti che lo hanno seguito come l'esempio piú appariscente di quell'eccesso di arte che genera l'artificio contrario alla natura e alla ragione. L'incrociarsi, il rincorrersi delle voci, l'intreccio polifonico e contrappuntistico, in altre parole il virtuosismo è condannato dallo Scheibe non in nome del cuore e del sentimento, come piú tardi da Rousseau, ma in nome della retta ragione. Bach, tutto assorto nel proprio lavoro, non rispose all'attacco; o forse si può considerare una risposta non solo allo Scheibe ma a quell'estetica che portava in primo piano le esigenze della gradevolezza e della piacevolezza sotto il controllo supremo della ragione, la frase che si ritrova in una trattazione teorico-didattica per i suoi allievi in cui tra l'altro si legge che tutta la musica «a null'altro deve mirare che all'onore di Dio e alla ricreazione dell'animo»[2]. Non ci può essere possibilità d'intesa o di mediazione tra Bach, il quale in fondo si appellava ad una rigorosa concezione pitagorico-teologica della musica, e i suoi detrattori. Infatti tra gli articoli che apparvero ancora sul «Critische Musikus», quelli a sua difesa dell'amico J. A. Birnbaum rivelano una non minore incomprensione

[2] Per una piú ampia informazione sull'argomento cfr. tra l'altro L. Ronga, *Bach, Mozart, Beethoven*, pp. 23 sgg., e ancora di Id., *Arte e gusto nella musica*, pp. 155 sgg.

dell'arte bachiana. Il Birnbaum nel difendere l'amico non scorge l'errore di prospettiva nel giudizio dello Scheibe, limitandosi a rimproverargli una superficiale conoscenza della musica di Bach che gli impediva di tributare a quest'ultimo «la stessa lode data al celebre signor Graun». In altre parole Birnbaum vorrebbe salvare l'amico paragonandolo a un musicista secondario anche se al suo tempo celebre, ma cosí lontano nella sua eleganza e nella sua facile melodiosità dalla severa e austera religiosità bachiana. La polemica continuò sulla rivista dello Scheibe, perdendo però il primitivo interesse e spostandosi poi su altri temi. Una decina d'anni piú tardi Bach moriva e la sua musica rimaneva il simbolo di un gusto non piú attuale, dominando allora incontrastata la poetica della semplicità galante, del facile sentimentalismo in accordo con la ragione, il gusto della melodia armonizzata senza troppe complicazioni. Lo stesso Birnbaum nella sua volonterosa difesa di Bach non fa che proporre i princípî ormai noti dell'estetica dell'imitazione della natura, della piacevolezza e della linearità melodica.

Questo ideale di musica salottiera e galante viene difeso e riproposto in quasi tutti i trattati teorici scritti per lo piú dagli stessi musicisti del tempo, i quali si fanno eco nella condanna dell'arido contrappunto, incapace di imitare la natura e di suscitare alcun effetto o emozione, appartenente ormai al passato, residuo di quella *Götische Barbarei* di cui parlava il Birnbaum. Il concetto di progresso domina in tutti questi trattati, e rappresenta uno dei criteri di giudizio piú correnti: le opere dei musicisti moderni superano quelle dei musicisti precedenti; la musica raggiunge sempre nuove vette e progredisce sempre nelle sue possibilità espressivo-imitative, e i musicisti del passato e coloro che tra i contemporanei ancora non si sono adeguati ai tempi nuovi appaiono irrimediabilmente condannati. Queste prospettive estetiche e storiografiche si ritrovano ad esempio negli scritti del Mattheson, musicista e teorico contemporaneo di Bach, il quale nei suoi numerosi trattati[3] espone i princípî e i gusti di quel razionalismo temperato in cui il sentimento trova il suo po-

[3] Cfr. soprattutto Mattheson, *Das neu-eröffnete Orchester*, 1713, e *Der Vollkommene Kapellmeister...*, 1739.

sto accanto alla ragione per ammorbidirla e renderla piú gradevole. Il Mattheson ama «le musiche ragionevoli» che «toccano il cuore», ed elevano l'anima attraverso le melodie. Ciò che tuttavia è notevole nel pensiero del Mattheson e di molti altri critici tedeschi è l'attenzione che essi pongono agli elementi tecnici e al fatto acustico come valore autonomo, il che presuppone il riconoscimento dell'autonomia della musica strumentale. Per il Mattheson la ragione non è il solo giudice autorizzato: senza l'udito la ragione è insufficiente: l'udito rappresenta «l'unico tramite» per cui la musica può essere portata all'animo dell'ascoltatore attento.

Considerazioni tecniche in senso lato prevalgono anche nel famoso trattato del Quantz[4] che per quanto dal titolo lasci presumere che contenga unicamente istruzioni sul modo di suonare il flauto tedesco, si allarga invece a questioni di carattere piú generale che investono problemi di notevole interesse estetico, critico e storiografico. La minuta precettistica e la casistica che riempiono buona parte del trattato tradiscono una mentalità tendenzialmente empiristica, aliena dalle generalizzazioni arbitrarie, dalle costruzioni teoriche astratte che spesso prevalgono invece negli scritti dei teorici francesi. Quantz si richiama continuamente alla necessità, imprescindibile per qualsiasi critico, di una buona conoscenza della tecnica musicale: solo allora potrà esercitare correttamente il suo giudizio spogliatosi da ogni preconcetto o passionalità di parte. Anche per Quantz ragione e soprattutto buon gusto sono le categorie critiche indispensabili. Assai difficile precisare che cosa intenda quando parla di «buon gusto», concetto elaborato dai filosofi a lui contemporanei. Buon gusto per Quantz sembra essere quella particolare facoltà avente la funzione di giudicare gli oggetti pertinenti soprattutto alla sfera del sentimento, come la musica. Quanto ai criteri del buon gusto solo l'esperienza può indicarceli e non certo la tradizione o l'autorità degli antichi, di gran lunga inferiori a noi nell'esercizio di questa facoltà. L'esperienza diretta della musica per l'uomo provvisto di profonde conoscenze musicali (cioè di ragione) e della facoltà del buon gusto ci offrirà i piú validi criteri di giudi-

[4] Quantz, *Versuch einer Anweisung die Flöte traversiere zu spielen*, 1752.

zio. Quantz può concludere, e a questa conclusione possono sottoscrivere la maggior parte dei suoi contemporanei, che data la presenza della dottrina come presupposto indispensabile, l'impressione soggettiva si rivela dopo tutto «come la guida piú sicura». La soggettività del giudizio estetico costituisce il presupposto per liberarsi dal principio d'autorità; non solo, ma anche per riconoscere che il complesso di regole che presiedono alla composizione di un brano di musica hanno un valore relativo e non strettamente vincolante. Quantz si sofferma ad analizzare minutamente le regole che presiedono alla struttura formale delle varie forme di musica strumentale, concerti, trii, quartetti, a solo, ecc., pur sapendo che si tratta in fondo di «consigli», e che le norme enunciate possono benissimo essere variate secondo le circostanze e soprattutto secondo la regola suprema del buon gusto. Scopo ultimo della musica secondo Quantz è suscitare passioni ed emozioni nell'ascoltatore: e in ciò è vicino alla tesi degli enciclopedisti francesi. Ma si discosta da questi ultimi nel giudizio sulla musica strumentale. Se gli enciclopedisti non erano riusciti a liberarsi del pregiudizio razionalistico che bandiva la musica non vocale, per cui D'Alembert poteva ancora dire nella prefazione all'*Enciclopedia* che la musica «tiene l'ultimo posto nell'ordine dell'imitazione», Quantz invece, estraneo a questa tradizione di pensiero, accetta la piena autonomia del discorso strumentale. Quando i francesi alludono alla musica non vocale parlano genericamente, con una sfumatura di disprezzo, di «sonates», o di «symphonies»; il Quantz invece distingue accuratamente tutte le varie forme, per concludere che esse possono esprimere le passioni altrettanto efficacemente della musica vocale, di cui peraltro riconosce i pregi. Se la musica vocale trova il suo posto soprattutto nel melodramma, in cui mostra il suo potere caratterizzante, la musica strumentale possiede le leggi proprie del suo linguaggio: il sapiente dosaggio dei contrasti rappresenta la legge formale suprema di ogni composizione strumentale, attraverso la quale ogni musicista dotato di buon gusto può commuovere, suscitare passioni e non annoiare l'ascoltatore. Questo ideale di equilibrio che si attua attraverso un contrasto dinamico tra i timbri degli strumenti, gli adagi e gli allegri, i piani e i forti, i temi patetici e quelli briosi e vivaci, esprime anche il gusto del Quantz, lontano da ogni eccesso, che aspira a quell'eleganza formale propria della musica creata per servire da piacevole svago e diversivo nelle corti e non per «onorare Dio». Quantz infatti nella polemica musicale del suo tempo concorda nella condanna dell'astruso contrappunto privo di melodicità e fatto «piú per gli occhi che per l'orecchio», proprio del «gusto barbaro» dei tedeschi del secolo che precedette il suo, anche se riconosce che Bach è stato un uomo «degno di ammirazione» e il «piú grande organista». Di fronte al gusto francese e italiano, anche se le sue preferenze in fondo vanno a quest'ultimo, e a quei musicisti tedeschi che imitano il gusto italiano contribuendo cosí al progresso della musica tedesca, auspica uno stile misto che contempli ciò che vi è di meglio tra i francesi e gli italiani; del gusto italiano critica l'eccessiva audacia, di quello francese la mancanza di varietà. Questo ideale, tipicamente illuministico e intellettualistico, auspicato non solo da Quantz, di una musica sovranazionale, che sappia cogliere i frutti migliori dagli altri stili, rappresenta il trionfo del buon gusto e del progresso.

Numerosi altri trattati, simili a quello del Quantz, scritti a scopo didattico, si trovano nell'illuminismo tedesco. È significativo il fatto che molti di essi vertano sull'arte di suonare uno strumento, il che testimonia ancora una volta del valore che i tedeschi già nel Settecento attribuivano alla musica strumentale. Leopold Mozart, padre di Wolfgang, ci ha lasciato un interessante metodo per lo studio del violino[5], che contiene tra l'altro interessanti divagazioni sul problema interpretativo, sul buon gusto, ecc. Una fonte forse ancora piú significativa dell'estetica musicale alla fine del Settecento in Germania è il trattato sull'arte di suonare il clavicembalo[6] scritto da C. Philip Emanuel Bach, uno dei tanti figli di J. S. Bach. Anche nel suo trattato, oltre ai saggi e perspicaci consigli agli esecutori, si trovano annotazioni interessanti, in particolare sul problema interpretativo. C. Philip Emanuel Bach si unisce ai suoi contemporanei nella condanna della pura abilità tecnica, dell'esclusivo sfoggio di virtuo-

---

[5] L. Mozart, *Versuch einer gründlichen Violinschule*, 1756.
[6] C. P. E. Bach, *Versuch über die wahre Art das Klavier zu spielen*, 1753-62.

sismo: il fine ultimo dell'interprete è di rivelare all'ascoltatore «il vero contenuto e il sentimento della composizione»,
ciò che può avvenire soltanto attraverso un'immedesimazio-
ne emotiva tra i sentimenti dell'interprete e quelli espressi dalla musica. L'esecutore nell'atto dell'interpretare deve
provare gli stessi sentimenti che il compositore ha voluto
esprimere nella sua musica; per cui anche se è utile formulare le regole di una corretta esecuzione, i trattati in cui si trovano tanti termini dotti in realtà non potranno mai descrivere adeguatamente il modo in cui l'interprete dovrà cogliere emotivamente il sentimento presente in una composizione. Questi dovrà *sentirlo*, e nessuna regola o istruzione potrà
essergli di aiuto. Cosí anche tutto ciò che non è scritto nello
spartito e non può essere scritto dovrà essere *sentito* secondo
il buon gusto, e reso con la massima evidenza per non ridursi al rango di quegli esecutori «che non fanno nulla di piú
che suonare le note». Questo discorso sull'interpretazione è
in stretta relazione al problema degli abbellimenti e della loro esecuzione. Nella seconda metà del Settecento già s'incominciava a sentire l'esigenza di porre una maggiore disciplina nell'esecuzione di questo elemento cosí importante nello
stile galante del tempo, e di non lasciare gli abbellimenti
completamente affidati all'arbitrio dell'interprete, vocale o
strumentale che fosse, il quale aveva modo cosí di sbizzarrir-
si facendo sfoggio delle sue doti virtuosistiche. C. P. E.
Bach fu tra i primi a mettere in luce l'importanza dell'abbellimento come elemento non aggiunto né superfluo, ma come
parte integrante ed essenziale della composizione, e di conseguenza a pretendere che il compositore «specifichi in modo inequivocabile ogni abbellimento invece di lasciare la
scelta al capriccio dell'esecutore privo di gusto». L'abbellimento viene cosí ricondotto dal regno dell'arbitrio e del virtuosismo a quello dell'espressione. Discorso analogo viene
fatto da C. P. E. Bach a proposito degli accompagnamenti,
concepiti non come un'aggiunta o un riempitivo piú o meno
essenziale allo svolgimento melodico, ma come parte integrante del discorso musicale, da curarsi con attenzione e pe-
rizia per il buon equilibrio dell'insieme. C. P. E. Bach rivela
indubbiamente di essere stato allievo del padre e di averne
assorbito in qualche modo le idee e i propositi. Fu tra i po-

chi nel suo tempo a difenderlo appassionatamente, come testimonia una sua lettera ad un amico. Contro il Burney, lo storico inglese che parlava di Bach solo come di un buon organista, tuttavia inferiore a Händel, C. P. E. Bach rivendica il valore del padre non solo come ineguagliabile organista, ma, cosa assai piú significativa, come compositore di fughe a cinque o sei voci (!), il che doveva commuovere assai poco il Burney e i suoi contemporanei. C. P. E. Bach nel suo trattato, per l'attenzione di cui fa oggetto l'attività dell'esecutore, per la cura che pone nel dividere i compiti rispettivi del compositore rispetto a quelli dell'interprete, prelude ad una piú precisa coscienza del ruolo creativo del compositore, del rispetto che esige la sua volontà e dell'indipendenza della sua funzione. Haydn pochi anni piú tardi, ormai alle soglie del romanticismo, metterà in piena luce il contrasto tra l'esigenza di libertà per l'artista e la condizione di soggezione sociale in cui questi per lo piú veniva a trovarsi. Se C. P. E. Bach già accennava al fastidio che gli procurava comporre musica su comando, dovendo seguire a volte «ordini ridicoli», Haydn nelle sue lettere rivendica ormai apertamente il diritto dell'artista all'assoluta libertà, libertà di comporre seguendo unicamente la propria ispirazione, libertà di violare qualsiasi regola, se cosí esige «l'orecchio e il cuore». Haydn tuttavia compose sempre musica su ordinazione, al servizio per la maggior parte della sua vita del principe Esterhazy, incarnando cosí nella sua persona un contrasto non solo teorico, che rivela la crisi degli ideali critici ed estetici della società illuministica.

6. *Gluck e Piccinni: l'ultima «querelle»*.

Si è visto come la Francia nel Settecento sia stata in Europa il piú fertile terreno per l'acquisizione di una piú matura coscienza musicale realizzatasi attraverso il fervore delle polemiche, delle lotte tra avverse fazioni, con vere e proprie guerre culturali: le numerosissime voci musicali dell'*Enciclopedia* sono forse la piú fedele testimonianza di questo fermento di idee e di questo travaglio critico. Tuttavia nell'arco di tempo in cui sono state stese (dal 1750 al 1765) le passioni si sono raffreddate, depurate e le posizioni che sino a pochi anni prima sembravano del tutto inconciliabili tendono col passare degli anni a integrarsi. È vero che tra i fautori del melodramma italiano e quelli del melodramma francese sembrava esserci un abisso incolmabile, per la diversità non solo dei gusti ma degli obbiettivi politici, ideologici, filosofici oltre che estetici: ma al di là delle sin troppo ovvie differenze vi era in fondo un dato comune su cui tutti in un modo o in un altro convergevano ed era la critica alla frivolezza dello spettacolo melodrammatico. I rimedi suggeriti erano spesso molto diversi, ma l'obbiettivo di fondo era il medesimo: riscattare lo spettacolo dal rischio d'insignificanza, dalla banalità, dall'eccesso di ornamentazione. Gli uni intravvedevano il riscatto dello spettacolo nel ricondurlo allo slancio della passione, all'impegno realistico, all'abbandono dei falsi e non piú attuali soggetti mitologici tradizionali, al ritrovamento dell'immediatezza dell'incontro originario suono-parola, propria dell'uomo ogniqualvolta esprime con naturalezza le proprie passioni; gli altri, ravvisavano un possibile riscatto del melodramma nel suo recupero della piú autentica tradizione tragica che ha le proprie origini piú remote nel mondo classico e quelle piú prossime nel nobile e austero melodramma del secolo del Re Sole. L'esigenza riformatrice è sempre presente ed in fondo ha sempre il medesimo obbiettivo: le fazioni in lotta alla metà del Settecento nella Francia in bilico tra razionalismo classicistico e illuminismo prerivoluzionario pretendono entrambe dal melodramma un autentico impegno drammatico, difendendolo gli uni dalle frivolezze di una musica intesa come puro divertimento, gli altri dalla vuota retorica di una mitologia e di un classicismo a cui la nuova borghesia, che si accostava proprio allora al teatro, era del tutto insensibile, avvertendone la falsità e l'artificiosità. Tra le due fazioni avverse emerge dunque, placati gli animi, uno sfondo comune. Gli enciclopedisti, nonostante le loro infiammate dichiarazioni si rendono conto che la difesa ad oltranza della musica italiana non è piú di per sé un elemento sufficientemente qualificante dal punto di vista estetico e ideologico; dall'altra i fautori della tradizione classicheggiante francese avevano attenuato il loro rigore moralistico e miravano ormai a soluzioni di compromesso non potendo piú ignorare le esigenze di fondo degli enciclopedisti.

Anche il mito dell'opera italiana stava tramontando: il miracolo della freschezza della *Serva padrona* e la spontaneità popolaresca dell'opera buffa napoletana dei primi decenni del Settecento era ormai lontana. Anche l'opera buffa era diventata un genere di maniera, con le sue convenzioni fisse, i suoi tipi, le sue trame stereotipe, perdendo molto del suo primitivo mordente e della sua carica eversiva. Le punte si sono dunque andate smussando e le distanze si sono ravvicinate. Musica italiana e musica francese hanno rispettivamente perso i caratteri tipici per cui avevano potuto essere anche miticamente contrapposte come mondi diversi e inconciliabili: la tradizione francese si era praticamente dissolta e lo stile della musica italiana era diventato lo stile internazionale, lo stile dell'Europa colta e illuminata.

Per questi motivi l'ultima *querelle* che ha animato la scena intellettuale e musicale francese, quella tra Gluck e Piccinni, è ancora piú artificiosa per molti riguardi rispetto alle precedenti *querelles*. Infatti piú che di una *querelle* si può parlare del superamento delle *querelles*, nel senso che Gluck ne è stato il vero ed unico protagonista, insieme naturalmente a Calzabigi il letterato e librettista che per certi riguardi, almeno dal punto di vista teorico, è stato forse il vero artefice della riforma. I pochi seguaci di Piccinni si trovarono ben presto emarginati di fronte all'imponente e autorevole figura di Gluck il quale andava raccogliendo sempre piú ampi consensi anche da parte di chi sino a pochi anni prima si trovava sulla sponda opposta. Gluck e Calzabigi raccogliendo dunque tutti gli stimoli riformatori si presentano sulla scena musicale come i grandi conciliatori. Com'è noto il *manifesto* della riforma apparve nel 1767 nella prefazione all'*Alceste*, la prima opera di Gluck su libretto di Calzabigi [1].

---

[1] Si riporta qui per intero questa celebre prefazione perché nella sua limpidezza e concisione rappresenta un punto fisso di riferimento in questa polemica:

«Quando mi accinsi a mettere in musica l'opera *Alceste* mi proposi di evitare tutti gli eccessi che una malintesa vanità dei cantanti e l'eccessiva compiacenza dei compositori avevano introdotto nell'opera italiana, trasformando lo spettacolo piú solenne e piú bello, nel piú noioso e piú ridicolo; io cercai di ridurre la musica alla sua vera funzione, cioè di assecondare la poesia per rafforzare l'espressione dei sentimenti e l'interesse per le situazioni, senza interrompere l'a-

Esaminando anche superficialmente i documenti letterari di questa *riforma*, è facile accorgersi che il vero e comunque il primo teorico di essa è forse piú il Calzabigi che Gluck. Riforma che in realtà non porta alcun elemento realmente nuovo dal punto di vista teorico, ma si limita a riassumere, a sintetizzare, in un momento storico particolarmente propizio, le esigenze riformatrici che erano presenti da sempre nella storia del melodramma, in Italia non meno che in Francia. Anzi la riforma che Gluck ha avuto la capacità di realizzare con una coerenza eccezionale, con un impegno e un'intensità artistica propria a pochi grandi musicisti, dal punto di vista teorico mostra una dipendenza dalla cultura italiana non meno che da quella francese degli enciclopedi-

zione e ragguagliarla con argomenti superflui; credetti che la musica dovesse aggiungere alla poesia ciò che ad un disegno corretto e ben fatto aggiunge la vivacità dei colori e il felice accordo delle luci e delle ombre, che servono ad animare le figure senza alterarne i contorni. Mi sono quindi ben guardato dall'interrompere un attore nel calore del dialogo per fargli attendere un noioso ritornello, o di fermarlo nel bel mezzo del suo discorso su di una vocale favorevole, sia per permettergli di sfoggiare in un lungo passaggio l'agilità della sua bella voce, sia per attendere che l'orchestra gli desse il tempo di riprendere lena per fare una corona. Cosí non ho creduto di dover passare rapidamente alla seconda parte di un'aria quando questa seconda parte era la piú appassionata e la piú importante, per ripetere invece regolarmente quattro volte le parole dell'aria; né di finire l'aria là dove il senso non finisce, per dare la possibilità al cantante di mostrare che può variare a suo piacimento e in svariati modi un passaggio. Infine ho voluto bandire tutti questi abusi contro cui, da molto tempo, invano il buon senso e il buon gusto elevavano le loro proteste. Ho ritenuto che l'ouverture dovesse anticipare agli spettatori il carattere dell'azione che si accingevano a seguire, preannunciando loro il soggetto; che gli strumenti dovessero suonare solamente nella misura richiesta del grado dell'interesse e delle passioni, e che bisognasse soprattutto evitare che ci fosse una frattura troppo brusca nel dialogo tra l'aria e il recitativo, in modo da non troncare controsenso il periodo e non interrompere inopportunamente l'espressione e il calore della scena. Ho ritenuto inoltre che la parte piú importante del mio lavoro dovesse consistere nella ricerca di una chiara semplicità ed ho cosí evitato di fare sfoggio di virtuosismi a scapito della chiarezza; non ho ritenuto che ci fosse alcun merito nella scoperta di una novità a meno che essa non fosse naturalmente richiesta dalla situazione e legata all'espressione; infine non vi è alcuna regola che non abbia creduto giusto di sacrificare volentieri in favore dell'effetto. Ecco i miei principî; fortunatamente il poema si prestava a meraviglia alle mie intenzioni; il celebre autore dell'*Alceste* [Calzabigi], avendo concepito un nuovo tipo di dramma lirico, aveva sostituito alle descrizioni fiorite, alle inutili analogie, alle fredde e sentenziose allegorie, situazioni interessanti, il linguaggio del cuore e uno spettacolo sempre vario. Il successo riportato ha dato ragione alle mie idee, e l'universale approvazione di cui ho goduto in una città cosí illuminata [Vienna] mi ha dimostrato che la semplicità e la verità sono i grandi principî del bello in tutte le produzioni artistiche...» (la prefazione termina con i consueti omaggi all'imperatore).

sti. Certo sarebbe troppo semplicistico definire la riforma di
Gluck e Calzabigi come un ritorno ai principî classicistici
cosí come un'adozione *sic et simpliciter* delle idee degli enciclopedisti. In essa confluiscono tutti i motivi culturali e musicali che avevano trovato frammentaria espressione e arti-
ficiose contrapposizioni, in Francia, in Italia e nella stessa
tradizione tedesca.

Si è detto che il merito maggiore della riforma dal punto di vista teorico va al poeta Calzabigi il quale già da parecchi anni stava elaborando una serrata requisitoria contro il melodramma italiano[2]; infatti rileggendo la famosa
prefazione dell'*Alceste* si può facilmente rilevare come molte
delle critiche rivolte da Gluck al melodramma del suo tempo
derivino per l'appunto dalle critiche dei letterati italiani
piú ancora che dagli enciclopedisti; tutti gli «abusi» a cui
allude sono i medesimi che erano stati già indicati quasi
cinquant'anni prima da Benedetto Marcello nel suo *Teatro
alla moda*. Comunque si trattava dei mali che tradizionalmente affliggevano il melodramma italiano, buffo o serio
che fosse. Da Marcello in poi la tradizione riformatrice italiana con maggiore o minore successo, con maggiore o minore acume e penetrazione critica, si muove nella stessa
direzione che Gluck, con piú autorità, indicherà teoricamente e praticamente.

Ma il teorico piú vicino allo spirito di Gluck e del Calzabigi è senza dubbio l'Algarotti ed è quest'ultimo che il
Calzabigi doveva avere presente quando meditava la sua riforma e stendeva i libretti dell'*Orfeo* e dell'*Alceste*. Tuttavia tra il *Saggio sopra l'opera in musica* dell'Algarotti, scritto
nel 1755, e la prefazione dell'*Alceste* del 1767 vi è una differenza importante. La critica dell'Algarotti riflette ancora la
tipica mentalità del letterato che vuole difendere le ragioni

---

[2] Nel 1755 il Calzabigi scriveva una *Dissertazione su le Poesie Drammatiche
del Sig. Abate Piero Metastasio*, da cui già si possono intravvedere le linee della futura riforma. Dopo un generico elogio del Metastasio, il Calzabigi si addentrava
in una critica del tipo di libretto metastasiano, a cui contrapponeva la piú austera
e solenne *Tragédie lyrique* francese. Il Calzabigi concludeva affermando che la
dolcezza e la *musicalità* del Metastasio in ultima analisi è antidrammatica e non
contribuiva a plasmare i caratteri e a creare dei tipi tragici.

della sua arte – cioè della poesia – contro gli abusi della musica – cioè di un'arte inferiore. Definire il melodramma come «una tragedia recitata per musica», indica già il tipo di critica che l'Algarotti muove a questo genere teatrale ed il significato del suo auspicio che la musica torni ad essere «ministra ed ausiliaria della poesia».

Questa prospettiva tipicamente letteraria sull'opera, diretta contro la scarsa coerenza drammatica e *letteraria* dell'opera italiana settecentesca, pretesto per lo piú ad esibizioni canore da parte di cantanti e a sfoggi d'invenzione melodica da parte dei musicisti, anche se ha indubbiamente rappresentato il punto di partenza per il Calzabigi non è stato il punto di arrivo. Il Calzabigi e soprattutto Gluck dimostrano di condurre innanzi i loro principî non in nome della letteratura e neppure della musica ma dell'*espressione* drammatica. Non si parla piú della musica come «ministra ed ausiliaria della poesia»; la musica deve piuttosto «assecondare la poesia», afferma Gluck, il quale aggiunge, riecheggiando le tesi di Diderot e di altri enciclopedisti, che la musica è come il colore in un quadro, cioè la vita, ciò che anima e vivifica «il disegno corretto e ben composto», senza peraltro «alterarne i contorni».

La componente rousseauiana e soprattutto diderotiana rappresentano il correttivo al rischio di una concezione letteraria del melodramma, con esito puramente razionalistico e classicheggiante. Lo stesso Calzabigi pur accogliendo come si è detto i motivi polemici dell'Algarotti ne dà un'interpretazione particolare da cui risulta indubbia l'influenza di Rousseau. Cosí scrive il poeta italiano: «Io non sono un musicista, ma ho molto studiato la declamazione. Mi si accorda il talento di recitare assai bene i versi e specialmente i miei. Venticinque anni or sono mi venne fatto di pensare che la sola musica conveniente alla poesia drammatica e, soprattutto all'aria e al dialogo che noi chiamiamo d'azione, sia quella che maggiormente s'accosta alla declamazione naturale, animata, energica; che la declamazione non è essa stessa che una musica imperfetta; che noi potremmo notarla quale essa è solo quando avessimo escogitato un numero di segni bastevole ad esprimere tanti toni, tante inflessioni, tanti eleva-

menti, abbassamenti e sfumature d'una varietà pressoché
infinita, quanti sono quelli che la voce assume declaman-
do»[3].

Questo passo dimostra anzitutto la parte che il Calzabigi
ha avuto come ispiratore di Gluck nella riforma, ed inoltre
il tipo di collaborazione tra poeta e musicista impostata dal
poeta italiano, collaborazione che mira non ad una subordinazione e neppure ad un estrinseco accostamento di due arti
eterogenee; si tratta piuttosto di una collaborazione fondata
sul presupposto di una musicalità originaria della poesia che
si rivela nella stessa declamazione. Tale concetto che ha le
sue piú lontane radici ancora nel *recitar cantando* della Camerata de' Bardi ha avuto la sua teorizzazione filosofica piú
precisa in Rousseau, le cui idee sulla musica erano ormai largamente conosciute in Italia quando il Calzabigi scriveva
queste pagine.

Ma questa idea della fusione originaria di musica e poesia
condivisa da Diderot e pur con sfumature diverse dalla maggior parte dei teorici del tempo, nella forma espressa da
Rousseau implica numerosi corollari tra cui la superiorità
della melodia sulla armonia, l'affermazione del carattere nazionale della musica, l'antimusicalità costitutiva di alcuni
linguaggi e in particolare delle lingue nordiche. Questi corollari non sono condivisi da Gluck che si ricollega piuttosto
all'ideale di Rameau della musica come linguaggio universale. L'ideale melodrammatico di Gluck è dunque difficile da
definirsi perché è essenzialmente eclettico e combina in
un'organica sintesi elementi tratti come si è visto dalla critica di origine letteraria al melodramma italiano, dal classicismo francese, ed ancora motivi propri agli enciclopedisti ed
in particolare a Rousseau, Diderot e Grimm.

Gluck ripropone cosí per l'ultima volta, prima del romanticismo, teoricamente ma soprattutto praticamente, l'ideale
di una musica universale, comprensibile a tutti gli uomini
dotti e illuminati, di un'opera valida per tutti i teatri d'Europa, al di là delle fazioni in lotta, oltre le inessenziali differenze tra nazione e nazione; perciò Gluck piú che aprire
un'epoca nuova nella storia della musica e del pensiero mu-

[3] Calzabigi, lettera al «Mercure de France», agosto 1784.

sicale, ha saputo chiudere gloriosamente il suo secolo, alle
soglie della rivoluzione, nelle vesti di un illuminato e saggio
conciliatore.

7. I classicisti e il «bel canto».

Gluck, pur non essendo un *philosophe* ha intuito che in
questo clima di restaurazione neoclassica – e non dimentichiamo che proprio in quegli anni in Germania Winckel-
mann elaborava i principî dell'estetica classicistica –, la riforma teorizzata dal Calzabigi veniva incontro ai nuovi
ideali e ai gusti non solo degli Enciclopedisti ma di buona
parte della intellighenzia europea. La nuova opera può «restituire all'arte la sua dignità originaria»: sono parole di
Gluck, scritte nella prefazione della sua *Ifigenia in Aulide*, e
sembrano riassumere in modo esemplare il significato della
riforma. Certo Gluck e Calzabigi, pur accogliendo molte
idee degli Enciclopedisti, non hanno fatto proprio né il vitalismo di Diderot né il suo naturalismo preromantico; ma
proprio per questo la riforma è stata accettata come espressione di un ideale musicale e teatrale capace di riconciliare i
seguaci della vecchia *tragédie lyrique* con coloro che chiedevano alla musica di assolvere ad una funzione vitale e che
credevano nella sua funzione espressiva. Gluck a ragione ha
potuto essere considerato come il restauratore dell'ordine
classico per il senso profondo dell'unità drammatica, per la
coerenza complessiva del disegno dell'opera, per il senso
classico della chiarezza che illumina anche i momenti di
maggiore turbamento della passione; d'altra parte con ragione è stato salutato dagli enciclopedisti come il musicista che
aveva saputo incarnare meglio di ogni altro i loro ideali rivoluzionari, al punto da far ricredere Rousseau sulla possibilità
che si potesse comporre una buona opera con la lingua francese.

Ma proprio sul problema della lingua, che può sembrare
marginale si apre invece una frattura importante rispetto al
pensiero degli enciclopedisti. La diversità e molteplicità dei
linguaggi per Rousseau come per Condillac, per Diderot come per Grimm, rappresentava il presupposto per la creazio-

ne di una musica nazionale, propria ad ogni popolo e ad ogni gruppo etnico-linguistico. Gluck ritorna invece all'universalismo razionalistico: l'obbiettivo ultimo è la creazione di un tessuto tragico unitario e il ricorso al mito greco garantisce l'universalità del modello umano e delle sue passioni. Con la sua opera il musicista ha voluto dimostrare che una lingua vale l'altra: «il poeta deve fornire al musicista il piú grande numero di mezzi per esprimere le passioni: allora – afferma sempre Gluck – scompaiono le ridicole distinzioni nazionali».

Gluck ha indubbiamente ereditato questa esigenza dell'unità drammatica, come condizione della forza e dell'espressività dell'opera, da Diderot e dalla migliore tradizione classica francese. Ma il significato profondo di questa esigenza e in genere di tutta la sua cosiddetta riforma risalta appieno solo se si confrontano le sue idee e le sue opere con quelle dei suoi oppositori; La Harpe e Marmontel, cioè i piú noti sostenitori di Piccinni e del *bel canto* italiano, sono in realtà ben lontani dal pensiero dei primi buffonisti, di Rousseau, Grimm, Diderot, ecc.; i princípî in base a cui difendono la musica italiana e in base a cui criticano Gluck sono tipicamente razionalistici e classicistici e lumeggiano per contrasto il senso del pensiero del loro avversario.

Il critico La Harpe aveva scritto nel «Journal de Paris» e nel «Journal de politique et de littérature» nel 1777 articoli in cui prendeva posizione contro Gluck. «Da qualche tempo – scriveva il critico francese – avete abbandonato quel sistema veramente lirico d'inframmezzare dei motivi nel dramma, cosa che voi stesso avete importato. Avete musicato l'*Armida* che è un bellissimo poema con una cattiva musica, per stabilire il regno della vostra melopea sostenuta dai vostri cori e dalla vostra orchestra. Ammiro i vostri cori, le risorse della vostra armonia, ma vorrei che la vostra melopea fosse piú ricca e piú adatta alla frase francese: che fosse meno aspra e meno arida e soprattutto che non vi mancassero i cantabili, giacché io amo la musica che si canta e la poesia facile a ritenersi...»[1]. Dove La Harpe avrebbe sperato di trovare una melodiosa aria, «un canto completo, filato e re-

---

[1] «Journal de politique et de littérature», ottobre 1777.

golare», non trova che «urla di dolore, gemiti convulsi»; La
Harpe in sostanza non vuole «andare al teatro per ascoltare
un uomo che soffre»; egli si attende dal musicista «che sappia trovare accenti dolorosi ma non sgradevoli, che lusinghi
l'orecchio, insinuandosi nel cuore, che il fascino della melodia si mescoli all'impressione ricevuta»[2]. L'ideale di La Harpe è ancora l'ideale classicistico di un'arte levigata, commovente ma che non turbi l'animo, di un'arte in sostanza che
sia agli antipodi del «cri animal» di Diderot; di un'arte insomma che sia ornamento della vita, pausa ed evasione dal
dolore e dalle asprezze quotidiane.

La risposta di Gluck è diretta non solo a La Harpe ma
coinvolge nella sua critica pungente ed ironica tutto il classicismo. L'opera in discussione è appunto l'*Armida* rappresentata l'anno precedente a Parigi, l'opera che era valsa a
Gluck la facile vittoria su Piccinni e che era stata replicata
ben ventisette volte. Gluck risponde a La Harpe mostrando
ironicamente di accettare le sue critiche malgrado il travolgente successo, ritenendo che La Harpe ne sappia di piú del
pubblico e di se stesso sulla sua arte: «... ne sono cosí convinto [delle sue critiche] – afferma Gluck – che voglio rifarla di nuovo... Allora la parte di Armida non sarà piú un gridio *monotono* ed *assordante*, non sarà piú una Medea, una
strega, ma una *sirena*; io le farò cadere nel momento piú disperato un'aria cosí regolare, cosí andante e nello stesso
tempo cosí tenera che una damigella oltremodo sensibile potrebbe ascoltarla senza per nulla urtare i propri nervi. Se
qualche bello spirito s'avvisasse di dirmi: signore, guardatevi dal modulare sullo stesso tono il furore e la passione di
Armida, io gli risponderei: signore, io non desidero punto
rintronare l'orecchio del signor La Harpe, io voglio contraffare la natura, io voglio obbedirla: invece di far *gridare* Armida, voglio farla *cantare*»[3].

Gluck in questa sua risposta ha colto perfettamente a segno il senso della critica di La Harpe. Due mondi estetici si
contrappongono chiaramente in questa polemica. Gluck ha
scelto per un'arte che impegni tutto l'uomo, per un'arte che

[2] Ivi.
[3] «Journal de Paris», ottobre 1777.

sia un messaggio autentico, che comunichi emozioni vere e quindi forti. Se Diderot aveva proiettato questo ideale di un'arte civile, paragonabile allo spettacolo tragico dei greci, nell'opera italiana che sembrava rispondere a questa esigenza per la sua immediatezza, sincerità espressiva, realismo, Gluck, sulla scia del Calzabigi, ha visto con ragione che l'ideale di Diderot e di altri enciclopedisti era lungi dal realizzarsi nella sempre piú manierata opera buffa d'oltralpe. Egli stesso avrebbe provveduto a creare la nuova opera che per tanto tempo era stata auspicata, vagheggiata, identificata miticamente in forme d'arte che, nella realtà dei fatti, erano ben lungi dalle aspirazioni di tutti. Gluck da questo punto di vista segna la fine di un'epoca e l'inizio di un nuovo teatro.

Il rovesciamento delle parti a cui si assiste nell'ultima *querelle* tra gluckisti e piccinnisti è tipica ed è indice dell'opera di chiarificazione avvenuta proprio per merito di Gluck: si è visto come La Harpe difendesse l'opera italiana con motivazioni simili a quelle con cui piú di mezzo secolo prima Lecerf de La Vieville difendeva la tradizione operistica francese; ma La Harpe non è un caso isolato. Marmontel, che pur appartiene alla cerchia degli enciclopedisti, enuncia concetti assai analoghi che lo portano ad attaccare Gluck e a difendere l'opera di Piccinni e degli italiani e non solo per l'impegno che aveva assunto nei confronti del delicato musicista italiano come suo librettista, ma per naturale propensione intellettuale. I risvolti sentimentalistici del classicismo si evidenziano nel modo piú limpido nelle pagine di Marmontel: la dolce opera napoletana, con le sue languide arie col *da capo*, con i suoi tenui intrecci melodrammatici, entrata ormai nei palazzi aristocratici, nelle corti, nei teatri sfarzosi frequentati dalla ricca ed elegante nobiltà italiana e straniera, rappresenterà ormai il modello ideale per questo gusto classicheggiante e razionalistico, che riserva le sue espansioni sentimentali alle pause serene dagli affanni quotidiani, allo svago non privo di qualche piccola emozione e di qualche lacrimuccia.

L'originaria esigenza del primo classicismo, di un'arte nutrita d'impegno intellettuale e pedagogico è stata ormai abbandonata dai classicisti sopravvissuti all'ombra dell'ancien

régime all'alba della rivoluzione. Tale esigenza è stata raccolta e fatta propria dagli enciclopedisti e da Gluck, i quali
però hanno al tempo stesso scoperto la carica intellettuale ed
educativa propria al linguaggio musicale autonomamente inteso.

Per La Harpe e Marmontel l'arte e la musica hanno una
funzione del tutto inessenziale nella vita e al piú servono come rilassanti e proprio per questo motivo essi si oppongono
al severo ideale tragico di Gluck. «L'oggetto delle arti che
commuovono l'animo – scrive Marmontel – non è solamente l'emozione, ma il piacere che l'accompagna. Non basta
quindi che l'emozione sia forte, bisogna che sia anche piacevole. Questo principio è seguito nella poesia, nella pittura e
nella scultura: si sa che la regola costantemente seguita dagli
antichi è di non permettere mai che la bellezza sia alterata
dai segni del dolore... Perché dunque non si dovrebbe fare
per la musica ciò che si è fatto per la poesia? Con le grida, le
urla, i suoni laceranti o terribili si esprimono le passioni; ma
questi accenti se non sono abbelliti nell'imitazione, non daranno, come avviene in natura, che l'impressione della sofferenza... Voler bandire dal teatro lirico il canto melodico è
un'idea altrettanto strana che voler bandire i bei versi dalla
tragedia...»[4]. L'ideale di Marmontel è assai simile a quello
del Batteux: l'imitazione della natura non deve mai spingersi troppo oltre e non deve mai giungere «jusqu'au trivial»,
come pretendeva Gluck; compito dell'artista è abbellire la
natura, eliminare da essa i conflitti dolorosi, rendere piú
dolci le sue linee. La melodia ha proprio questo compito:
smussare gli spigoli dell'espressione. Espressione e melodia
sono due valori contrapposti che devono armonicamente bi-
lanciarsi. «In una parola – afferma Marmontel – la melodia
senza espressione è ben poca cosa; l'espressione senza melodia è qualcosa ma non basta. Ci vuole l'espressione e la melodia, una e l'altra al piú alto grado in cui possono elevarsi
insieme: ecco il problema dell'arte»[5]. L'opera, conclude
Marmontel, chiarendo in modo inequivocabile il suo ideale

---

[4] *Essai sur les révolutions de la musique en France*, Paris 1777, pp. 14-15.
[5] *Ibid.*, p. 16.

estetico è «il teatro delle illusioni, e delle illusioni piacevoli».

Ci si può chiedere se per Marmontel come anche per La
Harpe questo ideale sia da estendersi a tutte le arti e in particolare a tutte le forme teatrali. In realtà questa definizione
del teatro lirico non è estensibile ad altri generi, ma è connessa alla tradizionale svalutazione della musica la quale ha
un suo ristretto e ben preciso campo d'azione; il tragico, in
quanto genere serio, non è di pertinenza della musica la quale è essenzialmente un'arte «piacevole» e si potrebbe ripetere con Molière che «perché il canto abbia verosimiglianza
deve scivolare nella *bérgerie*». La tragedia «nella sua austerità non è fatta per il teatro lirico»[6] afferma Marmontel, defi-
nendo cosí con maggior precisione il dissenso con Gluck:
quest'ultimo invece avrebbe confuso opera e tragedia pretendendo di assimilarle in un unico spettacolo, e di porle
sullo stesso piano.

In fondo il cammino compiuto dal classicismo dall'inizio
del Settecento è ben piccolo: i presupposti concettuali sono
rimasti immutati anche se sono cambiati in parte i gusti. La
musica continua ad essere concepita come un'arte ornamentale ed inessenziale, e come tale riservata ad accompagnare
soggetti tenui e di scarso rilievo intellettuale. Gli argomenti
seri, impegnativi, il teatro tragico in altre parole, non devono essere contaminati e vanificati da quest'arte costituzio-
nalmente frivola.

Si è detto che Gluck chiude praticamente un'epoca: ed
infatti proprio perché la sua personalità è riassuntiva rispetto al travaglio teorico del secolo in cui ha vissuto, l'ultima
querelle è anche la piú irrilevante e la piú artificiosa ed ha
avuto come unico effetto positivo di emarginare dalla cultura francese i residui di quel classicismo sprovvisto ormai di
qualsiasi giustificazione pratica e teorica. Il conflitto tra tradizionalisti e rinnovatori, tra seguaci di Rousseau e seguaci
di Rameau, tra razionalisti ed empiristi, almeno nella forma
che tale conflitto aveva assunto nel Settecento, fu mediato
e risolto da Gluck il quale è riuscito a interpretare le piú profonde esigenze di entrambe le parti, realizzando un'opera

[6] *Ibid.*, p. 27.

che ha rappresentato praticamente il punto di convergenza del gusto dell'illuminismo.

8. L'illuminismo e la forma sonata.

Tra i grandi avvenimenti che intervengono nel mondo della musica nella seconda metà del Settecento, di piú difficile interpretazione, nel loro valore estetico e filosofico, sono le nuove forme musicali e in particolare la forma sonata. È sempre difficile e spesso può risultare anche arbitrario anche se suggestivo, mettere in relazione in un'epoca una forma linguistica con un dato culturale o filosofico; tuttavia, come già era avvenuto per l'invenzione del melodramma e del nuovo linguaggio armonico-melodico, non si può non tentare anche in questo caso di stabilire un qualche nesso tra la grande invenzione musicale della forma sonata ed alcuni tratti della cultura illuministica.

Se la nascita del linguaggio armonico melodico è stato accompagnato da un lavorio teorico e filosofico che già nel momento della sua nascita ne evidenziava le complesse valenze filosofiche, non altrettanto è avvenuto per la forma sonata. Essa si è imposta in modo del tutto silenzioso, senza polemiche, senza apparenti contrasti, senza apparati teorici che la spieghino o la giustifichino.

Il legame tra la forma sonata e lo sviluppo della musica strumentale nella seconda metà del Settecento è talmente ovvio da non insistervi oltre: dalla toccata alla sonata a tre e alla suite, dal concerto grosso al concerto solista, dalla sinfonia concertante al divertimento, tutto sembra svolgersi su una linea logica di sviluppo di cui la forma sonata si presenta come la conclusione, la realizzazione compiuta di un ideale elaborato nel corso di molti decenni. Molto piú problematica e sottile la relazione tra la forma sonata e la cultura, la filosofia e gli ideali estetici della seconda metà del Settecento.

Ha un senso dunque parlare della forma sonata come di un'incarnazione degli ideali illuministici? È inutile cercare conferma o smentita a tale ipotesi negli scritti dei teorici del tempo, tutti presi da una problematica assai lontana da questo fondamentale avvenimento musicale che passa quasi inosservato, tutti assorti dalle questioni riguardanti il melodramma, le sue riforme, le dispute nazionali e piú in generale dal problema dei rapporti tra musica e poesia. Tale ipotesi può essere esplorata solo tenendo conto dell'orizzonte estetico delle polemiche illuministiche sulla musica, nonostante la disattenzione alla nascita del nuovo stile strumentale.

La musica strumentale, salvo pochissime eccezioni, è stata poco amata dagli illuministi e dai *philosophes*. Le motivazioni erano le piú svariate, ma a ben vedere si riducono all'accusa di insignificanza e di edonismo. Si è spesso accusato gli illuministi di arido razionalismo, d'incomprensione per i moti del sentimento, per le sottigliezze emotive, per le turbe del cuore. In realtà il rifiuto della musica strumentale non ha la sua radice in questo presunto iperrazionalismo degli illuministi, quanto piuttosto nella loro forte e comune aspirazione ad un'arte *impegnata*, ad un'arte che coinvolga tutto l'uomo e che non si limiti a sfiorare i sensi, ad accarezzare l'udito, che non incarni l'estrema frivolezza dell'uomo che rifiuta qualsiasi impegno etico ed artistico. Se si vuole interpretare la musica dell'età classica viennese come il nuovo linguaggio musicale che per certi aspetti si contrappone al rococò e allo stile galante, si può cominciare a intravvedere una qualche parentela tra l'ideale illuministico verso un'arte che parli al cuore e alla ragione, che comunichi pensieri, che rappresenti un insegnamento, un messaggio nel senso piú profondo del termine, e il nuovo *linguaggio* della scuola viennese che ha trovato nella forma sonata la sua articolazione piú complessa, le sue possibilità piú ampie di esplicarsi. Il fatto è che gli illuministi non si sono accorti delle trasformazioni e delle innovazioni che stavano avvenendo sotto i loro occhi dal 1760-70 in poi a ritmo sempre piú incalzante. La polemica verso la musica strumentale va vista perciò non tanto come un fenomeno di sordità ai valori prettamente musicali, che a loro giudizio avrebbero dovuto essere integrati dai valori ben piú alti espressi dal linguaggio poetico, ma come una polemica verso un tipo ben determinato di musica strumentale: quella che assolveva istituzionalmente ad un uso accessorio, ornamentale, quale accompagnamento piú o meno essenziale a pranzi, feste, nozze, balli di corte, in posizione subordinata e marginale rispetto ad essi. Questo uso, connesso tra l'altro ad una ben determinata classe sociale contro la quale era spesso diretta la *vis* polemica dei *philosophes*, legittimava una struttura musicale semplice, che permettesse un ascolto distratto e marginale, che non impegnasse eccessivamente le facoltà intellettuali per poterla seguire. Cosí le emozioni da essa suscitate dovevano avere una rilevanza immediata ed evocare senza equivoci o sottigliezze fuori luogo i sentimenti adeguati e consoni all'attività che accompagnava. Questa poetica perfettamente congeniale allo stile galante, che ha trovato i suoi codificatori in Quantz, in C. P. E. Bach e in tanti altri filosofi, musicisti e critici del Sei-Settecento era la ben nota teoria degli affetti. La musica diventava secondo tale teoria un linguaggio ausiliare e a volte sostitutivo del linguaggio verbale, anche se molto piú semplice e primitivo, che si poteva compendiare in un numero abbastanza esiguo di *affetti* o di emozioni, per convalidare e a volte rafforzare le corrispondenti espressioni verbali. In questa prospettiva appare perfettamente logico che la musica trovasse il suo uso piú consono unita al linguaggio poetico del melodramma. All'inferiorità del linguaggio musicale sopperiva la poesia, necessaria integrazione alla sua scarsa rilevanza intellettuale. Il ristretto e povero vocabolario degli affetti in cui venivano ridotte le possibilità semantiche della musica, se usato senza l'appoggio della poesia, cioè nella musica strumentale, si riduceva a suscitare emozioni e sentimenti in concomitanza ad altre attività di cui si presentava come piacevole accompagnamento, giustificando cosí la famosa *boutade* di Fontenelle «*Sonate, que me veux tu?*», ripresa tante volte, per tutto il Settecento, e non ultimo da Rousseau, proprio ad indicare l'irrilevanza di una musica fatta per il divertimento e l'ozio di pochi. Alla *Sonate* con il suo carico di edonismo e vuota raffinatezza gli illuministi contrapponevano l'ideale mitico di un teatro di massa, di un teatro di popolo come poteva essere il teatro ateniese di Sofocle o di Euripide, in cui si agitassero le grandi passioni – «niente spirito, niente epigrammi, niente pensieri leggiadri» –, come affermava Diderot, che coinvolgesse tutta una collettività nelle sue emozioni piú profonde. Il salotto aristocratico non era fatto per questo tipo di espressione «forte» e «naturale» e la musica che vi si eseguiva – come diceva Rousseau – non era che un «brusio» e un futile divertimento consono alla società aristocratica. Gli illuministi, nel vagheggiare un nuovo teatro ed anche una nuova musica consona agli ideali politici di una borghesia cittadina, attiva e liberale, hanno creduto di individuarli nell'opera buffa italiana e nel suo presunto potenziale rivoluzionario; ma essa nella seconda metà del Settecento aveva perduto ogni carica aggressiva e inclinava ormai al genere *larmoyante* e al patetico. Forse volgendosi a Vienna e alla scuola strumentale che stava formandosi nel cuore dell'Europa, avrebbero individuato ben altri germi rivoluzionari in musicisti che, pur portando ancora la livrea di domestico, come Haydn, fedele servitore in casa Esterhazy, seppero creare un nuovo linguaggio che nelle mani di Beethoven si rivelò ben piú esplosivo de *La Cecchina* o *La Didone* di Piccinni, o anche dell'*Alceste* di Gluck.

Per la prima volta forse, nella forma-sonata la musica si organizza in un linguaggio sintatticamente complesso e non preso a prestito da altri linguaggi; la suite era strutturata secondo il modello delle danze, e quindi di una cerimonia sociale; il concerto grosso e quello solistico tripartito di tipo vivaldiano, pur avviando il processo di formazione di un linguaggio musicale autonomo, riflette le forme e gli stilemi del teatro melodrammatico. Solo la forma-sonata realizza per la prima volta compiutamente l'aspirazione ad una musica che parli un *suo* linguaggio in un ambito *suo* proprio; per usare una metafora letteraria si potrebbe dire che se l'invenzione dell'armonia ha posto le basi di una grammatica del linguaggio musicale, la forma-sonata ha creato non solo una sintassi, ma una struttura narrativa paragonabile al romanzo modernamente inteso. L'accusa che gli illuministi muovevano alla musica strumentale – di non riuscire a parlare, a comunicare, ad esprimersi in modo compiuto ma solamente a sfiorare i sensi – viene di fatto superata proprio nell'impianto linguistico e narrativo della forma-sonata. Ma cosí come il romanzo moderno nella sua parabola storica, pur in una struttura abbastanza omogenea, ha sviluppato diversi significati, diversi tipi di vicende, e si è fondato su presupposti etico-politici diversi e a volte contrastanti, cosí la forma-sonata, bitematica e tripartita, ha incarnato ideali musicali ed extramusicali radicalmente diversi.

La forma-sonata di Haydn è forse quella che piú si avvicina agli ideali musicali dell'illuminismo. Haydn, come tutti i grandi, ha offerto il destro alle interpretazioni piú diverse se non opposte: è stato visto come il vertice della musica rococò, come l'ultima grande espressione della frivolezza galante e di uno stile musicale legato indissolubilmente ad un'aristocrazia al tramonto, ma è stato con ottime argomentazioni visto come la rinascita del fiamminghismo, del cerebralismo, di un ferreo e spesso arido ordine razionale, estraneo a qualsiasi motivazione emotiva o sentimentale; ed ancora si è voluto vedere nella sua musica la prima espressione dell'atmosfera stürmeriana che andava diffondendosi in Europa dopo il 1770. Goethe in *Kunst und Altertum* ne dà una definizione che può essere citata in appoggio alla tesi di un Haydn apollineo e forse illuminista: «La perfetta armonia che esprime il suo genio non è null'altro che la tranquilla risonanza di un'anima nata libera, chiara e casta», e ancora: «Le sue opere sono il linguaggio ideale della verità: ciascuna delle parti è necessaria all'insieme di cui sono parte integrante pur vivendo di vita propria». Probabilmente Haydn è stato tutte queste cose insieme: razionalità e fantasia, frivolezza o meglio piacevolezza galante e rigore formale, inquietudine preromantica e chiarezza della ragione, non perché sia stato un eclettico o un epigono, ma piuttosto perché la sua complessa personalità ha rappresentato un momento riassuntivo di esigenze e aspirazioni anche contrastanti espresse proprio dall'illuminismo. Non bisogna dimenticare infatti che è stato proprio il secolo dei lumi che ha scoperto e rivalutato la fantasia e l'invenzione come valore autonomo, il genio come libera forza creativa dell'artista, il linguaggio del sentimento e delle emozioni come momento fondante del linguaggio della ragione e prioritario rispetto ad esso. Se nella forma-sonata di Haydn vi è un'evidente aspirazione alla *clarté* e vi è un forte senso della razionalità che attraverso il meccanismo modulante controlla in modo ferreo ogni parte della composizione con un rigore logico ineccepibile, è pure presente in perfetto equilibrio la gioia dell'invenzione tematica, una fantasia inesauribile nel dar vita a nuovi temi che sembrano sgorgare uno dall'altro. Haydn non è un musicista dialettico: i temi non sono mai contrapposti, lo sviluppo non è un campo di battaglia, la ripresa non risolve alcun conflitto. Haydn ha invece il dono del saper discorrere e conversare; il quartetto è lo strumento principe attraverso cui si realizza questa capacità di colloquiare che si rivela soprattutto nello sviluppo: un colloquiare che non è lo scambio futile di battute in un salotto, o il piacevole o distratto brusio attorno ad una mensa imbandita. Haydn è un sapiente narratore e la struttura della forma-sonata è finalizzata alla costruzione di un racconto denso, con vari personaggi e vicende complesse, con un inizio e una fine. Il romanzo-sonata va seguito passo passo dall'ascoltatore con attenzione e partecipazione, rincorrendo le varie fasi attraverso cui si snoda la vicenda. In questo romanzo, come in tutti i romanzi del Settecento, è implicito un insegnamento, uno sfondo etico che regge la vicenda: una lezione di severità e di serietà morale, la fede nella ragione costruttrice, nella coerenza del discorso, nel valore del proprio lavoro artigianale, ed infine nella capacità della musica di reggersi autonomamente come discorso pienamente valido senza bisogno di ricorrere ad espedienti, a virtuosismi di sorta, emotivi o tecnici. Ancora Goethe scrive acutamente di Haydn che «fa senza esaltazione ciò che fa», con «innocenza e ironia», lontano in fondo, possiamo aggiungere, dai turbamenti e dalle improvvise malinconie dello *Sturm und Drang*, come dal pathos mozartiano. Forse che questo ideale artistico, questa poetica musicale non sarebbe condivisibile dalla maggior parte degli illuministi, da coloro che chiedevano all'arte di essere seria e non frivolo divertimento, di comunicare la verità, impegnare la mente e il cuore e non accarezzare i sensi, di rispettare la ragione pur in un suo specifico dominio musicale, che non fosse una semplice imitazione o ripetizione del linguaggio discorsivo? La forma-sonata quale troviamo nei quartetti dell'op. 33, dell'op. 54 o 76, o le sinfonie scritte dopo il 1780 non realizza ed illustra forse meglio di molti trattati filosofici ed estetici questo ideale di un'arte discorsiva, in cui fantasia e ragione trovano il piú equilibrato, anche se instabile e prov-

visorio, punto d'incontro? Si comprende cosí come con
Haydn lo sviluppo tenda a dilatarsi sino a diventare nelle
opere piú mature il centro e il fulcro della composizione: esso diventa il luogo in cui si spiegano, si illustrano le affermazioni esposte nei temi. I temi hanno ben raramente carattere contrastante, tanto che alcuni critici hanno definito la
forma-sonata haydniana come fondamentalmente monote-
matica. In realtà ciò che differenzia in modo piú vistoso la
sonata di Haydn da quella di Mozart è proprio la diversa natura dell'invenzione tematica. In Mozart i temi hanno sempre il rilievo di protagonisti, quasi due caratteri e personaggi
diversi: da essi si origina quel confronto che si manifesta
nello sviluppo, dove appariranno come innalzati su un ideale
palcoscenico; in Haydn i due temi, ma a volte i tre o quattro
temi, scaturiscono uno dall'altro preannunciando già lo sviluppo. Non vi è mai l'intenzione di contrapporli, polarizzan-
do la vicenda su questi due personaggi, ma piuttosto di av-
viare un discorso in cui secondo un criterio di concatenazione logica, logica musicale s'intende, da una frase principale
scaturiscano delle secondarie, o subordinate.

Dopo l'ultima grande costruzione intellettuale musicale,
il fugato bachiano, ancora nell'orbita del contrappunto e
della polifonia, rifiutata dagli illuministi come residuo del-
l'aborrita *götische barbarei*, come irrazionale sovrapposizione
di discorsi diversi e contrastanti, il barocco e il rococò avevano creato una formula sostanzialmente ripetitiva in cui la
varietà veniva ottenuta attraverso l'ornamentazione e i diversi piani timbrici e dinamici. La forma-sonata haydniana,
narrativa e non dialettica, ripropone in fondo in termini moderni e si potrebbe dire illuministici l'ideale di un solido linguaggio musicale aperto alle piú affascinanti avventure dello
spirito, capace di piegarsi dolcemente all'espressione dei
sentimenti piú complessi, all'interno di una struttura logica,
comprensibile ad ogni uomo dotato di ragione.

Ma la forma sonata ha una storia che va piú in là dell'illuminismo ed infatti è dotata per sua natura di una duttilità,
di una capacità di mutazione e di trasformazione, pur in una
sostanziale fedeltà allo schema iniziale, da potere incarnare
anche ideali musicali e culturali assai lontani ormai dalla

propria origine illuministica. Si potrebbe dire che la struttura della forma sonata conteneva già in sé i germi delle future tensioni di cui l'avrebbero caricata musicisti quali Beethoven: dalla struttura sostanzialmente discorsiva di Haydn e in fondo anche di Mozart, si è passati alla struttura drammatica e dialettica, in cui le tensioni si tendono sino alla lacerazione, in cui la diversità e la varietà tematica è sostituita dalla contrapposizione violenta; in cui l'imitazione degli affetti è sostituita dalla *espressione* nel senso piú pieno del termine, dall'interiorità.

Per certi aspetti si potrebbe forse paragonare la forma sonata alla filosofia kantiana: nata nell'illuminismo come filosofia che ne coronava le sue piú profonde istanze, conteneva però già in sé i germi capace di metterlo in crisi. La gnoseologia kantiana, cosí come la sua etica, tendeva a stabilire una netta demarcazione tra quelli che erano i limiti e le possibilità della conoscenza e dell'azione dell'uomo; ma ben presto i romantici hanno interpretato la sua filosofia come un invito ad oltrepassare tali limiti entro cui l'uomo romantico si sentiva insoddisfatto e limitato nelle sue pretese. Cosí nella forma sonata la diversità tematica rappresentava la condizione per poter elaborare una ragionevole struttura narrativa, articolata e sufficientemente complessa; cosí la ripresa stava a significare, dopo lo sviluppo, la fiducia in un felice scioglimento della vicenda narrata. Ma la sonata beethoveniana va ben oltre: il dramma esposto nello sviluppo non ha semplicemente un felice esito nella ripresa: la ripresa dei temi iniziali porta qualcosa di piú e di diverso rispetto all'esposizione; è un invito ad andare oltre, mostrando come dalla contrapposizione drammatica dei temi, dalla loro tormentata avventura nello sviluppo, possa scaturire qualcosa di assolutamente imprevedibile, una novità, una situazione musicalmente e concettualmente nuova. La ripresa ci porta, usando un linguaggio filosofico preso a prestito piú da Hegel che da Kant, un *superamento*. Il riconoscimento della nascosta affinità e profonda parentela dei due temi è percepibile solo al loro riapparire nella ripresa, dopo il confronto drammatico dello sviluppo. Forse la filosofia hegeliana o anche quella schellinghiana spiega meglio il significato concettuale della forma sonata come viene configurandosi all'inizio del romantici-

smo che non quella kantiana[1]: lo schema tesi-antitesi-sintesi
in fondo è il piú adeguato a fornirci un modello metaforico
della forma sonata beethoveniana che non la contrapposizione kantiana senso-ragione, necessità-libertà, fenomeno-
noumeno; in Kant manca l'elemento dinamico, il senso del
progresso, dell'evolversi di una situazione, della sua tensione dinamica.

La forma sonata rappresenta cosí un modello in cui ha potuto esprimersi quel momento storico cosí denso e problematico di passaggio dalla cultura illuministica a quella romantica; le sue trasformazioni interne incarnano forse con
maggiore eloquenza di molti trattati teorici o filosofici, il
travaglio di pensiero che ha caratterizzato gli ultimi decenni
del Settecento: Haydn e Beethoven sono stati non solo i due
piú significativi testimoni delle vicende musicali e culturali
di quegli anni ma gli stessi artefici e protagonisti di quei mutamenti. Perciò la forma sonata può essere considerata un
po' come l'incarnazione sul piano artistico delle piú profonde esigenze del delicato momento di trapasso dall'illuminismo al romanticismo.

---

[1] Anche se è indubbia l'influenza kantiana in Beethoven, testimoniata dalla
sua lettura di parecchi testi del filosofo, ci sembra che sia piú forte, l'influenza
di filosofi romantici quali Hegel – che tuttavia non aveva letto direttamente –
o Schelling e Schiller, che aveva letto con passione e intima adesione.

Capitolo terzo

Il romanticismo

> La musique souvent me prend comme une mer!
> Vers ma pâle étoile,
> Sous un plafond de brume ou dans un vaste éther,
> Je mets à la voile;
>
> La poitrine en avant et les poumons gonflés
> Comme de la toile,
> J'escalade le dos des flots amoncelés
> Que la nuit me voile;
>
> Je sens vibrer en moi toutes les passions
> D'un vaisseau qui souffre;
> Le bon vent, la tempête et ses convulsions
>
> Sur l'immense gouffre
> Me bercent. D'autres fois, calme plat, grand miroir
> De mon désespoir!
>
> BAUDELAIRE, *La musique*; da *Les fleurs du mal*.

1. *Linguaggio musicale e linguaggio poetico.*

I sintomi della crisi della concezione illuministica della musica si avvertono ovunque: nel mutamento che sta intervenendo nella posizione sociale del musicista e nella funzione stessa della musica, nel declino dell'influenza della musica italiana e dell'opera italiana in particolare, nella valorizzazione della musica strumentale, nel ritorno alla musica antica, a Bach e a Palestrina. È difficile isolare uno per uno i motivi che hanno contribuito al sorgere della concezione romantica della musica, e a quel capovolgimento completo per cui essa, ultima tra le arti, venne assunta al rango di linguaggio privilegiato e assoluto. Pertanto non tutte le convinzioni degli illuministi riguardo la musica vennero mutate o trasformate; molti concetti furono cambiati solamente nel loro segno di valore: ciò che suonava una condanna ora diventa un motivo di gloria.

Le concezioni edonistiche della musica, proprie di una buona parte del pensiero illuministico, trovavano una giustificazione nella funzione stessa esercitata dalla musica nella società del tempo. Funzione soprattutto ricreativa e utilitaristica; il musicista era uno stipendiato presso la chiesa o presso famiglie nobili, e il suo compito era quello di produrre musica per determinate funzioni o cerimonie per soddisfare quindi ad immediate esigenze. La musica doveva per lo piú *accompagnare*, priva perciò di una funzione autonoma. Eccetto il melodramma che veniva considerato come uno spettacolo autonomo ed eseguito in appositi teatri – dove però la musica, almeno in teoria, avrebbe dovuto essere subordinata alla poesia –, la musica cosiddetta da camera non era certo eseguita in sale da concerto dinanzi ad un pubblico assorto unicamente nell'ascolto come può avvenire oggigiorno. La musica doveva disporre alle preghiere e alla concentrazione religiosa il credente, doveva contribuire a creare un ambiente di festa, di allegria o di piacevole spensieratezza, durante pranzi, nozze, feste, ecc., cioè rappresentava sempre un qualcosa di accessorio e di inessenziale. Si può quindi facilmente comprendere perché i filosofi non tennero in gran conto la musica. La musica strumentale come gioco di sensazioni piacevoli (Kant), come astratto arabesco (Rousseau) non dice nulla alla nostra ragione, non ha un contenuto intellettuale, morale, educativo, non ha potere altro che sui nostri sensi; diremmo noi oggi che è un'arte asemantica.

Il romanticismo non rifiuta questo presupposto, ma lo considera con occhi del tutto diversi. La musica è sí un'arte asemantica, cioè non può dirci nulla di ciò che si può comunicare con il linguaggio comune. Ma questa caratteristica la pone infinitamente al di sopra di ogni normale mezzo di comunicazione. La musica non ha bisogno di esprimere ciò che esprime il linguaggio comune, perché va molto oltre: essa coglie la *Realtà* ad un livello molto piú profondo, rifiutando qualsiasi espressione linguistica come inadeguata. La musica può cogliere la stessa essenza del mondo, l'Idea, lo Spirito, l'Infinito. Ed ha questo potere in misura tanto piú alta quanto piú è lontana da qualsiasi tipo di semanticità e di concettualità. La musica strumentale pura è quella che piú si avvicina a questo ideale; tuttavia anche nell'ambito del melodramma spesso si fanno sentire le nuove istanze o con un approfondimento delle esigenze riformistiche di Gluck, spogliate dello sfondo razionalistico, come si vedrà nell'estetica wagneriana, o addirittura con la teorizzazione della supremazia della musica, non piú in chiave edonistica, come nell'opera italiana ottocentesca, ma in quanto punto di convergenza dell'azione drammatica.

Di grande interesse la posizione di Mozart, che alle soglie del romanticismo inverte la posizione di Gluck. La poesia deve essere «figlia obbediente» della musica, scriveva al padre in una lettera del 1781; ma questa equivoca sottomissione viene precisata piú avanti da Mozart stesso, il quale era ben lungi dal voler negare l'esigenza drammatica e teatrale del melodramma, ma piuttosto di riaffermarla in termini non razionalistici. La musica deve diventare il centro attorno a cui si coagula l'azione drammatica, il che spiega l'attenzione e la cura con cui Mozart sceglieva i libretti e i librettisti. «Tanto piú deve piacere un'opera – continua Mozart nella stessa lettera – quanto piú il piano di lavoro sia bene elaborato e le parole siano state scritte soltanto per la musica, e non per amore di questa o quella miserabile rima... L'ideale sarebbe che un buon compositore, intenditore di teatro e in grado egli stesso di dire una sua parola, s'incontrasse con quell'araba fenice che è un bravo poeta... I poeti mi fanno l'impressione dei suonatori di tromba, coi loro stupidi esibizionismi. Se noi compositori volessimo ostinarci a seguire quelle regole..., faremmo della musica altrettanto scadente quanto i loro libretti».

Questa chiara affermazione delle *ragioni* della musica rispetto a quelle del testo letterario è alla base non solo della rivalutazione del linguaggio musicale, ma anche della scoperta della musicalità della poesia. La concezione romantica della musica, l'aspirazione all'unione e alla convergenza di tutte le arti nel nome della musica, trae origine indubbiamente dallo sviluppo del concetto illuministico dell'origine comune di poesia e musica che molti filosofi alla fine del Settecento e all'inizio dell'Ottocento hanno fecondamente approfondito. Il nuovo interesse dei romantici per l'espressione dei primitivi, per il canto popolare, per la poesia legata ai sentimenti nazionali del popolo, portò l'attenzione sugli elementi originariamente musicali del linguaggio poetico. La musica pertanto da spettacolo prevalentemente edonistico, anche se legato ad affetti, sentimenti ed emozioni, si trasforma cosí nella concezione romantica in una celebrazione mitica, non priva di una sua componente religiosa e mistica.

Gli scritti di Herder, dal *Saggio sull'origine del linguaggio* del 1772, sino a *Kalligone* del 1800 hanno rappresentato per questo riguardo un punto di riferimento importante. Herder riconobbe ben presto nell'arte dei suoni il vertice delle possibilità estetiche dell'uomo; la poesia lirica sboccia dalla stessa musica e rimane indissolubilmente ad essa legata. D'altra parte la priorità originaria del linguaggio lirico-musicale non è da intendersi in senso strettamente cronologico: l'originarietà è tutta ideale e si rinnova ad ogni nuova creazione, ad ogni nuova espressione dell'uomo. Il canto originario, quello in cui poesia e musica sono una medesima cosa, è il linguaggio proprio dell'uomo: acquista cosí pieno significato la concezione herderiana della musica come «arte dell'umanità». «Se il linguaggio dell'uomo primitivo era il canto, esso era per lui naturale, ed era conforme ai suoi organi ed ai suoi istinti, lo stesso come il canto è naturale per l'usignolo, che è, per cosí dire, una gola vibrante»[1]. Già Rousseau, Condillac e molti altri enciclopedisti, come osserva lo stesso Herder poco oltre, avevano «dedotto dal grido del sentimento la prosodia e il canto delle lingue piú antiche»[2], ma il filosofo tedesco va oltre aggiungendo che dai semplici suoni istintivi del sentimento non può nascere «un linguaggio umano». A ben vedere si può dire che la musica è il linguaggio dell'umanità solo se la si riscatta nella sua origine da questa generica istintività animalesca, dal «cri animal» e la s'integra invece nel canto poetico che per primitivo che sia è già un linguaggio vero e proprio e non «il semplice grido emotivo delle bestie».

Riportare la poesia e la musica al loro originario carattere nazionale significava per Herder non un impoverimento ma il ritrovamento della radice comune; l'Opera, unione di tutte le arti, l'opera sognata da Herder, sarebbe stata l'incarnazione epica del suo ideale artistico, l'espressione piú auten-

---

[1] J. G. Herder, *Saggio sull'origine del linguaggio*, versione it. di G. Necco, Roma 1954, p. 58.
[2] *Ibid.*, p. 59.

tica e originaria dell'uomo nella sua totalità, dove «poesia, musica, azione e decorazione non formano più che un solo tutto». Questa aspirazione ad un'arte integrale annunciata con tono profetico in *Kalligone* non può non far pensare a Wagner.

Questi concetti espressi con tanta forza ed efficacia in Herder li ritroviamo in molti altri filosofi tedeschi agli inizi del romanticismo. Hamann, pur sostenendo teorie linguistiche assai diverse da Herder, nella *Metacritica* affermava: «La lingua più antica è la musica...» la quale costituisce il fondamento e il prototipo di «ogni misura del tempo»[3]. La poesia stessa contiene in sé, come elemento sensibile, la musicalità; i canti popolari, in cui si manifesta concretamente questa unione originaria, rappresentano la fonte prima ispiratrice per un rinnovamento della poesia e della musica moderna. Il melodramma, come già per Herder, è ancora l'arte più alta e completa perché, come la lirica greca, celebra l'unione di tutte le arti, in un'espressione più completa.

La parola originaria, con la sua intrinseca musicalità, sia intesa come rivelazione divina (Hamann) sia come invenzione umana (Herder) nella sua dimensione essenzialmente mitica e profetica, nella sua natura poetica, non è solamente il sentimento, l'immediatezza dell'emozione contrapposta alla riflessività della ragione come per gli illuministi: «la lingua originaria» è sentimento e ragione insieme, riflessione e immediatezza, è creazione dove tutte le facoltà umane sono ancora unite prima di ogni astratta distinzione. Per cui la dimensione conoscitiva che gli illuministi avevano esclusa dalla musica ormai gravitante nella sfera della sensibilità, viene ora reintrodotta per altra via. Proprio la musica, l'arte che più d'ogni altra sembrava lontana dalla ragione e dalla filosofia, viene considerata da molti romantici in una dimensione metafisica, via d'accesso simbolica a verità altrimenti inaccessibili.

Significativo a questo riguardo e illuminante nella sua chiarezza, un passo di Friedrich Schlegel: «Benché a qualcuno possa sembrare strano o ridicolo che i musici parlino dei pensieri che sono nelle loro composizioni, chi ha senso per la

[3] J. G. Hamann, *Schriften*, a cura di Roth, vol. VII, p. 10.

mirabile affinità di tutte le arti e scienze, non vorrà considerare la cosa dal punto di vista della cosiddetta naturalezza,
secondo la quale la musica deve essere soltanto il linguaggio
del sentimento e troverà in sé non impossibile una certa tendenza di tutta la musica puramente strumentale verso la filosofia. Non deve la pura musica strumentale crearsi un testo? E in esso non viene il tema cosí svolto, confermato, va-
riato, contrastato come l'oggetto della meditazione in una
serie di idee filosofiche?»[4]. La posizione illuministica è del
tutto capovolta: la musica è tanto piú significativa tanto piú
è lontana e libera dal linguaggio verbale. L'indeterminatezza
sempre rimproverata alla musica strumentale è tale solo dal
punto di vista del linguaggio delle parole. Ma il linguaggio
della musica – e questa è la grande scoperta dei romantici –
appartiene ad un altro ordine e va giudicato con ben altro
metro: in esso si cela l'espressione piú autentica e originaria
dell'uomo.

Goethe stesso, il poeta e il pensatore meno disposto forse
a riconoscere la supremazia della musica, l'arte indubbiamente piú lontana dalla sua esperienza, come egli stesso ebbe a dire, le riconobbe non di rado un potere sovrumano. La
musica rappresenta un tempio attraverso il quale entriamo
nel divino: essa ci fa presentire un mondo piú completo, ci
porta alle soglie del trascendente perché è l'unica arte slegata da ogni materialità, in cui contenuto e forma s'identifica-
no. La posizione di Goethe verso la musica tuttavia è sempre stata oscillante tra opposti poli: da una parte egli è attratto irresistibilmente dall'elemento irrazionale, «demonico» dell'arte dei suoni, dall'altra la sua aspirazione alla chiarezza, alla compostezza classica lo riporta nel dominio della
poesia e lo induce a rifiutare la musica senza parole, il puro
discorso degli strumenti.

L'elemento demonico proprio di tutta l'arte infatti è presente, afferma Goethe in un colloquio con Eckermann del
marzo 1831, «al piú alto grado nella musica, poiché essa si
situa cosí in alto che nessun intelletto può raggiungerla; la
musica emana una forza che s'impadronisce di ogni cosa e

---

[4] F. Schlegel, *Frammenti critici e scritti di estetica*, a cura di Santoli, Sansoni,
Firenze 1937, p. 444.

che nessuno è in grado di spiegare». Nonostante queste espressioni chiaramente romantiche tuttavia le sue predilezioni vanno ancora alla musica vocale la cui superiorità viene confermata con argomentazioni di stampo razionalistico: nel *Wilhelm Meister* scrive: «Paragono melodie, canti e passaggi senza parole e significato a quelle farfalle o uccelli variopinti che ci svolazzano dinanzi...; il canto invece s'eleva come un genio al cielo...» Questa riserva verso la musica strumentale e la non completa accettazione della superiorità della musica sulla poesia si riflette anche nei suoi gusti musicali, nella predilezione per Haydn e Mozart e l'incomprensione per la grandezza di Beethoven cosí come per la liederistica di Schubert, che rappresentano in una perfetta riuscita artistica i nuovi rapporti istituiti dallo spirito romantico tra linguaggio musicale e linguaggio poetico.

2. *Wackenroder: la musica come linguaggio privilegiato.*

L'opera di Wackenroder, apparsa alle soglie del romanticismo, indisgiungibilmente legata a quella del suo grande amico Tieck, rappresenta un modello per il pensiero romantico: tutti i problemi che nei decenni successivi verranno approfonditi, ripresi uno per uno o magari nell'ambito di una sistematica concezione metafisica, sono già presenti anche se a volte solo di sfuggita nella breve opera di Wackenroder.

Wackenroder non è stato un musicista, né un critico, né un poeta, come forse avrebbe voluto, e tantomeno un avvocato, come avrebbe voluto il padre. La sua vita (1773-98), cosí breve, è stata un po' un fallimento: la sua personalità instabile, ansiosa, al momento della morte, a venticinque anni, non aveva ancora trovato una linea precisa di sviluppo, un'espressione che lo soddisfacesse. La sua opera rivela quest'ansia, questa esigenza insoddisfatta e non rappresenta certo un punto di arrivo nella sua frammentarietà, nel suo tono troppo entusiasta, priva di una profonda riflessività; tuttavia proprio per il suo lievito, per il carattere asistematico, non dottrinale o accademico, per la vena nostalgica e sentimentale che la anima, ha avuto un'importanza notevole nella formazione delle prime generazioni romantiche. L'opera di Wackenroder, pubblicata da Tieck con il titolo *Fantasia sull'arte di un monaco amante dell'arte*, in cui fra l'altro è difficile distinguere quale parte ha avuto l'amico, oltre che come editore, specie per quanto riguarda la parte musicale, è l'opera di un giovane letterato, che scrive con evidenti ambizioni poetiche e letterarie, che parla di pittura e di musica non come competente, come critico, ma come osservatore entusiasta, estremamente sensibile, anzi ipersensibile, tutto perso nella sua contemplazione. Tuttavia la sua opera è piena di intuizioni luminose, di pagine che rivelano una notevole penetrazione critica e filosofica. Questo atteggiamento di fronte all'arte è qualcosa di piú di una vicenda personale; si tratta di un atteggiamento tipico del primo romanticismo, del periodo dello *Sturm und Drang*: di fronte all'arte è necessario l'abbandono, l'atteggiamento puramente contemplativo, che è proprio non del critico, ma del semplice amatore dell'arte, dell'entusiasta. Il critico analizza, viviseziona, scompone, ma non coglie la vita dell'arte, non coglie l'opera nella sua unità. Come dice Wackenroder molto efficacemente «esiste dall'eternità un precipizio ostile che divide il cuore che sente e le ricerche dell'esploratore; il cuore è un'entità divina, indipendente e chiusa, che non può essere aperta né analizzata dalla ragione» (*Fantasia sull'arte di un monaco amante dell'arte*).

Il critico inaridisce tutto ciò che tocca, mentre l'amatore si lascia trasportare dalla corrente creativa, con un libero abbandono. In altre parole tutto ciò significa che l'organo di accesso all'opera d'arte è il sentimento e non l'intelletto. «Ogni opera d'arte non può essere afferrata e compresa pienamente che con lo stesso sentimento che l'ha fatta nascere, cosí il sentimento non può essere afferrato e capito che con il sentimento» (*ibid.*).

Tutte le arti secondo Wackenroder rappresentano un mezzo per manifestare i nostri sentimenti piú profondi, ma la musica è l'arte per eccellenza, superiore a tutte le altre per capacità espressiva. La musica è il linguaggio originario dei sentimenti e sta in ciò il suo privilegio rispetto alle altre arti. La capacità è potenza espressiva della musica, non è solo un frutto dello sviluppo storico, ma è un fatto originario che la civiltà ha solo perfezionato. Esiste dunque un'affinità segreta, elettiva, tra il suono, anche nella sua forma piú grezza e semplice, e il sentimento. Il sentimento, in questo contesto, rappresenta non tanto l'emotività personale, ma piuttosto l'organo d'accesso privilegiato, rispetto all'intelletto, ai segreti piú intimi del mondo, all'essenza delle cose, a Dio stesso. Infatti la musica rappresenta forse il piú diretto contatto con la Divinità. «Nessun'altra arte, all'infuori della musica, dispone di una materia prima che sia già di per sé cosí colma di spirito celeste».

La musica ha dunque carattere sacro, religioso, divino, ma allo stesso tempo umano: la musica «dipinge dei sentimenti umani in maniera sovrumana... perché parla un linguaggio che noi non conosciamo nella vita corrente, che non sappiamo né dove né come abbiamo appreso, che si può riconoscere solo come il linguaggio degli angeli» (*Le meraviglie dell'arte musicale*). La musica è l'arte che concilia, armonizza l'umano e il divino, che placa e risolve ogni contraddizione dell'animo con la sua intima armonia, è uno spiraglio aperto sul mistero. La musica sembra quasi assumere le caratteristiche di un *nirvana*; infatti Wackenroder sottolinea sempre l'aspetto passivo, puramente contemplativo di fronte alla musica; ecco come ne descrive gli effetti nella sua prosa calda, ricca di metafore, a volte un po' retorica: «... chiudo gli occhi di fronte a tutte le guerre del mondo, e mi ritiro silenzioso nel regno della musica, come nel regno della fede, dove tutti i nostri dubbi e i nostri dolori si annegano in un mare di suoni, dove dimentichiamo il vociare degli uomini dove noi siamo presi dalle vertigini per il cicaleccio delle diverse lingue, per la confusione di alfabeti e di mostruosi geroglifici; ma con un dolce tocco, la musica ci toglie come per incanto ogni angoscia dal nostro cuore. E come? I nostri interrogativi trovano forse una risposta qui? Forse ci sono rivelati dei misteri? No, ma invece di risposte, di rivelazioni, ci vengono mostrate delle aeree e belle forme di nuvole, la cui vista ci calma, non sappiamo come; ... e il nostro spirito guarisce, contemplando delle meraviglie che sono ancora piú incomprensibili e sublimi. Allora l'uomo vorrebbe esclamare: "Questo è ciò che voglio dire! Ora l'ho trovato! Ora sono sereno e pieno di gioia!"» (*ibid.*). In queste pagine, cosí frequenti nella sua opera, che rivelano una vena quasi mistica, Wackenroder non tralascia mai di porre l'accento su quest'elemento indefinibile, inafferrabile, proprio della musica. Ciò che non si può esprimere attraverso il linguaggio comune, trova espressione diretta nel linguaggio dei suoni, linguaggio quindi assolutamente aconcettuale, e in ciò sta il suo privilegio. Esso è del tutto libero da qualsiasi contatto con la materia. La tecnica vi ha un ruolo solo secondario, materiale; ciò che piú conta è il contenuto ineffabile, l'anima, il sentimento. Una sinfonia è un libero gioco di idee pure che sarebbe vano cercare di precisare con l'aiuto del linguaggio delle parole: vorrebbe dire rompere l'incantesimo, distruggere ciò che essa racchiude di piú sacro e inviolabile, ciò che solo il cuore ha diritto di cogliere.

La musica è il sentimento stesso: non si può quindi *dire* nulla dell'essenza della musica; si giungerà tutt'al piú a delle riflessioni sul sentimento, ma con la riflessione non si potrà mai cogliere il sentimento, cioè la musica. L'opera musicale è intraducibile in parole, ineffabile; come dice Wackenroder, il linguaggio ci può enumerare tutti i mutamenti di un fiume che scorre; la musica ci dà il fiume stesso; il fiume può evidentemente simboleggiare l'animo umano.

Questi concetti che si affacciano per la prima volta nella storia dell'estetica musicale, sono destinati a ripetersi con pochissime varianti, innumerevoli volte, durante tutto il romanticismo e oltre. Se si vuole vedere una continuità storica nel pensiero di Wackenroder, appare evidente che non si ricollega alle concezioni edonistiche della musica, cosí frequenti nel Settecento, che egli combatte esplicitamente, ma piuttosto al filone che potremmo chiamare pitagorico, che nel Settecento fa capo a Rameau. Wackenroder rifiuta qualsiasi tentativo di studio scientifico della musica in quanto analitico, quindi incapace di coglierne l'essenza. Chi compie tale tipo di indagini «invece di salutare la bellezza come un amico... la considera piuttosto come un cattivo nemico, e cerca di combatterla con la piú pericolosa imboscata, gloriandosi poi delle proprie forze». Ma nonostante queste affermazioni nessuno piú di Wackenroder sente il fascino dell'elemento matematico racchiuso nella musica, che rappresenta una zona avvolta da un'ombra di mistero, un elemento per lui quasi sconosciuto ma che proprio per questo assume un carattere quasi di sacralità. A volte la musica viene denominata un *sistema* che racchiude una inesplicabile e misteriosa simpatia tra il rapporto matematico dei suoni e le fibre del cuore umano; «nessun'altra arte potrebbe fondere in modo cosí misterioso qualità come l'intima profondità, l'energia fisica, e l'oscura fantasia».

La musica, si è già detto, ha un carattere sacro, che le deriva proprio dall'elemento matematico che la regge dall'interno. Questo elemento non deve però essere analizzato ulteriormente, per non varcare quei sacri recinti inviolabili, oltre cui c'è il mistero. Ci si deve limitare ad «adorare il carattere sacro profondamente radicato e immutabile, proprio a quest'arte piú che a qualsiasi altra, e il fatto che nelle sue opere si rivela la ferrea legge oracolare del sistema nello splendore primigenio dell'accordo perfetto, che non può essere distrutto o diminuito neanche dalle mani piú vili...» Tutte le emozioni che la musica esprime sono «governate e dirette da un secco sistema scientifico di numeri, come da potenti formule magiche di un vecchio e terribile incantatore».

L'armonia che per Rameau rappresentava il fondamento della razionalità e quindi dell'espressività della musica, conserva ancora un ruolo dominante nella concezione della musica di Wackenroder, ma si è trasformata in un elemento irrazionale, magico, religioso. Venuto meno l'accordo e l'equilibrio tra ragione e sentimento, l'elemento matematico, eterno, immutabile, su cui si fondano la musica e l'armonia, assume un aspetto magico e irrazionale. L'accordo perfetto non sarà piú l'espressione dell'armonia divina del mondo, dell'armonia tra sensibilità ed intelletto, ma una formula dal potere magico, espressione di mistero, di ineffabilità.

In questa sfera di magica purezza, è comprensibile come la musica religiosa esercitasse il piú grande fascino sul giovane Wackenroder in quanto in essa si realizza pienamente il carattere intimamente irrazionale e sacro della musica. Ma, si badi bene, non perché nella musica religiosa sia presente un elemento vocale, quindi concettuale (nella musica contemporanea le sue preferenze vanno ai «divini grandi pezzi sinfonici» perché realizzano l'assoluta aconcettualità), ma perché essa ci riporta al medioevo, in quella zona storica ancora incerta, indefinita, e per questo cosí carica di fascino per i romantici. È in questo periodo che si incomincia a scoprire la musica del passato, grazie anche allo sviluppo degli studi filologici, condizione imprescindibile per poter decifrare e trascrivere in notazione moderna i testi anteriori al Seicento. Palestrina fu riscoperto dai romantici che gli dedicarono un vero e proprio culto e Wackenroder fu tra i primi a sentire questa grande attrazione verso la polifonia sacra del rinascimento, per i grandi fiamminghi che i primi romantici idealizzarono e considerarono come un esempio di quella pura religiosità cui tendeva l'arte.

Ma le simpatie di Wackenroder crescono mano a mano che ci si avvicina al medioevo, all'antichissimo gregoriano; è questa la musica che parla all'uomo piú direttamente «delle cose del cielo». La preferenza per il canto gregoriano si spiega solo pensando al carattere indefinito, fluttuante, di questa musica, la piú lontana, almeno nell'idealizzazione romantica, da ogni traccia di mondanità, da qualsiasi concessione alla piacevolezza.

Si è ormai ben lontani dall'illuminismo: il pensiero di Wackenroder, pur nelle sue ingenuità, nel suo candido entusiasmo, ha tuttavia capovolto forse inconsciamente la concezione illuministica e razionalistica della musica. La sua opera, pur nella completa mancanza di sistematicità, di consapevolezza filosofica, di precisi riferimenti culturali, rappresenta una tappa fondamentale del pensiero romantico. Altri pensatori sapranno utilizzare questi concetti in un orizzonte filosofico ormai piú consapevole; senza però apportarvi modificazioni fondamentali.

3. *Schelling: la musica come ritmo.*

Tutti i filosofi romantici assegnano alla musica una posizione particolare e anche se non sempre la pongono alla sommità della gerarchia, tuttavia le attribuiscono speciali privilegi. Bisogna aggiungere ancora che le gerarchie delle arti, i «sistemi delle belle arti» nella filosofia romantica hanno un significato assai diverso che nel secolo precedente. Nel Settecento si trattava per lo piú di semplici scale di valore in cui ogni arte occupava stabilmente il suo gradino per i suoi meriti in relazione al fine che si riteneva dovesse realizzare l'arte in generale. Spesso invece nel romanticismo, le varie arti vengono poste in relazione dialettica l'una rispetto all'altra, per cui si creano tensioni interne, segrete corrispondenze fra arti diversissime e opposizioni destinate a risolversi; non è piú cosí semplice stabilire quale arte sia superiore ad un'altra e non sempre la posizione nel sistema è determinante a questo fine. Ogni sistema va attentamente esaminato per poter capire il significato della gerarchizzazione. Per questi motivi è di notevole interesse l'estetica di Schelling per la particolare posizione da lui assegnata alla musica, nel suo complesso e un po' macchinoso sistema delle arti[1].

L'arte, per Schelling, è rappresentazione dell'infinito nel finito, dell'universale nel particolare, oggettivazione dell'assoluto nel fenomeno. Le arti allora possono distinguersi a seconda del particolare in cui si oggettiva l'infinito, cioè del finito in cui s'incarna. Si hanno cosí due tipi di arte o due diversi gruppi di arti, l'uno *reale*, l'altro *ideale*, a seconda che in essi si manifesti il lato reale, oggettivo, fisico oppure il lato ideale, soggettivo e spirituale; da una parte avremo le arti figurative, dall'altra le arti della parola.

Tra le arti figurative, quelle che presentano «l'aspetto reale del mondo dell'arte»[2] troviamo la musica che forma una triade insieme alla pittura e alla plastica. Schelling stesso si rende conto del carattere insolito di questo accostamento per niente consono alla tradizione[3], ma è portato dallo spirito del sistema a questa particolare sistemazione delle arti che rispecchia lo schema generale della sua filosofia. La musica infatti va compresa fra le arti figurative perché come arte reale è legata alla materialità fisica del suono. Figurativo non va qui inteso nel senso di figurare oggetti ma nel senso del riferimento alla materia, a ciò che è figurabile, che si può forgiare.

---

[1] W. J. Schelling, *Philosophie der Kunst*, in *Schellings Werke*, vol. III, Eckardt Verlag, Leipzig 1907. Le citazioni, dalla *Philosophie der Kunst*, si riferiscono a questa edizione.

[2] *Ibid.*, p. 130.

[3] *Ibid.*, p. 135.

La musica allora sembra essere nuovamente posta al gradino piú basso; infatti essa è l'arte piú fisica tra le arti fisiche, è quella che è piú direttamente a contatto con la materia inorganica priva di forma, cioè con il suono. Perciò ci pone a contatto con la natura nel suo aspetto piú primordiale e immediato. Ma ad un esame piú attento la concezione schellingiana si rivela piú complessa e ambigua. Schelling, individua nella musica tre elementi, ritmo, modulazione e armonia, melodia; ma essi ripetono all'interno della musica la divisione del suo intero sistema, e cioè il ritmo rappresenta l'elemento reale, la modulazione quello ideale e la melodia insieme con l'armonia, la sintesi o l'unità dei due. Ma il ritmo è l'elemento di gran lunga piú importante, tanto che si può dire che «il ritmo è la musica nella musica»[4]. Infatti «la forma necessaria della musica è la successione. Perciò il tempo è la forma generale della figurazione dell'infinito nel finito, ma in quanto forma, astratta dalla realtà. Il principio del tempo nel soggetto è l'autocoscienza, la quale per l'appunto è l'immagine dell'unità delle coscienze nella molteplicità, nell'ideale»[5]. Queste affermazioni mettono in luce caratteri della musica che sembrano essere del tutto in contrasto con quanto si era detto prima. La musica come puro ritmo coglie sí l'universo nel suo aspetto piú elementare, ma anche come pura forma, per cui se da una parte la musica è l'arte che è piú vicina alla materia, dall'altra può dirsi anche l'arte piú astratta e spirituale, in quanto riproduce il puro movimento, il ritmo cosmico, il divenire delle cose, l'unità della molteplicità. «La musica – afferma Schelling – è perciò l'arte piú lontana dalla corporeità, in quanto ci presenta il puro movimento come tale, prescindendo dagli oggetti e viene trasportata da ali invisibili quasi spirituali»[6]. La musica si trova cosí in bilico tra la pura sensibilità e la spiritualità, tra la materia ancora allo stato bruto e la pura forma.

Il concetto di temporalità è centrale perché attraverso di esso Schelling può stabilire quel nesso con cui riconduce la musica alla struttura della coscienza; infatti il ritmo che rap-

[4] *Ibid.*, p. 142.
[5] *Ibid.*, p. 139.
[6] *Ibid.*, p. 150.

presenta l'essenza stessa della musica è l'unità nella molteplicità cosí come la coscienza è il punto d'incontro della molteplicità dei nostri stati d'animo. Tale tema è destinato nell'estetica musicale ad una grande fortuna, e Hegel svilupperà ampiamente ciò che in Schelling è solo uno spunto felice anche se preciso.

Addentrarci piú in profondità nell'estetica musicale di Schelling ci porterebbe ad ampliare troppo il discorso date le strette connessioni con tutta la sua filosofia. Ciò che qui premeva indicare è anzitutto il carattere dialettico del suo sistema delle arti che permette di collocare la musica in una luce del tutto nuova rispetto alla tradizione ed ancora l'accentuazione della dimensione temporale della musica come suo aspetto costitutivo. La musica, «la forma d'arte in cui l'unità reale come tale si fa potenza e simbolo»[7] è il ritmo stesso dell'universo, reso percepibile proprio grazie alla solidarietà che essa ha con l'animo umano; non per nulla Schelling si richiama a Pitagora e a Leibniz: l'anima infatti può concepirsi come un'autonumerazione o in altri termini coscienza della successione o della temporalità. La musica in questa complessa dottrina è pertanto concepita come rivelazione dell'Assoluto nel momento della sua genesi, arte doppiamente privilegiata per il suo rapporto originario con le strutture elementari ma essenziali da una parte dell'universo, dall'altra della nostra coscienza[8].

4. *Hegel: il sentimento invisibile.*

Nel romanticismo la concezione piú diffusa della musica come espressione di sentimento o come forma privilegiata di espressione dei sentimenti, che Wackenroder aveva lucidamente intuito, anche se in una forma ancora *poetica*, trova in Hegel la consacrazione filosofica ufficiale, la sistemazione concettuale piú compiuta.

[7] *Ibid.*, p. 139.
[8] Per ulteriori precisazioni sull'estetica musicale di Schelling si rimanda agli studi di L. Pareyson, *L'estetica di Schelling*, Giappichelli, Torino 1964, pp. 145-52, e di R. Assunto, *Estetica dell'identità*, Pubblicazioni dell'Università di Urbino, Urbino 1962, pp. 227 sgg.

Nella rigida architettura della filosofia hegeliana anche la musica ha un suo posto ben preciso. Nell'*Estetica* pubblicata postuma nel 1835, Hegel stabilisce nello sviluppo dell'arte tre tappe fondamentali (arte simbolica, classica, romantica) a cui corrispondono altrettante determinazioni necessarie. Tutta l'arte, come prima tappa dello spirito assoluto verso la sua realizzazione ultima, ha come fine l'espressione dell'Idea, ma nella forma dell'intuizione sensibile. L'arte quindi ha bisogno di un materiale esterno in cui oggettivare il suo contenuto spirituale.

L'architettura, che rappresenta l'arte simbolica, è l'inizio dell'arte. Qui l'arte, «alla sua origine, non trovando per la rappresentazione dell'elemento spirituale che racchiude, né i materiali adatti, né la forma corrispondente, deve limitarsi a dei tentativi per raggiungere una effettiva armonia dei due termini, e accontentarsi di un tipo di rappresentazione in cui essi rimangono estranei l'una all'altro. I materiali di questa prima arte sono forniti dalla materia propriamente detta, non animata dallo spirito, ma pesante e foggiata solo secondo le leggi della gravità»[1]. L'arte classica, l'arte vera e propria, si manifesta nella scultura. «Il principio basilare che guida le sue rappresentazioni è l'individualità spirituale che costituisce l'ideale classico. Essa lo rappresenta in modo tale che l'elemento interiore o spirituale sia presente e visibile nell'apparenza corporale immanente allo spirito...»[2].

La terza forma di arte, quella romantica, che non rappresenta piú l'assoluto in una forma esteriore, ma la cui forma è «la soggettività, l'anima, il sentimento nella loro infinità e nella loro particolarità finita», si concretizza in tre tipi di arte, tra loro in rapporto dialettico: pittura, musica, poesia.

La pittura manifesta ancora lo spirito per mezzo dell'apparenza visibile, «ma la vera essenza di quest'arte è la soggettività particolare, l'anima distaccata dalla sua esistenza corporale per ripiegarsi su se stessa, la passione e il sentimento in ciò che hanno di piú intimo...»[3].

---

[1] Hegel, *Lezioni di estetica*, III, parte I, p. 18. Le citazioni si riferiscono alla traduzione francese del Jankelevitch.
[2] *Ibid.*
[3] *Ibid.*, p. 19.

La musica pur nella stessa sfera della pittura – cioè come arte romantica – tuttavia «è in opposizione con la pittura. Il suo elemento proprio è la stessa interiorità, il sentimento invisibile o senza forma, che non può manifestarsi in una realtà esterna, ma solamente per mezzo di un fenomeno esteriore che scompare rapidamente e si autocancella. Per cui l'anima, lo spirito, nella sua unità immediata, nella sua soggettività, il cuore umano, la pura impressione, tutto ciò costituisce l'essenza stessa di questa arte»[4].

Al vertice di questa gerarchia sta la poesia, «la vera arte dello spirito, quella che manifesta lo spirito in quanto spirito. Infatti tutto ciò che la coscienza concepisce, che elabora con il pensiero nel mondo interiore dell'anima, solo la parola può ricevere, esprimere e rappresentare. Pertanto ciò che guadagna dal punto di vista delle idee, lo perde dal lato sensibile. In effetti non si rivolge né ai sensi come le arti plastiche, né al semplice sentimento come la musica...»[5].

Il mezzo fisico in cui si esprime, cioè il suono, la parola, «non conserva piú il valore di oggetto sensibile, in cui l'idea può trovare la forma piú conveniente... Il suono non conserva piú, come nella musica, un valore di per sé, che l'arte debba foggiare come obbiettivo, in cui si esaurisce. Il suono deve essere qui penetrato dall'idea, riempito da un determinato pensiero che esso esprime e deve apparire come semplice segno di questo contenuto»[6].

La poesia si presenta dunque, nel sistema hegeliano, al vertice delle arti, come l'arte piú universale, ma proprio per questo in un certo senso non è piú arte; rappresenta il primo sintomo della morte dell'arte, un punto di transizione, in cui l'arte incomincia a dissolversi per lasciare il posto alla religione e alla filosofia. Il carattere di maggiore spiritualità della poesia rispetto alle altre arti costituisce allo stesso tempo il suo pregio e il suo difetto, in quanto arriva a negare il suono come elemento sensibile. Si può quindi concludere che, rimanendo nell'ambito dell'arte vera e propria, la musica riesce piú d'ogni altra a esprimere l'interiorità nella forma

[4] *Ibid.*, p. 20.
[5] *Ibid.*
[6] *Ibid.*, pp. 20-21.

del sentimento soggettivo, in una forma ancora sensibile, il suono. Partendo dall'architettura fino alla musica si ha sempre una maggiore forza espressiva, una sempre maggiore capacità di astrazione e un crescente potere sul sensibile fino ad assoggettare completamente la materia nella musica e a negarla poi nella poesia.

La gerarchizzazione delle arti assume in Hegel un significato del tutto diverso rispetto alla gerarchizzazione in voga nella cultura estetica illuministica, dove ogni arte indipendentemente dalle altre doveva avere un posto a sé, che le veniva assegnato a seconda delle funzioni cui assolveva. Ogni arte sussisteva accanto all'altra in un rapporto di indifferenza reciproca. La gerarchizzazione hegeliana e romantica in genere ha un altro valore: le arti vivono in un continuo rapporto di tensione, tutte convergono verso un punto, in genere rappresentato dalla musica, l'ideale cui aspira ogni arte. Inoltre nella filosofia hegeliana le arti stanno fra loro in un rapporto dialettico: una esclude l'altra, non in un senso storico ma su di un piano ideale e necessario.

Nella struttura generale della filosofia di Hegel, la concezione della musica è dichiaratamente romantica, anche se presenta ancora dei residui illuministici – come ad esempio la predilezione per la musica vocale – che trovano una ragione piú nei suoi gusti artistici e nella sua scarsa competenza musicale che in una attitudine speculativa vera e propria. Ma nella sua opera sono presenti anche dei germi, degli spunti che forniranno in futuro motivo d'ispirazione a estetiche molto lontane dal suo ambito speculativo.

Si è visto come la musica sia, secondo Hegel, rivelazione dell'assoluto nella forma del sentimento. La musica può esprimere sia sentimenti particolari, soggettivi, sia il sentimento in sé; ha quindi una «doppia interiorità». Di qui nasce quella ambiguità nell'estetica musicale hegeliana per cui si può pensare che da essa prendano origine idealmente le due correnti opposte dell'estetica musicale dell'Ottocento: l'estetica del sentimento e il formalismo. Hegel non si stanca di ripetere che la musica deve esprimere l'interiorità, «che il suo elemento fisico è il suono», il mezzo attraverso cui esprime il suo contenuto spirituale, per cui può esprimere «tutti i sentimenti particolari, tutte le sfumature della

gioia, della serenità spirituale, l'allegria e ogni capriccio, gli
slanci dell'animo, cosí come può percorrere tutti i gradi della
tristezza e dell'ansia. Le angosce, i crucci, i dolori, le aspirazioni, l'adorazione, la preghiera, diventano il dominio proprio dell'espressione musicale»[7].

Fin qui sembra che la musica abbia infinite possibilità
espressive e che il suono si adatti docilmente nella sua inerzia ai voleri del musicista. Ma le cose si complicano quando
Hegel afferma che la musica, l'arte piú espressiva, posta
quasi al vertice della gerarchia, ha caratteristiche tali per cui
si potrebbe da un certo punto di vista avvicinare all'architettura, l'arte piú bassa nella sua scala gerarchica. Entrambe foggiano il loro materiale secondo le leggi della quantità
e della misura, e non hanno nessun modello nel mondo naturale. Ma vi è una differenza fondamentale: «l'architettura
si serve della massa fisica pesante, della sua spazialità inerte
e delle sue forme esteriori. La musica invece si serve del suono, quest'elemento animato pieno di vita, che si affranca
dall'estensione, che mostra differenze tanto qualitative che
quantitative, e si precipita nella sua rapida corsa attraverso
il tempo. Per cui le opere delle due arti appartengono a due
sfere dello spirito completamente diverse. Mentre l'architettura eleva le sue colossali immagini che l'occhio contempla
nelle loro forme simboliche e nella loro eterna immobilità, il
mondo rapido e fuggitivo dei suoni penetra immediatamente, attraverso l'orecchio, nell'intimo dell'anima...»[8]. La differenza, potremmo dire, consiste nel fatto che l'architettura
è un'arte spaziale mentre la musica è un'arte temporale, e
che la spazialità è l'elemento piú eterogeneo con la natura
dell'anima umana, con la soggettività che è essenzialmente
pura temporalità. C'è quindi un'affinità particolare tra il
suono e l'interiorità dell'anima come un fatto originario, insito nella stessa natura del suono, da cui deriva alla musica il
suo privilegio rispetto alle altre arti: «la potenza propria della musica è qualcosa di elementare; vorremmo dire che essa
risiede nell'elemento stesso del suono nel quale si muove

[7] *Ibid.*, p. 309.
[8] *Ibid.*, p. 300.

quest'arte»[9]. La musica sarebbe quindi l'unica arte in cui
non avviene nessuna separazione tra «i materiali esteriori e
l'idea, come avviene invece nella poesia in cui la rappresentazione si mostra indipendente dai suoni della parola»[10]. Potremmo dire forse senza tema di forzare il testo che nella
musica c'è un'identità tra la forma (i suoni nella loro temporalità) e il contenuto (lo spirito come sentimento). Nella musica tende a scomparire l'alterità tra soggetto e oggetto nel
flusso della coscienza. «L'io è nel tempo e il tempo è l'essere
del soggetto. Ma posto che il tempo e non lo spazio è l'elemento essenziale in cui il suono acquista esistenza e valore
musicale, e che il tempo del suono è anche il tempo del soggetto, il suono penetra nell'io, lo afferra nella sua esistenza
semplice, lo mette in movimento e lo trascina nel suo ritmo
cadenzato...»[11]. Ma il tempo della musica non è un fluire indeterminato; la musica ha essenzialmente il compito di ordinare il tempo, di «determinarlo, imporgli una misura, e ordinare questa successione secondo la legge di questa misura»[12]. Anche l'io non è una continuità indeterminata, «la
durata senza fissità; esso non ha una vera e propria identità
fino a che non raccolga i momenti sparsi della sua esistenza
e operi un ritorno su se stesso»[13].

Questo ritorno su se stesso, questo riconoscimento della
propria identità profonda, l'io può operarlo grazie alla temporalità della musica che esercita una funzione unificatrice,
regolatrice, catartica rispetto al tumulto disordinato della
nostra vita sentimentale. Temporalità dunque tutta interiore, che non ha nulla a che vedere con la regolarità dei fenomeni che si presentano nella natura, che la musica non prende come oggetto di imitazione; l'io si ritrova, si riconosce
nella musica nella sua essenza semplice e più profonda, libe-
randosi «da quel mutamento e movimento proprio alle esi-
stenze puramente esteriori»[14].

Il compito della musica, dopo queste precisazioni, risulta

9 *Ibid.*, p. 313.
10 *Ibid.*, p. 311.
11 *Ibid.*, p. 314.
12 *Ibid.*, p. 320.
13 *Ibid.*, p. 321.
14 *Ibid.*

non piú tanto quello di esprimere le emozioni, i sentimenti particolari, ma piuttosto di rivelare all'anima la sua identità, «il puro sentimento di se stessa»[15], grazie all'affinità della sua struttura con la struttura stessa dell'anima. La musica «deve elevare l'anima... al di sopra di se stessa, deve farla librare al di sopra del suo soggetto e creare una regione dove, libera da ogni affanno, possa rifugiarsi senza ostacoli nel puro sentimento di se stessa... Non si tratta piú dello sviluppo di un sentimento particolare, dell'amore, del desiderio, della gioia...; è l'interiorità dell'anima che domina tutto, che si rasserena nel suo dolore come nella sua gioia, e che gioisce di se stessa»[16].

Queste analisi sulla temporalità della musica costituiscono la parte di gran lunga piú interessante del testo hegeliano, soprattutto per le possibilità di sviluppo futuro che presentano. Alcuni dei temi qui trattati con opportune modificazioni per il mutato orizzonte filosofico, diventeranno propri della futura estetica formalistica. Il lato costruttivo, architettonico, della costruzione musicale, la sua affinità con la struttura stessa dell'essere, che rende la musica capace di esprimere non piú i sentimenti individuali e particolari, ma piuttosto di simboleggiare la pura interiorità come tale, astratta dai suoi contenuti, tutti questi concetti sono presenti in qualche modo nell'estetica hegeliana, anche in contraddizione con la tesi prevalente per cui la musica è espressione di sentimenti. Tuttavia considerati nell'ambito dell'idealismo romantico confermano e rafforzano la concezione della musica come espressione privilegiata rispetto alle altre espressioni artistiche, rivelazione dell'assoluto nella forma del sentimento.

Questo spiraglio aperto verso una concezione formalistica della musica si concreterà ben presto in una possibilità effettiva, in una alternativa fondamentale che rappresenterà uno degli sbocchi piú naturali del pensiero romantico. Il grande antagonista di Hegel, Schopenhauer, compirà ancora un altro passo in questa direzione, sviluppando organicamente alcuni spunti già contenuti nell'estetica hegeliana.

[15] *Ibid.*, p. 345.
[16] *Ibid.*

5. *Schopenhauer: la musica come immagine diretta del mondo*.

Se Hegel ha avuto un interesse solamente marginale per la musica, e le ha dedicato una parte della sua estetica forse perché tutto doveva trovare posto nella sua filosofia dialettica e onnicomprensiva, Schopenhauer le ha assegnato un posto centrale nella sua filosofia, di cui costituisce come il vertice, la conclusione. Anche per questo motivo l'opera di Schopenhauer rappresenta forse la piú compiuta sistemazione filosofica della musica secondo gli ideali romantici, in una civiltà che tende ad assegnare alla musica compiti sempre piú alti ed essenziali fino a farne un simbolo delle aspirazioni piú sublimi dell'uomo.

L'arte per Schopenhauer ha il compito di conoscere l'idea, cioè l'oggettivazione piú diretta della volontà, del principio, infinito noumenico che sta a fondamento del mondo. La conoscenza normale non può arrivare all'idea, perché è continuamente asservita alla volontà; solo il genio può conoscere intuitivamente l'idea, elevandosi al di sopra dell'umanità, sottraendosi alla catena causale, e raggiungendo l'appagamento totale nella contemplazione estetica. Tutte le arti, piú o meno, secondo una certa gerarchia rappresentano un'oggettivazione della volontà dai suoi gradi piú bassi fino ai piú alti. L'architettura, afferma Schopenhauer nel *Mondo come volontà e rappresentazione*, rappresenta «il grado piú basso in cui questa volontà è visibile, ov'essa si mostra come oscuro, incosciente, meccanico impulso della massa». Attraverso la scultura, la pittura, la poesia e infine la tragedia si giunge ai gradi piú alti in cui si oggettiva la volontà. Ma un'arte è rimasta esclusa da questa gerarchia in cui tutte le arti tendono ad un medesimo fine, ed è appunto la musica, la quale «è staccata da tutte le altre» per una sua posizione di privilegio assoluto. La musica non si limita a rappresentare «le idee o i gradi di obbiettivazione della volontà, sibbene immediatamente la stessa volontà»[1]. Se tutte le arti oggetti-

---

[1] Schopenhauer, *Il mondo come volontà e rappresentazione*, II, p. 548. Le citazioni si riferiscono alla traduzione italiana del De Lorenzo, Laterza, Bari 1928-30.

vano la volontà in modo *mediato* «la musica è dell'intera volontà oggettivazione e immagine, tanto diretta com'è il
mondo; o anzi come sono le idee; il cui fenomeno moltipli-
cato costituisce il mondo dei singoli oggetti. La musica non
è quindi affatto, come le altre arti, l'immagine delle idee,
bensí immagine della volontà stessa, della quale sono oggettività anche le idee. Perciò l'effetto della musica è tanto piú
potente e insinuante di quello delle altre arti: imperocché
queste ci dànno appena il riflesso, mentre quella esprime
l'essenza»[2]. Nella concezione di Schopenhauer c'è dunque
un salto qualitativo, non piú soltanto quantitativo, che separa la musica dalle altre arti. La musica sta fuori dalla gerarchia, sopra la piramide, e si pone come linguaggio assoluto,
come limite insuperabile, raggiungibile solo dal genio artistico. Come si potrà allora *parlare* della musica, se data la sua
posizione privilegiata rispetto alle altre arti, sarà a maggior
ragione al di là dei concetti che non giungono che al mondo
fenomenico, da cui la musica è totalmente indipendente? Se
ne potrà parlare per *metafore*, in quanto esiste un parallelismo tra la musica e le idee – entrambe oggettivazione della
volontà – «delle quali è fenomeno molteplice e imperfetto il
mondo visibile»[3]. La musica è un po' come un duplicato del
mondo fenomenico; si può «considerare il mondo fenomenico (o la natura) e la musica come due diverse espressioni della cosa stessa»[4]. Date queste premesse si deve logicamente
concludere che, «posto si potesse dare una spiegazione della
musica, in tutto esatta, compiuta e addentrantesi nei particolari, ossia riprodurre estesamente in concetti ciò ch'ella
esprime, questa sarebbe senz'altro una sufficiente riproduzione e spiegazione del mondo in concetti; oppure le equivarrebbe in tutto, e sarebbe cosí la vera filosofia»[5].

Entro questo ambito speculativo in cui si è affermato l'i-
dentità, anzi la superiorità della musica rispetto alla filosofia, e quindi la sua assoluta universalità (la musica sta all'u-
niversalità dei concetti come i concetti stanno alle singole

[2] *Ibid.*, p. 321.
[3] *Ibid.*
[4] *Ibid.*, p. 326.
[5] *Ibid.*, p. 330.

6

cose), nasce il problema fondamentale dell'estetica musicale di Schopenhauer, cioè il rapporto tra la musica e il mondo, e in definitiva il rapporto tra la musica e i sentimenti. In altre parole cosa può significare l'affermazione che *la musica è espressiva?*

Si è già detto che si può parlare della musica solo per analogia, in quanto la musica è di per sé un linguaggio assoluto, intraducibile, ineffabile; e cosí infatti procede Schopenhauer nel corso della trattazione. Molte delle ingegnose *analogie* proposte da Schopenhauer possono far sorridere, e non bisogna cercare in esse un significato musicale, ché spesso da questo punto di vista rappresentano degli errori grossolani: evidentemente prevalevano le ragioni speculative della costruzione filosofica sulle ragioni musicali, anche se il filosofo non era del tutto digiuno delle nozioni piú elementari di musica. Cosí Schopenhauer può affermare ad esempio che nell'armonia il basso rappresenta «i gradi infimi dell'oggettivantesi volontà», e quindi «la natura inorganica, la massa del pianeta»[6]. Le altre voci superiori dell'armonia che si trovano necessariamente legate al basso rappresentano «un fatto analogo a quello per cui tutti i corpi e organismi della natura devono essere considerati come svoltisi gradatamente dalla massa del pianeta; questa è il loro sostegno come la loro sorgente, e la medesima relazione hanno i suoni acuti col basso fondamentale»[7].

Proseguendo in queste analogie, per lo piú bislacche e a volte anche banali, il basso fondamentale ad esempio si dovrebbe muovere solo per intervalli molto piccoli perché, data l'analogia con la materia bruta e inorganica, non possiederebbe agilità né rapidità; per cui la melodia sarebbe unicamente affidata alla voce piú alta. La modulazione da un tono a un altro «somiglia alla morte, in quanto ella è la fine dell'individuo». Il modo maggiore e quello minore rappresentano l'uno appagamento, l'altro inappagamento; le varie melodie corrispondono all'inesauribile ricchezza della varietà degli individui, e la logica musicale che regge da capo a fondo lo svolgimento di una melodia è come la storia della

[6] *Ibid.*, p. 321.
[7] *Ibid.*, pp. 321-22.

volontà stessa «che si manifesta nel reale con la serie degli atti suoi; ma dice di piú, narra della volontà la storia piú segreta, ne dipinge ogni emozione, ogni tendenza, ogni moto, tutto ciò che la ragione comprende sotto l'ampio e negativo concetto di sentimento, né può meglio accogliere nelle proprie astrazioni»[8].

È forse inutile qui ricordare ancora le altre numerose analogie tra la musica e il mondo, in quanto non presentano di per sé, da un punto di vista musicale nessun interesse; ma servono piuttosto a svelare quale rapporto abbia instaurato in tal modo Schopenhauer tra la musica e i sentimenti. Anzitutto appare chiaro che il dominio della musica è quello del sentimento, in quanto essa rappresenta la vita piú intima, piú segreta, piú vera della volontà; sentimento è quindi contrapposto a concetto. Infatti «il compositore disvela l'intima essenza del mondo in un linguaggio che la ragione di lui non intende»[9] cioè con il linguaggio piú universale dei sentimenti che solo il *genio* conosce. La musica può cogliere, *esprimere*, tutte le manifestazioni della volontà, tutte le sue aspirazioni, appagamenti eccitazioni ecc. In questo senso può esprimere anche tutti i sentimenti dell'uomo, in tutte le loro sfumature, o meglio, piú che esprimere può rappresentare un analogo di essi, perché la musica non è fenomeno ma l'idea stessa. La musica ci darà l'essenza, l'*in sé*, non il fenomeno, ci darà «l'universalità di semplice forma, senza la materia»[10]. La musica non rappresenterà perciò sentimenti determinati di gioia, dolore, letizia, serenità ma «la gioia, il turbamento, il dolore, il terrore, il giubilo, la letizia, la serenità in se stessi e, potrebbe dirsi *in abstracto*, dandone ciò che è essenziale senza accessori, quindi anche senza i loro motivi»[11]. Ma tutto ciò non significa che la musica può esprimere solo sentimenti indeterminati: non si tratta qui di determinazione maggiore o minore; la musica anzi nella sua massima universalità acquista la massima determinazione in

[8] *Ibid.*, p. 323.
[9] *Ibid.*, p. 324.
[10] *Ibid.*, p. 327.
[11] *Ibid.*, p. 326.

quanto è l'in sé del sentimento, e lo rivela in ciò che ha di
piú essenziale; in altre parole la musica è la *forma* pura del
sentimento.

Alla luce di questi concetti Schopenhauer conduce le sue
acutissime analisi sul rapporto tra musica e parola. La musica prediletta da Schopenhauer come da tutti i romantici è la
musica strumentale: essa sola è pura, scevra da qualsiasi mescolanza e da concetti che turbino la sua limpidezza e l'avvi-
cinino ad altre forme di espressione che non le sono proprie.
La musica non deve prestarsi ad essere piegata al significato
delle parole, non deve in altri termini diventare descrittiva;
«se si vuol troppo adattare la musica alle parole, e modellar-
la sui fatti, essa si sforza a parlare un linguaggio che non è il
suo»[12]. Con questa presa di posizione Schopenhauer rove-
scia tutta la tradizione ormai secolare che aveva piú volte affermato fin dal tempo della nascita del melodramma il predominio della parola sulla musica e quindi la subordinazione
di quest'ultima. Pur tenendo fermo il principio della universalità della musica e il suo carattere astratto e formale rispetto ad ogni sentimento determinato ed espresso in concetti,
Schopenhauer non nega la possibilità dell'unione tra musica
e poesia, che si può anche fondare da un punto di vista metafisico. Infatti è possibile un rapporto tra una composizione
musicale e un sentimento od un'altra qualsiasi rappresentazione per il fatto «che l'una e l'altra sono espressioni diffe-
rentissime della stessa intima essenza del mondo»[13]. Ma la
musica deve mantenere intatta la sua dignità e la sua funzione, perciò deve condannarsi ogni proposito imitativo. Se la
musica deve esprimere «l'in sé del mondo», un rapporto
eventuale con la parola deve configurarsi analogamente al
rapporto «che un qualsivoglia esempio può avere col concetto generale»[14]. Su di un piano pratico tutto questo significa
che non ci può essere un rapporto fisso e predeterminato tra
l'espressione musicale e quella poetica, perché la parola rappresenta «con la determinatezza della realtà quel che la musica esprime nell'universalità della forma pura»[15]. Ad una

[12] *Ibid.*
[13] *Ibid.*, p. 328.
[14] *Ibid.*
[15] *Ibid.*

determinata espressione musicale possono ugualmente bene sottostare testi poetici diversi: è sufficiente che i sentimenti espressi dal testo si adattino nella *forma* alla musica che accompagneranno. Non bisogna dimenticare che la musica non esprime questo o quel determinato sentimento, ma il sentimento *in abstracto*.

Schopenhauer condanna la musica che scende a patti con la parola, e parimenti condanna l'abitudine di molti ascoltatori che di fronte alla musica pura strumentale, ad una sinfonia di Beethoven ad esempio, cercano con la fantasia di rivestire i sentimenti – che in essa sono espressi soltanto *in abstracto* e senza alcuna specificazione – «di carne e di ossa, ed a vedervi ogni sorta di scene della vita e della natura»[16]. Questo procedimento non solo non agevola la comprensione della musica, ma è ingannevole, «perciò è meglio comprenderla puramente e nella sua immediatezza».

Il rapporto tradizionale stabilito nel Seicento e nel Settecento tra musica e parole è completamente rovesciato: non sarà la musica a sottolineare il valore delle parole, ma la parola dovrà docilmente piegarsi all'universalità della musica. Cosí sarebbe forse piú conveniente che si creasse un testo poetico per una composizione musicale già esistente, anche se in pratica il piú delle volte si crea della musica per un testo preesistente. Ma anche cosí la situazione non cambia: anzitutto il testo può agire come stimolo per l'ispirazione del musicista, e la musica ci dà rispetto ai sentimenti espressi con le parole «le ultime, piú profonde, piú intime rivelazioni, e ci fa conoscere la piú intima anima dei procedimenti e degli avvenimenti di cui la scena offre soltanto il corpo e la veste»[17]. Però la musica non si assimila mai alla materia, al contenuto, per esempio al dramma in cui opera. Si manterrà sempre un poco estranea, al di sopra, al di là dell'azione scenica, mostrando una «completa indifferenza» verso di essa. La musica esprimerà in ugual modo l'ira di Achille o l'alterco di una famiglia borghese, «giacché per lei esistono solo le passioni, le affezioni della volontà; ed ella vede, come Dio, solo i cuori»[18].

[16] *Ibid.*, II, p. 551.
[17] *Ibid.*, p. 549.
[18] *Ibid.*, p. 550.

La concezione della musica di Schopenhauer per la sua ricchezza, profondità e consapevolezza filosofica, rappresenta senza dubbio uno dei punti di arrivo del pensiero romantico; non solo, ma, come si è detto, appare già nettamente orientata verso un'estetica formalistica. Il principio dell'autonomia del linguaggio musicale sviluppato in senso antiromantico da Hanslick pochi decenni piú tardi è già implicitamente contenuto nell'affermazione che la musica non è in diretto rapporto con i sentimenti, e che non può e non deve suscitare nell'ascoltatore sentimenti determinati.

6. *Il musicista romantico di fronte alla musica.*

Tutti i temi propri della concezione romantica della musica da noi individuati nel pensiero dei due grandi filosofi Hegel e Schopenhauer, ma che si sarebbero potuti riscontrare anche in molti altri, in Schelling, in F. Schlegel, nell'ultimo Herder, in Kahlert, in Oersted ecc., sono diventati rapidamente patrimonio comune della cultura romantica e non solo si ritrovano negli scritti dei filosofi ma anche in quelli dei musicisti, dei letterati, dei poeti, dei critici ecc. Non sempre è presente la stessa consapevolezza filosofica, ma i concetti fondamentali, le preferenze, gli orientamenti del gusto sono assai simili; perfino lo stile, il modo di esporre tali concetti avvicinano notevolmente gli scritti dei filosofi a quelli dei non filosofi. Una caratteristica degli scritti sulla musica nel periodo romantico, è il tono letterario: non ci si deve attendere da un musicista romantico che scrive i suoi pensieri sulla musica un linguaggio tecnico, delle giustificazioni precise da un punto di vista musicale ai suoi concetti, come avveniva nell'illuminismo. Il problema tecnico non interessa particolarmente né il musicista né il filosofo romantico. Caratteristica comune dunque a tutta l'estetica musicale della prima metà dell'Ottocento è il guardare la musica piú con gli occhi del letterato che con quelli del musicista. Il solo fatto che la musica rappresenti il punto di convergenza di tutte le arti per il suo carattere esclusivamente spirituale, per l'assenza di elementi materiali, per la sua assoluta asemanticità rispetto al linguaggio comune, fa sí che si ponga al di là di qualsiasi considerazione tecnica: *la musica non si identifica con la sua tecnica la quale si presenta come un fattore secondario*.

Molti musicisti romantici hanno meditato e scritto sulla loro arte, – Beethoven, Hoffmann, Schumann, Berlioz, Weber, Liszt, Wagner ecc. – e i loro scritti rappresentano un documento del massimo interesse per poter tracciare una linea della storia dell'estetica musicale nel romanticismo.

Beethoven tuttavia, meriterebbe un posto particolare: la sua opera, la sua vita, il suo destino sfortunato sono diventati simboli nel romanticismo e hanno alimentato una vasta letteratura che spesso ha mitizzato la sua figura. L'ideale della musica e del musicista romantico trovano in Beethoven il modello piú perfetto e la sua arte è stata considerata per molti decenni come il punto culminante della storia della musica.

Anche se, come si è detto, Beethoven è stato un mito non solo musicale, ma anche estetico, culturale e politico per buona parte dell'Ottocento, in questa sede interessa soprattutto per i suoi scritti. Beethoven ha lasciato infatti con i suoi quaderni di conversazione – è noto che negli ultimi anni la sordità lo costringeva a comunicare col prossimo per iscritto – con il suo ricco epistolario, una preziosa testimonianza del suo pensiero. Beethoven, vissuto nell'epoca di passaggio tra l'illuminismo e il romanticismo ha raccolto con la sua pronta sensibilità e con la sua vasta cultura gli echi del profondo travaglio della sua età. Rileggendo il suo epistolario, e i quaderni di conversazione rimastici, si trova una insospettata ricchezza e profondità di pensiero che rivela una cultura non comune: Beethoven lesse filosofi, poeti, storici e critici e il suo sapere era ben piú vasto rispetto alla normale cultura di un musicista. In una lettera del 1809 agli editori Breitkopf e Härtel in cui sollecitava l'invio di molti libri scriveva: «Non c'è quasi trattato che sia oggi troppo dotto per me. Senza presumere di possedere una vera erudizione io mi sono sforzato fin dall'infanzia di comprendere il pensiero dei migliori e dei piú saggi di ogni tempo. Vergogna all'artista che non considera una colpa il non spingersi almeno cosí lontano»[1]. Con ciò Beethoven intendeva affermare un

---

[1] Lettera citata e tradotta da L. Magnani, *I quaderni di conversazione di Beethoven*, Ricciardi, Napoli 1962, p. 110.

ideale di musicista e di uomo antitetico al concetto di musicista come artigiano. La musica deve impegnare tutto l'uomo e la condizione dell'artista non può che essere l'assoluta libertà da qualsiasi vincolo morale e materiale. Numerose sono le lettere in cui Beethoven riafferma questo ideale umanistico del musicista testimoniando inoltre la viva esigenza d'inserire la musica nel tessuto vivo della cultura.

In una lettera del 1801 a F. A. Hoffmeister scriveva ironicamente: «Nel mondo ci dovrebbe essere un'unica organizzazione di vendita dell'arte; l'artista dovrebbe inviare semplicemente là le sue opere e in cambio gli si darebbe tanto denaro quanto gli occorre per i suoi bisogni...» Alcuni anni piú tardi, nel 1809, in un abbozzo di contratto affermava: «Deve essere il fine e l'aspirazione di ogni vero artista di procurarsi una posizione in cui non infastidito da altri compiti o da preoccupazioni economiche... possa votarsi alle composizioni di grandi opere da offrire al pubblico...»

Questo senso d'insofferenza per tutti quei legami e condizionamenti che i musicisti del passato sopportavano senza neppur pensare alla possibilità di mutarli, in Beethoven è unito alla viva coscienza dell'individualità della propria opera. In una conversazione con Louis Schlösser del 1822 o 23 analizza lucidamente tutto il processo creativo mostrando come la stesura fosse preceduta da un lungo travaglio, da una paziente meditazione. Cosí si spiegava: «Io porto i miei pensieri con me per molto tempo prima di trascriverli. Posso fidarmi della mia memoria ed essere certo che, una volta trovato un tema, non lo dimenticherò anche dopo anni...» Continuando ad esporre il lento lavorio creativo cosí conclude: «Voi mi chiedete donde provengano le mie idee. Io non posso rispondere con certezza: esse nascono piú o meno spontaneamente. Le afferro con le mani nell'aria, passeggiando nei boschi, nel silenzio della notte, o agli albori del giorno. Stimolato dai sentimenti che il poeta traduce in parole, ed io in suoni che riecheggiano dentro di me e mi tormentano fino al momento in cui infine mi stanno dinnanzi nella forma di note». Questi e numerosi altri frammenti pur non avendo un particolare valore da un punto di vista strettamente estetico e filosofico, testimoniano soprattutto il senso prettamente romantico della missione dell'artista e del musicista, del valore della propria opera e della individualità e rappresentano il sostrato culturale su cui si è sviluppata la concezione romantica della musica.

Si è già detto come Beethoven non fosse per nulla digiuno di filosofia e si può dire che i suoi maestri siano stati Kant e Schelling. Il primo per quanto riguarda il suo rigorismo morale; trascrisse infatti significativamente nei suoi quaderni dalla *Critica della ragion pratica* «la legge morale in noi ed il cielo stellato sopra di noi. Kant!!!» ed altre citazioni ancora tratte dalle opere di Kant, a testimonianza dell'ammirazione per il filosofo tedesco[2]. Da Schelling invece ha tratto il suo concetto dell'arte come rivelazione dell'Assoluto, come incarnazione dell'infinito. Alla musica Beethoven riconosce la piú alta funzione unificatrice, il valore di messaggio eterno; in essa vive «una sostanza eterna, infinita, non del tutto afferrabile»[3].

Beethoven anzitutto con l'esempio della sua stessa vita e poi nei suoi appunti disordinati e nelle sue lettere ha delineato con estrema suggestione l'atteggiamento del musicista romantico di fronte alla musica e non per nulla è rimasto un punto di riferimento per tutta la letteratura musicale della prima metà dell'Ottocento sino a Wagner.

7. *E. T. A. Hoffmann e il mito romantico di Beethoven.*

Beethoven è importante nella cultura romantica non solo per ciò che ha rappresentato la sua opera e per l'esemplarità della sua vita; Beethoven è entrato nel romanticismo con una valenza mitica e come tale è stato considerato sin dai primi decenni dell'Ottocento da molti scrittori romantici. E. T. A. Hoffmann, grande romanziere ma anche critico musicale, compositore e direttore d'orchestra è forse stato tra i primi grandi mitizzatori di Beethoven.

In realtà non è solo la figura di Beethoven ad essere mi-

---

[2] Si confronti a questo proposito l'acuta interpretazione proposta da L. Magnani nell'opera già citata, della struttura bitematica della forma sonata come una traduzione in termini musicali dei principî opposti di senso e ragione di derivazione kantiana.

[3] Citato da Magnani, *I quaderni di conversazione di Beethoven* cit., p. 112.

tizzata nell'opera di Hoffmann, nei suoi romanzi, nelle sue novelle e nei suoi saggi critici; molti altri musicisti quali Palestrina, Bach, Mozart, Gluck, Haydn subiscono lo stesso processo di mitizzazione. Ma Hoffmann non è che un precursore su questa strada e tanti altri scrittori e critici romantici, sino a Wagner e oltre continueranno su questa strada, delineando quella che si potrebbe definire una storiografia mitica della musica in cui, hegelianamente, ogni grande viene a porsi in una costellazione in cui il posto è rigidamente assegnato da un destino storico necessario, che ha il suo apogeo nella civiltà romantica.

Hoffmann nei suoi scritti musicali abbozza quella che si potrebbe chiamare uno schizzo di una storia della musica dal rinascimento sino ai suoi giorni, secondo categorie interpretative che gli servono da guida per inquadrare personaggi e fatti. Il concetto di romanticismo in modo esplicito e a volte in modo implicito risulta centrale e Hoffmann se ne serve sia per interpretare le trasformazioni della stessa storia della musica sia per delineare la sua concezione della musica. Romanticismo equivale a musica pienamente dispiegata nella sua essenza che è «l'infinita nostalgia». Categoria metatemporale dunque ma anche chiave d'interpretazione storica. In questa prospettiva assume un particolare rilievo il suo rapporto con Beethoven.

Beethoven, il musicista a lui contemporaneo, l'unico grande, anzi grandissimo negli anni in cui Hoffmann scriveva, attorno al 1810, rappresenta un vertice non solo perché in ordine di tempo è l'ultimo, ma anche perché in una visione hegeliana della storia è l'ultimo anello di una catena: Beethoven rappresenterebbe dunque la piena realizzazione e concretizzazione del romanticismo. Quindi ovviamente romanticismo e musica vivono in una segreta complicità, ma anche in una perenne tensione storica.

La musica, afferma Hoffmann «è la piú romantica di tutte le arti, perché ha per oggetto l'infinito»[1]. Perciò Beethoven è il romanticismo stesso nel suo pieno dispiegarsi in quanto egli è il puro musicista strumentale, colui che ha la-

---

[1] Cfr. E. T. A. Hoffmann, *La musica strumentale di Beethoven*, in *Poeta e compositore*, Discanto, Fiesole 1985, pp. 3 sgg.

sciato alle spalle ogni residuo di mondo e di mondanità. Se questo è Beethoven, si realizzerebbe nella sua musica quella perfetta e assoluta sovrapposizione dell'idea di romanticismo e di musica, in una coincidenza storica mai prima verificatasi. Tutti i grandi musicisti infatti sono per Hoffmann in una qualche misura romantici: romantico è Palestrina, così come romantico è Bach, Haydn e Mozart e a maggior ragione Beethoven. Il *Don Giovanni* si Mozart viene classificato addirittura tra «le composizioni ultraromantiche». Pertanto approfondendo questo concetto di romanticismo sorgono delle difficoltà ed anche il rapporto con la musica di Beethoven si fa più problematico. Non bisogna dimenticare che il Beethoven a cui si riferisce Hoffmann è quello del titanismo eroico, cioè quello del cosiddetto secondo stile.

All'inizio del già citato saggio sulla *Musica strumentale di Beethoven* Hoffmann ci dà una prima definizione di musica come arte romantica: «Quando si parla della musica come di un'arte autonoma non si dovrebbe intendere sempre soltanto la musica strumentale? Soltanto questa infatti disdegna l'aiuto, ogni intromissione di altra arte (la poesia), ed esprime in modo puro ed esclusivo la sua essenza caratteristica. Essa è la più romantica di tutte le arti: anzi si potrebbe dire che è la sola veramente romantica, poiché solo l'infinito è il suo oggetto»[2]. Questo rapporto con l'infinito è sempre soltanto tendenziale nella musica, tanto è vero che il sentimento che più frequentemente richiama la grande musica è il «palpito d'infinita nostalgia». Nostalgia dunque di un che d'irraggiungibile, anche se la musica dischiude le porte del cielo e da uno stretto spiraglio ci lascia intravvedere un mondo altro da quello terreno.

Hoffmann insiste spesso nei suoi scritti sul potere della musica di farci evadere dalle pene e dalle miserie del mondo terreno: quest'arte si direbbe sempre sospesa a metà tra sogno e realtà, con un piede di qua ma l'altro piede pronto a compiere un salto da cui però è trattenuto in qualche modo dal gigantesco abisso che lo separa dall'altra riva. Ecco come descrive questo stato d'animo indefinito a cui la musica aspira a portarci: «Che cosa sublime è mai la musica – come

[2] *Ibid.*

profondo e imperscrutabile il suo mistero! Ma non vive forse nell'animo stesso dell'uomo?... Non lo colma di dolcissime immagini di sogno, traendolo a una vita diversa, luminosa, ultraterrena, ov'egli – l'uomo – trova rifugio dalle deprimenti pene di questo mondo?... Sí: allora una forza divina lo pervade. E chi si abbandona con infantile purezza di sentimenti alle sollecitazioni della fantasia, impara a parlare il linguaggio del romantico, inesplorato mondo degli spiriti; evoca inconsciamente (come l'apprendista stregone leggendo ad alta voce nel libro magico del maestro) schiere di angeli e di demoni meravigliosi, i quali vanno intorno pel mondo come aeree corti danzanti, suscitando un palpito d'infinita nostalgia in chiunque riesca a scorgerli»[3]. In queste righe cosí suggestive viene sottolineata la forza della musica; il suo potere di strapparci dalla contingenza, dalla durezza della vita terrena, dalle sue miserie; essa appare come «una voce consolatrice» che ci sottrae «alle bassezze umane». Perciò il suo regno è la fantasia e lo stato psichico piú adatto al suo ascolto è quello a metà tra il sonno e la veglia, cosí come viene descritto da Hoffmann in alcune delle piú efficaci novelle quali *Don Giovanni* o *Il cavaliere Gluck*.

Queste definizioni atemporali della musica, descritta nella sua essenza con accenti che ricordano i personaggi delle novelle di Wackenroder quali Joseph Berglinger o il Santo Ignudo, vengono però assai arricchite da una visione storica di sapore quasi hegeliano. Se il romanticismo è una categoria eterna in cui si incarna la musica, arte privilegiata tra le arti, storiche sono invece le modalità in cui s'invera nel tempo. Haydn, Mozart e Beethoven rappresentano un po' per Hoffmann ciò che era per Hegel l'ultima triade dialettica (arte-religione-filosofia) in cui lo spirito assoluto, l'idea, si rivelava compiutamente. Sempre nel saggio su *La musica strumentale di Beethoven*, Hoffmann cosí definisce i tre grandi e ultimi artefici e realizzatori del romanticismo musicale: «Haydn sente romanticamente gli affetti umani – della vita umana –. Egli è piú commensurabile, piú comprensibile per il grande pubblico. Mozart sollecita già in maggior misura l'elemento sovrumano, meraviglioso, latente in noi. La mu-

[3] *Ibid.*

sica di Beethoven muove invece le leve del terrore, del brivido, del dolore, e appunto per questo suscita quel palpito d'infinita nostalgia che è l'essenza stessa del romanticismo. Egli è dunque un compositore schiettamente romantico. In questa ascesi dialettica, da Haydn a Beethoven, attraverso Mozart, sorge però un dubbio. Se, come altrove afferma Hoffmann, la musica è incanto, è sogno, è nostalgia d'infinito, «ne basta una sola goccia a sublimare qualsiasi passione», se comporre è «puro esercizio religioso» e la musica stessa «nella sua essenza piú caratteristica e interiore... è culto religioso»[4], ci si può forse stupire di trovare al vertice della triade un musicista cosí *passionale* come Beethoven, o, come si presentava nel 1810, il Beethoven della *V Sinfonia*. Sembra difficile conciliare una concezione religiosa-sublimatrice della musica con l'arte di Beethoven «che muove le leve del terrore, del brivido, del dolore». Forse si tratta di una reale contraddizione nel pensiero di Hoffmann, contraddizione che può trovare non una soluzione ma una spiegazione nell'ambito piú ampio del pensiero romantico, delle sue antinomie.

Indubbiamente il pensiero di Hoffmann, come forse in parte quello di tutto il romanticismo, sembra oscillare tra la terrestrità portata sino alle sue piú estreme e drammatiche implicazioni e la sublimità religiosa, in quanto fuga dal mondo, sublimazione di ogni passione in una sfera di disimpegno totale dal *hic et nunc*. Ancora nel saggio citato su Beethoven è significativo che Hoffmann prenda in considerazione, con acutissime e pertinenti osservazioni anche da un punto di vista musicologico, solo due opere, la *V Sinfonia* e i due trii dell'op. 70; opere antitetiche sotto molti riguardi. Esse sembrano quasi simbolicamente alludere ai due poli entro cui si muove il pensiero musicale di Hoffmann. Il Beethoven titanico ha qualcosa di duramente oppressivo: «il genio potente di Beethoven opprime le plebi musicali, e queste tentano invano di rivoltarglisi contro». L'incommensurabile di cui Beethoven ci apre le porte con le sue sinfonie non è il paradiso, non il mondo di suoni leggeri, eterei ed evanescenti suscitati spesso dalle opere di Mozart. L'incommensurabi-

---

[4] Cfr. *Musica religiosa antica e moderna*, in *Dialoghi di un musicista*, Minuziano, Milano 1945, pp. 225 sgg.

le di Beethoven è il titanico, parente prossimo del sublime matematico kantiano, di cui Hoffmann ci offre un'immagine letteraria suggestiva: «Raggi infocati solcano la notte nera di questo regno. Gigantesche ombre fluttuanti ci incalzano e premono sempre piú da presso, ci annullano, ma non estinguono la pena dell'infinita nostalgia in cui ricade e si spegne ogni improvviso empito di gioia canora. È soltanto in questa pena – che riassume in sé, ma non distrugge l'amore, la speranza, la gioia, e pare volerci schiantare il petto col tumultuoso unisono di tutte le passioni fuse insieme – soltanto in questa pena noi continuiamo ad esistere, rapiti nell'estasi della veggenza!»[5].

Ma questo «favoloso regno del romanticismo», come lo chiama Hoffmann, è un regno ambiguo e ambivalente. In Beethoven non c'è solamente questa sublimità che pare annientarci con la sua sovrumana potenza, quanto mai lontana dalla sacra religiosità di un Palestrina. Il Beethoven del *Trio degli spiriti* infatti, ci porta in tutt'altra atmosfera: «Sono stato cosí bene stasera, che ancora adesso mi sento come chi sta passeggiando nei viali tortuosi d'un fantastico parco, fra vegetazioni strane, alberi rari, fiori meravigliosi d'ogni sorta... Le affascinanti voci di sirena di quei movimenti cosí coloriti e variati mi invitano ad addentrarmici sempre piú... È un ininterrotto susseguirsi di quadri meravigliosi, ove gioia, dolore, tristezza, esultanza si alternano e si compenetrano. Strane figure di sogno intraprendono un'aerea danza, ora perdendosi in un punto di luce, ora scostandosi l'una dall'altra, disponendosi in gruppi, inseguendosi, scacciandosi a vicenda in una sfavillante fantasmagoria. E l'anima rapita ascolta quel linguaggio sconosciuto e comprende il significato degli oscuri presentimenti da cui era stata invasa»[6].

Hoffmann non è un filosofo sistematico e assurdo sarebbe pretendere rigida sistematicità da scritti in cui la suggestione letteraria ha una parte cosí grande; tuttavia non è difficile anche solo dalle citazioni riportate scorgere due diversi volti di Beethoven, nell'interpretazione che ne dà Hoffmann, cosí come non è arbitrario scorgere piú in generale

[5] *Ibid.*
[6] *Ibid.*

due diversi modi d'intendere la musica. Se si volesse trovare nella lettura degli scritti di Hoffmann, disseminati di osservazioni sulla musica, quale sia la prospettiva preminente, indubbiamente vincerebbe quella che assegna alla musica il compito di sollevare dalle pene terrestri, portandoci in un mondo di sogni e di fantasie. In questa prospettiva, Hoffmann, troverebbe indubbiamente nella aerea leggerezza e trasparenza mozartiana un terreno di esemplificazione assai più ricco e appropriato per le sue annotazioni musicali. Ci si chiede allora perché Beethoven viene insistentemente posto al vertice della triade dialettica Haydn-Mozart-Beethoven, il musicista che più degli altri e più d'ogni altro sembra saldamente ancorato al suo tempo, il musicista che già nella tradizione romantica si erge titanicamente come arbitro della storia e impegnato nella storia. In uno dei *Pensieri alla rinfusa* della *Kreisleriana* si trova una frase che può essere illuminante e che anche se non è riferita esplicitamente a Beethoven, lo riguarda evidentemente da vicino: «Quando mai un artista si è curato di politica...? L'artista vive esclusivamente nella e per la propria arte. Ma un'epoca drammatica, fatale, lo ha ghermito con mano di ferro – ed ora il dolore gli strappa accenti inusitati»[7]. In questa perenne tensione tra cielo e terra si direbbe che le circostanze esterne possano avere una loro parte e nel caso di Beethoven il dolore del mondo, seppur sublimato in accenti sonori, non può non farsi sentire ed echeggiare nelle sue possenti e per nulla eteree sinfonie.

La musica può definirsi come in bilico tra uno stato di pura innocenza e uno stato di totale immersione e compromissione con il mondo; ed anche per questo i trii dell'op. 70 e le sinfonie, in particolare la III e la V sono emblematiche di questo volto bifronte. Non si può prendere partito per l'uno o l'altro aspetto della musica: fa parte dello spirito romantico più autentico vivere queste passioni dilanianti, irrisolte e irrisolvibili.

In fondo il *sublime* è la categoria concettuale in cui s'incarna nel modo più appropriato per Hoffmann la poliedricità del linguaggio musicale – misteriosi geroglifici della natu-

[7] *Ibid.*, pp. 141 sgg.

ra – come lo definisce Hoffmann, riprendendo un'efficace immagine di Diderot; sublime che ricomprende in sé la sottile ironia e il titanismo eroico, la leggerezza eterea e la pesantezza tragica, l'impegno che un'epoca drammatica richiede all'artista e il volo verso regioni celestiali e sovrumane. Il puro *hic et nunc* della quotidianità nobilitato dalle immagini di «infantile letizia» di Haydn e la «profondità del regno degli spiriti» di Mozart. Questi aspetti complementari e non contraddittori in cui si manifesta «la piú romantica di tutte le arti» sono in fondo ricompresi nel concetto della religiosità intrinseca della musica. Arte cristiana perciò e arte totalmente spiritualizzata; arte che segna il vertice dell'espressione pura e incorporea e che hegelianamente segna il superamento della *plastica* che dominava nel mondo pagano antico e poi della pittura che già ne costituiva un superamento. Ma «l'intima essenza della musica» si può solamente rivelare «in seguito alla tendenza antimaterialista del mondo cristiano moderno». Hegel non potrà che sottoscrivere nella sua *Estetica* questa visione storica della musica con la posizione che le assegnerà nella gerarchia dialettica delle arti. In questa prospettiva storico-metafisica l'ultima triade dialettica, Haydn-Mozart-Beethoven, rappresenta per Hoffmann, come già si è detto, il pieno dispiegarsi della musica romantica e cristiana. Ma Beethoven non è forse tanto l'ultimo anello della catena, quanto piuttosto uno dei volti piú significativi in cui si presenta la musica ai suoi tempi: in fondo lo stesso Beethoven, come si è visto, ha un aspetto bifronte. Se un salto dialettico c'è, un progresso in senso hegeliano, lo si può solamente ravvisare tra Haydn, che nel salire il primo gradino verso il cielo tiene ancora lo sguardo saldamente rivolto verso la terra e Mozart e Beethoven, che, in modo vario e articolato, hanno ormai scelto «il favoloso regno del romanticismo». Lo spirito tormentato di Hoffmann non poteva scegliere tra Mozart e Beethoven: essi rappresentano non solo il vertice storico dell'evoluzione musicale del mondo moderno, ma i poli entro cui oscillava la sua personalità artistica, in bilico tra realismo e surrealismo, tra cielo e terra, tra sottile ironia e dolorosa e sofferta tragicità; poli tra cui forse oscilla l'intero pensiero romantico sulla musica.

8. *Stendhal: la felicità del sentire.*

La musica per i romantici è la condizione ideale e perfetta dell'arte, la meta immaginaria a cui tendono tutte le arti e in cui esse trovano la loro unità. Si può comprendere allora perché la musica ha suscitato tanto interesse presso quasi tutti gli scrittori romantici, mitizzata da tutti come un paradiso perduto, un mondo ideale a cui l'artista deve mirare per conquistare la pienezza dell'espressione. Cosí per Novalis la musica rappresenta il limite a cui tende la poesia per raggiungere la sua totale liberazione, cioè il puro arabesco, in cui si disvela simbolicamente la struttura dell'essere al di fuori di ogni determinazione linguistica e concettuale. Se questo è lo sfondo su cui si muove una grossa parte del pensiero romantico, spesso gli stessi pensieri si trovano espressi a livello piú emozionale, come aura letteraria, in molti romanzi e scritti che non hanno come obbiettivo primario di parlarci di musica e tantomeno di offrirci definizioni sulla musica. Madame de Staël riassume in modo esemplare quello che piú che una teoria filosofica si può chiamare un atteggiamento o uno stato d'animo, ma non perciò meno significativo, verso la musica: «Di tutte le belle arti, la musica è quella che agisce piú immediatamente sull'animo. Le arti ci indirizzano verso questa o quell'altra idea; la musica sola attinge alla sorgente intima dell'esistenza, e muta radicalmente la nostra disposizione interiore...; sembra che ascoltando suoni puri e deliziosi, siamo pronti a cogliere il segreto del Creatore, a penetrare il segreto della vita. Nessuna parola può esprimere questa impressione, perché le parole derivano dalle impressioni originarie come quelle dei traduttori sulle orme dei poeti. L'indeterminatezza della musica si presta a tutti i movimenti dell'anima, ed ognuno crede di ritrovare in una melodia, come nell'astro puro e tranquillo della notte, l'immagine di ciò che desidera su questa terra»[1].

Si potrebbero facilmente trovare molte altre definizioni della musica nella cultura romantica, apparentemente diverse ma spesso accomunate non solo dallo stesso mistico entu-

[1] Madame de Staël, *Corinne ou de l'Italie*, 1807.

siasmo ma anche da una comune matrice pitagorica, rivissuta in chiave romantica. Se si esce dal campo strettamente filosofico si troverà il terreno piú fecondo nel campo della cri-
tica militante, che proprio in quegli anni andava affermandosi, e nel campo della narrativa o ancora in quelle zone intermedie, tra la critica e la letteratura, cosí frequente nel romanticismo; spesso si trovano in questi scritti gli esempi di
pensiero piú ricchi di sfumature, con prospettive di sviluppo
anche in direzioni diverse.

Stendhal sotto questo profilo è forse tra gli scrittori piú
significativi, anche se tra i piú difficili da catalogare ed etichettare: Stendhal scrive di musica ma non è né musicista,
né critico musicale né storico della musica; vive nel romanticismo ma non si riconosce pienamente nei suoi scritti i
tratti del pensiero che accomunano la maggior parte degli
scrittori romantici; neppure si può perciò definire illuminista perché indubbiamente si allontana dai principali capisaldi del pensiero illuminista; scrive di musica ma in realtà, come spesso si può notare negli scrittori romantici, conosce
poco la musica. Si è detto che non è un critico ma tanto meno un teorico od un filosofo della musica: forse è un po' tutte queste cose assieme e il fascino che conservano immutato
ancor oggi i suoi scritti deriva proprio dal loro essere inclassificabili, dall'attirare l'attenzione del letterato come del critico musicale, dello studioso del costume teatrale e sociale
dei primi anni dell'Ottocento come piú specificatamente degli storici della musica. Se vi è un indubbio eclettismo, sia
pur ricco e divagante, in Stendhal, si deve pure ricordare
che i suoi scritti si collocano in un'età in cui l'interesse per la
musica in senso lato ha assunto aspetti analoghi, come già si
è detto, in tanti altri scrittori e persino in tanti musicisti.

Questo particolare approccio alla musica, di tipo biografico, letterario, romanzesco, divagante, aneddotico, non
specialistico non è certo una particolarità di Stendhal; la si
ritrova in numerosi altri scritti musicali a cavallo tra Settecento e Ottocento. Essa è parallela ad una certa insofferenza nei confronti con il critico, in quanto quest'ultimo viene
considerato come un freddo analizzatore, anatomizzatore
distaccato, incapace di «capire» autenticamente l'arte e la
musica in particolare; quest'arte si deve invece offrire come

fatto immediato all'intuito che può cogliere globalmente, prima dell'analisi, l'opera d'arte; tale atteggiamento si fa strada con sempre maggior frequenza sin dalla fine del Settecento. Come non ricordare la famosa poesia di Goethe sul critico! Gli scritti e le biografie musicali di Stendhal (*Vies de Haydn, Mozart et Métastase*, 1815; *Vie de Rossini*, 1823) s'inseriscono perfettamente in questo nuovo tipo di *musicologia* che si sviluppa a cavallo tra illuminismo e romanticismo, in cui l'entusiasmo sostituisce l'analisi, il cuore sostituisce la fredda ragione, il sentimento la critica.

La asistematicità voluta, la frammentarietà dei giudizi, l'affidarsi costantemente all'impressione, l'esaltazione della sensibilità sottratta ad ogni controllo non solo razionale ma anche al confronto con la sensibilità altrui, la scarsa conoscenza degli aspetti tecnici della composizione, conoscenza in fondo non rimpianta ma quasi esibita come una condizione di giudizio piú genuino, può rendere persino illegittimo il tentare una ricostruzione del pensiero di Stendhal sulla musica. D'altra parte il valore e l'interesse dei suoi scritti musicali non si riduce certo a una collezione di intuizioni critiche piú o meno felici, alcune anche profetiche: pur nella totale mancanza di sistematicità si può ravvisare nei suoi scritti un insieme di atteggiamenti, di giudizi, di annotazioni di carattere generale che messi a confronto lasciano intravvedere qualcosa di piú che la felice intuizione dettata dall'emozione del momento: anche se non sempre coerenti i suoi giudizi esprimono qualcosa che va oltre lo stato d'animo e può emergere da essi un modo di sentire e concepire la musica che ci riporta ad un'atmosfera culturale assai diffusa all'inizio del romanticismo.

Un acuto studioso del pensiero musicale di Stendhal[2] ha giustamente parlato di «musica della felicità» ed in effetti è proprio la felicità, quella che proviene dall'abbandono a questo tipo di ascolto costantemente inseguito da Stendhal nelle quotidiane frequentazioni dei teatri milanesi o bolognesi; ed è perciò che Cimarosa è stato per lui come una folgorazione che ha coinciso con il riconoscimento di questa felice dolcezza raffaellesca nella pura linea della sua musica,

---

[2] Cfr. L. Magnani, *Le frontiere della musica*.

nella sua «melodia deliziosa». Ma Stendhal non è affatto sordo ad altri valori musicali ed intellettuali: «nei giorni della felicità voi preferite Cimarosa; nei momenti della tristezza vincerà Mozart»[3], afferma in modo significativo; ed è altrettanto significativo che scriva queste biografie, anche se in parte frutto di plagio[4], di musicisti quali Mozart e Haydn, musicisti tedeschi appartenenti a quel mondo almeno in parte non congeniale alla sua sensibilità artistica. Stendhal, nel suo gusto per l'immediata evidenza fisica della melodia si allontana dal pensiero illuminista il quale era piú propenso a riconoscere nella melodia la realizzazione di quel linguaggio universale, di quel discorso articolato a cui la musica doveva tendere per sottrarsi al regno dell'arbitrio, del puro piacere fisico e come tale del soggettivo e dell'incomunicabile. Stendhal tende invece a concepire l'esperienza musicale in termini di pura soggettività: «Mi dichiaro parziale. L'imparzialità nelle arti è, come la ragione in amore, retaggio dei cuori freddi o scarsamente innamorati»[5]; e coerentemente a questa dichiarazione di radicale soggettivismo, che nessun illuminista avrebbe sottoscritto, afferma ancora: «I riflessi dell'arcobaleno non sono piú delicati e piú facili a scomparire che i riflessi della musica; dal momento che tutto il suo fascino si fonda sull'immaginazione e che la musica in sé non ha nulla di reale»[6]. Ma proprio nell'estrema soggettività della fruizione, in cui la musica al limite diventa solamente stimolo all'immaginazione, perdendo oggettività e concretezza, si aprono squarci di un gusto diverso, di un atteggiamento estetico che ci porta in regioni artistiche e culturali che non sono piú quelle della pura linea melodica e dell'effusione sonora, in un mondo in cui non vi sono solamente i Pergolesi e i Cimarosa. L'intuizione stendhaliana del genio mozartiano negli anni in cui Mozart non godeva certo di grandi riconoscimenti è legato non solo all'apprezzamento del suo canto o diremmo oggi del Mozart apollineo, ma piuttosto della sua natura melanconica. Mozart, af-

---

[3] Stendhal, *Vies de Haydn, Mozart et Métastase.*
[4] Stendhal nelle sue biografie musicali ha largamente utilizzato *Le Haydine* e *Le Rossiniane* di Giuseppe Carpani, scrittore e librettista, suo contemporaneo.
[5] Stendhal, *Vie de Rossini.*
[6] *Ibid.*

ferma ancora nella *Vie de Rossini*, «non diverte mai, è come un'amante seria e spesso triste ma che si ama maggiormente proprio per la sua tristezza». Questo accento posto sul carattere melanconico di Mozart è quasi un leit motif in tutti i giudizi di Stendhal e apre un importante spiraglio verso la comprensione di regioni musicali assai lontane dalla felicità del canto italiano; inoltre implica anche l'accettazione di altri modelli non solo di musica ma anche di fruizione musicale.

Si è tanto insistito e con ragione sul rapporto istituito da Stendhal tra musica e piacere, tra musica e felicità del sentire, tra musica e godimento immediato; ma quante volte Stendhal nel suo linguaggio ricco e metaforico, pieno di sottili ed evocatrici suggestioni letterarie, ci parla della forza del dolore e del segreto legame tra musica e struggimento doloroso del cuore! «La buona musica – afferma Stendhal – non sbaglia e va dritta al fondo dell'anima a cercare il dolore che ci divora»[7]. Indubbiamente la sua sensibilità estetica e la sua formazione intellettuale lo portavano piú vicino ad un tipo di bellezza che, per rifarci ad un modello figurativo, è piú vicina a Raffaello che Michelangelo e in campo musicale piú vicino a Cimarosa che a Beethoven, autore peraltro del tutto estraneo al suo orizzonte culturale. Ma ciò non gli impediva di sentire il fascino e il valore di quel «nuovo genere di bellezza» che gli illuministi già avevano individuato ed avevano identificato con il sublime. Il mito illuminista dell'opera italiana, del bel canto, della melodia che Stendhal aveva fatto proprio anche se in un'accezione tutta particolare, spogliando cioè questo mito della sua originaria carica eversiva e rivoluzionaria, di ogni contenuto intellettuale, per mettere l'accento sulla fisicità palpabile della melodia, viene ulteriormente trasformato da Stendhal nel sottolineare il valore musicale della malinconia e del dolore.

Felicità o melanconica e solitaria tristezza nella musica? Forse sono due aspetti della fruizione musicale che nel romantico Stendhal tendono romanticamente e contraddittoriamente a volte a divaricarsi fino a contrapporsi, a volte ad avvicinarsi sino quasi ad identificarsi e ad implicarsi a vicen-

[7] *Ibid.*

da: «Ogni qual volta si trova in qualche angolo del mondo solitudine e immaginazione, prima o poi si vedrà comparire il gusto per la musica»[8].

9. *Letterati e critici di fronte alla musica.*

Nel romanticismo la critica e anche la storiografia fioriscono nelle condizioni piú propizie con un rigoglio finora sconosciuto. È stato detto che l'Ottocento è il secolo della musica, e in effetti mai come in questo periodo si diffusero scritti di ogni tipo sulla musica, e tutti, dai musicisti stessi ai letterati, poeti, filosofi e uomini di cultura, scrissero di musica.

Dopo i primi tentativi di critica del periodo illuminista dal tono minuzioso, di carattere piú tecnico, preoccupata dei valori formali, la critica romantica peccò forse di dilettantismo, anche per il fatto che tutti si ritennero autorizzati a parlare di musica. La critica romantica ha un tono e un'origine spiccatamente letteraria, lontana dal gergo specialistico o dall'analisi tecnico-formale; prevale piuttosto un tono ingenuamente entusiasta nei riguardi di quest'arte meravigliosa capace di schiuderci le porte di un regno sconosciuto, di farci intravvedere ciò che altrimenti è negato all'uomo.

Assai caratteristici per questo modo d'intendere l'esperienza musicale come invito al sogno, all'inebbriamento, sono gli scritti di Jean Paul Richter, uno degli scrittori preferiti di Schumann. In essi la critica musicale viene concepita in una dimensione puramente soggettiva come intensa partecipazione del fruitore nell'anelito di ritrovarsi unito con il creatore: l'opera ha una funzione, si potrebbe dire soprattutto catalizzatrice, come sollecitazione, spunto per un'avventura in uno spazio e in un tempo fuori della realtà. «Oh Musica – cosí afferma uno dei personaggi del suo romanzo *Hesperus* – sei tu che porti passato e futuro cosí vicino alle nostre ferite con le tue fiamme brucianti, arte che porti la brezza serale di questa vita o l'aria mattutina della vita futura? In verità gli echi sono sottili accenti che gli angeli raccol-

    [8] *Ibid.*

gono dai suoni gioiosi di un altro mondo per portare ai nostri muti cuori alle nostre solitarie notti il pallido canto primaverile degli alti voli celesti»[1]. La musica è dunque un'eco di un mondo sconosciuto, «un eterno silenzioso rapimento» afferma nella sua enfatica ma efficace prosa Jean Paul; questo concetto viene riaffermato più volte in numerosi passi con grande varietà di metafore: «Ogni nota sembrava un'eco celestiale del suo sogno che risponde ad esseri che non si possono né vedere né udire»[2]; e ancora poco oltre, accentuando il lato simbolico-metaforico con immagini più concrete, mettendo in evidenza un'altra tendenza della critica romantica a tradurre in immagini le sensazioni musicali: «Ahimè, in questi suoni le onde morte del mare dell'eternità riecheggiano nei cuori dei tristi spettatori fermi sulla spiaggia...»[3].

La critica romantica formula spesso i suoi giudizi basandosi sull'impressione soggettiva, fuori da schemi, da regole o dall'autorità della tradizione, ed in questo può sembrare vicina allo spirito della critica della seconda metà del Settecento; ma non bisogna dimenticare che nell'illuminismo il valore del giudizio soggettivo presupponeva una concezione edonistica della musica intesa come piacere procuratoci dal suo potere di imitare gli affetti: il piacere o dispiacere provocato sul soggetto rappresentava un giudizio inappellabile. Il valore della soggettività nella critica romantica si fonda invece su di una concezione della musica come espressione del sentimento, dove però il sentimento è rivalutato fino a diventare l'organo di accesso all'infinito, atto a cogliere il più segreto palpito dell'universo. Perciò il giudizio non rischia di vanificarsi nella particolarità del soggetto, perché trova la sua universalità e oggettività nell'universalità del sentimento. La fredda ragione non può avvicinare l'opera d'arte, la quale è al di là di qualsiasi regola; solo il sentimento è creatore e solo il sentimento nella sua universalità può giudicare e comprendere l'opera d'arte.

Se si escludono le monografie e le opere storiche vere e proprie, la critica militante si presenta con un carattere

---

[1] J. P. Richter, *Sämtliche Werke*, vol. IV, Weimar 1929, p. 57.
[2] *Ibid.*, p. 56.
[3] *Ibid.*, vol. III, p. 293.

frammentario, evocativo, dai colori accesi, tutta tesa a cogliere gli elementi metafisici e sentimentali della musica, con immagini fantasiose, con accostamenti audaci, pronta a metterne in evidenza il potere *magico* e soprattutto la facoltà di evocare in noi fantasie di colori, immagini di sogno. Già Grétry parlava delle possibili relazioni tra musica e colore richiamandosi agli esperimenti di padre Castel, un gesuita che agli inizi del Settecento aveva inventato un clavicembalo che produceva un colore per ogni grado della scala diatonica. Ma Grétry va piú in là, ritenendo che come ad ogni passione corrisponde una sonorità musicale particolare, cosí le corrisponde pure una particolare sfumatura cromatica, per cui l'ascolto della musica può suscitare in noi fantasie di colori di cui il musicista deve tener conto. Questo che per Grétry non è che uno spunto felice, che però già lascia intravvedere il desiderio di avvicinare tra loro arti eterogenee ma accomunate dal fine comune di esprimere in modo piú o meno immediato i sentimenti, verrà ripreso ed approfondito dalla critica romantica. Un'opera musicale può essere compresa e illustrata mettendone in evidenza i valori pittorici, plastici, poetici, architettonici; cosí ancor piú spesso il critico metterà in luce i segreti valori musicali racchiusi in un dipinto o in una poesia. L'ascolto della musica implica per il critico romantico una particolare condizione di trasporto estatico, quasi di mistico rapimento, al di fuori di qualsiasi schema logico o preconcetto formale o stilistico, in quanto la musica è un appello diretto al nostro cuore. La musica sembra dotata di un potere quasi dionisiaco che potenzia le nostre facoltà vitali, ponendoci in uno stato di ebbrezza. Berlioz, che nei suoi numerosissimi saggi critici riversò la sua esuberante personalità, scriveva nel suo abituale linguaggio a tinte forti: «ascoltando certi pezzi di musica le mie forze vitali sembrano moltiplicarsi; sento un piacere delizioso, ma il ragionamento non ha in ciò alcuna parte; l'abitudine all'analisi farà nascere poi l'ammirazione; ma l'emozione crescente in ragione diretta dell'energia o della grandezza delle idee dell'autore producono ben presto un'agitazione strana nella circolazione del sangue; le mie arterie battono con violenza; le lacrime...»[4]. Queste enfatiche

---

[4] H. Berlioz, *A travers chants*, 1862.

descrizioni dei poteri della musica non solo sul nostro animo, ma anche sul nostro stato fisico, quasi come un misterioso filtro, abbondano in questo clima di mistica esaltazione dell'arte dei suoni, creando un *habitus* critico nei confronti della musica destinato a conservarsi anche oltre il romanticismo fino ai nostri giorni nella letteratura critica piú deteriore.

Questi caratteri, comuni in genere alla critica della prima metà dell'Ottocento, non esauriscono però la complessità e molteplicità di atteggiamenti che assume la critica nelle singole personalità.

Gli scritti di Robert Schumann sono tra i piú significativi di questo periodo e costituiscono un esempio della migliore critica romantica, con tutti i suoi pregi e difetti; nella loro ricchezza di temi, di spunti, nel loro stile brillante, fantasioso, a volte cosí incisivo negli aforismi, a volte piú prolisso, ma sempre animato da un'intima passione e da un entusiasmo che li salvano dal pericolo della retorica, questi scritti, si diceva, non sono soltanto rivelatori di una metodologia critica relativamente consapevole, ma sono pieni di notazioni del massimo interesse per l'intera concezione romantica della musica, e nell'insieme rappresentano un quadro insostituibile dell'intera civiltà musicale della prima metà dell'Ottocento. Non è qui il caso di soffermarsi sui singoli giudizi che Schumann diede sui suoi contemporanei, giudizi sempre di una straordinaria acutezza, che testimoniano una sensibilità critica notevole che gli permette di comprendere pienamente anche musicisti lontani spiritualmente da lui: Schumann ha capito appieno il valore della musica di Berlioz come quella di Chopin e Mendelssohn, che ha forse perfino sopravvalutato; ha saputo condannare senza ritegni Meyerbeer mettendone in luce il carattere artificioso e retorico con analisi puntuali e rigorose che ancor oggi restano perfettamente valide; ha presagito il valore del giovane Brahms, e ha capito nel suo giusto valore un musicista come Liszt, affermando con raro equilibrio il significato del suo virtuosismo che giunge, in una personalità fondamentalmente esibizionista, ad assumere un valore di autosufficienza. Ma ciò che interessa di piú in questo contesto è di mettere in luce i presupposti estetici e culturali su cui si muove la critica di Schumann. Nei suoi scritti egli si è ispirato in larga misura al critico Jean Paul Richter e a E. T. A. Hoffmann, uomini che hanno esercitato un influsso profondissimo sulle prime generazioni romantiche; tuttavia ha saputo rielaborare il loro pensiero con l'impronta inconfondibile della sua forte personalità.

Il concetto centrale che guida il pensiero di Schumann in tutti i suoi scritti è il principio dell'inscindibilità tra arte e vita: l'arte è espressione; espressione della personalità dell'artista che si riversa in essa con tutte le sue passioni, sentimenti ed emozioni. L'arte è un impegno totale per la vita stessa dell'artista: («... Ma l'arte dev'essere qualcosa di piú di un gioco o di un passatempo»). Ecco perché Schumann fa pronunciare a Florestano, uno dei personaggi immaginari che compaiono nei suoi scritti, il famoso aforisma: «L'estetica di un'arte è quella delle altre; soltanto il materiale è diverso», con cui riafferma la tendenza tipicamente romantica di unire insieme tutte le arti nel loro comune potere espressivo; fusione che al tempo stesso è un tendere alla condizione perfetta che è quella della musica. Anche per Schumann «la musica parla il linguaggio piú universale, da cui l'anima è liberamente, indeterminatamente eccitata; essa si sente nella sua patria. Magari finirete per udire nascere l'erba nella creazione di Haydn». Qui si precisa meglio il concetto di *espressione*, uno dei piú ambigui concetti usati dai romantici con significati spesso molto diversi e contraddittori.

Per Schumann affermare che la musica è espressiva non significa affermare un vago potere di esprimere in modo indeterminato i sentimenti, la forma dei sentimenti o il sentimento *in abstracto* come per Schopenhauer. «La musica, sarebbe un'arte ben piccola se risuonasse soltanto, e non avesse un linguaggio, né dei segni, per gli stati d'animo!» Per Schumann la musica è un linguaggio vero e proprio, non solo in senso metaforico, ma capace di esprimere qualsiasi sfumatura; ad ogni espressione musicale corrisponde la stessa espressione letteraria.

Parlando delle *Sei romanze senza parole* per pianoforte op. 30 di Mendelssohn, egli immagina che avrebbero potuto essere state composte sopra un testo letterario, poi cancellato; mentre un altro poeta, dopo averle udite avrebbe potuto ricreare un nuovo testo alla composizione. «In questo caso se il nuovo testo coincidesse col vecchio, sarebbe una prova di piú per la sicurezza dell'espressione musicale» (!) Questa fiducia incrollabile nella «chiarezza del sentimento musicale» anima tutta la sua opera. «Gli uomini poco raffinati sono generalmente inclini a non afferrare nella musica senza testo che dolore o gioia o (cosa che giace nel mezzo) dolce melanconia, ma non sono capaci di trovare le piú fini sfumature delle passioni, come qui la collera, il pentimento, là i momenti d'intimità familiare, il benessere, ecc., perciò è loro difficile anche la comprensione di maestri come Beethoven, Franz Schubert, che hanno potuto tradurre nella lingua dei suoni ogni momento della vita».

Questi principî, affermati con tanta limpidezza e sicurezza in sede teorica, trovano un'applicazione piú incerta e oscillante in sede critica, come d'altronde è naturale. La critica musicale di Schumann si interessa prevalentemente ai valori formali, come d'altronde molta della migliore critica romantica, e questo fatto appare abbastanza strano dopo tante affermazioni estetiche di carattere nettamente contenutistico. Le analisi cosí precise e in un certo senso esemplari della sinfonia fantastica di Berlioz, di molte opere di Mendelssohn, di Schubert, di Beethoven, sono quasi interamente volte a mettere in rilievo la struttura e le innovazioni formali rispetto ad opere precedenti. Per Schumann, come per molti altri critici romantici, rinnovare vecchie forme o inventarne di nuove è considerato indice di spirito geniale e rivoluzionario: Berlioz, ad esempio, è l'innovatore nel campo della sinfonia (per Liszt, Berlioz sarà l'inventore del poema sinfonico). Questo tipo di analisi va alla ricerca dell'intima unità organica della composizione, e sa riconoscere questi profondi valori strutturali anche in un apparente disordine formale, noncurante dell'ordine tradizionale. È significativo ad esempio ciò che scrive, sempre a proposito della *Sinfonia fantastica* di Berlioz: «attraverso ad una mancanza di forma tutta esteriore si deve dappertutto riconoscere la coerenza spirituale della concezione». In effetti la critica di Schumann è sempre alla ricerca di questa *coerenza spirituale*. Ma un'analisi di questo tipo sarebbe contraddittoria con le premesse estetiche cui si è accennato; per cui tali analisi sono seguite generalmente da considerazioni di carattere contenutistico.

Lo studio critico della *Sinfonia fantastica*, dopo l'attenta indagine sul suo valore armonico, timbrico, strumentale, ecc., che Schumann indica come il punto di vista della *forma* e della *composizione musicale*, termina con alcune considerazioni «sull'idea e sullo spirito», cioè sul contenuto dell'opera. Per Schumann «la *forma* è il vaso dello spirito», e qui sta forse il difetto della sua critica. Il contenuto della *Sinfonia fantastica* di Berlioz è facile a ritrovarsi, secondo le stesse indicazioni date dall'autore, per ogni tempo della sinfonia: prima parte *Rêveries, passions*; seconda parte, *il ballo*; terza parte, *scena campestre* e cosí via. È forse troppo semplice risolvere in questo modo il problema estetico-critico del significato extramusicale della musica, e Schumann stesso pare rendersene conto quando osserva che nella sinfonia c'è ancora molto di piú «e quasi dappertutto un caldo tono di vita»; tuttavia è chiaro che Schumann opta per una rispondenza puntuale tra la musica e immagini visive e descrittive. Questo è il limite della sua critica; infatti quando mancano le indicazioni sul contenuto dell'opera, cioè quando non ha a che fare con musica a programma, si deve limitare a usare, come ad esempio a proposito di Schubert, aggettivi generici come «alto», «fantastico», «geniale», «tranquillo», «esuberante», ecc., senza per altro riferirli al vivo tessuto musicale, per concludere poi che «egli ha dei suoni per i piú fini sentimenti e per i pensieri, anzi per gli stessi avvenimenti e circostanze della vita».

In definitiva il difetto fondamentale di questa critica è la mancanza di equilibrio e di unità: si passa dall'analisi formale alla nota contenutistica espressa secondo l'abituale stile metaforico, impressionistico, ricco di aggettivi, senza soluzione di continuità; la personalità del musicista non risulta il punto centrale, l'elemento catalizzatore per cui forma e contenuto si fondono senza residui.

Questo difetto di equilibrio, sempre cercato affannosamente, come lo dimostrano le frequenti affermazioni di Schumann e di tanti altri critici romantici sull'impotenza della critica di afferrare totalmente il contenuto umano, vitale dell'opera, sul non poter mai giungere al nocciolo, non è sufficiente a sminuire il valore di questa critica, tutta tesa alla ricerca di autentici valori musicali contro il virtuosismo, il facile effetto, la superficialità. In fondo il significato e l'insegnamento fondamentale di Schumann stanno proprio in questo continuo sforzo di non relegare i valori musicali in una sterile autonomia, ma di tradurli in valori vitali e umani.

Un punto di vista abbastanza vicino a quello di Schumann è espresso in una interessante lettera di Mendelssohn[5], in cui, rispondendo a chi gli chiedeva il significato delle sue *Romanze senza parole*, affermava la sua fiducia nel carattere determinato dell'espressione musicale: «La gente sovente si lagna che la musica sia troppo ambigua, che ciò che viene da pensare quando la si sente non è chiaro, mentre tutti capiscono le parole. Secondo me è esattamente il contrario, non solo rispetto ad un intero discorso, ma anche alle singole parole; esse pure mi sembrano cosí ambigue, cosí vaghe, cosí facilmente soggette a fraintendimenti rispetto alla musica genuina che riempie l'anima con migliaia di cose meglio delle parole. I pensieri che sono espressi dalla musica che io amo non sono troppo indefiniti per essere espressi in parole, ma al contrario troppo definiti. Cosicché mi accorgo che in ogni sforzo per esprimere tali pensieri qualcosa è giusto, ma al tempo stesso che qualcosa manca in ognuno di essi. Se voi mi chiedete ciò che pensavo quando scrivevo io vi rispondo: "solo il canto come sta". E se mi capita di aver avuto certe parole in mente per l'uno o per l'altro di questi canti, io non avrei mai desiderato di comunicarli ad alcuno, perché le stesse parole non significano mai la stessa cosa per individui diversi. Soltanto il canto può significare la stessa cosa, può suscitare gli stessi sentimenti tanto in una persona come in un'altra, un sentimento che comunque non è espresso dalle stesse parole». In queste poche frasi cosí dense, Mendelssohn ha voluto affermare non solo il concetto della determinatezza dell'espressione musicale, ma allo stesso tempo il suo privilegio e, quel che piú importa, la sua autonomia rispetto all'espressione linguistica. La musica può

---

[5] Lettera a Marc-André Souchay (Berlino, 15 ottobre 1842).

esprimere in modo cosí preciso qualsiasi sfumatura del sentimento perché essa è il linguaggio dei sentimenti; ogni parola, ogni discorso, sono rispetto ad essa inadeguati perché il linguaggio discorsivo appartiene ad un'altra sfera. Le possibilità di traduzione da un linguaggio ad un altro sono quindi per la loro stessa natura assai limitate e problematiche. Si può ora comprendere meglio come le famose *Romanze senza parole* avessero per Mendelssohn un significato particolare e rappresentassero quasi un manifesto della nuova poetica romantica.

Impossibile ricordare qui tutti gli scritti che direttamente o indirettamente riguardano la musica, apparsi nell'Ottocento. Quasi tutti i musicisti hanno lasciato scritti o almeno epistolari sulla loro arte, il cui interesse va ben oltre il dato biografico. Cosí moltissimi poeti, critici letterari e persino pittori si sono interessati a quest'arte che per certi aspetti è stata protagonista della civiltà romantica. Basterà ancora ricordare per inciso il *Journal* di Delacroix, disseminato di impressioni, di spunti e pensieri acutissimi sulla musica, di giudizi su molti musicisti contemporanei, che testimoniano di una sensibilità aperta a tutte le suggestioni artistiche; o il famoso saggio di Baudelaire sul *Tannhäuser* di Wagner, in cui il poeta con singolare acutezza critica già sapeva individuare nella compresenza di religiosità e di sensualità l'elemento fondamentale della musicalità di Wagner.

Pertanto, avvicinandosi alla metà del secolo, i temi della riflessione tendono ad allargarsi e gli interessi si spostano verso temi che vanno oltre il ripiegamento intimistico proprio dei primi decenni del romanticismo. Il problema del rapporto con la società, con il proprio tempo, con il pubblico, con la storia, diventa centrale avvicinandosi alla metà del secolo.

Capitolo quarto

La musica e la fusione delle arti

1. *H. Heine: musica e pubblico.*

Romanticismo è un termine assai polivalente e non sempre coincide con il modello tedesco e con il suo anelito all'infinito; assai diverso quel romanticismo dai tratti piú difficilmente definibili, piú sfumati, che si è formato in Francia e in Italia, in particolare in Lombardia, in cui si mescolano il ricordo della rivoluzione francese, delle imprese napoleoniche, del cattolicesimo di un Manzoni con ampi residui del sensismo illuminista. Cosí il romanticismo di molti scrittori, poeti, critici, musicisti della prima metà dell'Ottocento, si differenzia assai dal modello tedesco, sia per i diversi interessi, sia per le sfumature del discorso e per il modo di affrontare i problemi. Il rifiuto di ogni sistematicità, l'atteggiamento d'insofferenza nei confronti della critica erudita, la scelta dell'esperienza diretta dell'arte e della freschezza dell'impressione sono comuni a molti scrittori dell'epoca, in Francia e in Italia piú che in Germania dove la tradizione filosofica tedesca, con la sua tendenza alla sistematicità, conservava un suo notevole peso. Assai significativi di questo clima intellettuale, gli scritti critici del grande poeta e scrittore Heinrich Heine, che ha lasciato non solo tra i piú bei testi liederistici ai musicisti romantici, ma, a testimonianza del suo vivissimo interesse per la musica, una corrispondenza sulla vita musicale parigina degli anni 1830-40, scritti per lo piú per la rivista tedesca «Allgemeine Zeitung».

Heine, infatti nelle sue critiche, si ricollega idealmente forse piú al filone di pensiero che si dipartiva dagli illuministi francesi, che dai romantici tedeschi. L'idea del primato della sensibilità rispetto alla ragione nel giudizio sull'opera d'arte, indubbiamente ricorda piú l'atteggiamento di un Diderot che quello di un Kant. Come in molti scrittori romantici, la voluta asistematicità, la frammentarietà e spesso la volubilità dei giudizi, l'affidarsi costantemente all'impressione, l'esaltazione della sensibilità sottratta non solo ad ogni controllo razionale ma anche al confronto con la sensibilità altrui, le scarse conoscenze degli aspetti tecnici dell'arte, conoscenza non rimpianta ma quasi esibita come condizione di un giudizio piú genuino, tutto ciò mira soltanto ad una rivalutazione del soggetto come unico punto di riferimento di fronte all'opera, ma al suo diritto ad abbandonarsi alle fantasticherie, alla visione onirica che confonde entro un unico alone luminescente l'opera, il suo autore e il fruitore, irradianti sensazioni, emozioni, pensieri.

Questo approccio alla musica, spesso di tipo biografico, a volte aneddotico, letterario, romanzesco, divagante, ma non perciò meno illuminante – come già si era visto in Stendhal –, si ritrova con varie accentuazioni nelle corrispondenze giornalistiche occasionali inviate da Heine alla «Allgemeine Zeitung» di Augusta o ad altre riviste, negli anni del suo soggiorno parigino. La figura di Meyerbeer domina centrale nelle corrispondenze musicali di Heine: in essa si riassumono le contraddizioni di un'epoca e, per certi aspetti, il poeta e il musicista sono partecipi delle stesse ambiguità. Heine cosí sensibile a certe valenze anche esteriori della musica, rimase affascinato dalla potente coralità di molte opere di Meyerbeer e in particolare da *Robert le diable* e da *Les Huguenots*, soprattutto per ciò che essi rappresentavano per aderenza agli ideali del suo tempo. L'elemento spettacolare che rappresenta uno dei noccioli del *Grand-opéra* di cui Meyerbeer può dirsi a buon diritto il fondatore, implica un rapporto particolare con il pubblico, rapporto di consonanza, proprio con quel pubblico medio e alto borghese che rafforzatosi come ceto dopo la rivoluzione di luglio, non aveva dimenticato del tutto gli ideali della rivoluzione francese e poteva perciò ormai godere della libertà riconquistata e contemplare con tranquillo distacco le lotte di religione e il trionfo delle libertà civili. Heine è perfettamente conscio che l'arte de Meyerbeer si basa soprattutto sull'effetto prodotto su un pubblico tutto particolare, legato a precise contingenze storiche. Ma il suo stato d'animo in quegli anni era ambiguamente attratto proprio da quell'aspetto che Schumann, piú teutonico o forse piú profondo e pensieroso, rifiutava sdegnosamente e condannava senza possibilità di appello; una decina di anni piú tardi anche Heine avrebbe egualmente rifiutato, la spettacolarità di Meyerbeer rivolgendo aspre critiche all'amico di un tempo. Ma a ben vedere anche se le conclusioni di Heine e di Schumann dapprima appaiono radicalmente opposte, in realtà le loro analisi non sono poi cosí divergenti, poiché entrambi in fondo individuano gli stessi elementi nell'opera di Meyerbeer. Ma i giudizi piú acuti non solo su Meyerbeer ma piú in generale sulla natura della musica emergono quando Heine mette a confronto quest'ultimo con la musica e la personalità di Rossini. I due musicisti rappresentano due aspetti antitetici ma compresenti nella personalità del poeta: il primo soddisfa e accarezza le sue inclinazioni intimistiche, liriche, sognanti, il secondo la sua natura estroversa, facile agli entusiasmi, sensibile al mondo che lo circonda, ai suoi umori e ai suoi valori e pronto a prendere partito per un'idea: «Incline per natura ad un certo *dolce far niente*, mi sdraio volentieri su fioriti tappeti erbosi, osservo poi il tranquillo passaggio delle nuvole e prendo diletto ai loro giochi di luce; ma il caso volle che io venissi svegliato molto presto da questa placida fantasticheria con duri colpi del destino nei fianchi; dovetti prendere parte forzatamente ai dolori e alle lotte dell'epoca...»[1].

Queste oscillazioni tipicamente romantiche e peraltro già osservate nella personalità di Hoffmann, si esprimono in Heine in questa adesione oscillante alla spensieratezza rossiniana e all'esteriorità di Meyerbeer. Ma questo ondeggiamento irrisolto tra due estremi opposti, vissuto coscientemente come una dilacerazione interiore, trova un riscontro piú oggettivo nei rispettivi caratteri dei due musicisti: «... sulle onde della musica di Rossini si cullano nel modo piú confortevole i piaceri e le sofferenze individuali dell'uomo, amore e odio, tenerezza e desiderio ardente, gelosia e broncio. Tutto è qui sentimento isolato del singolo; nella musica di Rossini è perciò caratteristico il predominio della

[1] Cfr. *Politische Oper. Rossini und Meyerbeer*, in «Allgemeine Theater-Revue», 1837.

melodia, espressione immediata di un sentimento isolato. In Meyerbeer, per contro, troviamo la supremazia dell'armonia; nel fiume delle masse armoniche le melodie si perdono, anzi affogano, cosí come le particolari sensazioni dell'individuo naufragano nel sentimento globale di un intero popolo, e in queste correnti armoniche si tuffa volentieri l'anima che viene presa dalle delizie di tutto il genere umano e che si è messa dalla parte dei grandi problemi della società. La musica di Meyerbeer è piú sociale che individuale...»[2].

Il vecchio conflitto settecentesco tra armonia e melodia sopravvive ancora dunque nel pensiero di Heine, anche se sono mutati i termini del problema. La melodia è pur sempre la voce dell'individualità, del sentimento, dell'interiorità; l'armonia, frutto del raziocinio per l'uomo del Settecento, diventa per Heine il momento in cui trova espressione il collettivo, il sociale, il pensiero, il concetto. Se Stendhal, pochi anni prima, poteva ancora dichiararsi senza quasi ombra di dubbio, fautore della melodia, convinto che la musica per se stessa fosse l'arte del sentimento, il rifugio dell'individuo dalle pene della vita, l'immagine stessa della felicità e del sogno, Heine vive ormai proiettato in un'altra epoca. Se Stendhal per molti versi è ancora un uomo ancorato ad un passato anche se prossimo, Heine vive totalmente le contraddizioni e le antinomie del romanticismo e le proietta nei suoi giudizi sui musicisti del suo tempo. Heine, grazie alla sua sensibilità sognante e all'inclinazione all'intimismo può sentire vicini autori come Chopin, ma al tempo stesso non può non cogliere il valore eversivo di un musicista come Berlioz, la cui grandezza va di pari passo con il suo rifiuto di un'arte *bella*, levigata, classica. Heine preferisce comunque sempre lo slancio del genio alla perfezione formale che è parente prossima di una certa aridità e freddezza. Perciò preferisce Berlioz o Liszt al classico Mendelssohn, a cui rimprovera con grande acume la «mancanza assoluta d'ingenuità» ed è questo il peccato piú grave per un artista, la spia che denuncia il difetto di genialità. «La fattura deliziosamente bella» delle opere di Mendelssohn compensa forse la mancanza d'ingenuità, ed è proprio qui che si misura il suo freddo rapporto con il pubblico, il suo non riuscire a «soggiogare la folla».

Heine nei suoi giudizi sui grandi del suo tempo, pur nelle contraddizioni, nei ripensamenti, nelle ambiguità intravvede questa profonda rivoluzione che si sta profilando nel mondo della musica e non solo della musica, che passa anche attraverso l'instaurazione di un nuovo rapporto con un nuovo pubblico: non piú il salotto aristocratico e neppure l'élite alto borghese della elegante sala da concerto parigina, ma il pubblico di massa della nascente società industriale. Perciò Heine pur partecipando ancora alla *rêverie* romantica, pur ricercando ancora nell'arte un rifugio alle asperità della vita, un contatto in chiave intimistica con l'individualità irripetibile dell'opera, intuisce che una nuova epoca si sta profilando all'orizzonte rivoluzionando radicalmente le categorie estetiche che la società del passato aveva elaborato. La società di massa che si incominciava appena a profilare all'orizzonte della storia, chiede all'artista effetti piú potenti e qualitativamente diversi. Il virtuosismo orchestrale di Berlioz o quello pianistico o violinistico di Liszt o di Paganini con la loro nuova presenza si rivolgono ad un grande pubblico che Heine intravvede affacciarsi con nuove esigenze alla ribalta della storia.

In realtà Heine è ormai lontano dagli entusiasmi e dagli slanci di un Wackenroder, di un Hoffmann, di un Richter; quel mondo di cui pure si è nutrito gli sta ormai alle spalle e potrebbe ben ripetere con Liszt che l'artista e l'intellettuale in genere «spesso è mal seduto sullo sgabello su cui si poggia» e che «siamo forse tutti alquanto scomodi fra un passato di cui non vogliamo piú sapere e un avvenire che non conosciamo ancora»[3]. Heine avverte con realismo e insieme con dolorosa nostalgia che i tempi nuovi non erano piú favorevoli all'arte. L'insegnamento hegeliano era ben presente alla sua mente, ma la morte dell'arte si avvera per il poeta non con il prevalere della poesia ma della musica, che rappresenta «forse nient'altro che il disfacimento di tutto il mondo materiale». Heine intravvede nell'orgia mondana di

[3] F. Liszt, *Lettera a Heine*, 8 luglio 1838 (pubblicata sulla «Gazette musicale», Paris 1838).

musica della Parigi del suo tempo non un fenomeno positivo ma «forse l'ultima parola dell'arte, come la morte è l'ultima parola della vita». Perciò Liszt che rappresenta con Berlioz piú d'ogni altro musicista i tempi nuovi gli fa pensare, nel suo virtuosismo trascendentale, a «una melodiosa agonia del mondo fenomenico». Ma anche la musica era destinata a scomparire, sommersa dal frastuono del mondo moderno, dalle ferrovie, dalla potenza del denaro, dall'industria e dalla politica che avrebbero fatto sentire ben presto il loro peso nel mondo dell'arte, dettando imperativamente le nuove regole del gioco; o forse era destinata a rinascere, ma diversa, con una nuova vita, legata alla collettività da nuovi fili.

Pochi anni piú tardi un altro musicista, Richard Wagner, lui pure lucido testimone della crisi della propria epoca, riprenderà anche se in tutt'altra chiave e con altri intenti queste idee estetiche e sociali. Heine, il poeta autore del *Buch der Lieder*, che ascolta con romantica nostalgia non solo il bel canto rossiniano ma il mondo musicale di Schubert, di Beethoven, di Schumann a cui egli stesso ha dato con le sue liriche forma e materia, vive con lucidità e ironica intelligenza la fine di questo mondo in cui la musica poteva ancora essere concepita come apertura verso l'inesprimibile, espressione dell'ineffabile, dell'infinito, come linguaggio privilegiato dell'individuo. La musica dei tempi nuovi, per Heine, si annuncia ormai solo «in qualità di vaga intermediaria tra lo spirito e la materia»[4].

L'accento posto da Heine sulla valenza «sociale» della musica, l'attenzione ai rapporti con il pubblico, all'impatto spettacolare come momento polare rispetto alla valenza intimistica, cosí cara ai primi romantici non è un fatto isolato, e lo si ritrova spesso sviluppato, ampliato con risonanze anche nuove, sempre piú frequentemente dopo gli anni '30 e '40. Il discorso sulla socialità dell'arte porta ad accentuare anche il valore «nazionale», autoctono dell'arte, ponendo una maggior attenzione anche alle implicazioni politiche in senso lato dell'arte e della musica. Il pensiero corre imme-

[4] Per i riferimenti agli scritti di Heine si rimanda alla raccolta *Zeitungsberichte über Musik und Malerei*, a cura di M. Mann, Insel, Frankfurt am Main 1964. (Trad. it. a cura di E. Fubini, *Cronache musicali*, Discanto, Fiesole 1983).

diatamente a Wagner e al suo impatto sulla cultura tedesca e europea dell'Ottocento; ma anche fuori della Germania queste idee trovavano un fertile terreno di sviluppo.

Persino in Italia, il paese che forse dal punto di vista musicale è stato il piú refrattario alle idee romantiche, si trovano echi delle idee musicali che circolavano oltralpe. La *Filosofia della musica* di Giuseppe Mazzini, scritta nel 1835, merita un cenno, non tanto per l'originalità di pensiero, quanto per cogliere il senso della frattura tra la cultura musicale italiana e quella europea, anche se indubbiamente alcune idee del romanticismo si possono ritrovare anche in questo breve saggio. L'idea centrale è la socialità dell'arte, intesa non tanto come dato di fatto, come constatazione sociologica o politica, quanto come supremo dover essere. Fa da contrappunto a questa idea il principio, questo davvero romantico, che l'arte è espressione di un ideale o meglio dell'Ideale. Dal momento che l'ideale o l'Idea si manifesta anzitutto nel concetto di un'Epoca, di una Nazione, dell'Umanità, l'aspirazione ad un'arte sociale si fonde con l'altra aspirazione all'arte come incarnazione dell'idea. L'arte quindi, e la musica in particolare, hegelianamente appaiono come una tappa o schellinghianamente come la suprema tappa nella realizzazione dell'idea. Qui s'inserisce la polemica di Mazzini contro la frivolezza della musica e in particolare dell'opera, ridotta, ormai a suo parere a pura «distrazione» mentre dovrebbe assurgere ai piú alti gradi del pensiero e della civiltà. «La musica – afferma Mazzini – è un'armonia del creato, un'eco del mondo invisibile, una nota dell'accordo divino che l'intero universo è chiamato ad esprimere un giorno; e voi, come volete afferrarla se non innalzandovi alla contemplazione di questo universo, affacciandovi con la fede alle cose invisibili, abbracciando del vostro studio, dell'anima vostra, e del vostro amore tutto quanto il creato?»[5].

Alcuni critici hanno parlato di Mazzini come di un precursore dell'estetica wagneriana; affermazione forse un po' azzardata perché in effetti le sue idee sulla musica sono semplicemente partecipi di un clima generale dell'epoca che si

---

[5] G. Mazzini, *Filosofia della musica*, a cura di Marcello De Angelis, Guaraldi, Firenze 1977, p. 41.

ritrova in molti altri autori. La polemica contro il melodramma come spettacolo di pura evasione in realtà viene già ereditato dall'illuminismo, anche se qui si colora di venature
romantiche e mysticheggianti: «... La musica – afferma ancora – sola favella comune a tutte le nazioni, unica che trasmetta esplicito un presentimento di umanità, è chiamata
certo a piú alti destini che non son quelli di trastullare l'ore
d'ozio a un piccolo numero di scioperati... Questa musica,
che oggi si è vilmente scaduta, s'è rivelata onnipotente sugli
individui e sulle moltitudini, ogni qualvolta gli uomini l'hanno adottata ispiratrice di forti fatti, angiolo de' santi pensieri: ogni qualvolta gli eletti a trattarla, ricercarono in essa l'espressione la piú pura, la piú generale, la piú simpatica d'una
fede sociale»[6]. Mazzini nella sua visione storica della musica
– si riferisce nel suo discorso esclusivamente alla musica
melodrammatica – vagheggia una specie di sintesi tra il
mondo germanico e quello italiano, da cui dovrebbe uscire
un rinnovamento artistico e sociale della musica stessa, di
portata universale oltreché nazionale. Melodia e armonia sono infatti i due elementi generatori della musica: «la prima
rappresenta l'individualità, l'altra il pensiero sociale»[7]. Ma,
continua Mazzini, nella musica tedesca, «armonica in sommo grado», vi è il pensiero sociale, vi è l'idea, ma senza l'individualità che traduca il pensiero in azione, «v'è Dio senza
l'uomo», «l'io è smarrito»; alla musica italiana invece manca
«il concetto santificatore di tutte le imprese; il pensiero morale che avvia le forze dell'intelletto, il battesimo di una missione... La musica italiana isterilisce nel materialismo. La
musica tedesca si consuma inutilmente nel misticismo»[8].

Si affaccia ancora romanticamente, in questi nebulosi
pensieri, il vagheggiamento romantico della sintesi suprema, di un destino redentore, affidato questa volta al genio
italiano, per superare sia il gretto individualismo, sia l'astratta socialità. I geni di Rossini, di Bellini, di Donizetti
rappresentano un preannuncio di ciò a cui il genio italiano

---

[6] *Ibid.*, p. 45.
[7] *Ibid.*, p. 50.
[8] *Ibid.*, pp. 56-58.

era destinato a compiere; Verdi non era ancora alla ribalta della storia, ma forse si può ipotizzare che avrebbe rappresentato l'ideale incarnazione, piú di Wagner, di ciò che Mazzini, intorno agli anni '30, andava vagheggiando.

2. La musica a programma.

Questo problema del potere descrittivo della musica si pone come centrale nel pensiero di molti musicisti romantici, e assume un rilievo particolare con il sorgere e lo sviluppo della musica a programma. Non era una novità assoluta nella storia della musica l'intenzione di descrivere qualche avvenimento o fenomeno naturale senza l'aiuto di un testo letterario. È sufficiente ricordare *La battaglia* di Andrea Gabrieli, *Le storie bibliche* di Kuhnau, *Le stagioni* di Vivaldi, ed infine *La pastorale* di Beethoven, tanto per citare gli esempi piú illustri. Tuttavia si trattava di un fenomeno sporadico: la musica descrittiva o a programma non era considerata come un vero e proprio genere a sé; rimaneva un caso isolato e in fondo il programma si limitava al titolo e raramente ad un vago intento descrittivo; la forma classica tradizionale rimaneva intatta. Solo con il romanticismo la musica a programma si costituisce come un vero e proprio genere a sé, soprattutto nella forma del poema sinfonico, che ebbe cosí fortuna nell'Ottocento. Questo improvviso sviluppo della musica a programma risponde ad esigenze abbastanza complesse e in parte contraddittorie con la parallela aspirazione romantica alla musica pura. Gli scritti di Liszt sono particolarmente significativi riguardo a questo problema. La sua massima aspirazione, condivisa per altro da molti musicisti romantici, è di raggiungere un'unione piú intima tra musica e poesia. In altre parole, ciò che Liszt auspica è la creazione di una musica che attinga ispirazione ad opere letterarie. Questo concetto è intimamente legato al desiderio di rinnovare le forme tradizionali in cui finora era concepita la musica. Liszt in un celebre saggio del 1855 su Berlioz, passaggio obbligato per chi voleva discutere la questione della musica a programma, enuncia questi principî nel suo solito stile enfatico, quasi profetico, che già sembra preludere a quello di Wagner.

Dopo un generico elogio della musica, l'arte privilegiata per eccellenza, mediante la quale i sentimenti possono essere espressi direttamente, senza mediazione alcuna, l'arte celestiale che ci fa intravvedere ciò che altrimenti sarebbe negato all'uomo, eco di un mondo divino, egli affronta il problema che piú gli sta a cuore. Anzitutto il rinnovamento della forma: Berlioz è il simbolo di questa ribellione al passato; con le sue creazioni ha sconvolto la struttura della sinfonia classica. Solo il futuro può dare il verdetto definitivo sul suo valore, tuttavia «l'artista può cercare il bello fuori dalle regole della scuola senza timore per questo di essere poi deluso». Le simpatie di Liszt sono evidentemente per chi viola le regole e non si appoggia inerte alla tradizione. Ma questa polemica, d'altronde comune a tutti i romantici, è fatta in vista della difesa del nuovo genere, cioè della musica a programma. Questa difesa risponde ad una profonda esigenza del tempo, cioè all'aspirazione di fondere le arti tra loro, abolendo ogni confine per il raggiungimento di una piú completa espressività. Finora la musica si era incontrata con la poesia e la letteratura, nel melodramma, ma non si era mai unita, fusa completamente con essa. La musica a programma, secondo Liszt, risponde infine a questo ideale. In essa l'ispirazione poetica viene completamente trasfusa senza residui e rappresenta l'elemento rivoluzionario, capace di rinnovare la forma tradizionale. Lo sviluppo della musica a programma non è quindi un sintomo di decadenza, di esaurimento, o una confessione di impotenza, ma piuttosto una tappa fondamentale, una conquista nella storia della musica, «un necessario risultato dello sviluppo dei nostri tempi». La musica strumentale pura, cioè quella che rivela un'ispirazione esclusivamente musicale, ha dei limiti, gravi in sé, di incompletezza; anzitutto difetta di comunicabilità: una musica fatta unicamente di suoni concatenati tra loro secondo una logica interna non potrà essere compresa che da pochi specialisti, non si potrà rivolgere a tutti gli uomini. Il musicista puro, «dato che non parla agli uomini né delle sue gioie né dei suoi sorrisi, né delle sue rassegnazioni o desideri, rimarrà un oggetto indifferente alle masse e interesserà soltanto i suoi colleghi, competenti per apprezzare la sua abilità». Il compositore che «attribuisce importanza soltanto all'uso del materiale, non è capace di creare da esso nuove forme, di soffiare in esso nuova vita, dato che non è spinto da una necessità intellettuale – e neppure da una passione bruciante che esiga di essere espressa – di scoprire nuovi mezzi espressivi». Solo il *musicista-poeta*, strano paradosso, può allargare i confini della sua arte, «rompendo le catene che impediscono il libero volo della sua fantasia». Attraverso un *programma* il musicista può dare un contenuto piú determinato alle sue idee, può indicarci la loro direzione, «il punto di vista da cui egli afferra un determinato soggetto». «La funzione del programma diventa cosí indispensabile, e il suo ingresso nelle piú alte sfere dell'arte appare giustificato». La sinfonia a programma è per Liszt come la musica dell'avvenire, l'unica attraverso cui può avverarsi quell'intima e completa fusione tra i grandi capolavori della letteratura e la musica, come era avvenuto per altra via con il teatro greco, e, in modo imperfetto, cioè come combinazione e non come unione, con l'oratorio e la cantata. La musica pura strumentale, la sinfonia classica, non comunica che «l'astratta espressione del sentimento umano universale» in modo del tutto impersonale, mentre la musica a programma, il poema sinfonico, ci potranno comunicare l'universalità concreta dei caratteri.

È evidente la chiara impostazione romantica di tutto il pensiero di Liszt. Questa sua esaltazione della musica a programma s'inquadra perfettamente nell'aspirazione romantica alla convergenza delle arti, sotto l'egida della musica, che trova proprio in questi anni il massimo teorizzatore in Wagner. Tuttavia Liszt è ormai assai lontano dalla mentalità dei primi romantici. Se agli inizi dell'Ottocento la fusione tra le arti era simboleggiata dalla musica strumentale pura che nella sua sublime indeterminatezza riusciva a far tacere e a superare qualsiasi elemento estraneo che ancora poteva apparire nelle altre arti, se l'indeterminatezza espressiva era considerata come il momento piú alto della musica, quello che ne decretava la superiorità, che ci permetteva di accedere all'assoluto, all'inconoscibile, ora tutto ciò viene considerato un'insufficienza, una remora. Già Schumann e Mendelssohn lodavano la chiarezza e la determinatezza dell'espressione musicale; ma Liszt non si accontenta piú della musica come suono puro; la musica deve dipingere, descrivere, e può far questo attraverso la ricerca dell'ispirazione in un campo che non è il suo, cioè nella poesia, altrimenti si ridurrebbe a pura *tecnica*; la tecnica, la forma, in altre parole, deve essere riempita da un contenuto, da *idee* da esprimere, non deve essere fine a se stessa.

Si stanno ormai delineando due grandi correnti nell'estetica musicale, già presenti come possibilità nel pensiero dei primi romantici: l'estetica della forma e l'estetica del sentimento; e Liszt stesso comincia ad averne coscienza quando parla di una musica pura strumentale, pura forma, arabesco sonoro, che difetta di espressività, per distinguerla da una musica piú espressiva, traboccante di espressione e di sentimento romantici.

Schumann, Liszt, Mendelsshon e Wagner, come esperienza conclusiva, hanno sviluppato e portato alle estreme conseguenze le implicazioni contenute nel concetto di arte come espressione del sentimento. Le prime formulazioni dell'estetica romantica in Wackenroder, in Hegel, in Schopenhauer, ecc., erano tali da contenere in sé la possibilità di sviluppi divergenti. La concezione della musica come espressione dell'infinito, dell'idea nella forma del sentimento, come linguaggio privilegiato, capace di esprimere ciò che nel linguaggio comune è inesprimibile proprio grazie alla sua asemanticità rispetto ad esso, darà luogo, a seconda di dove si porrà l'accento, a un'estetica della forma o ad un'estetica del sentimento. Al primo caso si giungerà insistendo sull'aspetto asemantico, ambiguo della musica, ritenendola al piú un analogo del sentimento, capace di riprodurne la forma astratta, ma senza una diretta relazione con esso, magari per restituire poi alla musica l'espressività ad un livello metafisico. Al secondo caso, all'estetica del sentimento, si giungerà ponendo l'accento sul termine *espressione*, considerando cioè la musica come il linguaggio del sentimento, capace di esprimerlo e comunicarlo in tutte le sue sfumature e gradazioni.

3. *Wagner: arte e rivoluzione.*

Le correnti di pensiero presenti nella prima metà dell'Ottocento sono numerosi e difficilmente riconducibili ad un'unica matrice. Pertanto forse nessuno come Wagner, musicista, poeta, filosofo, critico e pensatore riassume con tanta efficacia la molteplicità di aspetti del pensiero romantico. I suoi numerosi e prolissi scritti, epistolari, saggi, studi critici, politici, ideologici, filosofici, estetici e autobiografici per lo piú si propongono di giustificare e illustrare su di un piano filosofico ed estetico la validità storica e ideologica della sua riforma teatrale e di metterne in luce i fondamenti dottrinari. Si ritrovano in questi scritti molti dei motivi già individuati nel pensiero romantico; tuttavia non si può non riconoscere che nel suo insieme, Wagner rappresenti non solo una sintesi ma anche una proposta originale che pur ponendosi in una prospettiva conclusiva piú che di apertura al futuro, rappresenta un punto di riferimento per tutta la civiltà musicale romantica.

La concezione wagneriana dell'arte e della musica per certi aspetti non si allontana di molto da quella dei suoi contemporanei e soprattutto da quella di Liszt, anche se si esprime attraverso una ben piú complessa e a volte macchinosa costruzione intellettuale. Il fondo su cui si muove tutto il suo pensiero è ancora una volta il concetto romantico di arte come espressione, insieme all'aspirazione alla convergenza di tutte le arti per il raggiungimento di una piú completa espressività. Questo anelito all'unificazione di tutte le arti sotto il patrocinio della musica si trova, come già si è visto, non solo in molti pensatori romantici ma anche in molti musicisti. Non solo Beethoven in fondo scrivendo la nona sinfonia già aveva in mente un simile programma; ma per rimanere nell'ambito del melodramma, Weber, nella sua polemica nei confronti del melodramma di tipo settecentesco e nella sua ansia di creare un'opera autenticamente impregnata di spiriti germanici, dove si realizzasse una perfetta fusione di poesia e musica, era singolarmente vicino alle idee che Wagner avrebbe poi ampliato e teorizzato nei suoi scritti. Nel tipo di opera auspicata con enfasi profetica da Weber, quella desiderata da tutti i tedeschi, tutte le arti devono collaborare e devono essere «fuse» una nell'altra, «devono tutte scomparire ed essere sommerse in vario modo, per riemergere nella creazione di un nuovo mondo»[1]. Cosí si espri-

---

[1] C. M. von Weber, *Sämmtliche Schriften*, a cura di G. Kaiser, Berlin 1908, p. 128.

meva Weber nel suo saggio sull'*Undine* di Hoffmann e aggiungeva: «Qui sta il grande e profondo segreto della musica che può essere sentito ma non può essere espresso... In una parola, ciò che l'amore è per l'umanità, la musica è per le arti e per la stessa umanità. Infatti la musica è realmente l'amore stesso, il piú puro, il piú etereo linguaggio delle emozioni e mentre è capito nel medesimo tempo da migliaia di genti diverse, non contiene che una verità fondamentale. Questa verità nel linguaggio musicale, in qualsiasi forma anche inusitata possa apparire, afferma infine i suoi diritti vittoriosamente. Il destino delle opere d'arte creative e significative di ogni epoca lo dimostra spesso e in modo irrefutabile...»[2]. Sempre Weber in una lettera del 1821 a Friedrich Kind scriveva significativamente: «Il poeta e il compositore sono cosí legati l'uno all'altro che sarebbe ridicolo immaginare che quest'ultimo possa giungere a qualcosa di valido senza il primo»[3]. Tutti questi temi si ritroveranno una trentina di anni piú tardi teorizzati negli scritti di Wagner; ma nell'autore del Tristano vi è qualcosa di piú che non la sintesi dei pensatori che l'hanno preceduto. Il concetto di opera d'arte totale, di *Gesamtkunstwerk* è vero che non è del tutto nuova, e in fondo l'idea stessa di musica a programma ne era già una esemplificazione; ma in Wagner questo concetto si lega intimamente all'idea di rivoluzione, idea pervasiva di tutto il suo pensiero musicale e filosofico.

È noto che per Wagner la *Gesamtkunstwerk*, l'opera d'arte totale, l'opera d'arte del futuro, incontro di tutte le arti, poesia, danza e musica, è il *Dramma*, che però non s'identifica con l'opera tradizionale, da lui considerata una parodia di esso, una progressiva corruzione e mistificazione di cui traccia la storia, non lasciandosi ingannare dai frequenti tentativi di *riforme* che hanno sempre lasciato le cose al punto di partenza. Il *Dramma* per Wagner non è un genere musicale e tantomeno letterario, non è un tipo nuovo di arte che può convivere vicino alle altre: il dramma è l'unica arte completa, vera, possibile; l'arte che reintegrerà l'espressione artistica nella sua unità e comunicabilità. L'errore fondamen-

___

[2] *Ibid.*
[3] C. M. von Weber, *Gedenkbuch*, Reudnitz, Leipzig 1887, p. 57.

tale dell'opera tradizionale «consiste in questo, che di un mezzo dell'espressione (la musica) si è fatto lo scopo, e dello scopo dell'espressione (il dramma) si è fatto il mezzo...»[4]. Da questa celebre e significativa frase, espressa nel consueto stile apodittico, appare già come per Wagner la musica di per sé non sia autosufficiente. La musica è il linguaggio dei sentimenti, «la favella immediata del cuore». Ma la musica pura da sola non può esprimere l'individualità: «l'espressione di un contenuto determinato, chiaro, intelligibile, individuale, è impossibile mediante questo linguaggio strumentale che non può dare sensazioni se non generali». Ritornano i temi già intravvisti in Liszt: i romantici degli anni 1850 non si accontentano piú della musica pura strumentale, considerata pochi decenni prima il vertice di tutte le arti; il romanticismo ora aspira a cose piú grandiose, piú complesse, piú magniloquenti; il *Grand Opéra* è una delle manifestazioni deteriori di questa ansia di grandezza, aspirazione a dire, ad esprimere sempre di piú, a costo di essere retorici e stucchevoli; l'opera wagneriana rappresenta forse l'aspetto piú genuino e piú intimamente e autenticamente vissuto di questa aspirazione del tardo romanticismo.

Il dramma wagneriano è dunque, almeno nelle intenzioni dell'autore, il raggiungimento finale di questa reintegrazione, la fine di questa alienazione della musica da se stessa. Tutta la storia della musica non è che la storia di questa progressiva reificazione della musica e dei tentativi mal riusciti di porci rimedio; cosí come la storia dell'ultimo Beethoven, colui che ha sentito piú acutamente questa frattura, è la storia di questo sforzo di esprimere ciò che non si poteva: il maestro aveva bensí concepito il *soggetto*, ma senza poter afferrare una forma ordinata e intelligibile per rappresentarlo. Solo nella nona sinfonia s'intravvedono le reali possibilità della musica. L'inno alla gioia dischiude nuovi orizzonti, nuove possibilità, che Wagner stesso presume di essere destinato a raccogliere e sviluppare. Beethoven «cercava il poeta». Cosí la sua stessa melodia dell'inno alla *gioia* non appare concepita «sulle parole o mediante le parole del poeta», ma composta solo in considerazione della poesia di Schiller,

---

[4] Wagner, *Opera e dramma*, Introduzione.

nella eccitazione ricevuta dal suo concetto generale. Tuttavia, quando Beethoven nel corso della composizione «è trascinato dal soggetto di questa poesia sino al carattere drammatico immediato, noi vediamo le sue combinazioni melodiche emergere sempre piú determinate e precise dai versi della poesia, cosí che l'espressione infinitamente variata della sua musica risponde in modo esclusivo al senso per certo il piú elevato della poesia e della parola; ciò avviene in guisa cosí diretta, che d'improvviso ci sembra impossibile il pensare e comprendere la musica separata dalla poesia»[5].

L'ultima sinfonia di Beethoven è dunque nel pensiero di Wagner un punto di riferimento fisso, un simbolo della sua grandiosa concezione storica, di sapore quasi hegeliano, dove ogni manifestazione artistica esclude, per lo meno teoricamente, le precedenti, tappe necessarie di una evoluzione necessaria, dove tutto è concatenato, dove lo sviluppo storico della musica è legato alle condizioni etico-sociali secondo un rapporto oggettivo e necessario, dal momento che l'arte è intesa come espressione totale dell'uomo e della sua vita. Ma ritornando alla concezione wagneriana del dramma come punto d'incontro di tutte le arti per comprenderne appieno il significato, è necessario risalire alla sua teoria sull'origine del linguaggio e della musica. Infatti alla base del concetto di *Gesamtkunstwerk* dominante nel pensiero di Wagner, come sua giustificazione teorica, vi è la credenza nell'origine comune di parola e musica nel linguaggio primitivo, credenza ereditata ancora dall'illuminismo attraverso Rousseau, Kant, Herder, ecc. Ci fu un tempo in cui il linguaggio riuniva in sé musica e poesia. La base vocalica e accentuativa del linguaggio rappresenta la parte emotiva, musicale e melodica di esso; le consonanti, la parte «plastico-intellettiva», capace di determinare, di fissare e concretare. Ma questo momento è mitico e non storico. La situazione è oggi assai diversa: da una parte il linguaggio si è cristallizzato in formule, dimenticando le proprie radici, per cui il poeta che si serve di tale linguaggio si rivolge essenzialmente all'intelligenza, spiegando, analizzando, ma senza darci mai la piena realtà del sentimento; d'altra parte il musicista, colui che si

[5] *Ibid.*, parte I, cap. VI.

serve solamente dei suoni, ci darà il sentimento, ma in modo indeterminato. La musica sarà l'arte dell'inconscio, dell'inesprimibile, intendendo per inesprimibile «una sensazione non ancora determinata». Il dramma wagneriano vorrebbe essere appunto la reintegrazione del linguaggio nelle sue autentiche e originarie proprietà. La musica finora era stata concepita come autosufficiente, e questo era il suo limite: «nel suo orgoglio, la musica si era trasformata nella sua antitesi; da fatto che concerne il *cuore*, si era trasformata in fatto che concerne l'intelligenza» (*Opera d'arte del futuro*). Per uscire da questa situazione d'impotenza espressiva, il poeta dovrà ricorrere «all'organo primitivo dell'intimo sentimento dell'anima, *la lingua dei suoni*», cioè «all'espressione redentrice della musica». Redentrice, la musica, perché rappresenta l'unico mezzo per redimere il linguaggio dalla situazione storica in cui si trova, per cui viene privato del suo contenuto lirico e sentimentale: «la lingua dei suoni è principio e fine della lingua delle parole». Il dramma può nascere solo su questi presupposti: che gli accenti delle parole siano il punto di partenza onde la lingua passa nel canto, canto inteso come melodia, come punto culminante dell'espressione sentimentale. Da qui ha origine la metafora wagneriana per cui «ogni organismo musicale per sua natura è femminile; esso ha la facoltà di concepire, non di procreare; la forza produttiva risiede *fuor di lui* e senza essere fecondato da questa forza, esso non è in grado di dare alla luce la cosa concepita»[6]. Questa forza maschile, capace di procreare, è la parola, la sola àncora cui la musica si può aggrappare, capace di dare un senso compiuto e perfetto alla sua espressione, «la parola precisa della poesia, che può fornire al musicista l'appoggio naturale per esprimersi in modo determinato e sicuro»[7]. Questa parola non va intesa come il tradizionale accompagnamento di una melodia da parte di un cantante. «Questa parola non è comunque l'insignificante parola che il cantante alla moda continua a rimasticare, mera cartilagine di un vivo suono; essa è la parola che trasmette ovunque la sua potenza, che tutto unisce, da cui si riversa l'intera cor-

---

[6] *Ibid.*
[7] *Ibid.*, cap. V.

rente della piú schietta emozione; il porto sicuro per l'inquieto pellegrino; la luce che illumina la notte di un infinito desiderio;... la parola che Beethoven ha posto per coronare il vertice delle sue creazioni. Questa parola era: Gioia!...» (*L'opera d'arte del futuro*). La via indicata da Beethoven è l'unica per giungere a questa fusione cosí intima tra suono e parola, per reintegrare il linguaggio nella sua originalità. Bisogna tornare in quello stato originario in cui poeta e musicista «sono una sola e medesima cosa, perché ognuno sa e sente ciò che l'altro sa e sente. Il poeta è diventato il musicista, il musicista il poeta: ora essi formano ambedue l'uomo artistico completo»[8], l'intento poetico dovrà essere interamente determinabile e realizzabile come espressione musicale e viceversa. Solo cosí è concepibile il *Dramma*, «la piú alta opera d'arte», «l'opera d'arte del futuro»; in cui tutte le arti concorrono come mezzi per la realizzazione del fine che è il dramma.

Questa a grandissime linee la concezione wagneriana dell'arte e della musica, trascurando tutto ciò che è sembrato inessenziale in questo contesto, tutte le deviazioni, le contraddizioni, le singole fasi del suo pensiero con tutte le ramificazioni secondarie di cui sono ricchissimi i suoi scritti; pesanti spesso e stucchevoli per lo stile costantemente enfatico, retorico e magniloquente, per le grandi sintesi storiche non sorrette da analisi adeguate, per le costruzioni puramente intellettuali dal tono profetico e apodittico.

Il pensiero di Wagner, da un punto di vista strettamente estetico non presenterebbe in fondo novità di grande rilievo se non fosse messo in relazione al piú ampio contesto ideologico e filosofico in cui s'inserisce. In tutti gli scritti di Wagner ricorre con grande frequenza il termine e l'idea stessa di *rivoluzione*, ma l'uso di tale termine nel contesto del suo pensiero esige un chiarimento. Il termine *rivoluzione* nel pensiero filosofico ed estetico di Wagner viene per lo piú associato al concetto di rigenerazione: rigenerazione significa purificazione, rinascita, redenzione. La rivoluzione è dunque un mezzo per la «rigenerazione dell'umanità». In un breve scritto del 1849 cosí Wagner scrive della rivoluzione

[8] *Ibid.*, parte III, cap. IV.

la quale si autopresenta con questo volto alle folle mute «in estetico rapimento al mugghiare dell'uragano»: «Sono il sogno, il conforto, la speranza di chi soffre. Io distruggo ciò che esiste e sul mio cammino sorge nuova vita dalla morta roccia... Io voglio rovesciare dalle fondamenta l'ordine delle cose in cui vivete poiché è scaturito dal peccato, il suo germoglio è la miseria e il suo frutto il crimine...» Da questo magma apocalittico e informe uscirà l'umanità rigenerata, l'uomo nuovo. È evidente in questo scritto l'influenza di Bakunin conosciuto l'anno prima e con cui aveva partecipato con equivoco atteggiamento alla rivoluzione di Dresda. Già il rivoluzionario russo predicava proprio in quegli anni le sue teorie sulla rigenerazione totale come effetto del fuoco distruttore e purificatore della rivoluzione proletaria. Ma anche se Wagner fu affascinato da queste visioni apocalittiche – e si sa quanto il fuoco divoratore l'abbia sempre attratto –, la sua idea di rivoluzione prese una via in parte diversa. La rigenerazione dell'umanità dapprima, del popolo tedesco poi, infatti non è né politica né etica in primo luogo, ma estetica. Il nuovo mondo che dovrà uscire dalla rivoluzione deve anzitutto essere fatto in modo da accogliere e recepire la nuova arte, l'opera d'arte dell'avvenire – «gli oppressi operai dell'industria vogliono diventare tutti uomini belli e forti» –, scrive in *Arte e rivoluzione*.

Spiritualismo estetizzante, ideali vagamente umanitari, visioni apocalittiche, vaghi sentimenti anarco-socialisti o comunisti, individualismo stirneriano, tutto ciò va anche messo in relazione allo sfondo razzistico che si delinea in tutta l'opera di Wagner. Nel 1848 scriveva ne *I Nibelunghi: Storia universale di una leggenda*: «È su queste montagne (l'Himalaya) che dobbiamo cercare la primitiva patria degli attuali popoli dell'Asia e di tutti i popoli che emigrarono in Europa. Là è l'origine di ogni civiltà religione e idioma... È provato che la stessa origine della leggenda è di natura mistico-religiosa; il suo significato profondo per la coscienza primitiva del popolo franco, l'anima della sua razza regale... che impone rispetto ed è considerata da tutti di natura superiore». Dopo due anni scriverà il famoso saggio *L'ebraismo nella musica*, che non rappresenta, come alcuni critici vorrebbero mostrare, una triste parentesi nella sua opera ideologica e musicale ma solamente un anello di una logica catena. Infatti il razzismo di Wagner non è un incidente di percorso ma è parte attiva e integrante della sua opera di musicista, di uomo di teatro e non solo di teorico. Perciò, Wagner, abbandonato ben presto ogni velleitarismo liberale giovanile, sviluppa in tutti i suoi scritti il tema già presente in Marx della urgente necessità della degiudaicizzazione della società, ovvero della redenzione della società dall'oppressione ebraica. Questa idea di un male radicale che pesa sull'umanità che nella fattispecie s'incarna nella figura dell'ebreo o meglio nella giudaicizzazione del mondo è un concetto portante nella sua opera filosofica ed estetica, al di là della sua antipatia verso figure di ebrei che potevano essere considerati suoi concorrenti quali i Meyerbeer o i Mendelssohn. Di qui infatti prende forma il concetto di redenzione attraverso l'arte della cui degenerazione ai suoi giorni sarebbe responsabile appunto la congiura ebraica, e da cui deriva «la sterilità della nostra epoca nell'arte musicale».

Tenendo presente questo sfondo si colora forse piú chiaramente tutta l'ideologia wagneriana, i suoi rapporti con il cristianesimo, il suo stesso concetto di opera d'arte totale e di opera d'arte dell'avvenire. Wagner già negli scritti del 1848-50 fa propri gli ideali neoclassici che saranno poi ripresi vent'anni piú tardi da Nietzsche: la vera arte, quella in accordo con la società, è solo quella greca, proprio perché sorta da una società in cui domina la giustizia e il senso della bellezza. Di qui l'attacco al mondo cristiano, in termini quasi identici a quelli nietzscheani. Cosí scrive in *L'arte e la rivoluzione*: «Il cristianesimo giustifica una disonorevole, inutile e misera esistenza dell'uomo sulla terra col meraviglioso amore di Dio che non ha affatto creato l'uomo, come erroneamente credevano i bei greci, su questa terra, ma ve lo avrebbe rinchiuso come in un carcere schifoso per preparargli dopo la morte, in compenso dell'acquisito disprezzo di sé, uno stato di magnificenza comoda e inerte». Il cristianesimo è dunque congenitamente impoetico, in quanto ostile alla vita, e l'arte è innanzitutto vita. «L'arte è la suprema attività dell'uomo ben sviluppato nei sensi, in armonia con se stesso e con la natura, afferma sempre in *Arte e rivoluzione*, e aggiunge: «L'onesto artista... nota alla prima occhiata che il cristianesimo non fu arte né poté in alcun modo produrre dal suo seno la vera energia vivente».

Di fronte a questo Wagner anticristiano in quanto artista sorge il problema di conciliarlo con l'immagine del Wagner fautore della redenzione attraverso la rinuncia, cioè del Wagner del Parsifal, quello che per l'appunto sarà poi violentemente rifiutato da Nietzsche. In *Arte e rivoluzione* si trovano ancora utili precisazioni in proposito. Il *pamphlet* chiude significativamente con una distinzione radicale tra la figura di Gesú e il cristianesimo. Gesú viene infatti del tutto isolato dal cristianesimo: trasformato in eroe solitario, accostato ad Apollo, si trasforma in mitica ed esemplare figura. Gesú diventa colui per il quale le ingiuste norme del mondo civile non esistono piú, colui che può riconciliare il mondo con se stesso e la sua natura, al di là e al di sopra della società civile; in altre parole è il redentore, adempiendo con ciò alla stessa funzione dell'arte: «Gesú ci mostrerà che noi uomini siamo tutti eguali e fratelli, ma Apollo imprimerà su questa fraterna alleanza il sigillo della forza e della bellezza, condurrà l'uomo dal dubbio alla coscienza della sua suprema potenza divina. Eleviamo allora l'altare dell'avvenire, della vita e dell'arte vivente ai due piú sublimi educatori dell'umanità». Cosí si chiude il cerchio arte-rivoluzione-religione-mito, e al tempo stesso si pongono le premesse per un atteggiamento globale verso l'arte e la società contemporanea.

In questa visione l'arte e in particolare la nuova opera tedesca ideata e creata da Wagner, ha in vista proprio la redenzione del popolo, ma non è un popolo inteso come classe apportatrice di un suo patrimonio di cultura e di valori, ma come comunità mistica e razziale, dotata di un inalterabile e astorico patrimonio di sangue e di valori ad esso relativi. Il cristianesimo invece ha sostituito all'idea di unione mistica, quella dell'indifferenziata fratellanza di tutti gli esseri umani e dell'uguaglianza di tutti di fronte a un Dio astratto e lontano che non si specchia nel popolo e nel quale il popolo non si specchia: con ciò ha compiuto la sua azione corruttrice della libera e bella natura. Solo Gesú, unito alla figura di Apollo, riscatta il popolo nella sua oscura e ingenua forza creatrice da cui nasce la lingua, la religione, il mito, lo statocomunità, oggi – secondo Wagner – corrotto e soffocato dal potere dominante, dal mondo dell'industria, del profitto, del denaro, della mercificazione dell'arte, dell'utilitarismo, del giudaismo pervasivo di tutta la società. Questi temi – la critica alla nascente società borghese e industriale, il vagheggiamento della campagna e persino l'ideologia vegetariana, che hanno qualche tratto in comune con idee che provengono dalla sinistra hegeliana e dallo stesso Marx – nella forma e nel contesto ideologico in cui vengono enunciate da Wagner e poi da Nietzsche sono proprie invece di una tradizione reazionaria del pensiero tedesco, presente sin dalla fine del Settecento. Caratteristica ne è l'estetismo e l'elevamento dell'arte e della vita a valore primario e pervasivo. Gli elementi considerati negativi della società del tempo sono tali in quanto avversi al libero sviluppo dell'arte. L'impoeticità del cristianesimo e ancor piú dell'ebraismo si ritrovano perciò nella società contemporanea, tutta dominata, secondo Wagner, dalla presenza massiccia dei valori giudaico-cristiani. Perciò nell'ideologia wagneriana, se l'arte greca si sviluppava in armonia con la società, nel mondo contemporaneo invece l'unica possibilità per l'arte è di svilupparsi in antitesi con la società stessa, cioè di essere rivoluzionaria. Rivoluzione che assume chiaramente il colore e il contenuto e la forma della regressione: paganesimo, germanesimo, medioevo e razza sono per Wagner miti che rappresentano una fuga dal presente e un rifugio in una presunta natura astorica e primigenia.

4. *Nietzsche: la crisi della ragione romantica*.

Il capitolo dei rapporti tra Wagner e Nietzsche è tra i piú complessi e anche per molti versi ambigui, nella storia dell'estetica musicale dell'Ottocento. Non può certo essere ridotta allo schema di una salda amicizia, rotta con il passare degli anni per un dissidio ideologico intervenuto negli ultimi anni tra il filosofo e il musicista. Non è qui l'aspetto biografico della vicenda che interessa. Il dissidio ha radici ben piú profonde e può essere spiegato solo nell'ambito del pensiero romantico e delle sue interne contraddizioni. Indubbiamente Nietzsche rappresenta la coscienza piú lucida e critica delle interne fratture che hanno portato alla crisi del mondo romantico sia sul piano concettuale che sul piano artistico.

La nascita della tragedia, è la prima opera filosofica di Nietzsche ed è dedicata a Wagner, dedica piú che legittima, in quanto è la testimonianza degli stretti legami di pensiero, almeno in quegli anni tra il pensiero estetico del filosofo e quello del musicista. Anche per Nietzsche infatti la musica rappresenta il vertice della speculazione estetica e forse anche filosofica, dal momento che l'arte e la musica in particolare vengono situate in una dimensione metafisica privilegiata. Proprio nella prefazione dedicata a Wagner, cosí afferma Nietzsche: «... Io considero l'arte come il compito supremo della nostra vita...»[1]. Questa affermazione basta di per sé a caratterizzare l'estetica nietzscheana come avversa ad ogni concezione edonistica dell'arte e della musica, avversa a coloro che «non sono in grado di riconoscere nell'arte nulla piú che un piacevole superfluo, che un tintinnio di sonagli anche troppo futile per la serietà dell'esistenza...»[2]. È noto come Nietzsche prenda lo spunto dalla sua visione del mondo greco e della tragedia attica per fondare il suo concetto di musica. «Sulle due divinità artistiche – egli afferma – Apollo e Dioniso, è fondata la nostra teoria, che nel mondo greco esiste un enorme contrasto, enorme per l'origine e pel fine, tra l'arte figurativa, quella di Apollo, e l'arte non figurativa della musica, che è propriamente quella di Dioniso. I due istinti, tanto diversi tra loro, vanno l'uno accanto all'altro, per lo piú in aperta discordia, ma pure eccitandosi reciprocamente a nuove parti sempre piú gagliarde, al fine di trasmettere e perpetuare lo spirito di quel contrasto, che la comune parola "arte" risolve solo in apparenza...»[3]. La tragedia attica, definita come «un miracolo metafisico», rappresenta l'unione di apollineo e dionisiaco.

È chiaro pertanto che per Nietzsche come già per Schopenhauer, la musica non è un'arte tra le arti, seppur privile-

---

[1] F. Nietzsche, *La nascita della tragedia*, p. 44 (le citazioni di quest'opera sono tratte dalla traduzione di E. Ruta, nell'edizione riveduta da P. Chiarini, Laterza, Bari 1967).
[2] *Ibid.*
[3] *Ibid.*, p. 144.

giata, ma una categoria dello spirito umano, una delle grandi costanti della storia eterna dell'uomo; piú che di musica quindi dovremmo parlare di spirito musicale.

Nietzsche schizza a grandi linee nella *Nascita della tragedia* la storia dello spirito dionisiaco. Dioniso è il dio dell'ebbrezza che «vuol persuaderci dell'eterno piacere dell'esistenza», ma al tempo stesso «ci obbliga a riconoscere che tutto ciò che nasce dev'essere preparato a un doloroso tramonto... In realtà noi per brevi momenti siamo esso stesso, l'essere primordiale, e ne sentiamo l'indomito desiderio e piacere di esistere... Ad onta della paura e della compassione, noi siamo i viventi beati, non come individui, ma come l'uno vivente col cui piacere generativo ci siamo fusi»[4]. Da queste pregnanti espressioni è chiaro come per Nietzsche la musica rappresenti l'origine, il contatto o meglio l'identificazione con le forze primordiali e istintive, come già in certo senso per Schelling. La musica, lo spirito dionisiaco rappresenta «la concezione tragica del mondo» a cui si contrappone «la concezione teoretica», propria delle epoche di decadenza, quando prevale lo spirito scientifico, analitico, la fede nell'intelletto che distrugge il mito. La musica stessa tuttavia non scaturisce sempre dallo spirito dionisiaco. «La vera musica dionisiaca ci si presenta appunto come un siffatto specchio universale della volontà del mondo: l'evento visibile, che si riflette in questo specchio, subito si amplia nel nostro animo nell'immagine di una verità eterna»[5]. Ma quando invece la musica «cerca di suscitare il nostro diletto unicamente col costringerci a rinvenire analogie esteriori tra un caso della vita e della natura e certe figure ritmiche e certi suoni caratteristici della musica», essa perde allora il suo carattere mitico, dionisiaco, e diventa «una grama immagine del fenomeno, e perciò infinitamente piú povera dello stesso fenomeno»[6].

Nel prevalere dell'elemento figurativo, pittorico e psicologico nella stessa musica, Nietzsche vede appunto la vittoria di questo spirito antidionisiaco, e alla luce di questa lotta

[4] *Ibid.*, p. 147.
[5] *Ibid.*
[6] *Ibid.*

storica ideale interpreta le grandi tappe della civiltà musicale, dalla tragedia attica al melodramma dei suoi tempi. La cultura musicale moderna definita «la cultura dell'opera in musica»[7], stabilisce il sopravvento di una musica «interamente esteriorizzata, incapace di religiosità», sorta quasi inspiegabilmente dopo la «musica ineffabilmente sublime e santa del Palestrina»[8]. Nietzsche capovolge qui il concetto tradizionale secondo cui il melodramma, almeno alle origini, avrebbe fatto rivivere lo spirito della tragedia antica; il melodramma, invece, rappresenta ancora una volta la vittoria «dell'uomo teoretico», dello spirito critico e discorsivo e caratterizza la cultura in cui è fiorito come «cultura alessandrina», cioè decadente e antidionisiaca. «Appunto perché non ha alcun sentore della profondità dionisiaca della musica, egli – l'inventore del melodramma – trasforma a sua posta il godimento musicale in una retorica intellettuale della passione verseggiata e suonata nello *stile rappresentativo*, e in un voluttuoso diletto delle arti del canto...»[9]. Il melodramma pertanto ha contagiato tutta la musica «con inquietante celerità, è riuscito a spogliare la musica della sua missione universale dionisiaca e a imprimerle il suo carattere fantasmagorico, di mero divertimento; cangiamento al quale in certo modo è dato paragonare solo la metamorfosi dell'uomo eschileo nell'uomo della serenità alessandrina»[10]. Lo spirito dionisiaco tuttavia riaffiora nuovamente, e Nietzsche ne intravvede «la sua gagliarda ascesa luminosa» nella musica tedesca da Bach a Beethoven, da Beethoven a Wagner. Ma nell'atto stesso con cui Nietzsche indica in Wagner la rinascita dello spirito dionisiaco appare già il germe del dissidio che lo dividerà ben presto dal musicista. Infatti il rimprovero che Nietzsche muove al melodramma settecentesco è opposto a quello che gli muoveva Wagner per il quale la musica non doveva essere che un mezzo e non il fine. Nietzsche invece concepisce la musica come autosufficiente, capace di bruciare nell'ebbrezza dionisiaca ogni contenuto poetico e

[7] *Ibid.*, p. 156.
[8] *Ibid.*
[9] *Ibid.*, p. 159.
[10] *Ibid.*, pp. 162-63.

drammatico. Nel melodramma tradizionale, afferma Nietzsche, «la musica è considerata come il servitore, il libretto come il padrone, la musica è comparata al corpo, il libretto all'anima...; è sottratta completamente alla musica la sua vera dignità, quella di essere lo specchio dionisiaco dell'universo...»[11]. Soltanto la musica invece porta «all'intimo cuore del mondo» e *soltanto* la musica «è la voce che parla dal fondo di questo cuore»[12].

Pochi anni dopo *La nascita della tragedia*, nel 1776 scrisse la quarta considerazione inattuale, *Wagner a Bayreuth*, la sua ultima opera *wagneriana*, ma in cui già si sentono i germi della prossima crisi che lo condurrà alla rottura definitiva con il pensiero e la musica dell'autore del *Tristano*. In realtà esistono appunti di Nietzsche anteriori al 1776 che rivelano come già prima di allora maturassero in lui alcune delle critiche piú rilevanti a Wagner che sarebbero poi diventate centrali nei suoi ultimi scritti, quali l'accusa di istrionismo, di «teatralità», dell'uso di «mezzi grossolani», in altre parole dell'abuso di una volgare retorica. Tutto ciò non compare nello scritto *Wagner a Bayreuth* che suona ancora come un grande inno all'amico, non privo di toni enfatici, ma denso di osservazioni profonde che lasciano intravvedere piú che l'estetica wagneriana, quella di Nietzsche. Il concetto dell'arte come redenzione è ancora centrale nel pensiero del filosofo, e la redenzione è concepita nei termini di strumento di riscatto nei confronti delle brutture del mondo moderno, cioè dell'attuale *decadenza*. Tuttavia afferma parallelamente il concetto chiave che se l'arte deve redimere, non deve tuttavia suonare come consolatoria. «E qui si fa chiaro anche il compito dell'arte moderna: ebetismo o ebbrezza! Addormentare o stordire! Portare la coscienza all'ignoranza, nell'uno o nell'altro modo! Aiutare l'anima moderna a superare il senso di colpa, non aiutarla a ritornare all'innocenza! E ciò almeno per attimi! Difendere l'uomo di fronte a se stesso, mentre egli viene portato in se stesso a dover tacere, a non poter udire! Ai pochi che hanno sentito veramente anche solo per una volta questo vergognosissimo compito, que-

[11] *Ibid.*, p. 162.
[12] *Ibid.*, pp. 176-77.

sta terribile degradazione dell'arte, l'anima sarà diventata e rimarrà piena fino all'orlo di strazio e di pietà: ma anche di una nuova, fortissima nostalgia. Chi volesse liberare l'arte, ristabilire la sua non profanata santità, dovrebbe aver innanzitutto liberato se stesso dall'anima moderna; solo come innocente potrebbe trovare l'innocenza dell'arte... Sarebbe possibile che la redenzione dell'arte, l'unico filo di speranza possibile nell'epoca moderna, rimanesse un avvenimento per un paio di anime solitarie, mentre i molti continuerebbero a sopportare di guardare nel vacillante e fumigante fuoco della loro arte: essi infatti non *vogliono* luce, bensí abbagliamento, essi infatti *odiano* la luce – su se stessi»[13].

Il compito dell'arte e della musica è qui tracciato con estrema chiarezza: l'artista deve redimere l'uomo, demistificando la realtà e mostrandogli la verità originaria, ora ricoperta e nascosta dalle «convenzioni», dal potere, dalle leggi, dalla tradizione: «il modo piú bello di vivere per gli individui è di maturare per la morte e immolarsi, nella lotta per la giustizia e l'amore. Lo sguardo che il misterioso occhio della tragedia ci rivolge, non è un incantesimo che infiacchisca e leghi le membra»[14]. Questi concetti estetici e filosofici non saranno in fondo mai rinnegati neanche dall'ultimo Nietzsche anche se verranno enfatizzati e sottolineati nella direzione del potere demistificante dell'arte. Ma proprio su questo punto cruciale si apre il profondo dissidio con Wagner: il grande musicista era venuto meno alla sua missione, alla sua promessa. L'*offesa mortale* di cui parla Nietzsche non è un fatto personale, un evento biografico; è il *Parsifal*, l'opera con cui Wagner ha tradito il suo dovere di artista nel mondo moderno. Ma il distacco da Wagner, ci tiene a precisare Nietzsche, risale al 1876, proprio l'anno in cui ha scritto *Wagner a Bayreuth*; cosí afferma nel *Nietzsche contra Wagner* del 1888: «Già nell'estate del 1876, nel bel mezzo del primo festival, presi congedo dentro di me da Wagner. Non sopporto nessuna ambiguità; da quando Wagner venne in Germania, accondiscese poco per volta a tutto ciò che io di-

[13] F. Nietzsche, *Wagner a Bayreuth*, Adelphi, Milano 1979, pp. 112-13 (traduzione di Sossio Giametta).
[14] *Ibid.*, p. 100.

sprezzo – persino all'antisemitismo... Era proprio quello, in realtà, il momento giusto per congedarsi: ben presto ne ebbi la prova. All'improvviso Richard Wagner, apparentemente il piú ricco di vittorie, in verità un disperato *décadent* putrefatto, si prosternò, derelitto e a brandelli, dinanzi alla croce cristiana...»[15].

Decadenza e cristianesimo, già accostati da Wagner nei suoi scritti, diventano l'approdo di Wagner musicista nell'ultima sua opera, il *Parsifal*. Ma a questo binomio si aggiunge come logica conseguenza un altro termine: il romanticismo. Infatti il violento scritto antiwagneriano sempre del 1788, *Il caso Wagner*, può considerarsi anche come un violento scritto antiromantico, anche se si tratta di una presa di posizione contro il romanticismo, ma operata ancora dall'interno stesso del romanticismo. Non per nulla l'odio per Wagner è ambiguo e non è esente di amore, e mai Nietzsche ne ha disconosciuto la grandezza, ma la grandezza nella decadenza e nella perversione! Wagner, secondo Nietzsche, è «l'avvento del commediante nella musica»; la grande colpa di Wagner è proprio la sua teatralità, il suo istrionismo, cioè, per dirla in termini piú filosofici, l'aver rinunciato alla verità e l'aver fatto della musica e del teatro tragico uno strumento consolatorio, l'aver confuso il senso tragico della redenzione, con la redenzione cristiana e con il senso della rinuncia.

Decadenza, malattia, mancanza di vitalità, cristianesimo, modernità, tutti termini equivalenti che trovano nel cristianesimo del *Parsifal* la loro incarnazione. Wagner pertanto è come una «malattia» da cui si deve guarire: «La piú grande esperienza della mia vita fu una *guarigione*. Wagner appartiene semplicemente alle mie malattie». Ma nel contempo Nietzsche poco oltre afferma che potrebbe comprendere anche un filosofo che dichiarasse «Wagner *riassume* la modernità. Non c'è niente da fare, si deve cominciare con essere wagneriani»[16]. In realtà Nietzsche è perfettamente consapevole che l'obbiettivo non è tanto la persona di Wagner ma ciò che Wagner rappresenta: «la decadenza è generale. La

[15] *Ibid.*, pp. 228-29.
[16] *Ibid.*, p. 200.

malattia sta nel profondo», scrive nel secondo poscritto del *Caso Wagner*, e aggiunge significativamente: «Se Wagner resta a significare la rovina della musica, come Bernini la rovina della scultura, non per questo egli ne è la causa. Egli ne ha soltanto accelerato il "tempo" in una maniera, senza dubbio, che ci lascia inorriditi dinnanzi a questo improvviso precipitare in basso, nell'abisso. Egli aveva l'ingenuità della *décadence*. Gli altri *indugiano* – questo li rende differenti. Nient'altro!...»[17].

A Wagner quindi Nietzsche riconosce il pregio del radicalismo, anche se nel male e il male s'incarna nel cristianesimo: il *Parsifal* rappresenta, quasi simbolicamente il grande tradimento di Wagner, il suo abbraccio del cristianesimo e del concetto di redenzione cristiana, di rinuncia alla vita, di accettazione della «modernità». Evidentemente Wagner e il suo teatro, peraltro tanto amato da Nietzsche, diventa un simbolo, un concetto, un modello perverso in cui s'incarnano subdolamente tutti i mali della decadenza moderna; allo stesso modo l'ultimo Nietzsche idealizza la musica di Bizet che per lui rappresenta in quel momento storico l'antitesi stessa a Wagner. La *Carmen* è in un certo senso l'anti-*Parsifal*! Tutto ciò che è negativo nel teatro di Wagner trova il suo esatto rovesciamento positivo in quello di Bizet; la sua musica, afferma Nietzsche «è ricca. È precisa. Costruisce, organizza, porta a compimento: con ciò essa è in antitesi alla musica tentacolare, alla "melodia infinita". Si sono mai uditi sulle scene accenti piú tragici, piú dolorosi? E in che modo essi vengono raggiunti! Senza smorfie! Senza battere moneta falsa! Senza la *menzogna* del grande stile!»[18].

Il cerchio magico della musica e del teatro wagneriano è rotto, pur tra il rimpianto per la rottura dell'incantesimo, Nietzsche di fronte a Bizet prova il piacere, quasi l'ebbrezza che si prova per la riconquista della libertà. Libertà intellettuale di fronte alla musica, libertà che il musicista concede o meglio esige dall'ascoltatore, elevato ad un piano di maggiore dignità. Vi è nell'ultimo Nietzsche l'esigenza della ricon-

[17] F. Nietzsche, *Il caso Wagner*, in *Scritti su Wagner*, Adelphi, Milano 1979, p. 200.
[18] *Ibid.*, pp. 165-66.

quista della chiarezza intellettuale, del senso della forma; si potrebbe dire – usando categorie nietzscheane –, che vi è l'esigenza della riconquista dell'apollineo di fronte alla precedente esaltazione del dionisiaco. La grecità viene ora infatti riaffermata non solo come senso del tragico ma anche come chiarezza intellettuale, come lucidità, come esercizio demistificatorio. Se Wagner tendeva a mistificare la realtà, illudendo lo spettatore senza concedergli la facoltà di ragionare, di prendere posizione, ma annichilendolo con i suoi abili artifici, Bizet viene visto proprio come colui che non vuole piú ricoprire di veli la realtà e si affida interamente all'intelligenza dello spettatore. Cosí conclude Nietzsche sulla *Carmen*, dopo averla ascoltata oltre venti volte: «Infine, questa musica considera come intelligente, persino come musicista, l'ascoltatore – anche in *questo* essa è il contrapposto di Wagner, il quale, comunque possa essere giudicato sotto altri aspetti, fu in ogni caso il genio *piú scortese* del mondo (Wagner ci considera quasi come se..., ripete cosí spesso una cosa, che si finisce per disperare e per crederci)»[19].

«Il faut méditerraniser la musique», esclama Nietzsche pensando a Bizet e ricordando le brume nordiche, le equivoche nebbie che appannavano la vista nelle opere wagneriane. È ancora la natura, il grande mito della natura che ritorna nel suo aspetto solare e mediterraneo nelle considerazioni di Nietzsche: «Il ritorno alla natura, alla salute, alla serenità, alla giovinezza, alla *virtú*! – Eppure io ero uno dei wagneriani piú corrotti... Ero capace di prendere Wagner sul serio... Ah questo vecchio mago! quanta mai polvere ci ha gettato negli occhi!...»[20]. Ma nonostante questo improvviso mutamento di rotta, alcune coordinate essenziali dell'estetica wagneriana permangono. Uno dei concetti chiave, presenti sia in Wagner che in Nietzsche è pur sempre quello di redenzione, e anche se l'ultimo Nietzsche rifiuta con tanta enfasi la redenzione secondo il modello cristiano, cioè la redenzione attraverso la rinuncia, tuttavia permane l'idea che compito della musica sia pur sempre quello di redimere l'uo-

[19] *Ibid.*, p. 166.
[20] *Ibid.*, p. 168.

mo. Non a caso il filosofo afferma, sempre a proposito della *Carmen*: «Anche quest'opera redime; non soltanto Wagner "redentore". Con essa si prende congedo dall'*umido* Nord, da tutti i vapori dell'ideale wagneriano. Da tutto questo già ci redime l'azione. Essa ha ancora di Mérimée la logica nella passione, la linea piú breve, la *dura* necessità; essa soprattutto possiede quel che è proprio delle regioni calde, l'asciuttezza dell'aria la *limpidezza* nell'aria... Questa musica è serena; ma non di una serenità francese o tedesca. La sua serenità è africana: essa ha su di sé la fatalità, la sua felicità è breve, improvvisa, senza remissione... Finalmente l'amore viene ritradotto nella *natura*! Non l'amore di una vergine superiore tipo Senta! Sibbene l'amore come *fatum*, come *fatalità*, cinico, innocente, crudele – e appunto in ciò *natura*!»[21].

I gusti sono mutati, profondamente mutati, ma la feroce polemica antiromantica di Nietzsche rimane in fondo ancora all'interno del romanticismo. Il grande rimprovero che Nietzsche porta a Wagner è proprio quello di aver tradito i piú profondi ideali del romanticismo e cioè il concetto di musica come principio metafisico e conoscitivo. Wagner ha mentito con la sua arte, servendosi appunto dell'arte dell'inganno, mettendo il suo talento al servizio della menzogna, avvolgendo la verità con i fumi della redenzione cristiana. Significative le tre frasi lapidarie con cui Nietzsche chiude il suo pamphlet *Il caso Wagner*:

Che il teatro non diventi il signore delle arti.

Che il commediante non diventi il seduttore degli esseri genuini.

Che la musica non diventi un'arte della menzogna[22].

Il romanticismo con Nietzsche compie la sua estrema parabola: pur ancora all'interno della sua logica, Nietzsche ha portato alle estreme conseguenze la dialettica tra i due principî antitetici di forma e di espressione, che nella sua filosofia assumono le vesti dell'apollineo e del dionisiaco. Conciliazione difficile se non impossibile. Se l'arte deve mantenere innanzitutto il suo valore di *verità* anche se in forma sen-

[21] *Ibid.*, p. 167.
[22] *Ibid.*, p. 193.

sibile, come avrebbe detto Hegel, come può rispettare o meglio porre in primo piano i valori della forma? Verità o finzione, espressione o forma, impegno o gioco? I termini del dilemma sono all'interno stesso del pensiero romantico e forse per certi aspetti sono ancora presenti nella cultura contemporanea. Merito di Nietzsche non è certo quello di aver risolto il problema, quanto di averlo drammatizzato, enfatizzato. L'amore-odio per Wagner in fondo non è che l'espressione a livello quasi di stato d'animo di questo problema estetico. Cosí come l'individuazione di un'ambiguità di fondo presente nella musica e nel teatro di Wagner è essa pure testimonianza di questo problema non risolto, che tuttavia ha rappresentato l'humus del pensiero estetico di tutto l'Ottocento romantico.

Cinquant'anni dopo la morte di Wagner, Thomas Mann, scrittore e pensatore profondamente nutrito di spiriti wagneriani, nel suo discorso celebrativo, centrava la sua analisi proprio sul tema dell'ambiguità. E memore del pensiero dell'ultimo Nietzsche scriveva: «... oggi non credo piú, se pur mai vi ho creduto, che il vertice di un'opera d'arte consista nella insuperabile ricchezza dei suoi mezzi espressivi. E ritengo di poter affermare che la stella di Wagner nel cielo dello spirito tedesco stia per calare», e poco oltre conclude: «Ma se penso al capolavoro del ventesimo secolo mi viene subito in mente che cosa lo distingue dall'opera wagneriana in modo essenziale e credo vantaggioso, un qualcosa di eccezionalmente logico, formalmente compiuto e nitido, qualcosa di vigoroso e gioioso ad un tempo, cui è sottesa una non minore tensione della volontà, ma di una spiritualità piú fredda e forse piú sana, qualcosa che non cerca la sua grandezza nel colossale-barocco e non cerca la sua bellezza nel rapimento estatico – una nuova classicità dovrà emergere. Ma ancora e sempre, basta che inatteso un suono, una frase wagneriana mi colpiscano l'orecchio, ecco che io subito spaurisco di gioia, una specie di nostalgia della patria e della giovinezza mi investe e ancora una volta, come un tempo, il mio spirito soggiace a quell'incantatore saggio e ingegnoso, nostalgico e scaltro»[23]. Thomas Mann ha mostrato come il

---

[23] T. Mann, *Richard Wagner und der Ring des Nibelungen*, 1937 (trad. it. in *Dolore e grandezza di Richard Wagner*, Discanto, Fiesole 1979, pp. 58-60).

mito Wagner, il suo pensiero, la sua opera abbiano pesato nella coscienza estetica ancora nel nostro secolo, condizionandolo nelle sue scelte decisive. Proprio dall'ambiguità di fondo su cui si è mosso Wagner è potuto scaturire sia la lucida razionalità della dodecafonia schönberghiana, sia le degenerazioni nazionalistiche e razzistiche dell'Europa della prima metà del secolo. Ma tutto ciò fa parte di un discorso piú vasto che porterebbe a sconfinare in campi forse troppo lontani dal pensiero musicale, anche se, come proprio come Thomas Mann mostrerà nel suo ultimo romanzo *Il doctor Faustus*, le interconnessioni siano vaste e profonde, e il discorso sulla musica può con molta facilità e legittimamente scivolare in campi anche molto lontani.

Capitolo quinto

La reazione al romanticismo e il positivismo

1. *Hanslick e il formalismo.*

Nell'ambito del movimento romantico, pur nella grande varietà di atteggiamenti e di concezioni, sostanzialmente vi era stata una totale convergenza sui problemi di fondo; nessuna voce veramente discorde s'era levata, capace di opporsi alla concezione della musica dominante da oltre mezzo secolo. È vero che già in Hegel, in Schopenhauer, e in altri pensatori si possono individuare germi tali che, sviluppati, avrebbero potuto condurre ad una concezione formalistica e intellettualistica della musica, ma bisognava giungere sino alla metà dell'Ottocento con Eduard Hanslick, perché questi germi si sviluppassero e si concretassero in un pensiero coerente; siamo ormai all'inizio della parabola conclusiva dell'esperienza romantica. Wagner con la sua opera di musicista, con il suo pensiero, resta a simboleggiare il culmine, ma anche tutta la residua morbosità, stanchezza e malattia dell'ultimo romanticismo, come ha messo bene in luce Nietzsche tra i motivi del suo disaccordo con Wagner. Hanslick sta a rappresentare l'anti-Wagner per eccellenza, la prima violenta e radicale reazione al romanticismo, alla concezione della musica come espressione di sentimenti o di qualsiasi altro contenuto.

Nella prima metà dell'Ottocento le fonti del pensiero musicale sono state quanto mai varie; si è ricorso a testi di filosofi, letterati, musicisti, romanzieri, critici, ecc. Se qualcosa poteva accomunare tra loro queste diverse categorie di persone era forse proprio il fatto che nessuna di esse esercitava la professione di *musicologo*, per usare una parola non ancora coniata in quei tempi; insomma una caratteristica delle concezioni della musica di questo periodo era il loro nascere un po' casualmente, come appendice ad altre attività di pensiero. Di qui il carattere un po' dilettantesco, impreciso, estemporaneo di una parte della letteratura musicale della prima metà dell'Ottocento.

La personalità di Hanslick presenta, già nei dati biografici esteriori, qualcosa di nuovo e di diverso rispetto ai suoi immediati predecessori. Nato a Praga nel 1825, fu un critico musicale di professione. Collaboratore della «Wiener Zeitung» e poi della «Neue Freie Presse», esercitò tutta la vita la critica militante; non solo, ma scrisse numerosi volumi relativi a problemi di storia della musica, tra cui nel 1854 il suo celebre saggio *Il bello musicale*, e molto piú tardi una monumentale storia dell'opera; nel frattempo fu nominato professore all'università di Vienna di estetica e di storia della musica. Questi dati, in sé privi di importanza, ci permettono però di cogliere un fatto molto importante: l'angolo visuale da cui si osservano i problemi della musica è mutato; si potrebbe dire, ma non in senso negativo, che Hanslick è affetto dalle deformazioni professionali. In altre parole Hanslick parla di musica da competente e profondo conoscitore di tutti i suoi problemi, e questo fatto è già di per sé sufficiente a dare ai suoi scritti un tono completamente diverso; non piú l'atteggiamento letterario, l'entusiasmo un po' retorico e ingenuo di chi vi si accosta dal di fuori, il linguaggio metaforico e fantasioso. In Hanslick si trova la concisione del tecnico, la freddezza analitica dello studioso, la precisione di linguaggio di chi è solito esaminare problemi ben definiti. Ma il diverso atteggiameno di Hanslick non è addebitabile solamente alla sua professione, che appena allora stava nascendo e sviluppandosi, ma soprattutto alla sua formazione culturale; e qui si entra nel vivo del suo pensiero.

Il saggio *Il bello musicale* rivela ad una attenta lettura due fonti d'ispirazione, una piú diretta, la filosofia di Herbart, e una piú indiretta, ma forse piú importante, cioè *La critica del giudizio* di Kant. La filosofia e l'estetica di Herbart rappresentarono la prima reazione all'idealismo romantico di Hegel, Schelling, ecc., ed è nel clima della sua scuola che si è formato il pensiero di Hanslick.

Quando Herbart afferma che l'arte è forma e non piú espressione, e che il suo valore consiste nelle relazioni for-

mali presenti all'interno dell'opera, e individuabili empiricamente, mentre tutti gli altri contenuti emotivi o sentimentali presenti nell'opera d'arte non devono influenzare il giudizio estetico, fondato unicamente sulla forma, è per concludere che in ogni arte si dovrà cercare solamente quegli elementi formali propri di quell'arte, abbandonando nel giudizio aggettivi come «patetico», «nobile», «grazioso», «solenne», che si richiamano unicamente a generiche emozioni
soggettive e non colgono la specificità delle forme artistiche
(*Introduzione alla filosofia*). Questi concetti basilari dell'estetica herbartiana sono stati accolti e rielaborati da Hanslick
con maggiore acutezza e sensibilità artistica col proposito di
svilupparli per un'estetica musicale.

Perché *Il bello musicale* come titolo dello snello libretto di
Hanslick? Esiste una bellezza specifica della musica, separata dalla categoria universale della bellezza? Già il titolo è
dunque fortemente polemico. Contro tutto il movimento
romantico che aveva aspirato all'unificazione di tutte le arti,
che aveva considerato la bellezza come una categoria dello
spirito, presente in misura maggiore o minore in tutte le arti, Hanslick afferma fin dal titolo che esiste una bellezza
propria della musica che non s'identifica con gli elementi
della bellezza delle altre arti: se Schumann aveva detto che
«l'estetica di un'arte è quella dell'altra, soltanto il materiale
è diverso», Hanslick ribatte che l'estetica di un'arte è del
tutto differente da quella delle altre arti, perché il materiale
è diverso; «le leggi del bello in ogni arte sono inseparabili
dalle caratteristiche particolari del suo materiale, della sua
tecnica»[1]. È chiaro che alla base di questa affermazione sta
il concetto fondamentale del pensiero di Hanslick, cioè l'i-
dentificazione della musica con la sua tecnica; la tecnica musicale non è piú un *mezzo* per esprimere sentimenti, per conoscere l'assoluto o suscitare emozioni, ma è la musica stessa e null'altro. Risulta cosí eliminata ogni tentazione di stabilire delle gerarchie di valore tra le arti: se la musica è autonoma, se ha valore in sé, e non esprime nulla fuori di sé – e
cosí d'altronde tutte le altre arti – ogni ricerca estetica in

[1] E. Hanslick, *Il bello musicale*, p. 27. Le citazioni si riferiscono all'edizione
italiana curata da Luigi Rognoni (Minuziano, Milano 1945).

un determinato settore artistico sarà incommensurabile rispetto ad un'altra; nessun'arte potrà piú vantare privilegi perché ognuna possiederà una bellezza sua peculiare. Il primo passo è stato fatto; da questo momento gli ideali romantici incominciano a vacillare; si sono gettate le basi per una nuova estetica della forma e non piú del sentimento.

Il valore dell'opera di Hanslick è soprattutto polemico; la parte *destruens* prevale nettamente sulla parte *construens*, come riconosce l'autore stesso; ma è forse questo aspetto che la rende cosí viva e stimolante, e che ha attirato su di essa tante appassionate critiche come esaltazioni inconsiderate.

Il primo bersaglio è, come si è detto, l'estetica del sentimento e in particolare l'estetica wagneriana, che a quei tempi la sintetizzava in modo esemplare; in altre parole è l'estetica musicale romantica che combatte Hanslick, insieme all'estetica dei dilettanti e degli incompetenti (la relazione tuttavia è implicita!) Infatti tutto il suo discorso è animato da uno spirito di obbiettività scientifica, da un atteggiamento analitico piuttosto che sistematico: «l'indagine del bello se non vuol diventare affatto illusoria, dovrà avvicinarsi al metodo delle scienze naturali...», e ancora: «l'impulso verso una conoscenza il piú possibile obbiettiva delle cose, che nella nostra epoca agita tutti i campi del sapere, deve necessariamente toccare anche l'indagine del bello»[2]. Dopo queste premesse, che non rappresentano nulla piú che un atteggiamento polemico, Hanslick entra nel vivo del problema quando afferma che sinora nel campo degli studi musicali si è separato nettamente l'esposizione delle «regole teorico-grammaticali dalle ricerche estetiche», cercando di «mantenere le prime quanto piú possibile aridamente intellettuali, le seconde lirico-sentimentali», e soggiunge ironicamente: «Il porsi chiaramente di fronte alla materia musicale come ad un bello particolare ed a sé stante è risultato finora per l'estetica musicale uno sforzo troppo grave»[3]. L'unificazione dei due piani, quello teorico-grammaticale e quello lirico-sentimentale, può avvenire soltanto rifiutando alla musica qualsiasi contenuto emotivo, qualsiasi potere rappresentati-

[2] *Ibid.*, p. 26.
[3] *Ibid.*, p. 28.

vo, qualsiasi rapporto con stati sentimentali. La musica è pura forma e non ha in quanto bellezza alcuno scopo, afferma kantianamente Hanslick; questo non significa tuttavia che la musica non possa essere in un qualche rapporto con i nostri sentimenti e che non susciti in noi nessuna emozione; ma questi *effetti* sono «secondari», non riguardano il suo valore artistico. Non si caratterizza esteticamente nessuna arte, e nemmeno la musica, attraverso i suoi effetti sul nostro sentimento: «se dunque si tratta la musica come arte, bisogna riconoscere come sua istanza estetica la fantasia e non il sentimento»[4]. La fantasia è l'organo specifico dell'arte, e attraverso di essa Hanslick vuole superare l'antitesi romantica tra intelletto e sentimento: come organo di produzione e di contemplazione dell'arte tuttavia non è un «campo chiuso»: «di fronte al bello la fantasia non è un puro e semplice "contemplare", ma un contemplare con "intelletto", e cioè rappresentazione e giudizio»[5]; la fantasia «come trae le sue scintille vitali dalle sensazioni, cosí manda i suoi raggi all'attività dell'intelletto e del sentimento»[6].

Alla luce di queste precisazioni Hanslick può ora affrontare il problema fondamentale del contenuto e del significato della musica. Si è già detto che la musica non esprime sentimenti né descrive alcunché; infatti la «determinatezza dei sentimenti non può essere disgiunta da concrete rappresentazioni e concetti, i quali non rientrano nella capacità espressiva della musica»[7]. Quale sarà allora il suo *contenuto*? Hanslick risponde che le idee espresse dal compositore «sono anzitutto e soprattutto puramente musicali»[8]. Tuttavia la musica è in un particolare rapporto con il nostro mondo emotivo, cioè può rappresentare la «*dinamica*» dei sentimenti. La musica può «imitare il moto di un processo psichico secondo le sue diverse fasi: presto, adagio, forte, piano, crescendo, diminuendo. Ma il movimento non è che una particolarità del sentimento, non il sentimento stesso»[9]. Sa-

[4] *Ibid.*, p. 33.
[5] *Ibid.*, pp. 31-32.
[6] *Ibid.*, p. 32.
[7] *Ibid.*, p. 47.
[8] *Ibid.*, p. 48.
[9] *Ibid.*, p. 49.

rebbe improprio chiamarla una relazione di rappresentazione; sarebbe piú giusto dire che la musica è in relazione «simbolica» coi sentimenti. La musica può simboleggiare, nella sua autonomia, la forma del sentimento, cioè il suo movimento dinamico, il suo crescere e diminuire, il suo rafforzarsi e addolcirsi, ma nulla piú. Non va confuso pertanto questo concetto con la rappresentazione di sentimenti indeterminati, il che è una contraddizione in termini; ogni attività artistica «consiste nell'individualizzare, nel plasmare il definito dall'indefinito, il particolare dal generale»[10]. La riprova di queste affermazioni si può avere alterando il testo della celebre aria di Gluck «J'ai perdu mon Eurydice...», da tutti citata come un esempio di espressione musicale di drammatica collera, in «J'ai trouvé mon Eurydice...» La musica accompagnerà ugualmente bene i due testi opposti, proprio perché in realtà la musica non esprime la collera di Orfeo che ha perduto Euridice, ma null'altro che un movimento rapido e appassionato che può adattarsi altrettanto bene alla collera come ad un'intensa gioia. È naturale che la *vera* musica, l'unica autentica, quella cui vanno tutte le sue preferenze, è pur sempre quella strumentale. L'opera, come tutta la musica vocale, è un genere ibrido in cui nei casi piú felici finisce per prevalere la musica sul testo. L'opera è sempre l'espressione di un conflitto tra due principî, quello drammatico e quello musicale, che s'intersecano senza potersi mai fondere; «è la lotta tra il principio dell'esattezza drammatica e quello della bellezza musicale, un incessante concedere all'uno o all'altro». È naturale che abolendo la gerarchizzazione delle arti e quindi qualsiasi interferenza fra esse, Hanslick debba concludere che l'opera è il frutto di un compromesso, come lo attestano le continue polemiche e i tentativi di riforma nella sua storia: dal momento che la bellezza musicale è autonoma la musica si mescola sempre con una certa fatica e artificiosità alle altre arti. Non si può fare a meno a questo proposito di ricordare Schopenhauer, il cui pensiero presenta evidenti analogie con quello di Hanslick, tanto da far pensare che quest'ultimo avesse letto Schopenhauer e se ne fosse ispirato. Già per Schopenhauer la musica

[10] *Ibid.*, p. 69.

non doveva né poteva essere descrittiva, ed egli ne condannava l'ascolto emotivo; non solo, ma quando affermava che la musica ci dà l'*in sé* del sentimento, *in abstracto*, cioè la forma del sentimento (il che non significa che ci dia il sentimento secondo una determinazione maggiore o minore) non esprimeva forse il concetto che la musica rappresenta la dinamica, la forma dei nostri sentimenti, come dirà poi piú chiaramente Hanslick? Ma questa interessante e indubbia coincidenza tra queste due personalità per altro cosí lontane si limita a questo punto, anche se di importanza notevole; per il resto si tratta di un ben diverso atteggiamento culturale.

Nel terzo capitolo del *Bello musicale*, la parte piú positiva e costruttiva del volumetto, Hanslick si pone la domanda «di che natura sia il bello musicale». È un bello «specificamente musicale», risponde tautologicamente; ma subito aggiunge: «lo "specificamente musicale" non è per nulla da intendersi come bellezza puramente acustica o come simmetria proporzionale... tutte definizioni con le quali di solito si mette in evidenza la mancanza di spiritualità»[11]. Con questo chiarimento Hanslick supera l'estetica formalistica di Herbart, secondo cui la forma musicale consisteva unicamente in rapporti acustici verificabili anche matematicamente. Per Hanslick «le forme che i suoni producono non sono vuote, ma riempite; non sono semplici contorni di un vuoto, ma spirito che si plasma interiormente»[12]. Il contenuto spirituale viene dunque «postulato come esigenza». Hanslick parlerà di arabesco a proposito della musica, ma alla luce di queste precisazioni è chiaro che si tratta di una metafora, anche se spesso questo termine è stato frainteso con un'interpretazione letterale. Arabesco, dunque, ma pieno di significato e di idee: «nella musica c'è senso e logica, ma "musicali"»[13]. Anche se il primo proposito di un musicista che si mette al lavoro non è quello di rappresentare una passione, ma di inventare una melodia, pertanto le opere rispecchieranno simbolicamente «come immagine totale la individualità dei loro

[11] *Ibid.*, p. 87.
[12] *Ibid.*
[13] *Ibid.*

creatori», anche se sono state composte «senza altro fine che se stesse, come bellezza autonoma e puramente musicale»[14]. Non si può distinguere tra forma e contenuto nella musica; tutto è forma, lo spirito creatore si deve risolvere totalmente in essa per essere tale; non si distingue bella musica con o senza contenuto spirituale; la forma artistica non è un qualcosa che attende di essere riempito da un altro elemento: le composizioni non si dividono «in bottiglie di Champagne vuote e piene. Lo Champagne musicale ha la caratteristica di crescere *con* la bottiglia»[15]. In questa prospettiva la musica si differenzierà cosí profondamente dalla struttura del linguaggio comune, il quale è un mezzo per l'espressione ed ha un valore strumentale; nel linguaggio il suono è solo un segno per esprimere «qualcosa di completamente estraneo a questo mezzo», mentre nella musica il suono ha importanza di per sé, cioè «è scopo a se stesso»[16]. La musica non rimanda mai ad altro da sé, cioè pur essendo significativa esaurisce in sé i suoi significati; tutto ciò che vi è in essa si risolve in musica. Di fronte a questa differenza fondamentale qualsiasi analogia tra musica e linguaggio perde significato. (Quante volte questi concetti verranno ripresi e sviluppati da autori contemporanei, spesso ignari della derivazione del loro pensiero!) La musica è dunque un'arte asemantica nel senso che è intraducibile nel linguaggio ordinario, anche se non è un «gioco vuoto», anche se «pensieri e sentimenti scorrono come sangue nelle vene del bello e ben proporzionato corpo sonoro»[17].

Tutta una serie di problemi in parte nuovi per l'estetica musicale sorgono ora dal testo di Hanslick. La questione piú importante, lasciata aperta e non del tutto risolta, riguarda il valore della struttura logico-grammaticale della musica; se cioè il complesso di regole che reggono la costruzione musicale sono convenzionali, prodotto storico, soggetto a mutamenti nella storia, o se possiedono una loro *natura* indipendente dai fattori storici, cioè una loro eterna ed intrinseca

[14] *Ibid.*, p. 123.
[15] *Ibid.*, p. 91.
[16] *Ibid.*, p. 113.
[17] *Ibid.*, p. 197.

razionalità. In una prospettiva rigorosamente formalista si dovrebbe necessariamente concludere in favore della storicità e pluralità delle tecniche musicali. La musica è un'invenzione di forme sempre nuove, in cui s'incarna l'individualità creatrice, e non avrebbe senso che queste forme avessero una struttura preesistente, ed anche se l'avessero sarebbe assurdo pensare che essa potesse avere un qualsiasi significato per il musicista. Questo è infatti il punto di vista predominante nel pensiero di Hanslick, sviluppato in tutte le sue conseguenze. Se le forme musicali sono una invenzione, esse sono un prodotto storico, e come tale soggetto ad invecchiamento ed esaurimento; ecco ciò che scrive Hanslick nella prefazione del suo studio *L'opera moderna* contro la retorica dell'eternità dell'opera d'arte: «Il celebre assioma secondo cui il "*vero* bello" (e chi è giudice di questa qualità?) non può perdere mai del suo fascino, neppure dopo lunghissimo tempo, è per la musica poco piú di un bel modo di dire. La musica è come la natura, che ad ogni autunno fa imputridire un mondo pieno di fiori, dal quale nascono nuovi germogli. Ogni composizione musicale è opera umana, prodotto di una determinata individualità, epoca e cultura, e quindi sempre compenetrata di elementi soggetti ad una piú rapida, o piú o meno lenta, mortalità»; analogamente scrive ne *Il bello musicale*: «non c'è nessun'arte che metta fuori uso tante forme, e cosí presto, come la musica. Modulazioni, cadenze, progressioni d'intervalli, concatenazioni di armonie, si logorano a tal punto in cinquant'anni, anzi in trent'anni, che il musicista di gusto non può piú servirsene ed è costretto a cercare nuovi mezzi musicali»[18]. Questi concetti che sono perfettamente coerenti con tutta l'estetica formalistica di Hanslick, hanno potuto servire a molti critici ancora oggi come base metodologica per l'interpretazione della storia della musica e della sua evoluzione, considerata proprio come un progressivo «consumarsi» di forme e procedimenti tecnici, il che le impone un continuo rinnovamento e ringiovanimento. Coerentemente a questi concetti Hanslick riconosce il carattere d'invenzione e di non necessità ai singoli elementi tecnici della musica: melodia e armonia non

[18] *Ibid.*, p. 99.

hanno modelli in natura e il ritmo musicale è altra cosa da eventuali fenomeni ritmici presenti nella natura: anche l'armonia che sembra possedere un'origine naturale sulla base dei suoni armonici, viene da Hanslick ricondotta ad un'origine storica e culturale. Non esiste dunque nulla di innato, e le *leggi* non sono naturali ma musicali, per cui ci si deve guardare «dal credere che questo (attuale) sistema musicale sia l'unico naturale e necessario»[19].

A queste conclusioni cosí chiare e perentorie sulla storicità – da non confondersi, si badi bene, con convenzionalità o artificialità – della tecnica, purtroppo Hanslick non si attiene sempre in modo rigoroso, e qua e là il suo testo è cosparso di affermazioni che lasciano interdetti, come quando parla di «rapporti originari degli elementi musicali» o di «segrete relazioni ed affinità elettive basate su leggi naturali», le quali «dominano il ritmo, la melodia e l'armonia... e bollano di arbitrio e di bruttezza ogni rapporto che a loro contraddica». Ma si è ancora piú interdetti quando Hanslick avanza l'esigenza di uno studio della «natura di ogni singolo elemento musicale, e del suo rapporto con una determinata impressione» che giunge a stabilire come «fondamento filosofico della musica» quali «necessarie determinazioni spirituali siano collegate con ogni elemento musicale, e in che rapporto stiano reciprocamente». In questi ed altri passi consimili, nettamente in contraddizione con lo spirito e la lettera di tutto il saggio, Hanslick si è molto probabilmente lasciato fuorviare dai primi studi di carattere positivistico sull'acustica e la fisiologia dei suoni, di musicologi poco piú giovani di lui e in particolare di Helmholtz. Questo ultimo mirava appunto, attraverso indagini che sotto la veste dell'assoluta *scientificità* nascondevano evidentemente precisi presupposti filosofici, a stabilire delle relazioni dirette e necessarie tra elementi musicali e sensazioni emotive, secondo un rapporto di causa ed effetto. Fuorviare, nel senso che i suoi presupposti filosofici erano opposti a quelli di Helmholtz il quale implicitamente affermava una concezione espressiva e contenutistica della musica; era probabilmente l'atteggiamento analitico e scientifico di tali ricerche ciò che piú attraeva Hanslick.

[19] *Ibid.*, p. 171.

Molti altri problemi lascia aperti e non risolti il testo di Hanslick, anche se molti di coloro che hanno seguito il solco del suo pensiero fino ad oggi non sono andati molto piú in là. Hanslick ha liberato la musica da ogni suo contenuto emotivo, sentimentale, descrittivo o letterario, ma ha lasciato aperto il problema di *come* lo spirito «si plasmi» nelle «forme sonoramente mosse»; di come si configuri nell'esperienza umana questa «attività obbiettiva e formatrice», problemi elusi da Hanslick, tutto preso dalla sua polemica contro ogni estetica del sentimento.

Ancora un fatto qui ci preme notare; la coincidenza di alcuni punti fondamentali del suo pensiero con le conclusioni della *Critica del giudizio* di Kant, come anche altri studiosi hanno messo bene in evidenza[20]. La coincidenza si rivela anzitutto nella teorizzazione della asemanticità della musica, la quale non può rappresentare nessun concetto né avere un soggetto (nella gerarchizzazione kantiana delle arti era un difetto, per Hanslick un dato di fatto); secondariamente il rifiuto di accettare come essenziale l'effetto emotivo, che ha un carattere «patologico» e non artistico, che appartiene al piacevole e non al bello: la forma artistica per Kant come per Hanslick è fine a se stessa e rifiuta la «rappresentazione di uno scopo».

Il saggio ormai fin troppo celebre dello Hanslick, spesso male interpretato, passaggio obbligato ancor oggi per chiunque intenda parlare di musica, anche se rappresenta il concretarsi di numerose esperienze culturali e filosofiche precedenti, piú che un punto di arrivo, una conclusione, appare come un punto di partenza ricco di possibilità di sviluppo.

Per la futura estetica musicale, sia di indirizzo formalistico che antiformalistico, Hanslick sarà un punto fisso di riferimento, e nel pensiero contemporaneo saranno proprio quelli che pretenderanno di dimenticarlo o di ignorarlo che ne ricalcheranno piú o meno pedissequamente le orme, nell'atto stesso di formulare *nuove* teorie.

---

[20] Cfr. G. Morpurgo Tagliabue, *L'esthétique contemporaine*, Marzorati, Milano 1961.

2. La storiografia tra romanticismo e positivismo.

Alcune caratteristiche, per altro non fondamentali, del pensiero di Hanslick, cioè l'atteggiamento analitico-scientifico, antiletterario, da *specialista*, preludono ad una fase del tutto nuova negli studi musicali. Il rapido ed intenso sviluppo delle scienze, nella seconda metà dell'Ottocento, e la filosofia positivistica, hanno lasciato traccia anche in questo campo, incoraggiando questo nuovo atteggiamento di fronte alla ricerca e all'indagine. Gli studi musicali, intendendo per studi musicali la storiografia, la paleografia, la critica, le indagini acustiche e fisiologiche, erano stati fino a questo momento del tutto sporadici, occasionali, privi di metodo e di serietà scientifica; mancavano gli strumenti d'indagine, una base metodologica sufficiente per tali studi, e soprattutto mancava lo stimolo culturale e i presupposti filosofici che agissero come incentivo a tali indagini.

Si è visto come le ricerche storiche nel campo musicale fossero state, prima dell'Ottocento, quasi inesistenti, e quelle del Burney, del padre Martini, dello Hawkins e di pochi altri avessero un carattere di provvisorietà e incompletezza e risultassero insufficienti dal punto di vista storiografico e scientifico, anche per la scarsa conoscenza del materiale. Per molti secoli la musica era stata un genere soggetto a rapidissimo consumo e si doveva arrivare al romanticismo con il suo nuovo interesse per il passato piú o meno remoto, sepolto nei manoscritti e negli archivi, perché nascesse il desiderio di riascoltare, di giudicare, di riscoprire il patrimonio musicale dimenticato; questo nuovo atteggiamento spirituale è stata la premessa indispensabile per la nascita di un vera e propria storiografia e di tutto un complesso di nuovi studi sulla musica. Già nella prima metà dell'Ottocento c'era stata una fioritura notevole di scritti critici e storici sulla musica, ma ancora dominati da quell'acceso entusiasmo, da quei criteri di giudizio ancora troppo soggettivi, letterari, empirici, perché si potessero concretare in opere scientifiche e sistematiche; tuttavia quei primi studi, scritti magari da letterati o da musicisti ma non da critici di professione, sono stati d'importanza fondamentale, ed hanno costituito la premessa necessaria per un ulteriore sviluppo piú metodico e ordinato.

Nei primi decenni dell'Ottocento si trovano i nomi di Jean Paul Richter, di Hoffmann, di Schumann, di Weber, di Berlioz, e poi di Wagner, di Liszt e perfino di Stendhal, di Delacroix, di Baudelaire, di Nietzsche, di Mazzini, ecc., tra coloro che hanno scritto di musica e di musicisti, uomini benemeriti soprattutto per aver saputo suscitare un vivo interesse per la musica, e per aver creato un'atmosfera propizia per tali studi; però accanto a questi scritti di carattere per lo piú letterario e occasionale si trovano già le prime opere di vera e propria storiografia musicale, a volte grandi opere che abbracciano parecchi secoli; è ancora in questo periodo inoltre che compaiono le prime monografie individuali, prodotto tipico dello spirito romantico e della nuova attenzione di cui è fatta oggetto la singola personalità creatrice, che soprattutto nel caso dei *grandi*, come Palestrina, Bach, Beethoven, assurge a dimensioni eroiche. Nasce in questo periodo il culto di Palestrina, il culto di Bach, appena riscoperto, e soprattutto il culto di Beethoven, accompagnato da tutta la ormai tradizionale retorica sulla sua biografia. Cosí vengono alla luce, dopo la prima biografia di Bach del Forkel, e la prima biografia di Palestrina del Baini nel 1828, il saggio su *Giovanni Gabrieli e il suo tempo* di Carl von Winterfeld, e le monografie di Otto Jahn su Mozart, di Adolph Marx su Beethoven, e piú tardi il monumentale studio su Bach dello Spitta e le edizioni complete di Schütz e Buxtehude, sempre curate dallo Spitta, per nominare solo le opere piú famose. Negli stessi anni cominciano a venire alla luce studi storici di piú vasto respiro, ad opera dei primi grandi filologi e archeologi della musica. Basta ricordare il belga Joseph Fétis, autore tra l'altro della *Biographie universelle des musiciens et bibliographie générale de la musique*, edita per la prima volta nel 1837, e di una grande *Histoire générale de la musique depuis les temps les plus anciens jusqu'à nos jours*, pubblicata nel 1869; Georg Kiesewetter, lo studioso che animato da insaziabile curiosità di erudito esplorò con i suoi numerosissimi scritti i campi piú disparati della musica, dai polifonisti fiamminghi a Guido d'Arezzo, alla musica e teoria dei greci, degli arabi, ecc.; Henri de Coussemaker, con il suo grande lavoro *Scriptores de musica Medii Aevi*; Wilhelm Ambros, con la sua *Storia della musica* interrotta alla fine del Seicento, in cui con una mentalità singolarmente aperta è riuscito a mettere in luce i nessi che intercorrono tra la storia della musica e la storia della cultura e delle altre manifestazioni artistiche dello stesso periodo, istituendo dei paralleli ad esempio tra lo sviluppo della musica nel rinascimento e le arti plastiche.

Non è qui il caso di parlare di ognuna di queste opere che hanno aperto la via alla moderna storiografia musicale; solo i titoli però sono già molto significativi. Per la prima volta l'interesse degli studiosi incomincia ad essere attirato dal dimenticato medioevo e dal rinascimento. I pochi storiografi del secolo precedente consideravano la musica per quel poco che ne conoscevano, secondo il concetto di progresso; la loro età era quella in cui la musica aveva raggiunto la massima perfezione artistica e tecnica, mentre il passato rappresentava un valore inferiore per il solo fatto di essere passato. Cosí si spiega la scarsa simpatia di cui godeva la musica polifonica presso gli illuministi, tacciata di astruseria, di barbarie intellettuale e di scarsa capacità di suscitare *affetti*, cioè di scarsa capacità espressiva. Questo atteggiamento verso la storia esimeva da ricerche ritenute in fondo inutili. Solo nell'Ottocento, ad esempio con il Fétis, si cambiò atteggiamento verso la musica del passato considerandola autonoma nel suo valore, spesso anzi fonte d'ispirazione, degna perciò di studio e di rievocazione storica, ricercando a volte proprio nel piú lontano passato segrete affinità e relazioni con il presente. Non è qui il caso di ricordare il significato complesso e a volte contraddittorio di questo atteggiamento romantico, nello stesso tempo rivoluzionario e volto nostalgicamente al passato, affascinato dal rigore, dall'astrattezza, dalla religiosità di un Palestrina, e nello stesso tempo tutto teso nella creazione di nuove forme in aperta polemica con la tradizione, non piú utilizzabile ormai come metro di giudizio.

3. *Il positivismo e la nascita della musicologia.*

La tendenza storiografica impersonata dall'Ambros con
la sua visione storica cosí larga e comprensiva, tipicamente
romantica, mirante ad inserire la musica tra le altre attività
dello spirito, s'interruppe; anzi si reagí violentemente ad essa nella seconda metà dell'Ottocento con la nascita della
Musikwissenschaft (scienza della musica) o musicologia, come è stata chiamata in Italia. Lo studio e la ricostruzione del
passato musicale richiedeva una fatica immane: la decifrazione dei testi antichi, scritti con notazione diversa dall'attuale, sempre piú incomprensibile mano a mano che ci si allontana nel tempo, richiedeva il lavoro di specialisti, di studiosi disposti a dare tutta la loro attività e la loro pazienza;
la stampa di tutto il patrimonio musicale tradotto in notazione moderna, l'attribuzione, il ritrovamento dei codici;
tutto ciò richiese decenni di lavoro, e ancor oggi questo processo di ricerca è tutt'altro che concluso.

Questa importante opera di *scientificizzazione* degli studi
musicali favorita dallo sviluppo del positivismo, dall'esaltazione del metodo scientifico, nella sicurezza di poterlo
estendere a tutte le attività umane comprese quelle etiche ed
artistiche, contribuí a mutare profondamente l'orizzonte
delle ricerche nel campo dell'estetica musicale, e si è visto
come lo scritto di Hanslick abbia rappresentato il primo segno di questo mutamento. Gli studi si diressero in parte verso l'archeologia e la pubblicazione sistematica dei testi antichi, in parte verso l'acustica, la fisiopsicologia dei suoni, la
teoria musicale, le indagini sulla natura dell'armonia, della
melodia, del ritmo, ecc. La musicologia rappresentò dunque
soprattutto un ideale di scientificità, un'aspirazione ad un
maggiore rigore negli studi musicali, e questo fu senza dubbio uno dei lati piú positivi di tutto il movimento, per altro
non limitato alla musica.

Queste ricerche, anche se si presentano sotto l'innocente
aspetto dell'indagine scientifica, della pura constatazione di
fatti, si fondano in realtà su presupposti estetico-filosofici
ereditati dal romanticismo, e accettati per lo piú acriticamente. Il concetto di musica come espressione e linguaggio

dei sentimenti, a volte tuttavia stranamente mescolato con il formalismo di origine hanslickiana, costituí ancora la base della maggior parte delle ricerche di acustica e di fisiopsicologia dei suoni.

Tutti gli studi nati sotto il segno della *Musikwissenschaft* – non bisogna dimenticare che la Germania ha avuto il primato in tale genere di studi – hanno questo in comune, che scartano per lo piú il fattore *artistico* dalla loro indagine: gli storici studiano non le singole personalità, ma i periodi storici, alla ricerca di strutture stilistiche sufficienti a caratterizzare interi secoli. Riemann, ad esempio, indicò nell'uso del basso continuo una caratteristica tale da poter individuare il periodo barocco (1600-1750); altri autori si compiacquero di suddividere la storia della musica in grandi epoche corrispondenti ad altrettante fasi della sua evoluzione tecnica (in genere tre, secondo la moda delle suddivisioni dei sociologi positivisti). D'altra parte anche le ricerche fisico-acustiche presero in considerazione il fatto musicale nella sua pura fisicità o nelle sue relazioni con la psiche umana e il sistema nervoso uditivo, ma sempre prescindendo da una qualsiasi possibile organizzazione artistica del materiale sonoro.

4. *L'origine della musica.*

Uno dei problemi che appassionarono maggiormente i musicologi, e ancor piú i filosofi, fu quello dell'origine della musica, problema che si ricollega ai primi studi di sociologia e di etnologia, scienze appena nate, scienze dell'avvenire, secondo l'auspicio dei positivisti. Il problema delle origini, sia nella musica come in altri campi, è evidentemente insolubile, ma spesso cela nella sua formulazione una qualche tesi riguardante lo stato attuale dell'oggetto in questione, il suo fondamento, la sua *essenza.* Le ricerche di Spencer, Darwin, Wallaschek, Combarieu, ecc., sull'origine della musica, sono mal poste proprio perché non tengono conto della musica come fatto artistico, condividendo quindi il difetto delle altre ricerche musicologiche. Se anche si desse per certo che i primi canti dell'uomo delle caverne hanno avuto origine, ad esempio, dall'impulso sessuale, come i canti degli uccelli, non si spiegherebbe minimamente in tal modo l'evoluzione successiva della musica o una sinfonia di Beethoven, dal momento che ormai la *civiltà* ha neutralizzato questi impulsi, almeno nel campo musicale, sovrapponendosi ad essi con una costruzione indipendente. Rileggendo oggi queste accanite polemiche ci si rende maggiormente conto della loro sostanziale futilità, se si pensa che in realtà sottintendono una medesima concezione della musica come linguaggio dei sentimenti. Tra il 1890 e il 1891 nella rivista filosofica inglese «Mind» si può ritrovare l'eco di tali polemiche in una serie di articoli di Spencer, di Edmund Gurney, studioso di problemi musicali in relazione alla psicologia, e del musicologo Wallaschek. Spencer, riassumendo i termini del suo pensiero già espresso nel saggio *Sulla origine e funzione della musica* del 1857, affermava che la musica ha origine da una sovrabbondanza di energia vitale che deve essere espressa. La musica rappresenta quindi l'espressione di ogni tipo di sentimenti. Questo affermava in polemica con Darwin, già morto da un decennio, e con Gurney che ne sosteneva le tesi; per essi la musica aveva avuto origine dall'impulso sessuale, come manifestazione del maschio per attirare la femmina. Spencer contesta questa concezione della musica come espressione dell'impulso sessuale con osservazioni empiriche: la razza umana canta in tutt'altre condizioni, di lavoro, di caccia, di ozio, ecc., per cui nell'espressione musicale non prevalgono affatto sentimenti amorosi rispetto ad altri. Spencer in un altro articolo, in polemica con Wallaschek che affermava che il ritmo era l'elemento originario della musica da cui si generava anche la melodia e l'armonia, e che «l'origine della musica deve essere cercata nell'impulso ritmico dell'uomo», riesumava ancora una volta la vecchia teoria sul linguaggio: in origine il linguaggio includeva elementi emotivi e intellettivi; solo piú tardi essi si sono separati, e la musica e il canto deriverebbero dallo sviluppo indipendente degli elementi emotivi del linguaggio. «La musica vocale, e per conseguenza tutta la musica, è una idealizzazione del naturale linguaggio delle passioni»[1] (poche pagine prima egli usa-

[1] H. Spencer, *Essay on the Origin of Music*, pp. 413-14.

va il termine «enfatizzare» [to exaggerate] invece di idealizzare). L'emozione, la passione, sarebbero quel *di piú* di forza, di vigore degli organismi piú evoluti che eccede quello richiesto per i bisogni piú immediati, e che si esprime sotto forma di suoni. Le variazioni della voce non sono che l'effetto delle variazioni dell'intensità dell'emozione; gli intervalli diventano tanto piú ampi quanto piú aumenta l'intensità dell'emozione, e il suono piú acuto rappresenta il punto estremo di tensione emotiva.

Anche l'evoluzione della musica viene interpretata da Spencer applicando le stesse leggi generali dell'evoluzione: la musica passerebbe da una omogeneità indefinita e incoerente ad una sempre maggiore eterogeneità definita e coerente. La musica, afferma ancora Spencer, è giunta ad un tale grado di perfezione da contribuire piú di ogni altra arte al benessere dell'umanità. La conclusione di Spencer è che «l'origine della musica come uno sviluppato linguaggio delle emozioni non è piú un'ipotesi, ma semplicemente una descrizione di fatti»[2]. Questa tesi tipicamente romantica è il fondo comune di queste polemiche su cui concordano Spencer, Darwin, Gurney e Wallaschek.

Pertanto il concetto di evoluzione trasportato da Spencer dal campo della biologia a quello della musica ha largamente influenzato la storiografia musicale: numerose sono le storie della musica nella seconda metà dell'Ottocento e oltre, che si servono del concetto darwiniano e spenceriano di evoluzione, combinato col concetto generale di progresso, per spiegare il mutamento e l'avvicendarsi degli stili della storia musicale, il passaggio dal semplice al piú complesso, dal primitivo al colto. Lasciando da parte qui il Combarieu di cui si tratterà piú avanti ci limiteremo a ricordare Charles Parry, storico inglese il quale chiaramente si richiama ai principî evoluzionistici di Spencer. Questi, per spiegare l'affermarsi della musica secolare del Seicento cosí afferma: «Il progresso, in questo periodo in qualche modo immaturo, mostra l'inevitabile tendenza di tutte le cose dall'omogeneità all'eterogeneità e definitezza»[3]. Questa tendenza positivistica ma

<hr/>

[2] «Mind», ottobre 1890.
[3] C. M. Parry, *The Art of Music*, Kegan Paul, London 1893, p. 169.

anche romantica a semplificare e soprattutto a schematizza-
re i processi storici, rappresenta anche un primo tentativo di
trovare un certo ordine logico nell'immenso campo della
storia della musica i cui documenti piú antichi appena da pochi decenni cominciavano ad essere conosciuti. Tutta la storia della musica è concepita dal Parry in una linea evoluzionistica come un continuo passaggio dall'omogeneo all'eterogeneo, dalla semplicità alla varietà e cosí spiega la nascita e
lo sviluppo dell'armonia e di tutte le forme musicali. Inoltre
l'intero ciclo storico della musica viene suddiviso secondo
gli schemi positivistici di derivazione sociologica in tre sta-
di, il primo inconscio e spontaneo, il secondo autocritico,
analitico e cosciente e il terzo sintesi dei primi due caratterizzato dal ritrovamento della spontaneità controllata. In
questo stadio sono prodotti i grandi capolavori.

Queste teorie evoluzionistiche, pur nella loro genericità,
schematicità e ingenuità storiografica hanno pertanto favorito lo sviluppo della storiografia, concepita non piú soltanto
come ritratto di grandi personalità ma studio di interi periodi storici con piú vasto respiro. Le teorie positivistiche sul-
l'origine e sull'evoluzione della musica ricordano in parte gli
schemi dialettici triadici propri dell'estetica hegeliana anche
se spogliati del loro carattere metafisico e ridotti ad ipotesi
storiche, in parte la tesi nata nell'illuminismo e sviluppata
dal romanticismo sino a Wagner dell'unione originaria di
musica e poesia; ma bisogna però anche qui notare una differenza importante. Se per Rousseau come per Wagner bisognava ritornare all'origine ritrovando l'unità perduta, per
Spencer invece, come per il Parry, il *Progresso* è irreversibile: il mito dell'età dell'oro è caduto o meglio è proiettato nel
futuro invece che nel passato. La legge dell'evoluzione è irreversibile ed universale: se all'origine c'era il semplice e l'o-
mogeneo, e cioè se la musica non si distingueva ancora dalla
poesia, il logico sviluppo della storia ha portato le arti a se-
pararsi e progressivamente a divergere sempre piú l'una dal-
l'altra. La musica strumentale con la varietà di stili, forme e
aspetti veniva cosí giustificata sul doppio piano storico e
teorico.

5. *Le ricerche acustiche e fisiopsicologiche.*

Parallelamente agli studi storici e paleografici si svilupparono, come già si è detto, gli studi di acustica e fisiopsicologia, condotti con la stessa fiducia nella capacità di chiarire il fatto musicale con un'indagine rigorosamente scientifica. Fu ripreso in tale ambito di studi il vecchio problema della natura e del fondamento dell'armonia, nato nel rinascimento con Zarlino, problema che fino a Rameau fu forse tra i piú importanti nell'estetica musicale. Helmholtz, l'autore di *La percezione dei suoni come fondamento fisiologico per la teoria della musica*, edito nel 1863, riportò in primo piano il problema del fondamento dell'armonia e della consonanza in questo studio fondamentale, che ancor oggi costituisce oggetto di discussione tra musicologi e scienziati. Sarebbe fuori luogo qui entrare in merito a queste ricerche se non per i loro presupposti estetici e filosofici. Helmholtz, come già un secolo prima Rameau, vuole fondare l'armonia sul fenomeno naturale degli armonici; l'armonia è *naturale* e corrisponde alla *natura* stessa dell'orecchio umano e della sua percezione dei suoni. Tra la musica e il modo di percepirla esiste dunque un rapporto univoco e necessario, valido eternamente in ogni tempo e in ogni luogo perché fondato sulla natura e non artificiale e convenzionale. Ma qui Helmholtz si trova di fronte alla stessa difficoltà dei suoi predecessori: come giustificare l'esistenza del modo minore, che non si basa sugli armonici naturali? Helmholtz non ne esce piú brillantemente di Rameau; se il modo minore non si spiega con la teoria degli armonici, si dovrà concludere che ha un diritto di esistenza soltanto secondario nel regno della musica. «Il modo maggiore si adatta a tutti i sentimenti netti, ben caratterizzati, come anche alla dolcezza e persino alla tristezza, se si mescola ad un'impazienza tenera e entusiasta, ma non si adatta per nulla ai sentimenti ombrosi, inquieti, inspiegati, all'espressione della stranezza, dell'orrore, del mistero o del misticismo, tutte cose che contrastano con la bellezza artistica. È proprio per questo che abbiamo bisogno del minore». Il modo minore non appartiene dunque alla bellezza musicale; è un genere sussidiario, perché non s'inquadra nel sistema naturale e razionale. La spiegazione naturalistica messa in crisi da questa fastidiosa presenza si mostra ancora una volta insufficiente a render conto della concreta storicità del fatto artistico-musicale e della sua tecnica.

L'univoca e necessaria rispondenza tra ogni elemento musicale e la sua percezione psicofisiologica è il concetto che guida le ricerche di Helmholtz, come già appare nel brano citato, in cui ad esempio una certa gamma di sentimenti è legata al modo maggiore e un'altra a quello minore; di conseguenza sembrerebbe che si attribuisca alla musica un ben determinato potere espressivo dissociandola, fuori da ogni contesto storico e culturale, in elementi isolati dotati di qualità espressive di per sé, che si combineranno poi nella nostra psiche provocando determinate e complesse suggestioni emotive.

D'altra parte questo tipo di ricerca sulla musica come fatto esclusivamente acustico portava a concepire il mondo musicale come autonomo nelle sue leggi e nella sua struttura. Il pensiero di Helmholtz non è chiaro su questo punto, come non lo è quello del teorico e storico Riemann, o dello psicologo e musicologo Stumpf. La concezione della musica di tali studiosi oscilla in genere tra il formalismo di origine hanslickiano, non sempre bene inteso, e la concezione romantica della musica come linguaggio dei sentimenti. Secondo Helmholtz la musica non può imitare direttamente né la natura né i sentimenti come le altre arti. Ma questa sua asemanticità è un privilegio che le è fornito dal particolare materiale di cui fa uso: il suono nella sua mobilità conferisce alla musica una libertà di cui non godono le altre arti; è evidente in questi concetti l'influsso del pensiero romantico. La musica può generare stati d'animo (*Gemütsstimmung*); con questo termine equivoco Helmholtz vuole indicare il tipo particolare di espressività della musica, la quale non può riprodurre determinati sentimenti. Le altre arti come la parola ci dànno il sentimento con la sua causa, e solo mediatamente ci daranno «lo stato d'animo»; la musica invece può «accogliere e imitare lo stato d'animo... legato ad un determinato sentimento». In altre pagine egli parla della proprietà che hanno i suoni di imitare «le proprietà dinamiche degli stati psichici», forse per un'analogia di struttura tra il progressivo svilupparsi delle rappresentazioni (*Fortbewegung der Vorstellungen*) e il movimento della melodia, avvicinandosi cosí di piú al pensiero di Hanslick.

Anche gli altri musicologi contemporanei a Helmholtz non sanno uscire da queste formule equivoche; infatti la musicologia positivista, pur portando all'estetica notevoli elementi validi e nuovi, soprattutto dal punto di vista metodologico, è rimasta largamente ancorata al pensiero romantico a cui vorrebbe invece contrapporsi per il suo atteggiamento scientifico.

Le contraddizioni implicite nella musicologia, soprattutto tedesca, si ritrovano emblematicamente esemplificate nella figura del Riemann. Se si esamina la mole immensa di lavoro lasciataci dal grande studioso tedesco, indubbiamente bisogna riconoscergli anzitutto il merito di un rigore autenticamente *scientifico*: ma questo termine di uso equivoco e multiforme è insufficiente a caratterizzare altro che genericamente la sua opera di storico e di teorico. Atteggiamento scientifico qui vuole semplicemente significare attitudine analitica, coscienza dei problemi storiografici inerenti al lavoro di ricerca storica, profonda conoscenza dei problemi specificamente musicali, armonici, acustici, fisici, ecc.: atteggiamento sufficiente per dare alla sua opera un carattere antiromantico, intendendo per romanticismo l'atteggiamento letterario, dilettantesco, occasionale, antimetodico, entusiasta, caratteristico degli scritti di argomento musicale della prima metà dell'Ottocento. Inoltre le categorie storiche elaborate dal Riemann per caratterizzare intere epoche della storia della musica in base a criteri formali – ad esempio, l'uso del basso continuo quale criterio distintivo per definire il periodo barocco –, l'attenzione per tutti gli elementi tecnici stilistici della musica, lascia presupporre una concezione formalistica di essa. Ma questa aspettativa resta del tutto delusa se si legge la sua estetica: si penserebbe di trovare qui la teorizzazione della sua vastissima esperienza di musicologo, di scienziato della musica, e invece ci si accorge ben presto, fin dalle prime pagine, che si tratta di un'estetica di stampo prettamente romantico, priva di originalità e dotata di scarsa coerenza concettuale. Il Riemann non si stanca di affermare, in sede di estetica naturalmente, che la musica è anzitutto espressione dell'interiorità, espressione di ciò che di più profondo racchiude l'animo umano, e quindi in definitiva «un omaggio alla verità». La musica grazie a questa sua intrinseca espressività può comunicare il suo messaggio ad ogni essere umano, nonostante la sua *soggettività*, dal momento che tutti i soggetti nonostante le apparenti o superficiali differenze sono ugualmente partecipi di una stessa coscienza vitale. Considerando allora la musica non come un'arte capace di «descrivere», ma come «un mezzo per esprimere i movimenti più intimi dell'animo umano e per comunicarli ai nostri simili», non c'è da stupirsi se il Riemann può coerentemente concludere che «è solamente in maniera secondaria che l'opera d'arte ha un'esistenza a sé, staccata dal suo creatore, come *oggetto...*» La musica, come già è stato detto infinite volte, anche per il Riemann è in definitiva espressione dei sentimenti, anzi il linguaggio più consono ad esprimerli, per cui in linea di principio anche il canto di un usignuolo, in quanto «espressione della sensibilità di un essere vivente», non può essere distinto dal canto dell'uomo.

Anche l'atteggiamento del Riemann verso la musica a programma e descrittiva in genere è in armonia con la sua estetica. Il suo ideale di musica, di cui la storia rappresenta una progressiva realizzazione, è la musica pura, scevra di qualsiasi contaminazione e compromesso con altre arti. La storia della musica si potrebbe identificare con la storia della sua progressiva emancipazione dalla poesia e dalla danza verso la musica pura, il cui avvento segna l'inizio di un'epoca nuova. La musica è un'arte privilegiata nel suo potere espressivo, in quanto «comunica più direttamente i sentimenti più intimi con maggiore perfezione di qualsiasi altra arte»; costituirebbe una vera e propria presunzione pretendere di «spiegare» con parole ciò che essa esprime.

Queste pagine dedicate all'estetica, di stampo prettamente romantico, s'inseriscono assai faticosamente nell'opera del Riemann storico e teorico della musica, anzi contrastano nettamente con il significato e con il tono delle sue ricerche storiche. Anche rimanendo nell'ambito del suo unico volume dedicato all'estetica musicale, si rimane sorpresi dall'evidente contrasto tra le dichiarazioni di principio cui si è ora accennato e le analisi di opere musicali che occupano la parte centrale dello studio – come ad esempio le pagine dedicate alla nona sinfonia di Beethoven: l'analisi è condotta con un metodo rigorosamente formalistico, mettendo in evidenza esclusivamente gli elementi strutturali del tessuto musicale, per concludere che «qualsiasi forma musicale i cui elementi sono disposti con chiarezza e sviluppati con logica deve essere riconosciuta come valida». La contraddizione con quanto precedeva è evidente, ma non si può risolvere altrimenti che scartando le poche pagine di Riemann dedicate all'estetica come un residuo romantico del tutto inessenziale alla comprensione del complesso della sua opera, volta in tutt'altra direzione, che meriterebbe ancor oggi una piú attenta considerazione, come antidoto contro ogni dilettantismo.

È forse inutile continuare l'esame di questi autori, perché il positivismo e la *musicologia* non hanno portato elementi di notevole importanza nel campo dell'estetica musicale vera e propria. Tuttavia indirettamente questi studi storici piú approfonditi, queste indagini sul linguaggio musicale e la sua costruzione armonica, le ricerche di acustica, hanno contribuito a preparare un nuovo complesso di conoscenze e di esperienze indispensabili per un arricchimento dei temi dell'estetica musicale del Novecento.

Capitolo sesto

Il formalismo nel Novecento

1. *Strawinsky: la forma del tempo.*

Addentrandoci nel secolo che stiamo vivendo, non è facile etichettare secondo correnti, indirizzi di pensiero, scuole filosofiche o musicali i numerosi pensatori presenti in un panorama culturale sempre piú ampio e articolato. Tuttavia è necessario per orizzontarsi nel labirinto del pensiero contemporaneo tentare una classificazione che serva da filo conduttore, anche se per i singoli pensatori, per le concrete individualità l'abito risulta molto spesso troppo stretto.

Il formalismo già nell'Ottocento è sempre stato una delle costanti del pensiero estetico; e ciò è tanto piú vero nel pensiero del Novecento. Per quanto riguarda la musica infatti, la fetta piú cospicua del pensiero del Novecento ha messo l'accento soprattutto sulla forma, sulla sua strutturazione interna e dallo studio delle sue caratteristiche ne ha tratto le conseguenze e le implicazioni sul piano dei significati, della fruizione e della comprensione. Perciò molti pensatori si possono, per comodità classificatorie, porli sotto l'etichetta del formalismo, anche se per alcuni questo riferimento è esplicito, mentre per altri è indiretto e implicito.

Una delle espressioni piú radicali e piú note del formalismo è senza dubbio quella di Strawinsky. Ci si trova sempre in un certo imbarazzo nell'affrontare il pensiero di compositori perché spesso presentano due facce, quella di pensatori e quella di artisti, che non sempre coincidono, anzi a volte risultano contraddittorie, per cui per salvare la coerenza si è costretti a dimenticarne una, scindendo la personalità dell'uomo e dell'artista. Non è questo però il caso di Strawinsky; c'è un filo ininterrotto che lega il suo pensiero, lucido, perfettamente consapevole con la sua opera di musicista, senza fratture e contraddizioni. Il suo modo di concepire la musica e il modo con cui in tutta la sua lunga e operosa vita l'ha effettivamente praticata, sono una medesima cosa: il lungo cammino percorso dal musicista Strawinsky dalle prime opere «barbariche» alle ultime «dodecafoniche» con tutte le tappe intermedie, evoluzione che ha sempre lasciato tutti delusi, e primi fra tutti i suoi ammiratori; l'uso che egli fa con la stessa spregiudicatezza, a volta a volta del folklore russo, della musica italiana del Settecento, dell'opera buffa, del melodramma romantico, del canto gregoriano, tutto ciò è già paradossalmente un sintomo sufficiente per cogliere il significato unitario della sua opera oltre i mutamenti di stile, di tecnica, di linguaggio: Strawinsky vuole porsi nella posizione dell'artigiano medievale, il quale opera, ordina, *fabbrica* con i materiali a sua disposizione, tutto preso dal fascino del materiale sonoro che può maneggiare a suo piacere, non strumentalmente, ma come fine a se stesso. La sua tecnica compositiva prodigiosamente abile, la sua spregiudicatezza nell'accogliere qualsiasi suggestione culturale, qualsiasi tradizione musicale, fanno parte del suo gioco geniale, anzi diremo intelligente per non usare una parola troppo compromessa dal romanticismo e che Strawinsky rifiuterebbe. «*Ispirazione, arte, artista* sono termini perlomeno fumosi che ci impediscono di veder chiaro in un dominio dove tutto è equilibrio, calcolo, dove passa il soffio dello spirito speculativo»[1].

L'arte è «un modo di fare delle opere secondo certi metodi acquisiti sia per insegnamento sia per invenzione. Questi metodi sono le vie fisse e determinate che assicurano la giustezza della nostra operazione»[2]. Queste affermazioni ripetute tante volte dall'illustre musicista, mostrano un ideale estremamente umile e modesto, anche se nascondono in realtà un orgoglio non minore di chi esalta la incondizionata libertà creatrice dell'artista ispirato. Il fenomeno musicale in tale concezione è frutto della speculazione, la quale, guidata da una volontà precisa e fattiva, dispone e ordina gli elementi propri della musica: il suono e il tempo. Strawinsky

---

[1] I. Strawinsky, *Poétique musicale*, Le Bon Plaisir, Paris 1952.
[2] *Ibid.*, p. 18.

accentua in modo particolare l'importanza della dimensione temporale nella musica, ispirandosi a un saggio del filosofo russo Pierre Souvtchinsky[3] il quale ha dedicato uno studio fondamentale alla musica come arte temporale, riprendendo le note analisi hegeliane; altri studiosi francesi di tendenza formalista, non tralasceranno questo motivo che diventerà anzi il centro della loro speculazione. La musica è dunque essenzialmente «una certa organizzazione del tempo»[4], ed è in questa prospettiva che va visto il significato delle varie tecniche compositive. Qualsiasi musica che sia tale, sarà costituita da un certo arco di tempo in cui esistono certi «poli d'attrazione»[5]. La forma musicale sarebbe inimmaginabile «senza questi elementi di attrazione che fanno parte di ogni organismo musicale e sono legati alla sua psicologia»[6]. Il sistema tonale non è che una delle tante tecniche possibili per realizzare queste polarità costitutive dell'essenza della composizione musicale. Ciò che resta oltre le varie tecniche, è la melodia che è il simbolo stesso dell'organizzazione temporale della musica, a cui era rivolta l'attenzione dei musicisti del medioevo o del rinascimento non meno di quella di Bach o di Mozart. Comunque «un sistema tonale o polare non ha altro scopo che di raggiungere un certo ordine, cioè in definitiva una forma quale risultato dello sforzo creatore»[7]. La neutralità di Strawinsky rispetto a qualsiasi tecnica, purché sia una tecnica, è forse piú apparente che reale: il sistema tonale sembra irrimediabilmente privilegiato perché una melodia concepita come un arco in cui «un seguito di slanci che convergono verso un punto definito di riposo», è almeno oggi, connessa inevitabilmente con il sistema armonico-tonale. Gli ultimi sviluppi dodecafonici dell'arte di Strawinsky rappresentano forse una maturazione anche teorica del punto di vista ora esposto.

È forse inutile aggiungere, dopo quanto è già stato detto, ciò che pensa Strawinsky del presunto potere espressivo del-

[3] P. Souvtchinsky, *La notion de temps et la musique*, in «Revue Musicale», maggio-giugno 1939.

[4] Strawinsky, *Poétique musicale* cit., p. 21.

[5] *Ibid.*, p. 26.

[6] *Ibid.*, p. 27.

[7] *Ibid.*, p. 30.

la musica. Quando afferma un po' brutalmente: «considero la musica, per la sua essenza, impotente ad esprimere qualsiasi cosa: un sentimento, un atteggiamento, uno stato psicologico, un fenomeno della natura ecc. L'espressione non è mai stata la proprietà immanente della musica...»[8], non rimaniamo affatto sorpresi. La sua polemica antiromantica, che a volte trova questi termini forse anche troppo perentori, ha espressioni forse piú felici nelle pagine in cui affronta il problema della tecnica in relazione alla libertà dell'artista. L'arte è un lavoro di «scelta»; scelta tra le possibilità non infinite che sono offerte all'artista ad ogni istante. Il materiale sonoro offre delle resistenze, costringe continuamente a deviazioni, correzioni, mutamenti nelle proprie direttive. Tutto ciò costituisce un limite alla libera espansione della fantasia artistica? Il compito dell'artista sarà di porsi al di sopra di questi limiti, superarli in uno sforzo titanico? Tutt'altro. Essi costituiscono il sostegno indispensabile della sua attività. Strawinsky dice di provare «una specie di terrore quando al momento di mettersi al lavoro, dinanzi all'infinite possibilità che gli si offrono, prova la sensazione che tutto gli è permesso»[9]. Ma «ciò che lo salva dall'angoscia in cui lo getta una libertà senza condizione, è la possibilità di rivolgersi immediatamente alle cose concrete... Gli si dia del finito, del definito, della materia che servirà alle sue operazioni solo nei limiti delle sue possibilità. Essa si offre con dei limiti. A sua volta gli imporrà i suoi»[10]. La composizione musicale si configura dunque come un confronto fattivo fra uomo e natura; si costruirà, appoggiati ad un ben solido terreno di cui si dovrà tener continuamente conto: «non so che farmene di una libertà teorica» conclude orgogliosamente Strawinsky. In sostanza oltre la polemica contro i luoghi comuni, del sentimentalismo romantico piú deteriore, ciò che Strawinsky vuole qui affermare è il lato fabbrile, artigianale dell'attività artistica e nello stesso tempo i valori costruttivi piú che espressivi dell'opera musicale; esigenze avanzate da tutta la tradizione formalista da Herbart in poi. Ma, come si

[8] I. Strawinsky, *Chroniques de ma vie*, Paris 1930, vol. II, p. 116.
[9] Id., *Poétique musicale* cit., p. 45.
[10] *Ibid.*, pp. 45-46.

è già notato in altri casi, anche il formalismo di Strawinsky, cosí razionale, lucido e consapevole, ha un esito mistico: l'unità dell'opera, risultato di una costruzione in cui tutte le parti concorrono a formare il tutto, diventa simbolo di un'altra unità di ordine superiore; «... l'unità dell'opera ha la sua risonanza. La sua eco che la nostra anima percepisce, risuona sempre piú. L'opera finita si propaga dunque come comunicazione e rifluisce verso il suo principio. Il ciclo allora è chiuso. Ed è cosí che la musica ci appare come un elemento di comunicazione con il prossimo – e con l'Essere»[11].

2. *Gisèle Brelet: il tempo musicale.*

Le esigenze estetiche e poetiche di Strawinsky sono state rimeditate e rielaborate con un'acuta sensibilità filosofica dalla studiosa francese Gisèle Brelet. Le sue numerose e ponderose pubblicazioni, ricche di analisi finissime, condotte sul *filo del rasoio* in cui traspare a volte quel compiacimento tipicamente francese e un po' estetizzante per l'estrema sottigliezza di pensiero, costituiscono un punto di riferimento importante nell'estetica musicale contemporanea: nel suo pensiero convergono due diverse correnti filosofiche, da una parte la tradizione dell'estetica formalistica, dall'altra lo spiritualismo francese e in particolare la filosofia di Bergson e Lavelle per quanto riguarda l'analisi della temporalità; il concetto di «tempo musicale» risulterà infatti centrale nella sua estetica. Il suo pensiero si trova già nettamente formulato nelle sue linee essenziali in un volumetto pubblicato in questo dopoguerra[1] cui seguiranno a breve distanza di anni numerosi saggi e opere piú importanti.

Secondo la Brelet, alla base di ogni opera sta una determinata poetica (nel testo francese *estétique* è per lo piú usato con questo significato di poetica, cioè per indicare una possibilità storica di scelta per il musicista). «L'atto creatore non prende coscienza di se stesso che nel momento in cui

---

[11] *Ibid.*, p. 97.

[1] G. Brelet, *Esthétique et création musicale*, Puf, Paris 1947.

scopre un imperativo estetico che l'orienti verso la realizzazione di certe possibilità formali»[2]. La creazione musicale è frutto di una scelta che si concreta anzitutto nelle due attitudini creatrici fondamentali cui la Brelet dà il nome di empirismo e formalismo. Nel primo caso il musicista parte dall'esperienza diretta del materiale sonoro, opera per un suo rinnovamento, ricerca nuove sonorità e nuove tecniche; nel secondo caso è la forma che ha il sopravvento: non si tratta piú di scoprire il materiale sonoro ma di produrlo e formarlo. Hindemith nella musica contemporanea sembra impersonare «l'empirismo»: egli ha conservato la fede nella tonalità (la musica non può essere che tonale), ma l'ha ricostruita su basi «piú naturali»; la tonalità è un'esigenza originaria e naturale dei suoni. Strawinsky invece impersona «il formalismo»: nella sua musica una idea riesce a costituire il nucleo attorno a cui organizzare con perfetta coerenza il materiale sonoro anche se già sfruttato e apparentemente esaurito. Ma queste due attitudini creatrici nascondono quella che in realtà è l'unità della creazione, in cui si può sempre intravvedere «quel dialogo tra la materia e la forma che sembra essere l'essenza stessa del processo creatore».

È facile accorgersi come fin qui si sia volutamente evitato il discorso sull'espressività della musica, prevalendo invece considerazioni sulla forma. L'arte in cui prevalgono le ragioni della vita, del sentimento, del cuore, è arte inferiore, non ancora giunta alla catarsi formale. «Se la vita è utile all'arte, lo è soltanto in quanto essa si organizza in funzione di quest'ultima»[3]. L'arte è creatrice di vita autonoma e «l'artista aspira a un modo di vita originale che presuppone la forma e la compie. L'arte non è sintesi esteriore tra la forma e la vita vissuta, ma una vita formale specifica, una vita di forme pure»[4]. L'espressione in quanto tale non appartiene dunque al regno dell'arte – cosí sembra perlomeno nella prima parte dell'esposizione, in cui «le psychologique», cioè la vita, la persona, le esigenze del singolo paiono rigorosamente escluse; «la creazione musicale si sviluppa su di un piano di auto-

[2] *Ibid.*, p. 11.
[3] *Ibid.*, p. 71.
[4] *Ibid.*, p. 73.

nomia assoluta storica ed esistenziale: la personalità creatrice deve sapersi inserire nella curva storica in cui la musica è irrimediabilmente impegnata... Nulla indicherebbe piú chiaramente l'autonomia della creazione musicale che lo sviluppo stesso del pensiero musicale, sviluppo che si prosegue logicamente secondo leggi interne, indipendentemente dalle personalità psicologiche dei diversi creatori»[5]. Tuttavia questa prospettiva rigidamente deterministica, di positivistica memoria, sembra essere profondamente modificata nella seconda parte dello studio, quando la Brelet affronta il problema che piú le sta a cuore, cioè quello del tempo musicale. L'essenza della musica è la sua forma temporale, la quale trova un'intima rispondenza con la temporalità della coscienza: forma sonora equivale a forma temporale. Qui si rivela la derivazione e nello stesso tempo la divergenza dal concetto di durata pura bergsoniana. La pura durata interiore per la Brelet è forma pura, e in questo si differenzia dal «divenire amorfo» del bergsonismo. Il tempo nella creazione musicale assume due diverse direttive: può riflettere l'in sé della coscienza creatrice oppure le modalità con cui questa coscienza si esprime; tuttavia sono due direzioni che si implicano a vicenda, e rivelano solamente delle forze tendenziali. Questi due aspetti della creazione musicale che la Brelet chiama apollineo e dionisiaco, oppure classico e romantico, sono intesi come categorie metastoriche dell'arte. Le simpatie della Brelet vanno evidentemente all'arte pura e a quegli autori che sembrano incarnare meglio questo ideale.

Classicismo e romanticismo rappresentano dunque due scelte: la forma o il divenire; ma «il divenire deve tuttavia esprimersi già secondo i suoi poteri formali», «rivelare le sue virtú formali»[6] altrimenti, se inteso unicamente nel senso di «vissuto», di «patologico», di passività emotiva e sentimentale, non raggiungerà la soglia dell'arte. In questo senso non c'è una contraddizione insanabile tra il divenire e la forma, tra il dionisiaco e l'apollineo, finché il tempo, come durata interiore, si rivelerà sempre nella sua forma costruttiva.

Va precisato ora meglio il concetto di espressione, che

[5] *Ibid.*, pp. 7 sg.
[6] *Ibid.*, pp. 99-100.

sembrava sin qui escluso dalla creazione musicale. La pura forma temporale si confonde, si identifica nell'atto della creazione con la durata interiore del suo creatore; «la musica in questo senso, persino nelle sue forme piú pure musicalmente, è espressione, espressione della durata vissuta dalla coscienza»[7].

Il concetto di espressione ritorna dunque fondato sull'identità della durata interiore della coscienza con il tempo musicale, identità che era già stata messa in luce da Hegel, cui si richiama esplicitamente il testo della Brelet. Espressiva la musica, ma espressiva non dei sentimenti, delle particolarità o modalità con cui si esprime la coscienza, ma piuttosto rivelatrice della forma stessa in cui si costituisce la coscienza: potremmo forse ripetere con Hanslick, simbolo del dinamismo piú generale dei sentimenti, evocatrice degli schemi emotivi astratti, della struttura dei sentimenti, secondo le loro articolazioni formali. Il tempo musicale è perciò l'espressione piú immediata e piú vera degli «atti profondi del soggetto». Quando c'è una frattura fra l'uomo e l'artista, l'opera esprimerà meglio le leggi segrete della sua coscienza, lo schematismo temporale che è il principio di ogni attività spirituale: la pura forma temporale esprimerà la durata pura della coscienza mentre la «durata psicologica» per essere espressiva «deve superarsi in una forma che determinandola e oltrepassandola la riscatti»[8]. «Il tempo come forma della sonorità e della vita interiore ha un aspetto oggettivo ed uno soggettivo, che si implicano a vicenda per cui, come nell'opera musicale il tempo è vissuto soltanto attraverso la forma; la forma è reale soltanto quando corrisponde ad una esperienza temporale nel creatore»[9]. Si può allora dire che «al livello della forma pura e del tempo puro, perde significato l'alternativa tra autonomia ed eteronomia della creazione: la forma sonora si costruisce come si costruisce la nostra vita interiore e ritroviamo in questa forma l'espressione delle categorie fondamentali per cui il tempo si costituisce»[10].

[7] *Ibid.*, p. 79.
[8] *Ibid.*, p. 99.
[9] *Ibid.*, p. 88.
[10] *Ibid.*, p. 146.

In questa concezione della musica come pura forma temporale, si inquadrano le analisi e i giudizi della Brelet sulla musica contemporanea, sul problema del valore della tonalità, sulla struttura della composizione musicale. Secondo la Brelet, la tonalità in quanto tale non possiede un valore eterno «ma in essa si manifesta una logica generale del pensiero musicale, insieme a certi fenomeni acustici naturali e incontestabili. Nella tonalità sensazioni e forme, fatto sonoro ed esigenze spirituali si associano e si offrono un mutuo appoggio; rompere con la tonalità significherebbe sempre evidentemente conservare le necessità eterne su cui essa si fonda»[11]. Questa posizione ricorda molto da vicino quella di Strawinsky e ne rappresenta il logico sviluppo. La forma temporale nella musica si esprime nella struttura stessa della tonalità, nel suo divenire fatto di slanci e riposi, come nel rapporto fondamentale e caratteristico tra tema e variazione che non è che l'espressione di una legge temporale che regge il divenire stesso della coscienza: «quella legge temporale che realizza la tonalità è la legge stessa di qualsiasi composizione musicale»[12], conclude la Brelet troncando cosí ogni dubbio. L'atonalità sembra dunque non trovare posto in questo orizzonte ideologico, infatti il giudizio sulla scuola viennese è negativo. Nell'atonalità manca il polo di attrazione tonale che va in qualche modo ritrovato; e non si rimedia a questa deficienza fondamentale attraverso la costruzione di un ordine trovato intellettualisticamente e che non incide sul dinamismo interiore della coscienza. «La musica atonale è nata dal proposito espressionistico di ricerca di una libertà assoluta della curva melodica, che permettesse di tradurre tutte le inflessioni della durata psicologica, ma questa libertà pertanto non ha potuto generare una musica coerente, né autodeterminarsi con delle regole interiori, ciò che avrebbe significato il suo annullamento. È per questo che gli atonalisti ricorsero a delle regole convenzionali e arbitrarie, le quali invece di razionalizzare la durata psicologica formarono indipendentemente da essa un ordine che pertanto la la-

---

[11] *Ibid.*, pp. 24-25.
[12] *Ibid.*, p. 75.

sció immutata»[13]. La durata psicologica trova dunque modo d'estrinsecarsi liberamente in questa musica, perché la logica che la regge è astratta, costruita indipendentemente dal «tempo musicale vissuto». Il fenomeno dell'atonalità è cosí assimilato dalla Brelet, forse troppo semplicisticamente, al romanticismo piú deteriore, alle ultime propaggini wagneriane, alla musica «del divenire patologico» in cui «l'anima si abbandona alla passività dei suoi stati e conosce il tempo soltanto nei suoi poteri distruttivi»[14]. A questo tipo di romanticismo in cui la mancanza di forma, di equilibrio si traduce in mancanza di autentica espressività, si può avvicinare quel tipo di classicismo in cui la forma è solo esteriorità, costruzione intellettuale, astrazione, scissa dal divenire temporale della coscienza. A questo «formalismo astratto dei classici» la Brelet vuole contrapporre il formalismo concreto di Strawinsky: «alla forma concepita astrattamente, prodotto di combinazioni intellettuali, la forma vissuta che affonda le sue radici negli atti piú profondi dell'io»[15]. A Strawinsky vanno tutte le simpatie della Brelet, ed è facile accorgersi quanto inoltre ella gli sia debitrice anche intellettualmente. La musica di Strawinsky incarna nel mondo contemporaneo l'ideale piú perfetto della creazione musicale: «il tempo di Strawinsky esprime la coscienza nella purezza del suo atto fondamentale e non il mondo dei contenuti empirici in cui l'io piú o meno si dissolve»[16].

Queste prospettive cosí suggestive vengono notevolmente ampliate e approfondite nelle ponderose opere che seguirono a questo primo studio che rappresentò un po' la base per le future piú ampie analisi della creazione musicale. La concezione della musica come espressione del processo temporale della coscienza non è nuovo: anzitutto Hegel e in un certo senso anche Hanslick e poi Souvtchinsky e Strawinsky, solo per citare i piú noti, avevano già abbozzato una teoria del genere e ad essi la Brelet si richiama esplicitamente. La sua prospettiva estetica non è dunque del tutto nuova. Tenendo conto del diverso linguaggio filosofico che si ri-

[13] *Ibid.*, p. 109.
[14] *Ibid.*, p. 141.
[15] *Ibid.*, p. 144.
[16] *Ibid.*, p. 158.

ferisce evidentemente ad una tradizione alquanto diversa da
quella italiana, si possono ritrovare anche nella cultura crociana considerazioni sostanzialmente affini a quelle della
Brelet, ad esempio riguardo all'interpretazione del classicismo e del romanticismo come categorie eterne dell'arte.
Quando la Brelet ci parla dell'atto della creazione come «dialogo tra il vissuto e la forma» o quando afferma che classicismo e romanticismo rappresentano sí due scelte diverse ma
che si implicano sempre vicendevolmente e che la differenza
consiste nell'accento che cade o sulla forma o sulla volontà
espressiva – i due termini della sintesi creativa –, non si può
fare a meno di ricordare la concezione crociana dell'arte come sintesi di sentimento e immagine, di contenuto e forma.
Tutto ciò non toglie certo valore allo sforzo della Brelet di costruire una complessa concezione della musica basata sullo
sviluppo della sua idea centrale dell'essenza temporale della
musica, e questo concetto è estraneo pertanto alla cultura
estetica italiana e solo ora vi sta penetrando lentamente.

3. *Boris de Schloezer e il linguaggio musicale.*

Boris de Schloezer, noto musicologo, è stato tra i primi a
portare l'analisi della musica su di un piano rigorosamente
linguistico, anticipando per taluni aspetti le ricerche di poco
posteriori della Langer, e soprattutto del piú recente strutturalismo.

Il De Schloezer, partito inizialmente con l'intenzione di
compiere uno studio su J. S. Bach, in breve si accorse dell'i-
nadeguatezza degli strumenti critici e concettuali a sua disposizione per un'analisi rigorosa. «Come potevo impegnar-
mi – scriveva il musicologo francese – in dotte dissertazioni
sulla musica di Bach quando ignoravo ciò che esattamente
sia un'opera musicale, come è costituita, ciò che signifìchi
propriamente ascoltarla, comprenderla, se sia capace o meno
di esprimere (ma che significa "esprimere"?) cos'è la sua forma, il suo contenuto (ma ha un contenuto?)...»[1]. Tuttavia

---

[1] *Introduction à J. S. Bach. Essai d'esthétique musicale*, Gallimard, Paris 1947,
p. 11.

nonostante questa decisione di rimettere in discussione il senso dell'opera musicale, la figura di Bach rimane sempre sullo sfondo in quanto la sua opera appare come esemplare al De Schloezer, rivelatrice «della stessa essenza della musica, e del segreto della sua struttura»[2].

È chiaro che questa predilezione per l'opera bachiana ci porta immediatamente in una prospettiva formalistica, anche se con tale termine non si pretende di esaurire il suo pensiero che va parecchio piú in là delle posizioni piú note e largamente diffuse dei formalisti, riassumibili nel concetto che la musica non esprime nulla.

«Nella musica – afferma il De Schloezer – il significato è immanente al significante, il contenuto alla forma, a un punto tale che rigorosamente parlando la musica non *ha* un senso ma *è* un senso»[3]. Anche le altre arti, tra cui la poesia, tendono a questo rapporto d'immanenza ma non lo raggiungono mai totalmente, per cui la musica può considerarsi come «il limite della poesia». Possiamo perciò ben dire che la musica è una specie di linguaggio, ma formato di simboli tutti particolari, cioè «ripiegati su se stessi», o meglio formato da un *sistema* di simboli interdipendenti. Comprendere la musica non significa allora scoprire un significato oltre ai suoni, o avere un seguito piú o meno gradevole di sensazioni uditive, ma piuttosto penetrare nel sistema di multiple relazioni sonore in cui ogni suono s'inserisce con una funzione precisa, acquistando qualità specifiche solo dalle relazioni, con gli altri suoni. Il valore di ogni suono è cosí condizionato dal posto che occupa nel sistema e dal rapporto con ciò che precede e con ciò che segue, per cui non è definito altro che quando la frase è terminata.

Se si concepisce l'opera anzitutto come una struttura tendenzialmente chiusa su se stessa, dobbiamo ritenere che gli elementi dell'opera «non si eliminano nel corso di un'esecuzione, ma pur succedendosi nel tempo, coesistono nella loro unità...»[4]. La musica non è allora piú l'immagine stessa del divenire, la durata pura, come sosteneva la scuola d'ispira-

[2] *Ibid.*, p. 12.
[3] *Ibid.*, p. 44.
[4] *Ibid.*, p. 30.

zione bergsoniana. Dire che la musica è «tempo organizzato» è equivoco, dal momento che il tic-tac di un orologio sarebbe allora la migliore musica. «Il compositore – afferma il
De Schloezer – produce nel tempo una cosa che, in quanto
ha un senso, è intemporale. Organizzare musicalmente il
tempo significa trascenderlo»[5].

Il tempo inteso non quantitativamente – che in questo
caso coincide con la durata del brano musicale inteso come
evento tra altri eventi – ma qualitativamente, «assume una
funzione strutturale (perché se modifica il senso della frase,
costituisce allora un elemento della sua struttura), solo in
quel particolare sistema intemporale (considerato sotto l'a-
spetto dell'unità) il cui senso è immanente»[6].

Questa concezione della musica come tempo irrigidito in
una unità sincronica è comune pertanto ad ogni concezione
della forma musicale come struttura. L'antropologo struttu-
ralista Claude Lévi-Strauss ne parla negli stessi termini: la
musica, afferma efficacemente, ha bisogno del tempo solo
«per infliggergli una smentita... Al di sotto dei suoni e dei
ritmi, la musica opera su un terreno grezzo, che è il tempo
fisiologico dell'uditore; tempo irrimediabilmente diacronico
in quanto irreversibile, e di cui la musica stessa tramuta però
il segmento che fu dedicato ad ascoltarla in una totalità sincronica e in sé conchiusa. L'audizione dell'opera musicale,
in forza dell'organizzazione interna di quest'ultima, ha
quindi immobilizzato il tempo che passa; come un panno
sollevato dal vento, l'ha ripreso e ripiegato. Cosicché ascoltando la musica e mentre l'ascoltiamo, noi accendiamo a una
specie di immortalità»[7].

Il concetto che emerge chiaramente dal discorso di Lévi-
Strauss come da quello del De Schloezer è dunque che la
musica è un linguaggio chiuso, un sistema organico, autosufficiente. Ciò non equivale a dire che la musica non esprime
nulla, ma piuttosto che è un linguaggio «ineffabile», intraducibile, vale a dire, il cui senso è immanente all'opera stes-

---

[5] Ibid., p. 31.
[6] Ibid., p. 42.
[7] C. Lévi-Strauss, Il crudo e il cotto (traduzione di A. Bonomi, Il Saggiatore,
Milano 1966, pp. 32-33).

sa. Il linguaggio verbale, invece, si può definire come una forma organica ma aperta, vale a dire, esso spiega, informa, ci rimanda ad un contenuto che non coincide con la sua forma. Il linguaggio musicale procede da un'attività specifica che potremmo chiamare creatrice per eccellenza, cioè mette capo ad un sistema chiuso.

Ci si può ora riproporre il problema tradizionale se la musica sia espressiva. In senso proprio si dovrebbe rispondere negativamente: «una sonata è incapace d'esprimere sia direttamente (come ad esempio i segni emotivi organici) sia indirettamente (per analogia) e il senso psicologico che siamo portati ad attribuirle non è che un'aggiunta dovuta ad un complesso di convenzioni e d'associazioni che l'abitudine ha fissato e reso inconscie»[8]. Nel dominio dell'espressione il significato è diverso dal segno mentre nella musica il significato o meglio «il senso del sistema sonoro s'identifica col sistema stesso colto nella sua unità»[9]; il senso di un'opera musicale è perciò spirituale e l'eventuale significato psicologico non è che il riflesso del primo. L'unità dell'opera si coglie al livello dell'intelletto e non della sensibilità, ed è il prodotto di una sintesi che ricostruisce il sistema sonoro.

Se l'opera è un sistema chiuso anche se provvisto di senso spirituale, si pone il complesso problema del rapporto tra l'opera e il suo autore, rifiutando la troppo semplice ipotesi che l'opera esprima o rifletta lo stato psicologico dell'autore come suo specchio. L'autore dell'opera non si esprime in quanto processo psicologico; J. S. Bach quale ci appare nelle sue opere non è «l'uomo naturale», ma un essere che ha vita solo sul piano estetico; è un «io» artificiale o «mitico» senza che ciò implichi che sia menzognero.

In che senso dunque la musica è espressiva? Non è lo specchio dell'anima dell'autore, ma ha pur un certo rapporto con quest'ultimo; i singoli elementi che la compongono non hanno di per sé un significato, ma l'opera ha pur un senso. Il problema, riafferma piú volte il De Schloezer non si risolve sul piano psicologico, ma sul piano della struttura. È evidente che non importa qui se l'autore abbia o meno *vissu-*

[8] De Schloezer, *Introduction à J. S. Bach* cit., p. 223.
[9] *Ibid.*, p. 227.

to una certa emozione oppure se abbia solamente inteso *giocare* con i suoni o esercitarsi nella pratica dell'armonia o del contrappunto. Ciò che conta è il senso dell'opera stessa, indipendentemente dalle attitudini psicologiche dell'autore e dell'uditore. Ma l'opera, in un certo senso presenta un duplice volto, a seconda della prospettiva da cui è vista: da una parte incarna globalmente, come si è detto, un senso di ordine spirituale; dall'altra può essere ascoltata come segno di una realtà di ordine psicologico. Nel secondo caso tuttavia il suo significato non è la somma dei significati delle singole parti, ma ciò che le singole parti esprimono è sempre in funzione del senso dell'opera come unità. Quindi l'opera è anche «un'avventura di ordine psicologico», ma solo in quanto complesso processo i cui diversi momenti non esistono che nel tutto da cui procedono.

L'opera rivela questo significato psicologico quando è colta nel suo divenire, quando è temporalizzata: se l'opera in quanto forma intemporale è una forma chiusa, in quanto divenire ci appare come un sistema aperto per il fatto che *esprime* una storia di ordine psicologico. È evidente che i due aspetti s'implicano vicendevolmente: «che cos'è il senso psicologico di un'opera se non il senso spirituale temporalizzato?»[10]. La comprensione dell'opera in quanto *diviene* implica la comprensione dell'opera in quanto *è*, perché i significati delle singole parti che si svolgono nel tempo rimandano al senso dell'opera in quanto struttura stabile, e solo in relazione ad essa prendono significato. «Il contenuto psicologico può essere cosí definito: *l'aspetto che assume il senso spirituale nel corso dell'atto di sintesi*»[11].

Questi concetti già ampiamente sviluppati nel saggio ora esaminato, sono stati successivamente ripresi e approfonditi dal De Schloezer, in un successivo studio condotto in collaborazione con Marina Scriabine[12], in cui mette a confronto la sua prospettiva estetica con l'esperienza musicale dell'avanguardia. In questo studio viene accentuata ancor piú la

[10] *Ibid.*, p. 251.
[11] *Ibid.*, p. 254.
[12] *Problèmes de la musique moderne*, Editions de Minuit, Paris 1959.

dimensione linguistica della musica concepita «unicamente in termini di *operazioni* e di *funzioni*; infatti tutte le strutture musicali sono strutture di operazioni e delle loro funzioni»[13].

Da questo punto di vista il giudizio sulla musica seriale non può che essere almeno parzialmente negativo. L'opera musicale in cui la serializzazione sia estesa a tutti gli elementi sarà dotata d'una coerenza oggettiva anche se essa può non rivelarsi altrettanto coerente per l'ascoltatore, trattandosi di una coerenza non udibile. In questo caso, incapace di comprendere, «io subisco». «E ciò che provo potrà essere più o meno gradevole, suggestivo, impressionante, curioso, interessante, emozionante o persino sconvolgente (come può esserlo un oggetto o un qualsiasi evento), ma non espressivo; infatti l'opera a cui non collaboro non è più un atto dotato di senso e direzione; essa sarà per me estranea e indifferente...»[14]. Una musica di questo tipo «non è più evidentemente un linguaggio, non si comunica nell'atto del suo divenire, non presenta alcun significato. Il suo essere si esaurisce nell'atto in cui si produce. Essa si presenta come un atto di magia»[15].

La critica del De Schloezer alla musica seriale ci porta a cogliere uno degli aspetti più pertinenti dell'arte d'avanguardia: l'aspirazione ad una creazione *ex nihilo* che tuttavia, nell'intento di presentare direttamente «la verità psicologica» dell'autore senza un'opportuna mediazione in una struttura *udibile*, porta al limite all'impossibilità della comunicazione e alla negazione del carattere linguistico dell'espressione artistica. Il De Schloezer allude precisamente a questo fatto quando parla dei «paradossi della libertà». La libertà del compositore odierno è libertà «non più rispetto alla tradizione, alla scuola, al linguaggio dell'epoca, com'era stato sinora, ma libertà rispetto a se stesso da una parte, e rispetto all'ascoltatore dall'altra»[16]. Tale libertà rischia d'imprigionare il musicista con le sue stesse catene.

---

[13] *Ibid.*, p. 101.
[14] *Ibid.*, p. 178.
[15] *Ibid.*, p. 179.
[16] *Ibid.*, p. 155.

4. *Susanne Langer e la «nuova chiave».*

L'opera di Susanne Langer, anche se nei risultati non presenta elementi notevolmente originali, ha costituito in questo dopoguerra un punto di riferimento anche polemico, un passaggio quasi obbligato per tutti gli studi di estetica musicale nel mondo anglosassone, per cui sarà opportuno chiarire i motivi essenziali del suo pensiero, anche al fine di rendersi conto fino a che punto sia davvero giustificato l'interesse suscitato dalle sue opere.

Il concetto per cui tutta l'attività umana si esprime mediante forme simboliche – e il linguaggio ne è uno degli esempi piú significativi – costituisce il punto di partenza del pensiero della Langer; concetto ereditato dal pensiero del filosofo tedesco Ernst Cassirer, di cui la Langer è stata allieva. Il linguaggio comune o scientifico, attraverso il quale si esprimono concetti, sarebbe essenzialmente un sistema di simboli, ognuno dei quali sta al posto di un evento o di un oggetto. Il loro insieme ci dà come il *ritratto* del mondo. Il linguaggio sarebbe dunque la piú tipica espressione della capacità di trasformazione simbolica della mente umana. Fin qui nelle tesi sul linguaggio la Langer concorda perfettamente con i neopositivisti odierni. Ma se ne discosta notevolmente quando afferma che anche il mondo dei sentimenti, delle emozioni, dell'arte, può esprimersi in forme simboliche; il linguaggio scientifico e discorsivo è lungi dall'esaurire ogni forma di attività umana significativa, come vorrebbero i neopositivisti. Nel mondo umano ci sono molti fatti fondamentali che non possono essere espressi mediante le regole sintattico-grammaticali del linguaggio. L'arte, ad esempio, è uno dei mezzi di espressione simbolica, e la Langer si propone per l'appunto di studiare la tecnica con cui si regge tale tipo di simbolismo. Il suo intento vorrebbe essere di dimostrare che l'arte non appartiene, come troppe volte si è sostenuto, ad un ipotetico mondo ineffabile, intuitivo, privato, incomunicabile, ma che è un modo simbolico di espressione, dotato di una sua logica, anche se profondamente diversa da quella del linguaggio discorsivo, con caratteristiche perfettamente analizzabili.

Per un primo sguardo nel vasto campo del simbolismo artistico, la Langer ha scelto la musica perché è un'arte che per il suo carattere completamente astratto e non rappresentativo può mettere meglio di ogni altra chiaramente in luce la funzione simbolica nel modo piú puro, senza alcun elemento estraneo che potrebbe sviare l'analisi; infatti il significato per ogni arte è assolutamente indipendente da ciò che può esteriormente rappresentare. Il suono sarebbe quindi il materiale *di piú facile* uso per un fine puramente artistico.

Due sono gli obbiettivi che la Langer si propone di raggiungere: mostrare come la musica non costituisca un linguaggio, e d'altra parte non sia espressione immediata di sentimenti. La musica non è un linguaggio altro che in senso metaforico: ma è un modo simbolico d'espressione dei sentimenti. Caratteristica di ogni linguaggio è di avere una grammatica, una sintassi e un vocabolario. Ogni linguaggio è costituito di termini o parole separabili, dotate di riferimento fisso che rende possibile la costruzione di un vocabolario; caratteristica principale del linguaggio è la sua trasparenza, o trascendenza come altri hanno voluto chiamarla, rispetto alle cose. Ogni insieme di termini coordinati tra loro secondo le regole di una grammatica e di una sintassi costituiscono un sistema linguistico che può essere tradotto in un altro sistema linguistico. Queste, in breve, le caratteristiche del simbolismo linguistico discorsivo, caratteristiche di cui è sprovvisto il simbolismo artistico, e in particolare quello musicale. Anzitutto la Langer afferma recisamente che la musica, come tutte le arti, è sprovvista di vocabolario; essa non ha termini dotati di riferimento fisso come il linguaggio; i suoni non possiedono nessun significato fuori dal contesto, per cui il simbolo musicale non può, come il simbolo discorsivo, essere tradotto o definito in altri termini. Si può concludere che da un punto di vista logico la musica non ha le caratteristiche proprie del linguaggio. «Chiamare i suoni della scala le sue "parole", l'armonia la sua "grammatica", e lo sviluppo tematico la sua "sintassi", non è che un'inutile allegoria, dato che i suoni non posseggono quella qualità che distingue una parola da un mero vocabolo: un riferimento fisso, o un dizionario di significati»[1].

Ma la musica non è espressione immediata di sentimenti. Come la Langer combatte qualsiasi estetica intellettualistica, cosí rifiuta qualsiasi interpretazione della musica come stimolo emotivo. Il *significato* della musica non è certo quello di uno stimolo atto ad evocare emozioni e neppure di un segnale per annunciarle.

La musica quindi non è linguaggio, ma non è neppure espressione di sentimenti. Tuttavia la musica ha un suo significato, e la via per analizzarlo e lo studio per scoprirne le regole di funzionamento sarebbe la «nuova chiave» proposta dalla Langer. «Se la musica ha un significato esso deve essere semantico e non sintomatico...; se la musica ha un contenuto emotivo o sentimentale, lo "possiederà", nello stesso senso in cui il linguaggio ha un contenuto concettuale, cioè *simbolicamente*»[2]. La musica non è l'effetto diretto o una cura delle emozioni, ma piuttosto la loro «espressione logica».

La musica si potrebbe dire il linguaggio dei sentimenti: dove il termine linguaggio sta unicamente ad indicare un certo tipo di meccanismo semantico, anche se come si è visto non è quello del linguaggio discorsivo. Anzi si vedrà ora come questo tipo di simbolismo abbia un suo modo proprio di funzionamento che lo rende incommensurabile con quello del linguaggio discorsivo. Il compito che la Langer si propone consiste proprio nel trovare le regole, la logica propria del simbolismo artistico, e musicale in particolare; cioè determinare se si può dire, e in che senso, che la musica ha un significato simbolico e che la sua funzione è quella di esporre, formulare, rappresentare i sentimenti e in genere la nostra vita emotiva.

In questo tentativo la Langer compie sull'arte la stessa analisi, lo stesso tipo d'indagine che i neopositivisti avevano condotto sul linguaggio scientifico. I neopositivisti avevano però negato la possibilità di un'analisi semantica di ciò che

[1] S. Langer, *Philosophy in a New Key*, Harward University Press, Cambridge (Mass.) 1951, pp. 228-29.
[2] *Ibid.*, p. 218.

non poteva trovare un'espressione logica sul modello del linguaggio scientifico. La *nuova chiave* della Langer non è che il tentativo di riscattare tutta quella sfera dell'attività umana che non si può ricondurre alla scienza da quel limbo in cui era stata ricacciata, da quel regno nebuloso, indistinto, in cui si trovavano vicini, accomunati dalla loro incapacità ad esprimersi in una forma logica discorsiva, arte, religione, metafisica, vita emotiva e sentimentale. Per operare questo riscatto è necessario tener presente la distinzione tra espressione artistica ed espressione scientifica, e allo stesso tempo riconoscere che ambedue rappresentano tipi di espressioni simboliche anche se di genere diverso, ognuna delle quali non presenta privilegi rispetto all'altra, perché assolvono a funzioni diverse, ma ugualmente essenziali e insostituibili per l'uomo.

Se si troverà una logica del simbolo artistico, si sarà fatto un gran passo avanti su questa via: l'arte non sarà piú quel regno indefinito, inafferrabile, espressione ineffabile delle regioni piú misteriose del nostro io.

In genere siamo portati ad attribuire all'arte un *significato*, sebbene non riusciamo mai a precisare in che cosa esso consista. Si è già visto come la musica si presenti come un'arte privilegiata per un'indagine di questo tipo. La musica nelle sue piú pure creazioni è una forma significante, senza però un significato convenzionale: la percepiamo come «forma significante» indipendentemente da qualsiasi significato fisso e letterale, slegata da qualsiasi cosa possa rappresentare. È piú facile afferrare questo significato propriamente artistico nella musica che in arti piú legate a modelli esteriori. È stato detto, nota la Langer, che tutte le arti aspirano alla condizione della musica; in essa il simbolismo si presenta nel suo aspetto piú puro.

Si è per ora soltanto accennato ad una relazione tra musica e sentimento, senza approfondire come questa si verifichi. La musica non esprime sentimenti: piuttosto li espone, li esibisce. Le strutture musicali presentano una somiglianza nella loro forma logica con la nostra vita emotiva, riflettono certi fondamentali modelli dinamici della nostra esperienza interiore. Questa esperienza emotiva è *presentata* dal simbolo musicale in una forma globale, indivisibile.

Questa ipotesi, per cui la musica riflette la morfologia dei nostri sentimenti, è forse confermata dalla sua ambivalenza di contenuto, che il linguaggio discorsivo non possiede: uno stato emotivo triste e uno allegro da un punto di vista discorsivo sono opposti tra loro, ma nella musica, che riflette solamente la dinamica dei sentimenti, la loro struttura formale, le loro tensioni e risoluzioni, possono trovare una medesima forma espressiva. Chi nega alla musica il potere di rappresentare sentimenti ed emozioni o alcunché d'altro, lo fa in nome della logica del linguaggio comune. Questa *fallacia* – come la chiama la Langer – è basata sull'assunto che il linguaggio discorsivo stabilisca modelli assoluti, escludenti ogni altro tipo di semantica che non individui *cose, eventi* o *emozioni* determinate. La presunta insufficienza o debolezza della musica è in realtà la sua forza: «la musica può articolarsi in forme negate al linguaggio»[3].

Il simbolo musicale è stato felicemente definito dalla Langer come *autopresentazionale* o, ancor meglio, «simbolo non consumato». Il simbolo del linguaggio discorsivo si esaurisce, si consuma completamente nella trascendenza rispetto all'oggetto designato; il simbolo discorsivo è completamente *trasparente*: assolve alla sua funzione solo quando si risolve senza tracce nella sua totale trasparenza. Il simbolo musicale è «iridescente», il suo significato è implicito ma mai convenzionalmente fissato: il suo riferimento non è mai esplicito e predeterminato. Il simbolo musicale si autopresenta: lo godiamo per se stesso e non si esaurisce in un riferimento esterno a se stesso. «La sua vita è l'articolazione pur senza asserire nulla; la sua caratteristica è l'espressività ma non l'espressione»[4]. È dunque impossibile isolare particelle musicali dotate di significato; gli sforzi fatti in questo senso da tanti studiosi appaiono del tutto vani. «I tentativi di Schweitzer e Pirro di abbozzare un "vocabolario emotivo" per la musica di Bach, mettendo in relazione figure musicali con le parole che abitualmente le accompagnano, per quanto siano interessanti, ci mostrano solamente certe associazioni nella musica di Bach, forse anche convenzioni accettate nel

---

[3] *Ibid.*, p. 233.
[4] *Ibid.*, p. 240.

suo tempo o nella sua scuola, ma non certo leggi dell'espressione musicale»[5].

Nello studio *Feeling and Form*, che seguí a *Philosophy in a New Key*, dedicato unicamente al problema artistico, la Langer sviluppò ulteriormente le sue tesi sul simbolismo musicale, giungendo però a conclusioni in contrasto con le sue premesse. La Langer riprende qui il problema centrale della sua estetica, «cos'è il "significato" nell'arte», riaffermando le tesi già note: come la musica presenti un'analogia formale con il nostro mondo emotivo, ne rispecchi il dinamismo, ne riproduca la forma logica: come non sia linguaggio per il carattere globale con cui il suo simbolo si presenta, senza un riferimento convenzionale e senza vocabolario, e allo stesso tempo non sia uno stimolo, un'espressione diretta del sentimento. Tuttavia essa pone l'accento piú che sul termine «simbolo» precedentemente usato, sull'espressione «forma significante». In effetti pare che la Langer si renda conto che alla luce delle precedenti affermazioni solo in senso metaforico la musica si può ancora dire un «simbolo»: si potrebbe meglio definire come una forma che presenta una *diretta* analogia con la nostra vita interiore, come «il modello del dinamismo della vita soggettiva» (come non ricordare Hanslick!) Perciò il problema che prima sembrava centrale, cioè quello del *significato* della musica, sembra ora scavalcato e messo da parte per definire meglio l'analogia formale tra la musica e la nostra vita interiore. Secondo la Langer le arti si distinguono tra loro non secondo la materia usata, ma secondo «l'illusione primaria» che creano. La musica, come tutte le arti, è una «*sembianza*», un'illusione prodotta dai suoni. «Il movimento fisico dei suoni è, in breve, qualcosa di radicalmente diverso dal movimento, è una sembianza e nulla piú»[6], per cui è inutile agli effetti della comprensione del fenomeno musicale studiare gli stimoli prodotti dai suoni, i quali nel contesto musicale «come tutti gli elementi artistici, sono qualcosa di virtuale»[7].

L'essenza dunque, se cosí si vuol dire, della musica, sarà

---

[5] *Ibid.*, pp. 231-32.
[6] S. Langer, *Feeling and Form*, p. 108.
[7] *Ibid.*, p. 107.

la creazione di un tempo virtuale, che chiameremo l'illusione primaria della musica: esso sarà la sembianza del movimento organico, della nostra essenza temporale. Questo tempo virtuale, immagine di questo «tempo vitale, esperimentato direttamente in noi», è percepito solo dall'udito, a differenza del tempo fisico che può essere percepito attraverso un'infinità di strumenti, essendo concepito come una successione regolare di istanti immobili: «la musica rende il tempo udibile e afferrabile nella sua forma o continuità»[8]. Il tempo musicale, come analogo del tempo e del movimento organico, crea l'illusione di un tutto indivisibile. È evidente il richiamo alla *durata reale* di Bergson. Tuttavia la Langer insiste sul fatto che anche se il filosofo francese ha posto i fondamenti metafisici per questa distinzione, tuttavia ha concepito la pura durata come qualcosa che s'intuisce direttamente, senza alcuna mediazione, senza simboli. Per la Langer invece la musica non è il sentimento stesso o la copia di esso, ma la sua presentazione simbolica.

Il simbolo musicale è singolo, individuale, anche se articolato nel suo interno. Il linguaggio è un sistema di simboli separabili, mentre l'arte è sempre «un simbolo originario», che non deriva da una sintesi di piú simboli, dato che il suo carattere consiste nel creare l'illusione del movimento della nostra vita interiore, dei nostri sentimenti, che hanno appunto una struttura organica. «L'essenza di qualsiasi composizione – tonale o atonale, vocale o strumentale, o anche puramente di strumenti a percussione – è la sua rassomiglianza al movimento *organico*, l'illusione di un tutto indivisibile. L'organizzazione vitale rappresenta la struttura di tutti i sentimenti, perché il sentimento esiste soltanto in un organismo vivente; e la logica di qualsiasi simbolo che esprime sentimenti è la logica di un processo organico»[9].

Il carattere ritmico della nostra vita organica permea di sé la musica; per cui il tempo virtuale si articola attraverso il ritmo: esso è la preparazione di nuove tensioni attraverso la risoluzione delle precedenti. «Il ritmo musicale non consiste in una simmetrica divisione del tempo; la sua essenza consi-

ste nel preparare un nuovo evento»[10], nelle relazioni tra tensioni e risoluzioni che rispecchiano il nostro ritmo interiore:
«tutto ciò che prepara un futuro crea un ritmo»[11]. I sentimenti, le emozioni, i palpiti della nostra vita piú intima si
scandiscono appunto in attese, in ricordi, tensioni e risoluzioni, intersecarsi di passato e futuro. Ma data la forma organica, indivisibile, dal significato non convenzionale, del
simbolo musicale, come potrà questo essere condiviso, comunicato? La risposta della Langer è molto semplice e chiara: ogni forma artistica simbolica s'intuisce: «non soltanto la
forma, ma anche il *significato formale*, il valore, può essere
colto solo intuitivamente»[12]; e poco oltre si legge che non
solo il processo interpretativo è intuitivo, ma anche quello
creativo, per cui il solo modo di rendere pubblico il contenuto emotivo di un disegno, di una melodia, di una poesia o di
qualsiasi altro simbolo artistico, è di presentare la sua forma
espressiva in un'astrazione cosí efficace che qualsiasi persona dotata di normale sensibilità per tale arte «potrà cogliere
la sua forma e la sua "qualità emotiva"»[13]. Alla luce di queste poche frasi va forse rivista e chiarita tutta la teoria del
simbolo. Che senso avrà ancora parlare di simbolo se l'arte
s'intuisce direttamente, se il sentimento che esso esprime
non è «comunicato ma rivelato»[14]? Anche se il simbolo musicale si offriva con il suo significato in modo diverso dal
simbolo del linguaggio discorsivo, si poteva tuttavia suppor-
re che in un qualche modo recasse con sé un messaggio. La
Langer stessa ci dice che il termine «messaggio» non è usato
a proposito. «Un messaggio è qualcosa che si comunica;
ma... un'opera d'arte non si può dire che in senso strettamente semantico effettui una comunicazione tra il suo creatore e coloro che la contempleranno; la sua funzione simbolica, per quanto abbia molto in comune con quella del linguaggio... mantiene una piú stretta affinità con l'intuizione»[15].

[10] *Ibid.*
[11] *Ibid.*, p. 129.
[12] *Ibid.*, p. 378.
[13] *Ibid.*, p. 380.
[14] *Ibid.*, p. 394.
[15] *Ibid.*, pp. 253-54.

Gli esiti chiaramente intuizionistici della teoria della Langer tradiscono dunque le premesse e le esigenze illuministiche, antimetafisiche e analitiche da cui essa era stata mossa, e quindi l'aspirazione di far rientrare l'arte nel campo delle attività umane analizzabili, in quanto esperienza compresa nel quadro dell'attività simbolica. Il simbolo musicale non è più un simbolo dotato di una funzione comunicativa; la musica diventa un modello del sentimento, della vita stessa che si potrà cogliere solo intuitivamente, direttamente. La forma non è più allora *simbolo* del sentimento stesso, ma la si *sentirà*, la si intuirà come qualcosa di identico al sentimento; il contenuto emotivo non si potrà più distinguere dalla forma. La novità, la *nuova chiave* della Langer avrebbe dovuto essere uno studio della musica come linguaggio capace di significare e comunicare, anche se in tutt'altro modo del linguaggio comune discorsivo. Ma abbandonando involontariamente questo proposito che avrebbe dovuto sboccare in un'analisi della sintassi logico-grammaticale che storicamente regge il discorso musicale, l'estetica della Langer in definitiva ha ricalcato le orme del vecchio formalismo, con esiti chiaramente irrazionalistici, relegando ancora una volta la musica in quella sfera a-logica, intuitiva, privata, ineffabile, in cui era stata costretta dai romantici.

5. *Leonard Meyer: estetica e psicologia.*

Si è già detto della funzione insostituibile che ha assunto la psicologia nello sviluppo dell'estetica musicale; l'opera di Leonard Meyer lo sta a testimoniare meglio di ogni altra. Il noto studioso americano si è servito sia della psicologia della forma (*Gestalttheorie*) che della teoria dell'informazione come strumenti atti a fornire un'efficiente interpretazione della struttura del discorso musicale e del tipo di reazione emotiva da parte dell'ascoltatore. Già dal titolo del suo studio più organico[1] si intende che il problema centrale è ancora

---

[1] L. Meyer, *Emotion and Meaning in Music*, University of Chicago Press, 1956.

quello del *significato* della musica, ma strettamente connesso con quello della sua comunicazione.

Per il Meyer non sussiste l'alternativa tra *formalisti* o *espressionisti*, o meglio bisogna chiarire cosa s'intende con questi termini ormai consunti dall'uso e dal cattivo uso. Due sono le posizioni fondamentali riguardo al significato della musica. C'è chi sostiene che si può parlare di significato solo nell'ambito della struttura stessa dell'opera musicale, cioè di significato musicale, nel contesto dell'opera d'arte; e c'è chi sostiene che di significato si può parlare in senso piú proprio, cioè nel senso che la musica si riferisce in qualche modo a un mondo extramusicale di concetti, di azioni, di stati emotivi, ecc. I primi il Meyer li chiama «absolutists», e i secondi «referentialists». Nel campo degli absolutists bisogna però ancora compiere una distinzione importante, cioè tra i «formalisti», i quali pensano che il significato della musica consista nella «percezione e comprensione delle relazioni musicali all'interno dell'opera e che quindi il significato della musica sia eminentemente intellettuale» e gli «espressionisti», i quali ritengono che «le medesime relazioni siano in un certo senso capaci di eccitare sentimenti ed emozioni nell'ascoltatore»[2]. Queste posizioni non si escludono ma possono essere complementari. La posizione del Meyer è dalla parte degli «absolutists», anche se non esclude che la musica in determinate condizioni naturali di ascolto possa assumere un significato referenziale, sebbene quest'ultimo non rappresenti la sua funzione piú essenziale: ci sono consuetudini di carattere storico e culturale per cui certi procedimenti tecnici sogliono riferirsi a concetti e stati d'animo, ma si tratta di associazioni di carattere appunto culturale, in nessun modo necessarie, e quindi soggette a mutamento. Tutto ciò fa parte di quel potere che ha la musica di attivare processi immaginativi, affettivi, visivi, di carattere comunque extramusicale, che rischiano però di distrarci dai valori propriamente musicali. Non è dunque questo aspetto secondario che interessa al Meyer, il quale invece appunta la propria attenzione soprattutto sul *significato* inteso come complesso di rapporti interni alla struttura dell'opera in relazione alla

[2] *Ibid.*, p. 8.

risposta dell'ascoltatore. Perde allora importanza agli occhi del Meyer la divergenza non essenziale tra formalisti ed espressionisti, in quanto la risposta emotiva alla musica o quella intellettuale sono manifestazioni diverse di un singolo processo psichico. La diversità tra i due modi d'intendere la musica dipenderà essenzialmente dall'educazione e dall'atteggiamento personale. In cosa differisce dunque l'esperienza musicale da quella non musicale, o piú specificamente non estetica? Anzitutto l'esperienza della musica, emotiva o intellettuale che sia, non è referenziale. Inoltre nell'esperienza quotidiana, non estetica, le tensioni create dalle continue inibizioni di desideri, attitudini, ecc., non vengono risolte; in questo senso l'esperienza può essere insignificante e accidentale. Nell'arte queste forze non cessano semplicemente di esistere se non trovano una risoluzione e una conclusione. Nella musica lo stesso stimolo, cioè la musica stessa, crea queste tensioni, le incurva e provvede a fornire risoluzioni significative. Da questo punto di vista ciò che indica o ciò cui si riferisce uno stimolo o una serie di stimoli musicali non sono concetti extramusicali o oggetti, ma altri eventi musicali che stanno per accadere. «Un evento musicale (sia un suono, una frase o un'intera composizione) ha *significato* perché è in tensione verso un altro evento musicale che noi attendiamo»[3]. In altre parole il *significato* della musica è il prodotto di un'attesa; la risoluzione che seguirà tuttavia non è mai una sorpresa totale, perché intanto comporta la consapevolezza della situazione precaria e instabile la cui soluzione si configura come un campo di possibilità entro un determinato stile o tecnica musicale. È chiaro ora che il problema del significato è strettamente legato a quello della comunicazione, anzi è lo stesso problema: il significato non è una proprietà della musica in quanto tale; non agisce come puro stimolo; la musica può acquistare una funzione significativa e comunicativa solo in determinate condizioni, solo in un determinato contesto di relazioni storiche o culturali. Un suono o anche una serie di suoni, di per sé sono privi di significato.

[3] *Ibid.*, p. 35.

È per questo motivo che per il Meyer il problema del significato si può tramutare in un discorso storico. Perché possa sorgere un qualsiasi significato è indispensabile l'esistenza di quello che i logici chiamano un *comune universo del discorso*: «senza un complesso di attitudini comuni al gruppo sociale e senza comuni abiti di risposta a tali attitudini, nessuna comunicazione di qualsiasi tipo sarebbe possibile. La comunicazione dipende e presuppone e sorge dall'universo del discorso che nell'estetica musicale è chiamato stile»[4]. Ciò significa che la musica non è un linguaggio universale, e che ogni civiltà musicale crea diversi procedimenti tecnici atti a creare quelle tensioni e risoluzioni di cui si compone ogni discorso musicale. Cosicché l'analisi del Meyer si rivolge a diverse civiltà musicali per trovare le regole sintattiche che organizzano in modo significativo la struttura formale della musica.

Nell'ambito di un dato linguaggio musicale l'emozione nell'ascoltatore sorge appunto quando «un'attesa – la tendenza ad una risposta – attivata in una situazione di stimolo musicale è temporaneamente inibita o permanentemente bloccata»[5]; dall'attesa che la crisi si risolva si genera il piacere emotivo o intellettuale che sia, e la soluzione come la tensione che la precede deve rappresentare una certa novità, deve possedere qualcosa di inconsueto, deve rappresentare una certa «deviazione» dalla *normalità*, sempre però nei limiti delle possibilità previste in certo senso dal contesto stilistico in cui sorge la musica, e quindi prevedibile anche dallo stesso ascoltatore. La novità per la novità, la soluzione che esula completamente dalle convenzioni e dal linguaggio in uso, non soddisfa l'attesa e rende privo di significato il discorso musicale. Ciò che appare evidente è che la percezione del significato del messaggio musicale non è una *contemplazione* passiva, ma piuttosto un processo attivo che impegna tutta la nostra psiche, processo cosciente nella ricerca di una soluzione allo stato provvisorio, di ambiguità, di inconclusione, che porti ad un punto fermo. Il significato sorge appunto nella misura in cui la relazione tra tensione e soluzio-

[4] *Ibid.*, p. 42.
[5] *Ibid.*, p. 31.

ne diventa esplicita e cosciente. Il Meyer non si stanca di ripetere che ciò che è significativo in un determinato stile, in una certa società, può non esserlo affatto in un altro gruppo umano, proprio perché quelle relazioni, quelle tensioni e risoluzioni, non divengono esplicite.

Alla base di tutta la teoria del Meyer sta evidentemente una teoria delle emozioni e dell'esperienza ispirata alla filosofia di Dewey, dove per esperienza si intende questo circolo di stimoli e risposte che nell'arte divengono significativi per se stessi, simbolo della stessa unità organica cui tende ogni esperienza. La struttura formale dell'opera musicale tende quindi a soddisfare esigenze proprie del funzionamento della stessa psiche umana.

Anche se il Meyer tende a mettere in evidenza la dimensione storica e culturale del significato della musica, appellandosi anche di continuo agli studi di etnomusicologia – questo rappresenta forse il lato piú interessante dello studio –, tuttavia non si può fare a meno di osservare che la sua teoria si adatta forse troppo a pennello alla musica tonale. Anche se il Meyer non vuole certo sostenere una supremazia *naturale* della musica tonale occidentale, tuttavia la sua teoria incontra indubbiamente difficoltà e limiti quando si trova a dover giustificare certi fenomeni musicali non appartenenti al campo della musica classica tonale, quella da cui egli trae tutti gli esempi per illustrare il suo pensiero. Il meccanismo della musica tonale, il costituirsi di una polarità attorno cui gravita la composizione sempre in provvisoria tensione per ritornare al punto di stasi secondo una legge che non permette soluzioni arbitrarie o casuali, si inquadra perfettamente nel tipo di reazione psichica descritta dal Meyer. Ma se ci volgiamo ad altre civiltà musicali, al canto gregoriano, come a certa musica contemporanea dodecafonica, puntillista o altro che sia, in cui volutamente si opera in polemica con una concezione classica della musica, concepita come un sistema di tensioni costruite attorno ad un punto di attrazione tonale, simbolo di una concezione statica dell'universo in cui ogni movimento viene annullato e ricondotto entro un ordine costituito, allora si incontreranno certo delle difficoltà e la teoria del Meyer si troverà di fronte ad una realtà che non si lascerà piú inquadrare in modo cosí soddisfacente.

6. *Deryck Cooke: il vocabolario delle emozioni.*

Sotto l'etichetta di formalismo si possono comprendere teorie estetiche anche molto diverse e non è raro il caso in cui i confini tra l'estetica della forma e l'estetica del contenuto possano essere alquanto sfumati. Questo è il caso delle teorie di Deryck Cooke, musicologo americano, il quale in un suo noto saggio[1] si pone il problema classico del *significato* della musica, partendo da un'analisi del linguaggio musicale. In altre parole il suo scopo è di verificare se i *termini*, cioè le varie figurazioni del linguaggio armonico tonale possiedano un significato esprimibile nel vocabolario delle emozioni e dei sentimenti. Il limite di questo studio, come di molti studi di questo tipo, è quello di non essere generalizzabile, e di conservare una validità storica, ristretta al periodo della musica armonico-tonale. Non solo, ma anche nell'ambito di tale periodo, ipostatizza dei significati che se mai emergono da uno studio che ponga in prima linea una prospettiva storica e che tenga conto del reale e storico formarsi di *significati*, i quali non sussistono al di fuori di un contesto musicale all'interno del quale hanno preso forma.

Il Cooke è tra gli studiosi che mostrano una fiducia incrollabile nella capacità espressiva della musica. Chi crede nel potere semantico della musica, cioè nella sua possibilità di riferirsi ad altro, deve anzitutto porsi il problema del suo linguaggio, cioè del se e del come la musica possa considerarsi linguaggio, e quindi su quali basi possa fondarsi la sua comunicatività, a meno che la sua semanticità la s'intenda in senso puramente evocativo e onomatopeico. Ma non è questa la tesi del Cooke, il quale affronta senz'altro il problema del linguaggio musicale per giustificare la sua convinzione che funzione della musica sia quella di esprimere e comunicare emozioni. La musica costituisce un linguaggio: un linguaggio che non è quello del parlare comune, perché non ha carattere concettuale, ma può esprimere emozioni e sentimenti, anzi è il linguaggio proprio delle emozioni e dei sentimenti. Fin qui appaiono i concetti tipici tramandati dal ro-

[1] D. Cooke, *The Language of Music*, Oxford University Press, 1959.

manticismo. Ma il tentativo del Cooke – e non è il primo
certo[2] – riguarda la stesura di un vero e proprio vocabolario
musicale, supponendo che la musica esprima i sentimenti
con una terminologia ben definita e immutabile, per mezzo
cioè di *vocaboli* dotati di un preciso significato. Il Cooke nel
suo studio inizia senz'altro questo lavoro offrendoci un primo saggio di alcuni dei termini fondamentali ricorrenti nel
linguaggio musicale.

Esaminiamo piú da vicino il senso dello studio del Cooke.
Anzitutto è importante rilevare che egli limita la sua analisi
alla musica occidentale dal Quattrocento ai nostri giorni. A
volte sembra che questa limitazione sia dettata da motivi di
ordine metodologico e pratico, ma a ben vedere le ragioni
sono piú importanti.

Nel 1400 si è formato e fissato in modo sempre piú definitivo il linguaggio tonale nei suoi due modi maggiore e minore, come derivazione degli antichi modi gregoriani. Per il
Cooke la musica tonale e le leggi dell'armonia rappresentano
l'unica autentica possibilità per la musica. La musica non tonale non è da prendersi in considerazione altro che per gli
elementi tonali che può racchiudere e presentire; perché la
tonalità è un fatto *naturale* che ha la sua base, come è noto,
nel fenomeno acustico degli armonici. Se le leggi dell'armonia sono naturali, la musica precedente vale solo come preparazione ad esse; nei riguardi poi della dodecafonia l'autore
si dimostra scettico, per quanto non escluda che un giorno si
possa trovare una giustificazione *naturale* anche per la nuova

---

[2] Merita a questo proposito di ricordare i tentativi di stabilire un vocabolario
musicale da parte del Pirro, dello Schweitzer, e recentemente dello Chailley, anche se le loro ricerche assumono tutt'altro significato perché limitate com'è noto
allo studio di Bach; infatti può essere pienamente legittimo, anche se discutibile,
analizzare il *linguaggio* di un musicista di una *certa* epoca e riscontrare il ricorrere
di particolari convenzioni grammaticali e sintattiche usate costantemente con
lo stesso *significato* emotivo; di qui si può partire per tentare di costruire una specie di vocabolario, anche se di uso non universale. Il Chailley poi limita il suo studio delle *Passioni* di Bach per mettere in evidenza la costante corrispondenza tra
espressione verbale ed espressione musicale. Queste ricerche pertanto si muovono su di un terreno totalmente diverso da quello del Cooke, perché presuppongono la storicità e convenzionalità del linguaggio musicale, e se non pretendono
di assolutizzare i propri risultati, tradendo cosí il presupposto iniziale, rappresentano forse l'unico e fecondo tentativo d'indagine nel complesso e intricato
problema della semanticità della musica.

musica. Perciò il presunto vocabolario dei termini musicali avrebbe un senso solo per la musica tonale, cioè per il periodo storico compreso tra il rinascimento e i nostri giorni, esclusa la dodecafonia. Entro questi limiti, hanno lo stesso significato i termini fondamentali del linguaggio musicale in Palestrina e in Strawinsky.

Ma quali sono dunque questi termini fissi e ricorrenti, univocamente interpretabili? Sfogliando l'ampio studio del Cooke, con le sue abbondanti esemplificazioni, troviamo anzitutto un'interpretazione di tutti i possibili intervalli del sistema armonico, di cui riportiamo lo schema. Tonica: emozionalmente neutra. – Seconda minore: tensione semitonale verso la tonica. – Seconda maggiore: nota di passaggio emozionalmente neutra. – Terza minore: intervallo consonante, ma inteso come abbassamento della terza maggiore; significa stoica accettazione, tragedia. – Terza maggiore: gioia. – Quarta giusta: nota di passaggio, oppure, se dotata di tensione tonale verso la terza maggiore, significa dolore. – Quarta eccedente: come nota modulante alla tonalità della dominante: attiva aspirazione.

Non si proseguirà l'elenco, di cui può esser piú che sufficiente questa esemplificazione. Piuttosto sarà ancora utile accennare ad alcuni termini o nuclei armonici isolati dal Cooke: la triade maggiore ascendente 1-(2)-3(4)-5 viene interpretata come un'attiva positiva affermazione di gioia; cosí ha analogo significato la discesa dalla dominante alla tonica per risalire alla terza 5-1-(2)-3. Gli stessi schemi melodici nel modo minore sono sinonimi di sentimento di pena e dolore. Potremmo citare molti altri schemi: 1-5-6-5 (purezza e innocenza nel modo maggiore, affermazione di protesta dolorosa nel minore); 8-7-6-5 (ottimismo nel modo maggiore, sofferenza passiva nel minore). Ognuno di questi moduli è accompagnato da una ricca esemplificazione tratta da opere che comprendono tutta la storia della musica. È inutile portare altri esempi, ché questi sono sufficienti per cogliere il significato di questo tentativo di vocabolario. Secondo il Cooke la combinazione di tutti questi moduli in un contesto ritmico con variazioni nelle intensità sonore produce l'opera musicale.

L'impostazione di questo studio non si sottrae a critiche

fondate. Anzitutto la sua validità è strettamente legata a quella concezione secondo cui la relazione tra la serie armonica e il sistema tonale è naturale e non storica; in tal modo il Cooke si preclude la comprensione di altri generi di musica. Inoltre è facile rilevare che il linguaggio armonico, con la ricchezza immensa di combinazioni che ha offerto nella storia, risulta estremamente impoverito nelle interpretazioni o traduzioni in linguaggio comune che ci ha offerto il Cooke: sembra che esso in definitiva non possa esprimere che gioia o dolore, cioè tensioni risolte o irrisolte, o in attesa di risoluzione, tramite il meccanismo della cadenza. Il mondo cosí complesso e vasto della musica dal rinascimento ad oggi, che nella perfetta costruzione armonica con le sue infinite possibilità ha potuto esprimere una gamma cosí estesa di sentimenti in forme artisticamente compiute, ci sembra ridotto nel vocabolario del Cooke ad uno schema di comodo, povero proprio di quelle capacità espressive in cui l'autore aveva dichiarato la sua fiducia.

Alla secolare polemica tra formalisti e contenutisti Deryck Cooke non ha portato nessun elemento nuovo, e il suo tentativo di vocabolario dei termini musicali fallisce alla prova storica e non rappresenta uno strumento critico e storiografico di alcuna utilità. Certo se la musica ha un potere semantico, cioè se è in qualche modo significativa o espressiva, istituisce con la realtà rapporti assai piú sottili, piú ricchi forse, piú elastici, piú allusivi e metaforici, e comunque *sui generis* rispetto al linguaggio quotidiano o non artistico, che non appaia nel vocabolario del Cooke. Ogni volta che si tenta di stabilire dei rapporti meccanici e fissi tra la musica e un presunto mondo cui si riferisce, si va incontro alle stesse difficoltà originate da troppo semplicistiche soluzioni.

Capitolo settimo

Il neoidealismo italiano e l'estetica musicale

1. *I primi studi di musicologia in Italia.*

La cultura musicale italiana fu in notevole ritardo per tutto l'Ottocento rispetto agli altri paesi europei ed in particolare alla Germania, e rimase praticamente estranea alla fioritura di studi di estetica e di teoria musicale come allo sviluppo della filologia e della storiografia. Ciò giustifica una trattazione praticamente separata del pensiero musicale in Italia nella prima metà del Novecento, perché in effetti per piú di un motivo, culturale e politico, l'estetica italiana si è sviluppata per questi decenni in isolamento rispetto alla cultura europea.

Già alla fine dell'Ottocento, le figure del Torchi e del Chilesotti rimangono praticamente isolate e questi due studiosi possono ben dirsi dei pionieri negli studi musicali in Italia, anche se la loro cultura, le loro idee sulla musica derivano per lo piú dalla fiorente *Musikwissenschaft* tedesca e in genere dal positivismo. Gli studi del Torchi sulla musica strumentale italiana, su Verdi, la monografia su Wagner, le sue traduzioni di Wagner e dello Hanslick, cosí come gli studi del Chilesotti sulle antiche musiche italiane per liuto che si conclusero con la trascrizione e pubblicazione di numerose opere, i suoi saggi sulla melodia popolare del Cinquecento, sulla teoria musicale del Cinquecento e del Seicento, e persino sulle scale arabo-persiane e indú, nonché sull'evoluzione della musica, studio desunto per lo piú dal pensiero di Spencer, rappresentano una mole di lavoro notevole e di grande valore scientifico.

Il Torchi e il Chilesotti hanno avuto il merito anzitutto di introdurre in Italia il costume e il gusto per i severi studi filologici i quali pur con i limiti che già conosciamo, propri d'altronde ai presupposti estetici e all'impostazione stessa della musicologia, rappresentano la base necessaria al sorgere di una piú matura storiografia e di una critica che uscissero dall'ambito della pagina letteraria e dall'impressionismo vago e fuggente.

Ma con i primi anni del Novecento l'estetica musicale, come tutti gli studi musicali in Italia, reagí rapidamente a questo indirizzo positivisticheggiante, anzi assunse un tono di netta e aspra polemica verso di esso: stava ormai sorgendo l'astro di Benedetto Croce e la sua estetica dominerà incontrastata per un cinquantennio lasciando la sua forte impronta anche negli studi musicali.

2. *La reazione al positivismo.*

Gli ideali della *Musikwissenschaft* che in Italia quasi non avevano avuto tempo di affermarsi, si spensero ben presto, e mentre in Germania e nei paesi anglosassoni in fondo sopravvivono tuttora, la cultura musicale italiana di questo secolo è caratterizzata da una forte reazione ad essi, sia per quanto riguarda l'estetica che la critica e la storiografia.

Fausto Torrefranca fu tra i primi a formulare un'estetica che si opponesse nei suoi principî alla musicologia positivistica, anche se i suoi sforzi si concretarono in un'opera piena di mistiche fumosità, ispirata per metà ai motivi dell'estetica crociana, per metà a Schopenhauer e ai romantici, non esente tuttavia da residui positivistici.

Trascurando qui l'esame degli studi importantissimi condotti dal Torrefranca nel campo della storia della musica, ci si fermerà brevemente sul suo pensiero estetico espresso in un ampio studio ancora giovanile[1], ma cui egli resterà sostanzialmente fedele. Il Torrefranca si chiede anzitutto quale posto abbia la musica nella vita dello spirito e fin dall'introduzione ci avverte che la musica rappresenta «l'attività germinale» dello spirito. Questa è la sua idea fondamentale che non si stanca di ripetere e di svolgere. Accetta da Croce il concetto dell'arte in generale come primo momento intui-

---

[1] F. Torrefranca, *La vita musicale dello spirito*, Bocca, Milano 1910.

tivo dello spirito, però gli rimprovera di non aver capito che esiste ancora una «precategoria» dello spirito dove stanno germinalmente unite all'origine le categorie crociane. L'attività artistica è fondamentalmente una, tuttavia bisogna ammettere «l'egemonia e la germinalità della musica rispetto alle arti, cioè la precedenza spirituale di quella rispetto a queste»[2]. Infatti lo spirito stesso è Musicalità nel suo primo manifestarsi; «tutte le arti partono dalla condizione di musica per adattarsi all'esperienza esteriore e però nessuna espressione artistica può avere la germinale e astrattiva "globalità" intensiva che ha la Musica»[3].

L'attività artistica è presente cosí in una doppia forma, la prima astrattiva, musicale, cioè anteriore a qualsiasi esperienza esterna, pura aspirazione verso l'intima vita dell'essere, la seconda concretiva, figurativa, cioè legata al mondo esterno, alle sensazioni, aspirazione alle relazioni tra le cose e lo spirito. La prima forma, espressione privilegiata che «riassume tutta la globalità dell'attività spirituale»[4] si presenta come la sola «intuizione pura», creazione in senso assoluto. La tecnica in cui si concreta il fatto musicale è al di qua del fatto estetico che è tutto interiore, per cui qualsiasi indagine di tipo scientifico o pseudo-scientifico sulla musica non ci dirà assolutamente nulla sulla sua essenza, perché queste indagini sono basate su di una ingannevole «mitologia scientifica». La musica vera non ha nessun riferimento a teorie scientifiche, a classificazioni sociologiche e anche ad analisi psicologiche, perché è un fatto puramente spirituale ed estetico: «la musica è espressione germinale di tutte le espressioni: espressione dell'attività fondamentale di tutte le attività»[5]. La tonalità in cui si esprime la musica è connessa inscindibilmente alla struttura stessa dello spirito, quindi è eterna, immutabile e tutta la musica tende ad essa. Il Torrefranca intende quindi la tonalità come «simbolo spirituale», ma non nel senso in cui la intende ad esempio Strawinsky, quando afferma che in essa si realizza la stessa legge temporale secondo cui si sviluppa la coscienza non escluden-

2 *Ibid.*, p. 17.
3 *Ibid.*, Introduzione, p. xxv.
4 *Ibid.*, p. 42.
5 *Ibid.*, p. 61.

do tuttavia che questa legge possa trovare un altro mezzo di espressione. Il Torrefranca rifiuta di considerare la temporalità come caratteristica della creazione musicale; anzi la musica in quanto espressione privilegiata dello spirito è «contemporaneità sostanziale»[6].

È forse inutile dilungarci ancora in queste lunghe analisi che spesso risultano stucchevoli nel loro tono misticheggiante, in cui riaffiorano tutte le teorie romantiche: l'affinità tra Musica e Religione; il richiamo esplicito a Pitagora, la parentela tra Musica Matematica e Filosofia, «le tre attività tipiche di pure relazioni» che ci dànno «il solo aspetto della verità eterna che ci sia dato accostare nella Vita»[7]; il privilegio della musica di fronte a qualsiasi altra forma di espressione, il sostrato musicale presente in ogni arte come forma della pura interiorità. Pertanto il valore del pensiero del Torrefranca sta non certo nella sua originalità, ma nella polemica contro il positivismo e qualsiasi interpretazione scientifica del fatto musicale che diventerà la nota dominante negli studi musicali del Novecento in Italia. Per il resto il suo pensiero non ha piú attualità; alcuni critici come il Ronga[8] hanno voluto vedere nella sua opera una affermazione dell'unità del fatto estetico, anche se indebolita da distinzioni di natura psicologica; ci sembra invero che il Torrefranca abbia fondato la sua distinzione su basi teoriche di origine romantica e schopenhaueriana. Ciò che rimane di piú valido del Torrefranca è la sua opera di storico, anche se spesso l'imparzialità dello studioso è velata da un malinteso nazionalismo con cui vorrebbe dimostrare un preteso primato dell'Italia, ad esempio nell'invenzione della forma sonata, da tutti attribuita ai tedeschi.

Se Torrefranca reagí alla mentalità positivistica per lo piú con gli strumenti del romanticismo, una vasta schiera di studiosi, riuniti intorno alla rivista «Il Pianoforte»; fondata nel '20, e poi alla «Rassegna Musicale», tuttora esistente, che ne fu la continuazione, estesero alla musica i concetti dell'estetica crociana e della sua metodologia critica, con una

[6] *Ibid.*, p. 47.
[7] *Ibid.*, p. 133.
[8] L. Ronga, *Esperienza storica della musica*, Laterza, Bari 1960, p. 53.

chiarezza ed un rigore esemplari, che si trasformò a volte in una chiusura mentale verso altre correnti di pensiero sviluppatesi in questo ultimo cinquantennio fuori d'Italia. Comunque la loro opera fu della massima importanza perché portò la critica e la storiografia italiana ad un livello tale da poter figurare degnamente accanto a quelle europee per la loro serietà e per il saldo fondamento filosofico ed estetico.

Croce nella sua vasta opera di estetica e critica non dedicò che pochi e sporadici accenni alla musica, per cui l'influenza che esercitò in questo campo fu del tutto indiretta; furono i suoi allievi interessati a tal campo di studi ad estendere la sua estetica e la sua metodologia critica alla musica. Alfredo Parente fu tra i primi ad iniziare quest'opera, con spirito battagliero e polemico, e con un rigore che non venne mai meno. Il concetto fondamentale dell'estetica crociana, l'unità delle arti, è centrale nell'opera del Parente e rappresenta il punto di partenza per la sua polemica contro tutte le estetiche di origine positivistica, come verso certe forme di estetiche romantiche.

Il titolo di un suo studio, *La musica e le arti*[9], che rimane oggi il frutto piú limpido del suo pensiero, ci indica come ancora una volta nella storia dell'estetica musicale il problema dei rapporti tra la musica e le altre arti permanga come fondamentale anche qualora si voglia eliminare la relazione ed istituire una perfetta unità.

Secondo il Parente la questione principale è di capire come il problema musicale sia un problema estetico. La musica va considerata anzitutto come arte, «come creatura di quella medesima facoltà donde, con mutati mezzi sensibili, nacquero i Poemi omerici e la *Divina Commedia*, le pitture di Masaccio o le statue di Michelangelo, le cattedrali gotiche e le tele di Rembrandt»[10]. È evidente come alla base di questo ragionamento ci stia il concetto dell'unità delle arti; la musica è *par inter pares*; la musica è espressione lirica del sentimento, sintesi di contenuto e forma, di immagine e sentimento, come qualsiasi altra espressione artistica. Sicché, in fondo, tutto il discorso del Parente, con l'opportuna modi-

[9] A. Parente, *La musica e le arti*, Laterza, Bari 1936 (1ª ed.).
[10] *Ibid.*, pp. 3-4.

fica di alcuni termini, potrebbe adattarsi a qualsiasi altra arte. Ma tutto ciò coinvolge un altro problema, cioè il valore della tecnica nella musica e nell'arte. L'arte è pura creazione del genio artistico; l'artista lavora senza alcun limite né vincolo né norma *ante rem* alla sua fantasia; non ha importanza agli effetti della creazione la forma in cui vorrà esprimersi «bensí quello di sciogliere in una di tali forme e di mille altre possibili, secondo le singolari e storiche esigenze, una voce dell'anima, un sentimento»[11]. La tecnica rimane al di fuori dell'arte ed è destinata unicamente «alla traduzione fisica delle immagini» mentre la «facoltà lirica nasce invece sempre, nonostante le esperienze, indipendentemente dal problema della materiale traduzione o esecuzione dell'arte»[12].

Nell'opera d'arte creata bisogna distinguere dunque rigorosamente due momenti: il momento creativo, assoluto, astorico, che si forma unicamente come fantasma lirico nello spirito dell'artista, e il momento pratico-tecnico della sua realizzazione, momento contingente e storico. Il fantasma lirico artistico «si compie sempre innanzi tutto nell'anima»[13], mentre la tecnica «interviene unicamente a garantirne la comunicazione esterna e la durata del tempo»[14]. Il Parente è cosí convinto di questa sua affermazione che non esita a portarla innanzi fino al paradosso, concludendo: «Che il musicista conosca o non conosca la tecnica del violino è indifferente rispetto alle sue possibilità di comporre una sonata che si debba poi eseguire con quell'istrumento»[15].

Questa posizione che può rappresentare logicamente uno dei possibili sbocchi del concetto crociano dell'unità dell'arte, rischia di compromettere l'unità concreta dell'opera d'arte, scindendola in un fantasma immateriale e nella tecnica realizzatrice, estranea ed aggiunta all'opera stessa, puro mezzo contingente e inessenziale. Tuttavia a volte anche il Parente sembra intravvedere l'importanza della tecnica, quando ad esempio afferma proprio a riprova della sua teo-

[11] *Ibid.*, p. 20.
[12] *Ibid.*, p. 203.
[13] *Ibid.*, p. 214.
[14] *Ibid.*, p. 215.
[15] *Ibid.*, p. 214.

ria che «quando una delle vie per cui si è indirizzato (l'artista) o è stato indirizzato non risponde alle sue esigenze, o nasce in lui stesso un dissidio e un disagio che sono causa frequente di lunghi periodi d'incertezza infeconda, oppure egli, guidato dal lume interiore, abbandona la via per cui si è messo, finché trova quella che risponde alla sua vocazione»[16]. In questo passo sembra dunque ammettere che la tecnica non è un qualcosa di estrinseco all'arte ma che essa è piuttosto strettamente integrata alla stessa attività artistica, dimenticando per un attimo che «la tecnica musicale è sempre un *posterius* rispetto all'attività del musicista»[17].

Queste considerazioni il Parente le estende piú fecondamente al campo della metodologia critica e storiografica, polemizzando con quelle correnti storiografiche che si ispirano piú o meno direttamente alla *Musikwissenschaft*, e pretendono di scrivere storie della musica concepite come storie di generi o di tecniche. Se l'opera d'arte è creazione assoluta, «pertanto non nacque nel tempo, ma nasce ad ogni istante con l'istessa vicenda dello spirito che è perenne sorgente»[18]. Perciò lo storico non deve lasciarsi ingannare: «nonostante le apparenze e nonostante certe somiglianze e persistenze medie e statistiche che presenta la tecnica di un'arte in un determinato periodo storico attraverso la serie delle sue realizzazioni concrete, essa non è mai come una miniera di tesori, in cui attinge agevolmente e a piacere ciascuno la parte che meglio e piú gli convenga; anzi ogni artista veramente creatore, che abbia cioè la personalità e l'individualità del genio, compie volta per volta e ad ogni istante la conquista dei suoi mezzi e crea le sue opere non perché abbia dinanzi i mezzi sensibili necessari a crearle, ma perché egli, stimolato dai suoi bisogni espressivi, quei mezzi si è foggiati durante il medesimo travaglio lirico, dandoli quindi alla storia»[19]. Il Parente avanza qui la giustissima esigenza che la storia della musica non venga concepita deterministicamente come una catena ininterrotta in cui le forme musicali e le tecniche

[16] *Ibid.*, p. 209.
[17] *Ibid.*, p. 206.
[18] *Ibid.*, p. 30.
[19] *Ibid.*, pp. 28-29.

si svolgono dimentiche dei loro creatori e delle opere in cui si incarnano, e al di fuori delle quali non sono che astratti schemi costruiti solo a posteriori. Tuttavia, accentuando unicamente l'atto creativo, il Parente si lascia forse sfuggire quell'aspetto della creazione che è interazione tra la tradizione, la storia e la personalità creatrice, la quale crea sí, ma pur sempre in un determinato ambiente storico, il quale esercita continue pressioni, a cui ogni personalità reagirà in modo diverso. Se non si ammette questo scambio attivo, stimolante, continuo, tra l'artista e la tradizione in cui vive, che pesa con le sue forme costituite e sperimentate, con la sua complessa e secolare tecnica, a cui ogni artista risponde continuamente innovandola, trasformandola, riadattandola, si dovrà negare la stessa possibilità di una storia della musica: accettando integralmente la prospettiva del Parente quest'ultima non dovrebbe piú essere che una serie di descrizioni di capolavori, come quadri isolati, di creazioni assolute, legate forse tra loro da tenui rapporti, ma del tutto estrinseci.

Il Parente ha esteso la sua indagine a numerosi altri problemi di estetica musicale, analizzando rigorosamente, sempre alla luce del suo crocianesimo, teorie presenti e passate nella storia dell'estetica musicale. Il Parente ha continuato con la sua opera di critico e di abile polemista a diffondere e difendere con vigore l'estetica crociana. Oggi quando ormai anche gli allievi piú fedeli a Croce hanno in qualche modo sentito l'esigenza di rivedere la dottrina del maestro alla luce delle nuove esperienze, il Parente è rimasto fermo, arroccato sulle sue posizioni a difendere la rigida ortodossia crociana, non solo da altre concezioni estetiche, ma anche da ogni tentativo di *revisionismo*.

3. *Il problema dell'interpretazione musicale.*

Il rinnovato interesse per i problemi di estetica musicale in Italia si è rivelato fra l'altro nella vivace polemica, durata per piú di un decennio, dal '30 al '40, sulle colonne della «Rassegna Musicale», sul problema dell'interpretazione musicale, che si è poi concretata in numerosi saggi e studi monografici interamente dedicati all'argomento. Il problema evidentemente è vecchio come la musica o quasi, ma solo con il romanticismo si è posto in tutta la sua evidenza, quando la concezione dell'arte come creazione assoluta da una parte, e il sorgere del virtuosismo dall'altra, hanno messo in piena luce il contrasto latente tra la personalità del creatore e quella dell'esecutore, tra le pretese all'assolutezza creativa del musicista compositore e le pretese dell'esecutore, figura ormai indispensabile e dotata di un sempre maggiore rilievo sociale. I problemi, carichi evidentemente di implicazioni filosofiche ed estetiche, circa il valore dell'opera d'arte, il rapporto tra la personalità creatrice e l'opera d'arte, la collaborazione tra artisti, il problema delle possibilità di molteplici interpretazioni ecc., non erano mai stati impostati con un certo rigore, e i musicisti romantici si erano limitati nei loro scritti a mettere in rilievo un aspetto od un altro del fenomeno, senza mai azzardare soluzioni definitive. Cosí la musicologia positivista si era accontentata di approfondire l'aspetto tecnico-filologico del problema interpretativo. Gli studiosi italiani di formazione idealistica hanno affrontato il problema, forse per la prima volta, globalmente nel suo carattere propriamente filosofico.

In seguito alla polemica accesasi sulla «Rassegna Musicale» e in altre riviste, iniziata forse con una nota del suo direttore G. M. Gatti[1], che contribuí comunque a creare un'atmosfera di interesse vivo per il problema, si delinearono ben presto due concezioni opposte, ma entrambe di ispirazione idealistica. La prima posizione, che identificava l'interpretazione con la figura del tecnico, ubbidiente e remissivo esecutore di ordini, fu sostenuta brillantemente dal Parente; la seconda, che invece assegnava all'esecutore un compito prettamente creativo, fu sostenuta dal Pugliatti, insigne giurista che tuttavia si occupò spesso di problemi musicali. Il pensiero del Parente sull'argomento discende logicamente dalla sua concezione estetica che già conosciamo. Si è visto come a suo modo di vedere il dramma creativo dell'artista si svolge esclusivamente all'interno dell'uomo. Non è un problema di natura estetica il rapporto tra l'interiorità e la ma-

---

[1] Cfr. «Rassegna Musicale», 1930, n. 3.

teria da plasmare; l'esecuzione interviene quindi unicamente per motivi pratici, per garantire la comunicazione dell'opera e la sua conservazione nel tempo. Per il Parente «la realizzazione tecnica della musica non ha dunque a che vedere con la musica. Se i suoi rapporti fossero intrinseci all'arte nessuna creazione artistica potrebbe avvenire fuori della possibilità della sua esecuzione: e al contrario, non c'è attimo della fantasia che non nasca innanzi tutto nell'anima dell'artista, prima e a prescindere dalla possibilità ed eventualità della sua pratica realizzazione». La chiarezza del Parente non lascia adito ad equivoci: l'esecuzione della musica appartiene esclusivamente al momento tecnico-pratico. Il compito dell'interprete sarà pur difficile e delicato ma è unicamente un problema di traduzione di segni; tutto appartiene alla tecnica; la riproduzione delle semplici note del pentagramma, come la riproduzione delle piú sfuggenti sfumature espressive, è una questione puramente quantitativa. L'artista creatore muove dall'interno, per un impulso originario: l'esecutore dall'esterno, trovando in una realtà già *data* «l'imprescindibile guida del suo lavoro».

Questa soluzione dettata dall'esigenza di salvare la purezza, l'indipendenza e l'assolutezza dell'opera d'arte, presuppone che lo spirito umano non abbia altra alternativa che la creatività, la libertà assoluta o la passività, che coincide con la totale mancanza d'indipendenza e libertà.

Il Pugliatti nel suo studio sull'interpretazione musicale[2] parte da esigenze molto affini a quelle del Parente, ma giunge a conclusioni del tutto opposte. La prospettiva idealistica, gentiliana piuttosto che crociana, lo porta ad affermare il carattere assolutamente creatore di ogni atto dello spirito. Per il Pugliatti è inconcepibile un'attività dello spirito umano puramente passiva: «quel che è umano è in misura maggiore o minore spirituale: la stessa vita dell'uomo è spirito. Non può, quindi, mettersi in dubbio la spiritualità dell'attività interpretativa...» Su questo ferreo sillogismo il Pugliatti svolge la sua analisi finissima ed acuta sul carattere creativo dell'interpretazione musicale. Essa ha inizio con un'attività filologico-pratica, ma dove per il Parente finiva e si limi-

---

[2] S. Pugliatti, *L'interpretazione musicale*, Messina 1941.

tava il lavoro dell'interprete, per il Pugliatti invece inizia. Il primo momento filologico deve servire a liberare l'interprete da ogni ostacolo materiale, e «lo spirito, se non è ostacolato da necessità pratiche, e verso di esse sviato, manifesta fatalmente la sua potenza creatrice: disciolta ogni oggettività e superato senza distruggerlo il momento filologico, attua la sua libertà esprimendo, cioè creando, l'unica realtà che possa dirsi tale. Non può dunque l'interpretazione non essere creazione, se l'attività spirituale è per definizione creativa. E ricreazione può essere solo in questo senso: che il testo costituisce il punto di partenza, il limite che si oppone inizialmente all'attività (creatrice) dello spirito, la quale in tanto si potrà finalmente spiegare, in quanto quell'ostacolo superi e risolva nell'atto (della creazione)». Questo passo è sufficientemente chiaro ad illustrare la posizione del Pugliatti il quale ha visto anche chiaramente che muovendo su terreno idealistico le uniche tesi coerenti sono quelle ora esaminate; non si può uscire da questa alternativa, e tutte le altre tesi per cosí dire intermedie tra questi due estremi, proposte da numerosi studiosi, sempre di formazione idealistica, quali il Bastianelli, il Pizzetti, il Mila, il Gatti, il Casella, il Graziosi, il Ballo ecc., sono certo piú aderenti alla realtà, partono da una esperienza piú concreta, ma non si possono giustificare filosoficamente con la stessa rigida, potremmo anche dire astratta, coerenza del Parente e del Pugliatti. Bisognerà uscire da questo cerchio magico dell'idealismo per aprire prospettive filosofiche di studio piú concrete sul problema interpretativo[3], il quale, concepito non solo come affermazione o negazione del carattere creatore dell'attività interpretatrice, ma come rapporto attivo tra musicista, compositore ed esecutore, impone altresí indagini complesse sul problema della grafia musicale, sulla sua stori-

[3] Una delle fondazioni filosofiche piú interessanti per un diverso concetto d'interpretazione dell'opera d'arte in generale, ma con evidenti riflessi per quanto riguarda l'interpretazione musicale, si trova nello studio del Pareyson, *Estetica, teoria della formatività*, dove il concetto d'interpretazione è strettamente legato alla sua intera concezione d'opera d'arte come forma, la quale non vive altro che nelle infinite interpretazioni che se ne dànno. Sparisce cosí la contrapposizione tra libertà e fedeltà; la legge che ha presieduto alla formazione di un'opera diventa lo «stimolo» di un processo interpretativo inesauribile, che si fonda sull'infinità della forma senza che ne venga compromessa la definitezza e compiutezza.

cità, sulla traduzione della musica in simboli, sul carattere
della loro insufficienza e su tutti i problemi connessi con la
loro lettura. Basterà qui accennare ad uno tra gli studi piú
importanti sull'argomento, quello della Brelet[4], uscito da un
ambiente culturale del tutto diverso, il quale, a parte le conclusioni cui giunge, analoghe a quelle di Pugliatti, ha il merito di essere condotto con un metodo molto piú analitico
per cui le conclusioni non sono mai anticipate aprioristicamente ma emergono di volta in volta come risultato di approfondite ricerche fenomenologiche.

Nei paesi anglosassoni gli studi sull'interpretazione musicale continuano la tradizione prettamente empiristica, e si
limitano per lo piú a studi storici, per altro utilissimi e indispensabili, sulle varie difficoltà di lettura dei testi dovuti a
lacune della grafia musicale. Fondamentali gli studi del Mat-
thay e del Dolmetsch sull'interpretazione della musica barocca, in cui le lacune della grafia sono particolarmente gravi
e impongono complessi problemi filologico-interpretativi.
Interessanti ancora gli studi dell'americano Seashore, studi
condotti in parte secondo un metodo sperimentale. Per il
Seashore la partitura sarebbe unicamente un punto di riferimento schematico; mentre la vera realtà dell'opera stareb-
be nella sua esecuzione, nella forma temporale vivente. Che
valore assume la partitura e come avviene la sua trasformazione da puro schema ideale in forma vivente e compiuta?
Per spiegare come avviene il processo interpretativo la scuola del Seashore usa il concetto di *deviazione*. La partitura,
abbiamo detto, è uno schema: per l'interprete, eseguirla significa deviare continuamente da questo schema teorico per
ritrovare la verità della musica stessa. Il Seashore ha cercato
appunto di misurare sperimentalmente queste deviazioni, le
quali nel loro complesso devono «integrarsi in un ordine
concreto e vivente», capace di portare vita nell'astratto
schema della partitura. Queste analisi sono state largamente
utilizzate da altri studiosi quali il Meyer in America e soprattutto la Brelet in Francia, modificando il concetto di
partitura come schema nel concetto di partitura come campo di possibilità aperto alla personalità dell'interprete.

---

[4] G. Brelet, *L'interprétation créatrice*, Puf, Paris 1951.

4. *La critica e la storiografia idealistica.*

L'idealismo nel campo degli studi musicali ha forse dato i suoi migliori frutti nella critica e nella storiografia, piú che nell'estetica vera e propria. Tra i numerosi studiosi tutt'ora attivamente operanti va ricordato il Mila. Formatosi in ambiente crociano, egli ha saputo tuttavia assimilare l'insegnamento idealistico con un'elasticità e un'apertura culturale tale da trasformarlo in uno strumento critico duttile, spogliato di quella rigidezza dottrinaria e a volte di quel dogmatismo che aveva caratterizzato il pensiero di altri studiosi. Il Mila, accettando «condizionatamente» l'insegnamento crociano, modifica parzialmente il concetto di arte come espressione lirica dei sentimenti, nel concetto di espressione involontaria. Questo concetto che il Mila ha esposto teoricamente in un suo saggio[1] ma che ha anche continuamente applicato nel suo lavoro di storico e di critico, gli è servito come strumento storiografico nell'interpretazione di categorie storiche fondamentali quali classicismo e romanticismo. L'arte è certamente e sempre espressione della personalità dell'artista, espressione involontaria e inconsapevole. Ma «l'eventuale presenza d'una dichiarata volontà espressiva è motivo sufficiente per un giudizio estetico negativo?»[2]. Secondo il Mila la volontà espressiva è un elemento «facoltativo», «una circostanza storica, come tante altre che può entrare nella produzione dell'opera d'arte e conferirle alcuni determinati aspetti...» Cosí può essere una categoria utile per individuare il romanticismo. Tuttavia la presenza di una volontà espressiva non elimina il carattere fondamentalmente inconsapevole dell'espressione artistica la quale «basta alla realizzazione dell'arte», mentre «la sola espressione esplicita non basta»[3]. Con questo concetto il Mila può superare ostacoli che per alcuni storici idealistici, si erano frapposti alla comprensione di forme d'arte che sembravano nella volontà degli autori negare l'espressione. Cosí il neoclassicismo e gran

---

[1] M. Mila, *L'esperienza musicale e l'estetica*, Einaudi, Torino 1956[2].
[2] *Ibid.*, p. 158.
[3] *Ibid.*, p. 150.

parte della produzione musicale contemporanea, sarebbero difficilmente inclusi nel campo dell'arte se si «postulasse la esplicita volontà espressiva come attributo imprescindibile»[4]. «Bisognerebbe non solo escludere gran parte della produzione di artisti contemporanei – Hindemith, Strawinsky, Casella, Ravel, Roussel –; i quali escludono apertamente e polemicamente ogni intento espressivo, ma anche molti capolavori indiscutibili del passato, in particolare della musica preottocentesca»[5]. Proprio in questo ideale di purezza formale, di esclusione di ogni indugio sentimentale può rivelarsi con la stessa forza la intera personalità del musicista, non meno che in un melodramma ottocentesco tutto bruciante e fremente nel suo slancio lirico-sentimentale.

Il Mila è molto vicino nei singoli problemi di estetica, di storiografia, di metodologia critica agli altri musicologi di formazione idealistica; tuttavia è lontano da essi – spesso anzi è entrato con essi in polemica – per l'impostazione generale, più ampia, più duttile, più aperta alle ragioni altrui. Nessuno quanto il Mila si è sforzato di comprendere, di assimilare le posizioni più lontane dall'idealismo, dell'estetica francese, tedesca, anglosassone, in una continua opera di avvicinamento, cercando sempre di mostrare come spesso si possano trovare importanti e fecondi punti di contatto solo che ci si adoperi ad eliminare incomprensioni che sembrano incolmabili solo per una diversa terminologia. Il merito maggiore del Mila, nel suo umanesimo illuminista, nel suo limpido ragionare, è proprio quello di avere accolto l'insegnamento crociano senza alcun settarismo e dogmatismo, con quella tolleranza e larghezza d'interessi che è mancata a volte ad altri allievi del filosofo napoletano.

Sempre da un punto di vista strettamente idealistico crociano, Luigi Ronga, uno dei migliori studiosi italiani, ha dedicato buona parte delle sue energie ad indagini in un campo finora quasi inesplorato: la storia della storiografia musicale, contribuendo cosí in modo decisivo all'evoluzione degli studi storici musicali, dando loro la consapevolezza umanistica della loro storicità. Alla storia della musica come studio filo-

---

[4] *Ibid.*, p. 159.
[5] *Ibid.*

logico e scientifico, com'era inteso per lo piú dagli storici della *Musikwissenschaft*, contrappone una storia della musica come ricerca dei valori artistici e creativi, come illuminazione delle singole personalità. Le sue ricerche fondamentali sulla storia della storiografia sui piú grandi musicisti come Bach, Mozart e Beethoven e quelle sulle correnti storiografiche contemporanee hanno servito a formare una coscienza metodologica chiara e limpida dei suoi problemi fondamentali. Queste ricerche sono evidentemente sempre volte a mettere in luce l'insufficienza della storiografia precedente per la mancanza di salde basi estetico-filosofiche, ma anche di tutta la storiografia contemporanea non orientata idealisticamente.

Il movimento idealistico, qualunque sia il giudizio che si voglia dare su di esso, ha offerto comunque un esempio raro di coerenza tra *teoria e prassi*: il lavoro teorico si è tradotto con una fecondità e coerenza non comune in opere storiche e critiche che hanno portato gli studi musicali al livello di quelli letterari. Basterà qui soltanto pensare al lavoro svolto da studiosi quali Della Corte, Pannain, Gatti ecc. per rendersi conto dello stimolo che ha rappresentato l'idealismo anche nel campo degli studi musicali.

Oggi nuove generazioni di storici, filosofi, musicisti, si stanno allontanando dall'esperienza idealistica, piú sensibili a tutte quelle voci che oggi arrivano d'oltralpe. Il loro pensiero estetico si rivela non tanto in scritti teorici, quanto in opere storiche e nella critica militante, orientata verso posizioni antitetiche a quelle idealistiche: si cerca ora di mettere in rilievo la peculiarità del fatto sonoro e il suo valore di suono in quanto tale, i valori sintattico-linguistici e la loro influenza sulla creazione musicale; si è pure sviluppata una corrente di origine piú o meno ortodossamente marxista tendente a mettere in luce i valori storici e sociali contenuti in ogni composizione musicale, rimettendo al tempo stesso in primo piano il problema della semanticità della musica e della sua possibilità di significazione di natura extrartistica. Sarebbe troppo lungo parlare qui di tutti costoro; ricorderemo Luigi Rognoni tra gli storici piú seri e preparati, L. Pestalozza, Fedele D'Amico tra i critici tendenzialmente marxisti, N. Castiglioni critico e musicista, orientato verso problemi teorici e filosofici, Roman Vlad, ecc.

Capitolo ottavo

Estetica e sociologia della musica

1. *Jules Combarieu e la nascita dell'estetica sociologica.*

Quando è nata la sociologia della musica? Può considrar-
si come una branca dell'estetica musicale? Domande a cui si
possono dare tante risposte; ma ogni risposta presuppone un
modo diverso d'intendere la stessa estetica della musica. Nel
contesto di questo studio, la risposta piú ovvia sarebbe che
la sociologia della musica è sempre esistita e che è ovviamente parte del pensiero estetico sulla musica. Se per sociologia
della musica si deve intendere ogni forma di pensiero che
pone in relazione la musica con i fatti sociali, pare evidente
che Pitagora cosí come Platone o Aristotele in qualche modo, pur senza proclamarlo, facevano della sociologia della
musica. D'altra parte, se non si vuol annegare ogni fenomeno culturale in una sorta di genericità vuota, non si può non
constatare che la sociologia della musica in senso piú stretto,
cioè come disciplina dotata di una sua autoconsapevolezza,
con aspirazione ad acquisire specifici metodi di ricerca, con
obbiettivi specifici è nata soltanto nella seconda metà del-
l'Ottocento, parallelamente al positivismo e alla musicologia.

Senza riandare ai tempi di Platone o di Aristotele, basta
leggere testi del Settecento per trovare annotazioni di carattere sociologico acute e penetranti, anche se sparse e prive
di sistematicità: nella *History of Music* del Burney e ancor
piú nei suoi diari sui viaggi musicali compiuti in Italia, in
Germania e nei Paesi Bassi, e cosí pure in molti degli scritti
degli enciclopedisti da D'Alembert a Diderot, da Rousseau
a Grimm ci s'imbatte con grande frequenza in riflessioni sui
rapporti tra musica e società riguardanti sia il presente che il
piú lontano passato. Non si può perciò dire che esistesse la

sociologia della musica come disciplina a se stante; d'altra parte non solo la sociologia della musica ma la sociologia in generale, come scienza della società e dei comportamenti sociali, è nata solo nella seconda metà dell'Ottocento ed è chiaramente figlia del positivismo e del suo tentativo di portare i metodi scientifici anche nell'ambito di quelle discipline per tradizione riservate agli studi umanistici.

Non stupisce quindi se la sociologia della musica sia una parente stretta della *Musikwissenschaft* o scienza della musica che rivendicava al musicologo una competenza scientifica specifica per lo studio del linguaggio e della storia della musica. La musicologia ottocentesca da un lato rivendicava la specificità del linguaggio musicale e dei suoi mezzi espressivi, in chiara polemica antiromantica e antiwagneriana, evitando qualsiasi confusione tra le arti e ogni discorso che cadesse nel generico concetto di espressione avulso dai mezzi propri ad ogni arte, e propendendo per un'estetica che ponesse l'accento piú sul concetto di forma che su quello di espressione; d'altro lato l'obbiettivo dei sociologi della musica sembra essere opposto: cioè individuare al di là della specificità dei mezzi linguistici, oltre la forma o attraverso la forma, i nessi che uniscono la musica al mondo, alla società, alle relazioni interpersonali, alla collettività. Ma il contrasto è solo apparente: musicologia e sociologia della musica, almeno nelle loro origini, nascono da una medesima mentalità, da esigenze del tutto affini. Infatti questo tipo di sociologia della musica mirava ad individuare le leggi, i codici che regolavano e fissavano i nessi tra la musica e la società; perciò una medesima mentalità scientifica informava i due indirizzi di studi nati in seno al positivismo; ideali affini erano condivisi anche da chi inaugurava altre discipline *scientifiche* in quello stesso periodo, come la psicologia della musica, l'etnomusicologia, gli studi sull'origine della musica, gli studi di acustica, ecc.

Ogni paese europeo, conformemente alle sue tradizioni culturali sviluppava pertanto queste nuove discipline, privilegiando un aspetto della ricerca piuttosto che un altro. Indubbiamente la Francia inaugurava, in particolare con Jules Combarieu, questo indirizzo di studi con prevalenti interessi sociologici, applicandolo concretamente non solo agli stu-

di storici, ma anche a quelli di carattere teorico, etnologico
e antropologico sull'origine della musica.

Jules Combarieu, allievo a Berlino dello storico e teorico
Spitta, fu tra i primi a diffondere in Francia gli ideali della
Musikwissenschaft; tuttavia il suo atteggiamento meno rigido, dottrinario, sistematico, piú duttile e piú *latino*, la sua
maggiore sensibilità storica ai problemi, lo pongono già in
un ambito culturale piú ampio, e rivelano in lui quel forte
interesse sociologico, caratteristico del positivismo francese,
destinato a rimanere come un'impronta duratura nella musicologia. Il Combarieu dimostra già questo atteggiamento
piú comprensivo, piú umanistico nei riguardi del fatto musicale, nella presa di posizione polemica nei confronti delle
teorie musicali dei suoi contemporanei.

Secondo la teoria edonistica che egli fa impropriamente
risalire a Rousseau, sviluppata poi da Helmholtz, Wundt,
ecc., la musica sarebbe considerata solo in relazione alla percezione sensibile, alla pura sensazione, e i suoi fondamenti
andrebbero ricercati nelle leggi fisiche che governano i suoni, nelle loro relazioni e nelle leggi associative fisiologiche
del nostro sistema uditivo. Il Combarieu rifiuta questa teoria per il suo carattere assolutamente insufficiente a spiegare
l'evoluzione della tecnica musicale, le variazioni del gusto –
tutt'altro che fisso e immutabile – e infine, ciò che è piú significativo, per l'incapacità a spiegare la musica come fenomeno artistico; questa teoria non coglie «la trasformazione
del fenomeno sonoro in fenomeno musicale... crede di affermare la musica, ma non sfiora che la frangia del suo mantel-
lo»[1]. Ma il Combarieu rifiuta pure la teoria romantica che
vede nella musica il linguaggio dei sentimenti, la loro piú genuina e diretta espressione. Questa teoria è equivoca e lo si
avverte nel momento in cui si cerca di precisare il contenuto
di queste espressioni: «esprimere emozioni», «linguaggio
dei sentimenti», «rivelazione», «rappresentazione», e di
tutti gli altri termini analoghi usati per indicare questo concetto vago e indeterminato. Il sentimento è sí all'origine del
fatto musicale, ma è del tutto insufficiente a spiegarlo. Il linguaggio verbale esprime altrettanto bene i sentimenti pur

---

[1] J. Combarieu, *La musique, ses lois et son évolution*, Flammarion, Paris 1907.

non essendo né musica né arte. La tesi «sentimentalista» deve quindi essere respinta, perché altrettanto incompleta che la tesi «fisiologica». Rimane ancora da esaminare il formalismo; si vedrà come in realtà il Combarieu sia vicino a Hanslick; ma egli stesso non se ne rende conto, individuando del formalismo il lato meno vivo e svisando quindi il testo di Hanslick. Il Combarieu ha preso alla lettera la parola «arabesco», che in Hanslick ha un valore evidentemente metaforico, e obbietta tra l'altro che l'arabesco è un fattore ornamentale, inessenziale, accessorio in un tutto, e non sarà mai un'opera indipendente, autosufficiente. In realtà di fronte al formalismo egli ha fissato lo sguardo solo sul termine *arabesco* per mostrarne il carattere astratto e vuoto; non ha capito che il pensiero di Hanslick è ben piú ricco e complesso, e che il motivo metaforico dell'arabesco è usato unicamente in funzione polemica antiromantica, antidealistica, antisimbolistica, per riscattare la musica nella sua autonomia tecnica e spirituale. In realtà il pensiero del Combarieu è molto piú vicino a quello di Hanslick di quanto egli non creda, come è facile rilevare da un esame sommario della sua opera.

La musica può essere considerata da diversi punti di vista, tenendo ben fermo il principio che nessuno di essi sarà totalmente esauriente; alla base di questa impossibilità di afferrarla sta la fondamentale irriducibilità del fatto artistico. Abbandonando perciò i miti di una presunta scientificità della ricerca come unica possibilità di spiegazione, il Combarieu vorrebbe affrontare il fatto musicale secondo un metodo poliedrico in cui siano incluse le ricerche acustiche, fisiologiche, matematiche, storiche, filosofiche ed estetiche. Queste indagini a volte rischiano l'isolamento, ma spesso riescono a trovare tra loro nell'opera del Combarieu, un'intima relazione per concorrere a spiegare l'unità fondamentale del fatto musicale.

Il problema dell'autonomia del pensiero musicale e il suo costituirsi in linguaggio sono al centro della sua estetica. «La musica è l'arte di pensare con dei suoni» – afferma di continuo il Combarieu. Ciò significa che essa in quanto pensiero è un linguaggio, e come linguaggio di suoni è autonomo rispetto al linguaggio verbale e concettuale. Queste definizioni di sapore intellettualistico e formalistico tuttavia spesso assumono un tono cosí nettamente romantico, da far quasi ricordare Wackenroder. La musica rappresenta un modo di pensare *sui generis*, un modo particolare di cogliere il mondo; non esprime concetti né in particolare sentimenti; tuttavia attraverso le sue forme può cogliere un aspetto della realtà inaccessibile al pensiero comune. La caratteristica della musica è di essere un atto di intelligenza che si esprime senza concetti; si arriverà cosí alla vuota formula, all'arabesco? – si chiede il Combarieu. Tutt'altro: l'esercizio del pensiero slegato dal ragionamento concettuale porta il musicista a zone della realtà piú vere e autentiche; significa «dissolvere quella personalità superficiale, ingombra di parole, volta all'esterno, che ricopre e nasconde il nucleo della nostra personalità...»[2]. Il linguaggio ordinario è fatto di concetti molto ben definiti, procede per definizioni, ma non riesce a cogliere l'essenziale delle cose, «deforma tutto ciò che tocca». Il linguaggio musicale vede invece la realtà nel suo dinamismo piú generale, riesce ad oltrepassare la facciata delle cose e a penetrarle nella loro intimità essenziale. Le ricerche del Combarieu sull'origine magica della musica non sono che un mezzo per riaffermare questo carattere mistico del fatto musicale, che si rivela fin nel suo fondamento originario. Ed è significativo che egli trovi la conferma di questi concetti proprio nel pensiero dei romantici tedeschi, e ancor prima in Pitagora. «La magia musicale è l'applicazione anticipata, oscura, istintiva, di questa dottrina: c'è un'anima vivente nella natura e la musica può coglierla direttamente»[3].

Nella musica emozione e pensiero non sono nettamente distinguibili, ma si trovano uniti all'origine nel profondo del nostro essere; «il compositore non crea con il sentimento solo, ma con tutta l'anima, cioè al suo accresciuto impeto passionale s'aggiunge un atto dell'intelligenza, già osservato in ciò che chiamiamo le *immagini*. L'emozione e il pensiero si compenetrano vicendevolmente»[4].

È evidente che in questa prospettiva mistico-formalistica la musica è inadatta a esprimere sentimenti, funzione cui as-

---

[2] *Ibid.*, p. 8.
[3] *Ibid.*, p. 101.
[4] *Ibid.*, p. 58.

solve molto meglio il linguaggio comune. La musica nella sua autonomia è negata ad esprimere letteralmente alcunché; rispetto ai nostri sentimenti ha un potere regolativo piú che espressivo, ne coglie la forma piú che il contenuto; «la musica è un atto particolare dell'intelligenza che interviene nel caos della vita affettiva per mettervi ordine e bellezza». Questo atto particolare dell'intelligenza, che altrove aveva chiamato pensiero o idea musicale, non è altro che il nostro essere che si esprime direttamente nella forma musicale come *primum*, cogliendo solo le variazioni quantitative del sentimento, il dinamismo interiore della nostra vita psichica. La differenza tra lo Hanslick e il Combarieu, a parte l'esito mistico e romantico del pensiero di quest'ultimo, che tuttavia non è fondamentale, sta piú che altro nell'accento: una volta liberata la musica dal compito di esprimere sentimenti, lo Hanslick ne mette in evidenza l'aspetto di libero gioco di forme, mentre il Combarieu, piú vicino alle tendenze del positivismo francese, si preoccupa di metterne in luce l'aspetto linguistico, strutturale, sintattico in un'indagine che sappia mostrarne il legame con la vita complessiva dell'uomo e della società; per cui l'autonomia del linguaggio musicale non si trasforma in una vuota astrazione – ed è questa in fondo l'accusa che il Combarieu muove allo Hanslick – ma conserva il suo carattere artistico e quindi profondamente umano.

Chiarito dunque l'ambito della capacità espressiva della musica, resta da esaminare come si organizza linguisticamente il pensiero musicale – si ricordi che la musica è «l'arte di pensare con dei suoni». È questa la parte piú interessante del suo pensiero, in cui egli supera i limiti della *Musikwissenschaft* e il positivismo del suo tempo. Il Combarieu, di fronte al problema del linguaggio musicale, si schiera dalla parte dei convenzionalisti: le leggi che regolano le relazioni sintattiche tra i suoni, la grammatica della musica, non sono eterne, non hanno fondamenti in una presunta natura umana, anche se la convenzione non è frutto di un astratto e arbitrario accordo tra gli uomini, ma si potrebbe forse meglio definire come il prodotto di una certa cultura storicamente determinata. Il linguaggio è dunque un complesso di regole che ha la sua base nel modo comune di sentire e di pensare

entro una certa collettività storica, e trova di volta in volta
spiegazione e giustificazione in un'adeguata indagine sociologica. «Gli elementi di ciò che si può chiamare la grammatica del linguaggio dei suoni presuppongono una società che
imponga loro delle forme provvisorie, senza le quali le regole
tecniche non esisterebbero»[5]. Per cui qualsiasi indagine sul
linguaggio musicale, perché non rimanga uno studio astratto
e sterile che lo ipostatizzi in una presunta eternità, deve essere sempre attento alla cultura e alla civiltà che lo hanno
prodotto. Tuttavia l'uomo che impone ai suoni un'organizzazione, una struttura linguistica, si trova però già di fronte
ad una materia dotata di esigenze o, come dice il Combarieu, di leggi fisiche che la determinano in un certo modo; la
natura dà già ai suoni una certa forma, anche se embrionale,
di organizzazione; di questo deve tener conto il musicista,
come pure deve tener conto della struttura e delle possibilità
dell'orecchio umano, che, ad esempio, non percepisce intervalli troppo piccoli o suoni al di sotto o al di sopra di un certo numero di vibrazioni. Tuttavia entro tali limiti esiste ancora un vasto margine di libertà, di possibilità di scelta; per
cui i teorici che hanno voluto mostrare come ferree leggi
matematiche stiano alla base dell'armonia, hanno avuto il
torto di non accorgersi che prima è nata l'armonia, e dopo la
speculazione matematica su di essa. Queste tesi vengono so-
stenute con una serie di osservazioni pienamente valide e
acute, che conservano ancora oggi intatto il loro valore polemico, qui diretto contro Helmholtz, Ambros, Riemann,
Stumpf, e in genere, salvo poche eccezioni, contro tutta la
Musikwissenschaft di origine positivistica. Da un punto di vista puramente fisico e matematico non si capirebbe infatti il
concetto di consonanza, dal momento che «per il fisico il regno della dissonanza è persino più grande dell'altro», per cui
al nostro sistema tonale non si può riconoscere una base rigorosamente scientifica. Anche il concetto di *alterazione* che
gioca un ruolo così importante nella grammatica musicale,
per lo meno nella musica occidentale, «è molto convenzionale, poiché in realtà non ci sono suoni alterati, ma solo vibrazioni periodiche, che differiscono una dall'altra per il lo-

[5] *Ibid.*, p. 5.

ro numero al secondo»⁶. Oggi, in piena atmosfera dodecafonica, questa affermazione può sembrare quasi profetica!

Ritorna dunque il concetto di scelta, che noi operiamo tra
le possibilità offerte dalla natura. Il Combarieu a questo
proposito, nonostante che egli stesso si proponga almeno
nelle intenzioni di rimanere fedele al metodo sperimentale e
di non andare al di là dell'osservazione dei fatti, prende posizione contro l'atteggiamento pseudo-scientifico di molti
suoi contemporanei; contro coloro che, colti dalla mania
scientifica, vogliono spiegare la musica con esperimenti da
laboratorio «e giungono talvolta a parlare come teologi» (!)

Il Combarieu, che viveva in un'età in cui il sistema tonale
rappresentava ancora la base della composizione musicale,
anche se mostrava sintomi abbastanza gravi della sua dissoluzione, ha avuto una visione molto chiara della sua storicità. Il sistema armonico presenta una concrezione storica del
pensiero musicale, del modo di esprimere le immagini musicali, le quali tendono a staccarsi da qualsiasi concetto per organizzarsi a parte in un sistema indipendente. L'organizzazione è un presupposto inderogabile per la comprensibilità
e significatività della musica. L'immagine o, come a volte la
chiama, la metafora «è musicale solo in quanto organizzata». Questa organizzazione costituisce il linguaggio musicale, sempre soggetto ad evoluzioni, a mutamenti, nel corso
della storia. Tuttavia se si possono operare delle modifiche
anche profonde sul linguaggio musicale, non saranno mai atti di pura fantasia individuale, l'evoluzione sarà sempre graduale, anche perché legata a fattori extramusicali. «Nella
musica, come nella letteratura, si trovano dei mutamenti organici della lingua soltanto dove un'innovazione è stata ap-
provata e sanzionata dalla comunità». L'intelligibilità della
musica è dunque un fattore storico, ed ha come base un fondo di abitudini comuni all'immaginazione del gruppo sociale.

Il Combarieu vede, ad esempio, nei modi maggiore e minore il frutto di una lunga evoluzione delle modalità greche
e gregoriane, per cui il significato che si suole loro attribuire
è del tutto storico e convenzionale, ed ha un'origine sociolo-

⁶ *Ibid.*, p. 123.

gica. Il musicologo cita molto acutamente i canti greci scritti nel modo dorico (mi) o ipodorico (la), che non hanno affatto un carattere triste nel giudizio dei greci – basti pensare a Platone e a Aristotele – ma piuttosto coraggioso e virile. Stranamente il Combarieu cita il dorico che non coincide esattamente col nostro minore per la posizione del semitono, mentre dimentica il modo lidio, che riproduce esattamente il nostro maggiore, ed era nell'antichità simbolo di mollezza e di effeminatezza. Inoltre egli porta come esempio la musica popolare dove prevale il modo minore pur avendo un carattere gioioso e allegro.

Si è visto dunque come l'organizzazione sintattica della musica, condizione necessaria perché possa acquistare un significato – si parla sempre di significato musicale – sorge, non da un'astratta convenzione, ma da una serie di relazioni con tutto il mondo umano; inoltre la sintassi musicale è sí, da un punto di vista teorico, un procedimento formale per regolare la combinazione di un complesso di suoni, ma in realtà il linguaggio musicale lo si comprende solo se visto in una prospettiva piú ampia che tenga conto dei complessi fattori sociologici da cui in definitiva dipende la sua vita e la sua evoluzione, per cui le caratteristiche formali e tecniche della musica «sono tributarie della vita sociale: esse le devono il loro *habitus* e la loro intelligibilità».

Il senso dell'autonomia del linguaggio musicale non va frainteso: esso qui significa impegno di tutto l'uomo, senza distinzione tra intelletto e sentimento, in una sola direzione, nel pensiero musicale, linguaggio intraducibile, che non ha equivalente in altri linguaggi. Autonomia per la musica qui non significa isolamento, ma indipendenza rispetto ad altri modi espressivi, sia per la tecnica di cui si serve, sia per il campo che le è riservato: quindi formalismo in quanto la musica non può *dire*, *esporre*, nel senso del linguaggio ordinario, pur fondando la sua sostanza vitale sull'unità e totalità dell'uomo.

La fama del Combarieu è stata affidata piú che alle sue opere teoriche, alle sue ricerche storiche in cui applica con minore o maggiore rigore i suoi principî, a volte cedendo alle troppo facili schematizzazioni sociologiche positivistiche.

Nella sua *Histoire de la musique*[7], opera che ancor oggi, quantunque invecchiata, si legge con piacere e vivo interesse, oscilla continuamente nell'esposizione tra schemi formali ed astratti, creati al di fuori della concreta esperienza storiografica, e una piú libera indagine, quando, svincolandosi da questi schemi, appunta la sua ricerca sulle singole personalità. La categoria storiografica dominante, come in moltissime *storie* dei suoi contemporanei, è quella di evoluzione, intesa in senso nettamente positivista, legata all'idea di progresso necessario. Il Combarieu paragona la storia della musica alla crescita di un grosso animale, il cui corpo è costituito da tutti i musicisti; ognuno di essi si concatena al precedente in un processo evolutivo di filiazione; la storia è poi suddivisa secondo vari schemi come ad esempio: età teologica (canto, piano, ecc.), età metafisica (Bach, Haydn, Mozart, ecc.), ed infine età positivistica (musicisti realisti della fine dell'Ottocento). Oppure è schematizzata come un progressivo passaggio dalla forma oggettiva a quella soggettiva ma universale, culminante in Beethoven, che nella sua visione storica viene sempre rappresentato come un punto d'arrivo, la conclusione di un lungo processo evolutivo. Nell'introduzione della sua *Histoire de la musique* ancora si legge: «dapprima la magia, con i suoi incantesimi; poi la religione, con il suo lirismo e le sue diverse forme di inni liturgici, odi, drammi; infine l'apparizione di un'arte che si separa a poco a poco dai dogmi per organizzarsi parallelamente al canto sacro e passare per queste tre fasi, il divertimento profano, l'espressione individualista, il naturalismo (Beethoven); questi sono i grandi periodi della storia. La loro successione si è ripetuta parecchie volte, ed essi si prolungano l'uno nell'altro; invero sono i tre momenti fondamentali nell'evoluzione dell'arte».

Si potrebbe ancora citarne molti di questi schemi e astratte classificazioni, ma non hanno poi un'importanza cosí grande, perché in realtà non pesano eccessivamente nella stesura della sua storia. Nel suo vero e proprio lavoro di ricerca storica il Combarieu è rimasto sempre oscillante tra una concezione della musica in cui le tappe e le classificazio-

[7] J. Combarieu, *Histoire de la musique*, Colin, Paris 1913.

ni sono segnate da *i generi*, dalle nuove tecniche (ad esempio
la nascita della scala di do maggiore è considerata una delle
pietre miliari nella storia della musica), in cui le personalità
artistiche s'inseriscono passivamente come inessenziali all'e-
voluzione della musica, e una concezione storica in cui i protagonisti sono i musicisti e i generi musicali sono visti nel loro intrinseco valore di puri schemi di comodo, riscontrabi-
li solo a posteriori. Questa seconda esigenza è sentita dal
Combarieu nell'ultima parte della sua storia, in cui s'impongono forse con maggior vigore le grandi personalità, dalla fine del Settecento ai suoi tempi. Nell'introduzione all'Ottocento sembra ribellarsi apertamente ad una visione storica
schematica, estranea alla personalità creatrice, quando afferma: «ciò che ci interessa prima del "genere" scelto dal musicista è il suo spirito, la sua psicologia... Sono ingannevoli
gli studi di coloro che si affidano a compartimenti ben distinti; ovunque si trova una realtà complessa, perché questo
campo della vita è molto complesso e di ordine superiore;
ovunque vi sono incroci di linee direttrici, indipendenza
nello spirito dei veri artisti, compenetrazioni tra le principali
correnti. Non saremo quindi l'uomo dall'unico punto di vista. Dobbiamo percorrere i giardini di Armida; l'itinerario
fissato non deve costituire una schiavitú». È chiaro che il
Combarieu, anche se non sempre è riuscito a realizzare queste aspirazioni nella sua *Histoire de la musique*, tuttavia ha
sentito in modo vivo i problemi piú scottanti della storiografia musicale con la coscienza della loro problematicità; vissuto in un ambiente culturale in cui prevalevano i canoni positivistici della *Musikwissenschaft*, ha saputo in parte reagire
ad essi ed elaborare strumenti critici ed estetici capaci di costituire un vivo stimolo al rinnovamento degli studi musicali.

Il Combarieu ha rappresentato un po' il primo anello di
una lunga catena. Molti musicologi e filosofi che lo hanno
seguito hanno ripreso a sviluppare e approfondire quei temi
che già si trovano nel pensiero del Combarieu e che diventeranno caratteristici del pensiero francese. Le indagini sulla
musica dal punto di vista psicologico-sociologico, condotte
naturalmente con pretese di scientificità, rappresentano l'e-
redità che la musicologia positivista ha lasciato alla cultura

musicale francese. L'aspirazione ad uscire dall'indeterminatezza del pensiero romantico, di *superare* il suo preteso carattere letterario e dilettantesco – «la preistoria dell'estetica» – per giungere finalmente a formulare un'estetica scientifica, è comune a molti filosofi francesi; sarà sufficiente per evocare questo clima culturale nominare Lalo, Focillon, Bayer, Souriau, tra i filosofi che hanno portato un contributo all'estetica musicale, impostando le loro ricerche sociologiche su di uno sfondo formalistico.

Queste estetiche che aspirano ad essere una pura descrizione di fatti, non dogmatiche né normative, nuove scienze dell'avvenire, in realtà non sono meno *metafisiche* delle estetiche romantiche: non è difficile, sotto gli orgogliosi propositi di scientificità, vedere riaffiorare la tanto odiata metafisica, e non di rado nelle stesse vesti di astrattezza e di inverificabilità di quella che si credeva abrogata per sempre.

2. *La sociologia della musica tra positivismo ed empirismo.*

Le teorie estetiche sulla musica di orientamento sociologico ebbero una grande fortuna e anche se la matrice originaria è d'indubbia origine positivistica, tuttavia la scuola sociologica si è differenziata in mille rivoli, in mille indirizzi diversi, ideologici, filosofici ed estetici, impossibili a ricondurre ad una stessa matrice. In effetti affermare che la musica ha un rapporto, una relazione con la società può significare molte cose diverse. Sulla scia del Combarieu vi sono un certo numero di studiosi che si possono in qualche modo ricondurre alla matrice positivistica e scientistica. Tra questi un posto di rilievo merita Charles Lalo, autore nel 1908 di un testo che per molti anni ha rappresentato un punto di riferimento importante per tali studi, *Esquisse d'une esthétique musicale scientifique*, in cui propone tesi in favore di un'estetica sociologica contrapposta alle estetiche sia idealistiche che psicologistiche, ritenute inadeguate a spiegare il fenomeno musicale. Per Lalo d'altra parte l'arte è di per sé un oggetto sociale e i suoi caratteri peculiari li ritroviamo solamente all'interno della stessa società. Inoltre l'estetica proprio per questo motivo non può essere che scientifica in

quanto la sociologia stessa è una scienza. «Il valore estetico
– afferma Lalo – è un valore sociale. La psicologia ci conduce alla soglia dell'estetica, ma non ci aiuta a varcarla»[1]. Lalo
spesso polemizza contro la psicologia della musica cosí come
polemizza pure contro la sociologia riduttiva e semplicistica
di altri studiosi positivisti come Taine e Guyau. Per Lalo
l'approccio sociologico dovrebbe essere sintetico e riassuntivo nei confronti di altri approcci quali quello fisio-psicolo-
gico, fisico e matematico, ecc. Infatti solo la sociologia può
rendere ragione dei motivi per cui in una certa epoca una
scala musicale, ad esempio, è accettata come esteticamente
positiva: essa infatti si inserisce in un sistema organizzato e
sanzionato da tutta una collettività. Non si spiega nulla invece se ci si ferma al dato psicologico personale, incapace di
rendere ragione delle potenti forze normative, che forgiano
il gusto di un'intera epoca, in quanto esse rappresentano un
sistema di valori superindividuali e perciò *sociali*.

Questo orientamento di studi tendente a scoprire attraverso accurate e pazienti indagini storiche i *condizionamenti*
sociali del fatto musicale, inteso non soltanto come linguaggio, dotato di precise regole di funzionamento e di propri
codici, ma anche come un insieme di istituzioni calate nella
società condizionate e forse anche condizionanti la società
stessa da cui emergono.

In questi ultimi decenni la sociologia della musica ha progressivamente abbandonato le sue pretese totalitarie, di porsi come disciplina unica e riassuntiva di tutte le altre discipline musicali, inglobanti in un'unica superdisciplina tutte
le precedenti; oggi mira piuttosto a porsi come una disciplina settoriale tendente a specificare e a restringere il proprio
campo d'indagine ai rapporti musica-società. Ciò è avvenuto
almeno in quei settori della sociologia della musica di tendenza empiristica. Uno dei piú noti propugnatori di questo
tipo di studi musicali è Alphons Silbermann, autore di numerosi studi di sociologia della musica improntati ad un rigoroso empirismo, il piú possibile esente, almeno nelle sue
intenzioni, da ogni ipoteca ideologica. Questa aspirazione a

---

[1] C. Lalo, *Eléments d'une esthétique musicale scientifique*, Vrin, Paris 1939,
p. 24.

compiere ricerche puramente empiriche si fonda sull'idea che la sociologia della musica sia del tutto a-valutativa e quindi puramente descrittiva. Questa tendenza, in netta polemica contro altre correnti marxiste o idealiste dovrebbe approdare ad un tipo di sociologia come scienza settoriale, da porsi accanto ad altre scienze della musica. Tendenzialmente la sociologia, in questa ottica, non dovrebbe entrare in competizione con l'estetica, come nel pensiero dei primi studiosi positivisti. In realtà spesso anche Silbermann oscilla tra posizioni in cui la sociologia sembra essere unicamente un ramo del vasto paese in cui si articolano gli studi musicali e posizioni del tutto opposte in cui la sociologia sembra dover inglobare la stessa estetica e filosofia della musica.

Si può ancora ricollegare al filone empiristico il musicologo jugoslavo Ivo Supicic autore di numerosi studi tra cui *Musique et societé*, testo in buona parte teorico in cui chiarisce ciò che può intendersi per sociologia della musica: «Il lavoro importante, che oggi può essere promosso dalla sociologia della musica, e che tale permarrà per molto tempo, consiste in una ricerca a livello dei fatti: fatti musicali e sociali concreti, che, essi soli, una volta riuniti e classificati, potranno dar luogo a conclusioni realmente sociologiche. I rapporti correttamente concepiti, tra la storia della musica e la sociologia della musica, non conducono ad un'esclusione reciproca di queste due discipline ma piuttosto alla loro contemporaneità»[2]. Molte correnti degli studi musicali di orientamento sociologico, soprattutto in questo secondo dopoguerra, possono riconoscersi, pur nelle dovute differenziazioni personali, in queste affermazioni di Supicic; in tal modo la sociologia della musica viene a porsi come scienza sussidiaria le cui ricerche trovano ampio spazio in campi assai diversi che possono andare dall'etnomusicologia alle istituzioni musicali; dalla storia dei rapporti tra i musicisti e il potere, alle condizioni sociali ed economiche in cui hanno agito, operato e vissuto i musicisti, ecc. Il presupposto di queste ricerche è lo sfondo a-valutativo e a-ideologico e i risultati sfumano spesso nelle ricerche storiche tout-court. La

[2] I. Supicic, *Musique et societé*, Institut de Musicologie, Zagreb 1971, pp. 19-20.

validità di queste ricerche tocca pertanto un campo lontano dall'estetica musicale in senso stretto ed è di pertinenza degli studi storico-sociologici. Tuttavia non è casuale l'avversione di questa sociologia nei confronti dell'altra sociologia, cioè di tutte quelle correnti che rivendicano invece un legame piú o meno stretto con ideologie, con filosofie che comunque si rifanno a metodologie di ricerca che si basano su presupposti di carattere generale, o che si pongono interrogativi di fondo sui rapporti tra musica e società.

Proprio per l'alto grado di consapevolezza metodologica e filosofica, un posto a parte merita Max Weber, il grande sociologo che, pur avendo dedicato poche decine di pagine alla musica, ha lasciato tuttavia una traccia profonda in tali studi e soprattutto un punto di riferimento insostituibile. Il suo ormai celebre saggio su *I fondamenti razionali e sociologici della musica*, pubblicato postumo nel 1921 [3], ci presenta un grande affresco storico, testimonianza anche della sua immensa cultura ed erudizione, in cui i parametri della ricerca si articolano entro ben precise categorie storico-sociologiche. Il presupposto di questo schizzo di storia non tanto della musica quanto del linguaggio musicale è l'esistenza di una relazione e in un certo modo di un parallelismo tra lo sviluppo della società e quello della musica, che si riflette e si verifica al livello delle stesse strutture linguistiche. Il concetto di razionalizzazione rappresenta la categoria centrale del processo storico, razionalizzazione che si identifica con il concetto stesso di progresso. Progresso pertanto da non intendersi in senso hegeliano come progressiva realizzazione dell'idea, ma in senso puramente tecnico e a-valutativo. Sociologia scientifica, quindi, anche quella di Max Weber, ma non empirica. Infatti l'evoluzione della musica, cosí come quella della società, avviene entro precise categorie concettuali che vincolano il progresso o l'evoluzione di musica e società entro ben determinati binari. Max Weber giunge perciò ad uno studio evolutivo del linguaggio musicale, linguaggio non chiuso su se stesso ma nato in relazione ad una serie di eventi non solo musicali, cioè alle esigenze di comu-

---

[3] M. Weber, *Die rationalen und soziologischen Grundlagen der Musik* (traduzione di E. Fubini, Ed. Comunità, Milano 1981).

nicazione musicale di una determinata società e al progressivo estendersi della razionalizzazione dei linguaggi e delle relazioni sociali. Ovviamente in un tipo di sociologia di questo tipo sono assenti le opere musicali vere e proprie: il linguaggio musicale vi appare come un fatto impersonale, creazione anonima, strumento di comunicazione alla cui evoluzione ha contribuito la società nel suo complesso, con i suoi molteplici fattori. La sociologia della musica di Max Weber può perciò dirsi *scientifica* nel senso che in essa è intenzionalmente assente ogni considerazione sul valore estetico in quanto il linguaggio musicale, con un'operazione che può peraltro prestarsi ad ampie considerazioni, viene estrapolato dalle opere musicali attraverso un processo di astrazione. Ma, se questo può dirsi un difetto, è comune quasi per definizione ad ogni studio sociologico della musica come di qualsiasi altra arte. Ma la grande novità invece della prospettiva weberiana è di compiere forse per la prima volta il tentativo di costruire una sociologia della musica in cui il rapporto musica-società non viene visto come una serie di condizionamenti estrinseci ma piuttosto come una legge formale che «regola» l'evoluzione della struttura piú interna sia della società che della musica. Non si tratta piú quindi d'individuare le condizioni di vita del musicista, i problemi dell'ascolto, del pubblico, le condizioni economiche che dovrebbero condizionare la creazione musicale, ecc., ma si tratta piuttosto di cogliere la struttura interna del linguaggio musicale nei suoi parametri fondamentali, nella sua progressiva razionalizzazione.

Fondamentale perciò capire come l'Occidente è giunto ad elaborare un linguaggio armonico tonale fondato sulla scala diatonica, come tappa secolare di un lungo e laborioso processo; cosí egualmente importante ai fini di una sociologia strutturale del linguaggio musicale, l'analisi dell'evoluzione degli strumenti a tastiera, sino al moderno pianoforte, la cui tastiera, con tutte le sue possibilità timbriche, armoniche e melodiche, rappresenta un'altra tappa fondamentale dello stesso processo. Il legame con la società è perciò individuato ad un livello strutturale interno e non come una serie frammentata di condizionamenti della natura piú varia. Max Weber apre le porte ad una sociologia razionale e strut-

turale che avrà forse pochi seguaci nel nostro secolo, ma che
rappresenta però un tentativo del tutto nuovo e rivoluzionario rispetto agli studi d'impostazione positivistica o empiristica. Uno dei pochi musicologi che ha seguito la via indicata
da Weber è forse Kurt Blaukopf il quale ha cercato di approfondire secondo il modello weberiano il rapporto musica-
società, accettando il criterio dell'a-valutatività e al tempo
stesso individuando nella stessa struttura della tonalità il livello del linguaggio musicale in cui si riflettono i rapporti sociali[4].

3. La sociologia della musica e il marxismo.

Numerosi storici, sociologi e teorici della musica si ispirano in vario modo al marxismo. Pur nella comune matrice
ideologica non è però possibile ricondurli ad un'unità di
pensiero e di intenti. Forse l'unico dato comune è il desiderio di analizzare e studiare il dato musicale in relazione ai fenomeni della società; ma come già si è visto negli autori a cui
si è accennato nelle pagine precedenti, è proprio questo legame ad essere soggetto alle più svariate interpretazioni, ad essere inteso in modo del tutto diverso, giungendo spesso a
conclusioni anche opposte. Se la musica, come tutte le arti
fa parte della sovrastruttura, essa viene dunque condizionata nel suo sviluppo dalla struttura della società, cioè dalla
struttura economica. Ma questo principio si rivela alla messa
in pratica estremamente vago e intepretabile in maniere assai differenti. Il problema del condizionamento musica-
società infatti può essere verificato e riscontrato a livelli assai diversi e infatti si possono distinguere grosso modo due
livelli fondamentali: quello del contenuto e quello della forma, anche se poi in pratica spesso i due piani possono intersecarsi e confondersi. Presupposto della tesi contenutistica
è che la musica incorpori dei significati, così come qualsiasi
altro linguaggio, e che questi significati sono rapportabili direttamente alla società di cui sono l'espressione sovrastrut-

---

[4] Cfr. in particolare K. Blaukopf, *Musiksoziologie*, A. Niggli Verlag, Nieder-
teufen 1972.

turale. Il breve saggio storico-teorico dell'americano Sidney Finkelstein può ricondursi pienamente a questa corrente. Egli nelle sue ricerche parte dal presupposto che la musica esprima non solo le emozioni e i sentimenti, ma anche le idee e i pensieri degli uomini e rifletta l'intera società che l'ha prodotta. Questa tesi, affermata in sede teorica nel primo capitolo di un suo noto libro[1] che vorrebbe essere una breve storia della musica, ed esemplificata praticamente nel corso della trattazione, presuppone che la musica sia un linguaggio capace di esprimere emozioni e idee; ma mentre il Cooke ha avuto il merito di cercare di individuare il meccanismo attraverso cui i suoni potessero organizzarsi in modo significativo ed i significati potessero essere comunicati, il Finkelstein passa oltre questo problema e lo dà come risolto in partenza. Ci aspetteremmo tuttavia di intravvedere una soluzione ad esso nel corso dello studio storico in cui dovrebbe apparire più chiaramente come il Finkelstein intenda questa relazione tra musica e società, ma si rimane delusi. Le affermazioni di principio, di ispirazione vagamente marxistiche, del tipo: «le opere musicali esprimono nella loro essenza fantasie, azioni e relazioni tipicamente umane»[2], oppure: «le opere musicali esprimono pure delle idee. Le idee sono l'espressione cosciente delle relazioni tra uomini e cose, generalizzazioni prodotte da innumerevoli azioni e scoperte, frutti della comprensione delle leggi più profonde che collegano l'evoluzione della natura e della società»[3], esprimono delle esigenze storiografiche valide: esprimono il desiderio di non isolare l'opera musicale dal contesto storico e sociale da cui sorge perché essa non è solo un astratto arabesco con la funzione d'immergere l'ascoltatore in una specie di *nirvana*; nello stesso tempo esprimono l'aspirazione a tracciare una storia della musica che non sia soltanto la storia della sua evoluzione tecnica, ma una storia di tutta l'umanità riflessa nella musica. «Si può scrivere una storia della musica che descriva soltanto la tecnica e le forme e super-

---

[1] S. Finkelstein, *How Music Expresses Ideas*, V (le citazioni si riferiscono alla trad. it. *Come la musica esprime le idee*, Feltrinelli, Milano 1955).

[2] *Ibid.*, p. 2.

[3] *Ibid.*, p. 3.

ficialmente l'ambiente che le ha prodotte. Una simile descrizione, però, proprio perché ignora ogni attività sociale e ogni pensiero contenuto nella musica, la priva di ogni significato e finisce per concludere che non ne ha. Per comprendere la musica è necessario situarla nel quadro della vita reale in cui è fiorita»[4]. Ma, come già si è detto, non viene affatto chiarito come un pensiero possa essere *contenuto* nella musica.

Nella breve storia della musica del Finkelstein, di tono marxista, i vari stili musicali vengono concepiti di volta in volta come espressioni dello schiavismo medievale, della lotta tra feudalesimo e borghesia nascente, del trionfo della borghesia e dell'affiorare delle masse alla vita culturale ecc., ma tutto ciò sembra il risultato di un troppo facile schema applicato meccanicamente: come possa sussistere questa relazione tra musica e società – e non si vuol certo qui negare che in qualche modo possa esistere – non viene mai messo in chiaro. Il Finkelstein nel corso della sua storia stabilisce che certi elementi, come il ricorso al folklore, al canto popolare, nella musica rappresentano progresso, e altri reazione, identificando poi acriticamente progresso con valore estetico positivo e reazione con valore estetico negativo. Per cui quando egli si trova di fronte a musicisti di riconosciuta fama, come ad esempio Bach, ma che non si potrebbero a rigore definire innovatori nel campo della tecnica e del linguaggio musicale, è costretto a ricorrere a sofismi per giustificare la loro grandezza artistica, ritrovando cosí nell'intimo della musica bachiana i germi di un conflitto e di una contraddizione insanabile: «le tessiture complicate e gli intricati problemi costruttivi che Bach risolse e che l'hanno reso famoso, non sono tanto indici d'una "nuova forma" che sorge da un contenuto "nuovo", quanto un tentativo di esprimere un contenuto nuovo sviluppando fino al massimo le forme arcaiche imposte dalle condizioni in cui era costretto a lavorare l'artista... Proprio in questo sta la difficoltà di intendere il "significato" della sua musica, perché proprio le forme impostegli dalla cultura feudale giunta al suo tramonto costituirono una specie di limite; mentre quelli che sono i veri

---

[4] *Ibid.*

problemi di contenuto e di espressione umana, la raffigurazione in musica di nuove concezioni e di nuove emozioni, appaiono superficialmente come adattamenti di vecchi metodi che la prassi feudale considerava fissi e immutabili. In altre parole il nuovo si presenta come una continuazione del vecchio con soltanto piccole differenze»[5].

Per salvare Bach il Finkelstein, come si è visto, è costretto ad operare una netta scissione tra tecnica e linguaggio musicale da una parte, e contenuto espressivo dall'altra: i primi vecchi e consunti, il secondo nuovo e vitale. In realtà si può forse salvare meglio la grandezza di Bach accettando senza falsificazioni la sua personalità tendenzialmente conservatrice e ammettendo che ne può ugualmente risultare una grande arte. La separazione tra contenuto e forma è necessaria invece per sostenere la tesi che attribuisce necessariamente alla musica di grande valore artistico un contenuto progressista.

Per musica progressista il Finkelstein intende generalmente la «musica che affronta problemi nuovi, presentati dalla società, li rimedita e solleva cosí l'arte ad un nuovo realismo»[6]. Cosicché deve condannare per un verso la musica di Wagner o di Brahms, ma si trova in evidente imbarazzo quando deve poi per altro verso ammettere il loro genio di cui «avrebbero fatto cattivo uso» perché «il distacco dalla realtà significa senz'altro che l'arte è scesa ad un livello inferiore»[7]. Anche qui il Finkelstein deve concludere la sua requisitoria con un atto d'impotenza affermando che «ciò che in Wagner e in Brahms tende a disarmare ogni critica è il fatto che essi sono degli artisti cosí grandi» (!)[8].

L'atteggiamento del Finkelstein, troppo sprovveduto dal punto di vista estetico e filosofico, espressione di un'accettazione vaga e acritica, di un certo marxismo all'americana che la piú duttile e smaliziata estetica e critica marxista, ad esempio di un Lukács, certo rifiuterebbe, testimonia però una tendenza sociologica da non sottovalutare nell'estetica e nella storiografia anglosassone.

[5] Ibid., pp. 42-43.
[6] Ibid., p. 86.
[7] Ibid., p. 91.
[8] Ibid., p. 97.

Se la maggior parte degli studi di carattere accademico rimangono ancora sotto l'influenza della *Musikwissenschaft* tedesca, spesso invece studi di carattere divulgativo tendono a fornire spiegazioni sociologiche della musica in un quadro culturale piú ampio. Merita un cenno a questo proposito la breve storia della musica dell'inglese G. Dyson[9], il quale presenta un chiarissimo quadro storico della funzione della musica nella società. La storia della musica è concepita piú che come una costellazione di opere d'arte, come un evento sociale di importanza insostituibile. Le relazioni tra i musicisti e la società che li circonda, le influenze che hanno prodotto sulla loro arte gli innumerevoli fattori geografici, economici, sociali e ambientali in senso lato, sono di volta in volta messi in luce con acutezza e spregiudicatezza, senza alcun dogmatismo, senza schemi precostituiti. Ne risulta un quadro limpido, in cui appare come la funzione della musica sia continuamente mutata nella storia, e come ogni situazione storica rappresenti un elemento capace tra l'altro di influenzare, anche se non in modo deterministico, lo sviluppo del linguaggio musicale. Per il Dyson dunque il «significato» della musica non s'identifica piú come per il Finkelstein con il suo «contenuto», ma con la sua funzione. Ogni società ha fatto un uso diverso della musica, la quale è *significante* proprio in quanto è parte integrante della vita e della cultura della società; scompare cosí ogni arbitraria separazione tra contenuto e forma, tra espressione e tecnica. Viene messo cosí in evidenza un lato relativamente nuovo della musica: prescindendo da una rigorosa separazione tra opera d'arte piú grande e meno grande, tra, come direbbe Croce, poesia e non poesia, al Dyson interessa non ciò che la musica significa per il singolo, per l'animo, per il sentimento individuale, ma la sua funzione e i suoi legami nell'ambito di una determinata società. Ed anche questo modo di considerare la musica, se non pretende all'esclusività, mette in evidenza una dimensione ineliminabile di ogni fatto artistico e rappresenta una prospettiva storiografica assai utile.

[9] G. Dyson, *Storia sociale della musica*, Einaudi, Torino 1956[2].

Ad un ambito pur sempre marxista ma assai piú complesso e problematico appartengono gli studi di Zofia Lissa musicologa polacca[10]. La Lissa nell'evidenziare i rapporti musica-società secondo modelli piú elastici e meno meccanicistici riprende le teorie linguistiche di Stalin, in antitesi alle teorie di Marx. Secondo Stalin infatti il linguaggio e le sue strutture non sono direttamente rapportabili alle strutture economiche della società. Il linguaggio, e nel caso specifico il linguaggio musicale, è utilizzabile anche al di fuori e al di là delle strutture sociali che l'avrebbero generato. Si può cosí capire, ad esempio, perché alcune grandi forme della musica strumentale, come la sinfonia, la forma sonata, ecc., costituiscano dei modelli per cosí dire socialmente neutri e possano venire utilizzati, indipendentemente dalla loro nascita in epoca illuministica, anche in epoca borghese e successivamente negli stati socialisti. Evidentemente cambia il contenuto anche se la forma rimane sostanzialmente identica. Questa teoria da una parte permette alla Lissa di non cadere in troppo facili schematizzazioni e soprattutto di non istituire meccanici parallelismi tra struttura e sovrastruttura, per cui ogni forma o genere musicale verrebbe associato ad un particolare momento dello sviluppo economico della società; dall'altra evita di cadere in un contenutismo poco consone alla natura essenzialmente formale del fatto musicale. Ad esempio, secondo la Lissa, nell'ambito del sistema tonale, o nell'ambito di un genere o di una forma come il fugato, si possono avere musiche dal contenuto assai diverso, espressioni di strutture sociali del tutto diverse. Ciò permette anche alla Lissa di giustificare che paesi socialisti e quindi con strutture economiche e sociali diverse da quelli capitalistici o borghesi utilizzino ad esempio la sinfonia senza alcun apparente disagio ideologico. Sarà il contenuto a mutare e a conferire alle opere legittimità ideologica in un paese a struttura economica socialista.

Siamo agli antipodi della sociologia della musica di origine weberiana in cui il problematico rapporto musica-società viene giocato tutto sull'elemento linguistico-formale. Tuttavia anche l'idea della neutralità ideologica del linguaggio

[10] Cfr. Z. Lissa, *Fragen der Musikästhetik*, Berlin 1954.

verbale come di quello musicale, anche se può apparire ben strano, in un contesto sociologico marxista, tuttavia, nel caso della musica può servire ad introdurre un elemento di maggior elasticità rispetto ad una rigida applicazione della teoria del rispecchiamento. Si può parlare cosí di grandi epoche, di lunghi periodi, all'interno dei quali i rapporti tra struttura e sovrastruttura vanno considerati in modo globale e si adeguano l'uno all'altro solo nel lungo periodo.

I tentativi piú o meno ben riusciti di tracciare una sociologia della musica partendo da presupposti di tipo marxista mettono in luce la difficoltà principale insita nella stessa sociologia della musica: se la musica ha un rapporto con la società – cosa che il marxismo per i suoi stessi presupposti ideologici non può mettere in dubbio –, il problema è di stabilire a quale livello si verifica tale rapporto condizionante, se a livello di omologia di strutture, se a livello di contenuti (ma di quali contenuti si può legittimamente parlare trattandosi di musica?) o ancora se a livello dei modi di produzione, esecuzione, ascolto, cioè di quel contorno che esiste intorno ad ogni arte e a maggior ragione alla musica, arte sociale per eccellenza. Il rischio di cadere in una sociologia volgar-marxista, come alcuni critici hanno affermato, è sempre in agguato e in effetti non è facile non cadere preda di visioni semplificatorie e sommarie che non dimostrano nulla oltre alla rigidezza e all'astrazione degli assunti ideologici di partenza. Alcuni musicologi d'impostazione marxista sono riusciti a proporre validi modelli interpretativi sfuggendo ad un'applicazione troppo rigida ed astratta della teoria del rispecchiamento. Ad esempio rivestono un indubbio interesse storico ed estetico gli studi di János Marothy, ungherese, allievo di Lukács. Il suo piú noto studio *Music and the Bourgeois, Music and the Proletarian*, pubblicato a Budapest nel 1974, contrappone due modi diversi di fare e concepire la musica, legati a due diverse società, la prima dominata dall'individualismo e quindi dalle forme musicali connesse ad un produttore singolo ed isolato, la seconda dalle forme collettive. Certo in questo contesto concetti e categorie come «borghese» e «proletario» assumono un'estensione assai vaga e spesso si perdono in un mare indistinto dove i singoli fenomeni, le aree storiche vere e proprie tendono a sfumarsi in una nebbia confusa. Forse piú centrato e anche piú originale come discorso, gli studi di Jacques Attali[11], in cui si tenta di ricostruire una storia della musica sotto un'angolatura nuova, centrata sui rapporti tra il musicista e il potere.

4. *L'estetica musicale nei paesi dell'Est europeo*.

Nell'intricato panorama dell'estetica musicale contemporanea, i paesi dell'Est rappresentano ancora un'isola in cui si è sviluppata una problematica che, almeno in apparenza ha scarsi contatti con le questioni teoriche ed estetiche che fanno parte integrante del dibattito occidentale sulla musica. Ciò si spiega in parte con un perdurante isolamento della cultura musicale dell'Est europeo, in parte con il fatto che i problemi piú urgenti del pensiero musicale sono altri da quelli direttamente connessi a questioni legate alla cultura marxista. Il dibattito filosofico e teorico che ha accompagnato in Occidente lo sviluppo prima della dodecafonia, poi dell'avanguardia seriale, aleatoria e della musica elettronica, ha scarsamente toccato i paesi dell'Est, impegnati in un dibattito che ha radici diverse e forse piú lontane. Il dibattito sul realismo, che tanta parte ha avuto nel pensiero marxista, sin dai tempi di Lenin e che ha trovato uno dei suoi massimi interpreti in Lukács è stato centrato soprattutto sulla letteratura e non a caso. Infatti il problema del rispecchiamento, del rapporto struttura sovrastruttura, il peso dell'ideologia nell'arte, trova un suo sbocco *naturale* proprio in un'arte che come la letteratura è senza alcun'ombra di dubbio semantica. Ma lo stesso problema, trasposto nella musica, non può non andare incontro a grosse difficoltà, proprio a causa della sua natura asemantica o della sua incerta semanticità. Come si può configurare allora il rispecchiamento nel linguaggio musicale? Di quale grado di *indipendenza* esso gode nei confronti della struttura economica? La materia sensibile in cui

---

[11] *Bruits. Essai sur l'économie politique de la musique*, Paris 1977 (cfr. trad. it. *Rumori*, Mazzotta, Milano 1978).

prende forma l'esperienza musicale in quale modo può incarnare e mediare le esigenze e le istanze sociali, in un paese rivoluzionario? Dovrà o potrà ancora servirsi delle forme estetiche tradizionali (sonata, sinfonia, poema sinfonico, ecc.) oppure dovrà elaborare altre strutture formali adeguate alla nuova realtà sociale? Questi e altri interrogativi consimili ricorrono insistentemente nell'estetica e nella sociologia della musica elaborata negli ultimi decenni nei paesi socialisti, problemi assai lontani dallo sviluppo delle medesime discipline nei paesi occidentali, per lo più centrati invece sulle implicazioni estetiche delle avanguardie.

Al centro dell'estetica musicale dell'Unione Sovietica si trova un concetto di assai difficile decifrazione, l'intonazione; concetto elaborato negli anni '30 dal teorico e musicologo Boris W. Assafjew [1], il quale si riferiva alla concreta «intonazione», cioè alla concreta espressione che nella musica popolare assumono le caratteristiche di ogni gruppo etnico, di ogni popolo, e al limite di ogni individuo. Questo concetto di intonazione tuttavia viene ricollegato direttamente alla teoria leniniana del rispecchiamento: nell'opera d'arte musicale l'intonazione rappresenta quel fattore di mediazione tra l'individuo e la società, oppure tra l'espressione come fattore personale e individualizzante, e la realtà sociale. Detto in altri termini si potrebbe ancora affermare che l'intonazione rappresenta quel *quid* estetico che in termini idealistici può essere definito con ispirazione, espressione, intuizione, coscienza, ecc., tutti termini e concetti banditi dall'estetica marxista ma di cui però si sente il bisogno di recupero anche se con altra terminologia. Perciò il concetto di intonazione risulta spesso vago e non sempre ben traducibile in categorie filosofiche più familiari.

La maggior parte dei teorici marxisti dei paesi dell'Est, anche in tempi più recenti hanno ripreso questo concetto, piegandolo alle diverse esigenze e contingenze, facendone un punto centrale di tutte le disquisizioni e polemiche sulla musica e l'estetica musicale. In effetti se tale concetto viene ad assumere il significato di tutto ciò che si concreta nel lin-

---

[1] B. W. Assafjew, trad. ted. *Die musikalische Form als Prozess*, Berlin 1976 (cfr. 2 voll., Mosca 1930-40).

guaggio musicale come mediazione formale tra il reale e la coscienza del singolo o anche del gruppo, si può capire come, in una problematica estetica che ufficialmente deve essere sempre all'interno del marxismo, possa diventare un punto di forza in qualsiasi discussione su problemi musicali.

Uno dei giudizi piú correnti sino a pochi anni or sono nel mondo socialista sulle avanguardie occidentali, come d'altronde già sulla dodecafonia, è che tali correnti rispecchierebbero il mondo capitalistico, lo sfruttamento di classe e in definitiva la decadenza inevitabile di tale mondo. Alla base di tale giudizio vi è l'idea che le forme musicali, cosí come il loro contenuto, è perfettamente adeguato alla società che le produce, in ciò seguendo le direttive pratiche e teoriche di Ždanov, codificate nel famoso documento del Comitato centrale del febbraio 1948, in cui si condannava senza possibilità di appello tutta la musica inficiata di modernismo, atonalità, dissonanze, mancanza di melodicità e di orecchiabilità, come musica reazionaria, ispirata a sentimenti antisocialisti e antipopolari. Alla condanna venivano associati musicisti quali Šostakovič e Prokof'ev. Non poteva sfuggire ai critici meno ossequienti alle direttive del partito che un grosso problema estetico emergeva pur nella rozzezza culturale delle direttive di Ždanov: se la dodecafonia e l'avanguardia in genere erano da condannarsi perché non facilmente percepibile agli orecchi del popolo e soprattutto perché provenivano dal mondo capitalistico di cui erano il fedele rispecchiamento, le forme piú «corrette» in cui si esprimeva e si doveva esprimere la musica sovietica e in generale dei paesi socialisti erano la sinfonia, il quartetto, la cantata, la sonata, ecc.; in altre parole le forme canoniche della musica ottocentesca. Ma forse che queste forme classiche non erano state inventate e usate dalla società borghese, nel momento della sua massima fioritura? e come potevano ancora essere usate in tutt'altro contesto socio-economico? Una soluzione, anche se non del tutto soddisfacente, fu prospettata dalla musicologa polacca Zofia Lissa, affermando che le forme musicali – parlava della sinfonia – sono indifferenti rispetto alle classi. Perciò forme e generi musicali vengono recuperati nella prassi compositiva e nella teoria estetica dalle epoche precedenti la rivoluzione d'ottobre dal momento che sarebbero del tutto neutrali rispetto alla struttura e assurgerebbero cosí ad una specie di olimpo della classicità, giustificando al tempo stesso la produzione in particolare sovietica del dopoguerra in cui abbondano le forme classiche cameristiche e sinfoniche. La ripresa della teoria di Assafjew dell'intonazione può servire anche a questo proposito a spiegare quel *quid*, quel residuo di esteticità che contraddistingue l'opera musicale da un'altra opera dell'ingegno umano, e che contraddistingue anche una forma artistica da un'altra forma, apparentemente simili nel loro involucro formale.

Ma allora il giudizio sull'avanguardia potrebbe essere riveduto e le sue piú spericolate avventure potrebbero essere riscattate dall'accusa di formalismo e di decadentismo alla luce di questa teoria della neutralità delle forme artistiche; ma l'estetica marxista sovietica e in genere degli altri paesi dell'Est europeo è rimasta prigioniera di questo inghippo pratico e teorico: da una parte l'esigenza di riscattare l'uso e la fruibilità delle forme classiche anche in altro contesto, dall'altra, contraddittoriamente, condannare recisamente le nuove forme della musica d'avanguardia di provenienza occidentale.

Questo dogmatismo contraddittorio, dovuto non solo alle imposizioni del regime, ma anche alla rigidità di alcuni principî del marxismo di origine leniniano e lukacsiano, è stato a volte superato di fatto da piccoli arrangiamenti, da artifizi verbali e concettuali di cui si sono valsi pensatori e musicologi piú sensibili alle istanze della musica contemporanea. Merita un accenno, ad esempio, l'opera di due musicologi della Germania orientale, Harry Goldschmidt e Günter Mayer, anche se spesso accusata di revisionismo. Nel II Seminario internazionale degli scienziati musicali marxisti, tenutosi a Berlino nel 1965 il Goldschmidt presentò le sue *Riflessioni per un'estetica musicale non aristotelica* e il Mayer *La dialettica del materiale musicale*, saggi che ebbero una notevole risonanza e che costituirono punti importanti di riferimento, in quanto tentativi di allargamento concettuale dell'estetica musicale marxista[2]. Un presupposto implicito della

---

[2] Per piú ampie informazioni sulle teorie estetiche di H. Goldschmidt e di G. Mayer e sulle loro critiche alla teoria dell'intonazione cfr. M. Garda, *Ten-*

teoria dell'intonazione è che l'espressione, cioè *l'intonazio-ne*, viene ad aggiungersi, a giustapporsi alle forme, alle strutture musicali che sarebbero invece dei dati permanenti o quasi nella storia della musica. In tal modo viene cristallizzata un'epoca, quella della musica tonale e delle sue forme classiche, rendendo difficile applicare tale categoria critico-estetica alla musica d'avanguardia post-tonale. Nell'avanguardia infatti «i componenti espressivi sono penetrati cosí indiscutibilmente in quelli sintattici»[3], da rendere opportuno, secondo il Goldschmidt, in un'ottica di pur cauto recupero dei suoi valori, sostituire il concetto di intonazione con quello di materiale sonoro. Il problema di una valutazione non dogmaticamente negativa dell'avanguardia, pur senza uscire clamorosamente dalle categorie estetiche di stampo marxista, sono in testa alla preoccupazione dei critici piú aperti al mondo occidentale. Alla radice di questo processo di svecchiamento dell'estetica marxista vi è la revisione dei concetti di tradizione, di progresso e dello stesso concetto di decadenza borghese.

Anche l'idea di rispecchiamento deve subire una radicale revisione; infatti se la distruzione dell'ordine tonale è da considerarsi come un mero rispecchiamento della parallela disintegrazione del vecchio ordine borghese, come un parallelo della lukacsiana distruzione della ragione, l'avanguardia subirebbe una condanna senza possibilità di appello. Il problema è di riuscire pur in una cornice formalmente ancora marxista, a giungere ad una rivalutazione del negativo. Sempre secondo il Goldschmidt in una società non vi è nessun momento di ordine in senso assoluto e d'altra parte non è detto che il disordine e la distruzione non abbia in sé, soprattutto nel campo dell'arte, una sua potenzialità positiva e rivoluzionaria: «... non sta forse alla base di ogni processo di disintegrazione un'autentica progressività dialettica? come potrebbe altrimenti contribuire l'arte a sciogliere l'ordine borghese dall'interno, cioè a sciogliere le contraddizioni

---

denze dell'estetica musicale della RDT negli anni Settanta, in «Musica e realtà», n. 10, aprile 1983.
[3] Goldschmidt, *Riflessioni per un'estetica musicale non aristotelica* cit. (si rimanda ancora ai passi riportati nel già ricordato saggio di M. Garda).

di quest'ordine, se non per mezzo della disintegrazione? Anche la disintegrazione deve esser vista sotto l'aspetto del progresso, poiché il futuro appartiene al suo fermento»[4]. Il concetto di rispecchiamento è del tutto vanificato in queste affermazioni in cui all'arte viene attribuito un compito chiaramente propulsivo e dinamico nei confronti della realtà e della storia nel suo complesso.

Se la teoria dell'intonazione poteva essere un modo critico di inserire all'interno dell'opera musicale, senza abolire la teoria del rispecchiamento, una qualche parvenza di autonomia, l'esigenza di assicurare una piú fondata autonomia al materiale sonoro, al suo sviluppo, di garantirne in qualche modo leggi proprie, motivazioni storiche interne, sono diventate sempre piú pressanti anche all'interno dell'estetica che pur continua formalmente a richiamarsi ancora al marxismo. La lettura di Adorno, di Bloch e di altri filosofi che hanno pur utilizzato alcuni elementi della *Weltanschauung* marxista, anche se in chiave critica, non è stata priva di conseguenze sui musicologi dell'Est. Pur tenendo fermo il valore conoscitivo dell'arte e della musica, o come diceva Adorno il suo «contenuto di verità», viene sottolineato, ad esempio da Günter Mayer, l'importanza del valore comunicativo, del suo impatto sociale, del suo essere strumento intersoggettivo. Su questa via possono essere recuperate tecniche d'indagine, strumenti estetici e linguistici propri del pensiero non marxista quale la semiologia, la sociologia e la psicologia della musica e ciò in nome di una relativa autonomia del materiale musicale. La stessa evoluzione storica della musica, secondo il Mayer, è dotata di una sua indipendenza rispetto ai processi storici piú generali in quanto «l'evoluzione del materiale rivelava una continuità relativamente autonoma»[5]. È vero che si parla sempre di autonomia «relativa», non volendo mettere in discussione un certo condizionamento dei fattori ideologici. Tuttavia si presume, come già aveva affermato Hanns Eisler[6] che nella società senza

[4] *Ibid.*

[5] G. Mayer, *Zur Dialektik des musikalischen Materials*, in «Beiträge zur Musikwissenschaft», VII (1965), pp. 387-95.

[6] H. Eisler, *Materialien zu einer Dialektik der Musik*, Leipzig 1973. Cfr. anche *Gespräche mit Hans Bunge*, ivi 1975, p. 247.

classi tale condizionamento viene a cadere e perciò si può profetizzare che anche *l'art pour l'art* può trovare posto nella futura società socialista. Con ciò pertanto si portava l'attenzione all'aspetto formale dell'arte e al tempo stesso si aprivano anche le porte ad una considerazione positiva della sperimentazione linguistica.

I fermenti indubbiamente presenti nell'estetica musicale dei paesi dell'Est europeo probabilmente daranno i loro frutti nei prossimi anni, sperando che l'affievolirsi dei dogmatismi, un maggiore interscambio culturale tra Est e Ovest, e una minore pressione da parte del potere politico sulla cultura e sulla musica permetta un piú libero e ampio dibattito sui temi estetici e filosofici che sono specifici del mondo sovietico e in genere dei paesi dell'Est, pur con tutte le dovute differenziazioni tra paese e paese. Solo attraverso una maggiore conoscenza, anche in Occidente dei testi e dei temi propri a queste aree culturali, per tanti aspetti cosí lontani da noi, può essere possibile una maggiore comprensione di problemi che oggi sono ben poco noti e che devono troppo spesso essere decodificati per poterne cogliere la loro reale portata.

5. *Carl Dahlhaus: storia e storiografia della musica.*

Un discorso piú ampio e circostanziato meriterebbe Carl Dahlhaus, uno dei maggiori musicologi viventi, studioso di Wagner e del romanticismo, noto anche per la sua attenzione ai problemi metodologici della ricerca storica e musicologica. La sua opera e il suo pensiero difficilmente è catalogabile nelle attuali correnti della sociologia o della filosofia della musica; uno dei centri di coagulazione del suo pensiero, estremamente ricco per originalità e molteplicità di stimoli che esso offre, è la riflessione sui problemi della storia della musica e della sua specificità.

Gli idealisti e in particolare in Italia Benedetto Croce si era posto il problema di come potesse esistere una storia dell'arte: se l'opera d'arte è un valore autonomo, espressione unica e irripetibile dell'individuo, chiusa nella sua specificità, nella sua forma, che significato può avere una storia dell'arte concepita come seguito di eventi mostrino una qualche forma di legame, di concatenazione tra le opere stesse o tra le opere e ciò che sta fuori di esse, siano fatti culturali, economici o sociali? La risposta di Croce, come è noto, è che dell'arte non vi è storia ma vi sono solo opere. Tutt'al piú si può constatare empiricamente che una certa epoca è piú ricca di opere d'arte e di grandi artisti, mentre un'altra ne è piú povera. Di fronte a questo problema si sono sempre trovati gli storici e ancor piú i sociologi della musica i quali hanno dovuto operare delle scelte tra un'analisi storica e sociologica delle opere musicali ma che però lasciava in ombra o metteva tra parentesi l'esteticità dell'opera, la sua specificità, quella che fa sí che un'opera musicale non sia assimilabile ad un altro prodotto della cultura o dell'economia, e un'analisi centrata invece sul valore estetico dell'opera, sulla sua individualità, perdendo con ciò di vista ogni legame tra l'opera e un eventuale contesto in cui l'opera stessa possa inserirsi. Tutti i sociologi della musica incorrono in questo dilemma e in genere l'accusa mossa dai critici di formazione idealistica ai sociologi è l'irrilevanza delle loro analisi ai fini della *comprensione* dell'opera d'arte.

Dahlhaus parte proprio da questa problematica e dal rischio di una scissione tra una storia della musica e una valutazione estetica dell'oggetto musicale. Il presupposto di questa divisione di fatto tra due branche della critica e della storiografia musicale è la separazione tra valore storico e valore estetico; ed è proprio questo presupposto che viene confutato da Dahlhaus[1]. Anzitutto Dahlhaus osserva molto acutamente che l'esteticità dell'opera musicale è essa pure un problema storico, nel senso che l'idea che l'opera sia anzitutto un oggetto estetico è un'idea nata in una determinata epoca storica – precisamente nel Settecento – e che forse non è un caso che nella stessa epoca è nata anche l'idea della storia e del progresso storico. In definitiva l'alternativa tra un'analisi immanente dell'opera musicale e un'analisi di tipo documentario o storico che dir si voglia è un problema di scelta,

[1] Di C. Dahlhaus si veda in particolare *Grundlagen der Musikgeschichte*, Arno Volk Verlag Köln (trad. it. *Fondamenti di storiografia musicale*, Discanto, Fiesole 1980).

di interesse da parte dello studioso. È possibile pertanto «senza interna contraddittorietà accogliere conoscenze storiche nella percezione estetica di opere musicali o, viceversa, prendere intuizioni estetiche come punto di partenza di indagini storiografiche... Che si tocchi il modo estetico del loro esserci nell'analizzare opere d'arte come documenti per una storia delle idee, della società o della tecnica in campo musicale, non significa affatto che si debba rinunciare a tener conto dei risultati di tali ricerche storiografiche nell'interpretare il carattere artistico delle opere. La considerazione estetica e quella documentaria sono motivate da interessi divergenti, ma non si fondano affatto su gruppi diversi di fatti, reciprocamente escludentesi: quali tipi di fatti entrino in un'interpretazione "immanente", non è fissato a priori, lo si può decidere solo caso per caso»[2]. Questo assunto di carattere metodologico viene suffragato da analisi sottili e penetranti. La tendenza a biforcarsi dell'analisi estetica e di quella storica vengono viste dal Dahlhaus come un fenomeno che ha le radici nella storia della nostra cultura moderna e nella fine di un modo di concepire l'arte come legata al suo uso. «Visti a sufficiente distanza, anche l'emancipazione dell'arte in autonomia estetica e la tendenza a decifrare opere d'arte come documenti storici, si riaccostano molto e appaiono elementi componenti di un medesimo processo storico, vale a dire del dissolversi delle funzioni d'uso immediate dell'arte quali esistevano nell'arte sacra e in quella rappresentativa». Aggiunge ancora il Dahlhaus: «La coscienza storica e la coscienza estetica non solo sono sorte contemporaneamente – nel Settecento – ma, nonostante la differenza categoriale tra significato documentario e carattere artistico, appartengono anche a una medesima storia di idee, come modi di accedere a opere d'arte – e precisamente come modalità di accesso che distanziano nell'oggettivare...»[3].

La tesi del Dahlhaus mira quindi a dimostrare che tra la ricerca storica e quella estetica non c'è alcuna incompatibilità, ma semmai c'è una permeabilità reciproca dei due campi. Infatti nella costituzione di un oggetto storico è sempre

---

[2] *Ibid.*, p. 38.
[3] *Ibid.*, p. 87.

presente un elemento estetico cosí come ogni oggetto estetico e nello specifico ogni opera musicale è al tempo stesso un
oggetto storico. Inoltre va ancora ricordato come la stessa
esteticità sia un fenomeno «storico» per eccellenza: al centro di questa problematica va posto il concetto di opera musicale di cui va studiata la lunga «storia»: concetto relativamente recente e che nella storia della musica ha cominciato
ad apparire solo nel rinascimento, cioè in epoca relativamente tarda e si affermò lentamente attraverso un lungo e complesso processo storico nei secoli seguenti. Ma questa constatazione, peraltro fondamentale, porta con sé un problema
storiografico centrale nel pensiero del Dahlhaus: la nascita
del concetto di opera in epoca moderna viene a sostituirsi a
poco a poco a una coscienza «funzionale» della musica; questo implica – si chiede il Dahlhaus – che lo storico della musica debba usare le categorie storiografiche omologhe al periodo che studia, cioè alle concezioni dell'arte proprie dell'e-
poca in cui è stata prodotta l'opera in questione? La risposta
è assai articolata e non categorica; infatti il Dahlhaus è per
una pluralità di approcci all'opera musicale, non per banale
ecclettismo ma alla luce di osservazioni piú profonde. Secondo i canoni del tradizionale storicismo ogni opera, ogni
epoca storica va interpretata, «capita» alla luce dei criteri,
delle motivazioni storiche per cui è nata. E ciò per certi riguardi può anche essere giusto. Tuttavia altre considerazioni possono essere avanzate. Oggi in cui si assiste ad un rapido tramonto del concetto di opera musicale non a caso si sono sviluppate metodologie di indagine di tipo strutturale
sulla musica che hanno largamente sostituito ricerche storiche basate sul modello della «comprensione» (Verstehen) di
origine storicistica. Tale tipo di analisi è consone ad un'opera romantica creata secondo l'idea della centralità dell'individuo creatore e dell'unicità dell'opera? Il Dahlhaus ritiene
che pertanto si possa utilmente usare una metodologia strutturalistica per opere romantiche e viceversa, cosí come può
essere stimolante e utile ai fini della ricerca musicologica
usare punti di vista funzionalistici per musiche create già
nell'epoca in cui tutto è centrato sul concetto di opera e del
suo valore estetico e viceversa trasferire il concetto di opera,

con tutte le cautele del caso, in epoca precedente alla sua elaborazione.

Anche a questo proposito bisognerebbe ricordare che lo stesso concetto di storia della musica ha una sua precisa origine e che accettare l'assunto che ogni epoca può essere capita solamente in base «alle forme di pensiero e alle abitudini di visioni proprie dell'epoca», porterebbe «all'insidiosa conclusione di escludere dalla storiografia epoche prive di coscienza storica...»[4]. Le conclusioni del Dahlhaus sembrano improntate all'eclettismo ma in realtà si fondano su di un ben preciso assunto filosofico e metodologico che non può che risultare stimolante per chiunque si accinga oggi alla riflessione e alla ricerca storica e sociologica sulla musica, e che non voglia stancamente ricalcare le difficoltà e le aporie in cui si sono per lo più impigliati gli studi precedenti, sia di tradizione positivistica, sia di tradizione marxista o idealista.

6. *T. W. Adorno e la sociologia dialettica.*

In un excursus anche rapido sulla sociologia della musica del Novecento, un posto particolare merita la figura di Theodor Wiesengrund Adorno; ancor oggi a quasi vent'anni dalla sua scomparsa, la sua opera s'impone ancora per originalità, per profondità per vastità d'interessi e nonostante le critiche spesso aspre che essa ha sempre suscitato, comunque la si giudichi, non si può non rileggerla che con appassionato interesse. Il suo pensiero interessa la sociologia della musica, anche se sarebbe estremamente riduttivo affermare che i suoi studi sono sociologici: infatti la sociologia non è che uno degli sbocchi della sua filosofia della musica. Pertanto è difficile oggi gettare uno sguardo su tutta la problematica ideologica, filosofica, estetica che emerge dalla musica del Novecento senza fare i conti con il pensiero di Adorno. Per valutare appieno l'importanza storica della sua vastissima opera bisogna valutare il fatto che nessun musicologo aveva mai tentato di cogliere con tanta profondità e

[4] *Ibid.*, p. 15.

acume i nessi che legano strettamente e dialetticamente la
musica con il mondo dell'ideologia. Ma è proprio su questo
punto che Adorno si differenzia profondamente dalla precedente sociologia della musica.

Il rapporto musica-società è estremamente problematico
e non può essere risolto con una formula, seppur elastica.
Adorno, pur utilizzando certi strumenti propri al pensiero
marxista, evita accuratamente di cadere nel facile sociologismo secondo cui l'opera d'arte non è che il riflesso sovra-
strutturale della struttura economica della società. La sua
analisi parte sempre dall'opera e dalla sua struttura *musicale*,
per individuare come in essa si deposita, prende forma e si
struttura l'ideologia. Ciò non compromette l'autonomia del-
l'opera d'arte: carattere sociale dell'arte e autonomia sembrano contraddirsi a vicenda, ma è proprio un carattere della musicologia adorniana individuare i punti di contraddizione dialettica per evidenziare le fratture interne del pensiero e della realtà.

Le sue analisi musicali vanno sempre piú in là della musica, anche se non si può certo dire che la musica sia un pretesto per sostenere tesi inerenti la filosofia o l'estetica. Ma
forse proprio per questo motivo hanno sempre suscitato il
sospetto e l'ostilità da parte della musicologia ufficiale, sia di
parte idealistica, sia di parte positivistica. Non è semplice
pertanto ricostruire nelle sue linee essenziali il pensiero di
Adorno, non solo per la grande ricchezza e varietà di temi
trattati, ma soprattutto perché dal punto di vista filosofico
e metodologico non è riconducibile a nessun filone di pensiero del Novecento, ma piuttosto rappresenta una felice
sintesi di matrici di pensiero diverse quali il marxismo, l'he-
gelismo, la psicanalisi, la fenomenologia. Nel valutare pertanto il significato e la portata culturale del suo pensiero non
si può dimenticare la sua collaborazione con Horkheimer e
l'atmosfera culturale della scuola sociologica di Francoforte
nell'Institut für Sozialforschung (Istituto di ricerche sociali), che iniziò la sua attività nel 1932, in Germania, per pro-
seguirla poi con l'avvento del nazismo prima a Parigi e poi
negli Stati Uniti. Proprio in America, Adorno, emigrato dietro il pressante invito dell'amico Horkheimer, partecipa al
lavoro collettivo denominato Princeton Radio Research

Project, lavoro sociologico e musicologico sul carattere della comunicazione musicale attraverso i nuovi strumenti radiofonici. In tal modo Adorno poté concretare i suoi interessi nello studio dell'industria culturale e della comunicazione di massa e sul loro impatto sulla produzione e soprattutto sull'ascolto e sulla fruizione musicale. Di qui derivò anche la sua avversione verso certi metodi d'indagine sociologica a base di statistiche e di questionari che rappresentano un metodo ingenuamente scientifico ma in realtà profondamente mistificatorio della verità, la quale è sempre frutto di una mediazione e non è mai un dato immediato quale può essere quello rilevato da un *test* che raccoglie affermazioni del pubblico medio, ritenute fonti statistiche attendibili. Pochi anni piú tardi, nel 1948, terminò il saggio che lo rese noto, *Filosofia della musica moderna*, in cui rielaborò molte delle tesi già espresse nei quattro studi nati dalla partecipazione al Princeton Project, spostando tuttavia l'oggetto d'indagine dalla musica di consumo e dai problemi piú legati alla nascente industria culturale, verso la musica contemporanea e in particolare ai suoi elementi antagonistici esemplari, Schönberg e Strawinsky.

Nella *Philosophie der neuen Musik*, Adorno scriveva che «le sole opere che contano sono quelle che non sono piú opere»[1]; tutta l'analisi della «musica radicale» compiuta da Adorno in questo celebre saggio tende a dimostrare come nella società capitalistica avanzata, l'unica via di sopravvivenza, anche se precaria per la musica, consiste nel suo porsi in antitesi alla società stessa, conservando cosí «la sua verità sociale grazie all'isolamento: ma proprio questo la fa alla lunga inaridire. È come se le venisse sottratto lo stimolo produttivo o addirittura la propria *raison d'être*, giacché anche il discorso piú solitario di un artista vive il paradosso di parlare agli uomini grazie alla sua solitudine, rinunciando a una comunicazione divenuta banale»[2]. La musica come tutta l'arte è per sua natura espressiva e comunicativa, ma l'espressione e la comunicazione oggi si autodistruggono per-

[1] T. W. Adorno, *Philosophie der neuen Musik*, 1949 (trad. it., Einaudi, Torino 1959, p. 38).
[2] *Ibid.*, p. 26.

ché la società industriale massificante mercifica ogni forma di comunicazione banalizzandola, alienandola e trasformandola in cosa, in prodotto di scambio, in feticcio: in tale situazione l'isolamento e al limite il silenzio appaiono l'unica via possibile per l'artista che voglia paradossalmente conservare alla sua «opera» il carattere di «verità» o almeno di testimonianza dell'angoscia in cui vive l'uomo contemporaneo.

La musica oggi si trova dunque, secondo Adorno, in una drammatica situazione dialettica: per rimanere fedele al suo destino di opera musicale, di messaggio umano, di comunicazione tra gli uomini, deve disconoscere «l'elemento umano» e «le sue lusinghe» sotto cui deve saper riconoscere «la maschera dell'inumanità». «La verità di quella musica radicale appare esaltata in quanto essa smentisce, mediante un'organizzata vuotezza di significato, il senso della società organizzata che essa ripudia, piuttosto che per il fatto di essere di per se stessa capace di un significato positivo»[3].

La musica cui allude Adorno in queste pagine, scritte ancora durante la guerra, è quella della scuola viennese ed in particolare quella di Schönberg; ma in fondo quasi profeticamente egli preannuncia alcuni caratteri della più recente avanguardia, come il mettere in discussione la possibilità stessa della espressione musicale, il rinnegamento radicale dell'idea di opera d'arte come struttura organizzata, compiuta e coerente nelle sue parti, da ammirare nelle sale da concerto e nei teatri, il feticismo del materiale sonoro, ecc.

La musica contemporanea è difficile, ma la frattura tra musica e pubblico, che è un dato di fatto della situazione culturale odierna, non è colmabile altro che attraverso una mistificazione. La difficoltà di ascolto di tale musica – e anche qui il discorso di Adorno è perfettamente trasferibile alla più recente avanguardia della scuola postweberiana – è inerente alla sua stessa struttura o meglio alla sua negazione di ogni struttura nel senso tradizionale del termine, perché essa si pone come antitesi al concetto stesso di opera compiuta: «Il male che ha colto l'idea di "opera" – afferma ancora Adorno – può derivare da una condizione sociale che

[3] *Ibid.*, p. 25.

non presenta nulla di tanto vincolante e autentico da garantire l'armonia dell'opera autosufficiente»[4]. La via di penetrazione di quest'opera *sui generis* non dovrebbe allora consistere nell'impadronirsi di un presunto codice che ci dia la chiave per aprirla o decifrarla, perché la sua caratteristica forse è proprio di non essere fatta in base a codici o strutture preesistenti: «le difficoltà proibitive dell'opera non si scoprono tuttavia col rimuginarci sopra, ma nell'oscura interiorità dell'opera stessa»[5]; infatti, dissolta l'idea tradizionale di opera, l'arte può sopravvivere solo come «assurdo assoluto».

Accettando questa prospettiva è chiaro che la *musica nuova*, a meno di mercificarla, mistificando la sua vera natura che è di essere l'*altro* rispetto alla musica del passato, va ascoltata in modo diverso e con diverso atteggiamento estetico, con diversa disposizione intellettuale: non si tratta d'impadronirsi semplicemente dei nuovi e inusitati tratti stilistici, delle convenzioni che presiedono alla costruzione della nuova opera, perché è proprio il concetto di creazione musicale ad essere messo in discussione. Infatti rinnegare il concetto di opera d'arte è, come dice Adorno, l'unica via rimasta al musicista per poter ancora avere diritto di *parlare*, di esprimersi in un mondo sconvolto. È legittimo tuttavia di chiedersi se il mondo borghese precapitalistico è davvero così pacificato, integrato, privo di contraddizioni da poter produrre opere così *perfette*, coerenti, compatte, integrate e organiche; o forse l'opera tradizionale ha solo l'apparenza di opera nel senso classico, ma ad un esame più *intimo* rivela anch'essa le sue crepe, le sue fratture segrete, le sue lacerazioni abilmente ricoperte e dissimulate dalla patina del classicismo o della cattiva coscienza? Questa prospettiva non è certo estranea al pensiero di Adorno, il quale sempre nello stesso studio così afferma: «Dall'inizio dell'età borghese tutta la grande musica si è compiaciuta di simulare questa unità come se fosse perfettamente compatta e di giustificare attraverso la propria individualità le leggi generali e convenzionali a cui è sottoposta», ed ancora poco oltre afferma sug-

[4] *Ibid.*, p. 44.
[5] *Ibid.*

gestivamente che «solo in seno ad un'umanità redenta, pacificata e soddisfatta l'arte cesserà di vivere»[6]. Perciò l'arte *classica*, con le sue forme chiuse, la sua perfetta coerenza formale e le sue vincolanti convenzioni che la rendono in massima parte *prevedibile* attraverso la logicità e naturalità del sistema tonale, potrebbe essere un'apparenza che l'arte borghese si è data per simulare una condizione di stabilità che rappresenta solamente la sua aspirazione ma che in realtà è continuamente minacciata sotto la spinta di forze disgregatrici.

Da queste analisi emerge uno dei centri di interesse teorici centrali del pensiero di Adorno: il rapporto musica-società, rapporto quanto mai problematico e che non esclude, ma anzi include necessariamente un discorso sul valore estetico dell'opera. Contrariamente alla sociologia tradizionale della musica, di ascendenza positivistica, che tendeva ad accantonare il problema della valutazione, delegandolo ad un altro tipo di critica, fuori comunque dall'ambito scientifico-sociologico, Adorno fa del problema della valutazione estetica il centro della sua sociologia musicale. Infatti il valore estetico non è un qualcosa che si aggiunge o si sovrappone al valore comunicativo e sociale del linguaggio musicale, ma è un fatto sociale esso stesso. Perciò il discorso di Adorno non può essere sociologico senza essere al tempo stesso critico e valutativo: critica sociale e critica estetica s'implicano vicendevolmente in un sottile gioco dialettico. È chiaro che con Adorno, come in altro modo già con Max Weber, la sociologia della musica ha abbandonato del tutto la vecchia categoria di *condizionamento* che tendeva a ridurre l'arte e il linguaggio artistico ad un sottoprodotto della società. Il rapporto musica-società è estremamente problematico perché tra musica e società non intercorre un rapporto di causa ed effetto: la musica per Adorno è *nella* società ed è come tale un fatto sociale. Se la musica viene considerata in questa prospettiva, non si pone più il problema dei rapporti ma piuttosto il problema della funzione della musica nella società. È inutile dire che non vi è una funzione prestabilita della musica, ma dal momento che vi sono tanti tipi di musica e tanti tipi di società diverse, compito del sociologo sarà appunto di individuare le *funzioni* della musica nelle diverse società. In questa prospettiva viene a cadere l'artificiosa quanto tradizionale distinzione tra l'extrartistico (cioè l'elemento sociale) e l'artistico, dal momento che l'esperienza artistica del linguaggio musicale è un fatto sociale e cade insieme la pretesa all'obbiettività da parte di una cosiddetta sociologia empirica e scientifica.

Musica e società non sono dunque in un rapporto di dipendenza e la musica non è uno specchio della società come vorrebbe dimostrare certo sociologismo di maniera. Infatti la musica ha un rapporto tanto piú diretto con la società tanto piú è inautentica. Ciò non significa che l'opera autentica sfugga all'analisi e non sia rapportabile alla società, ma piuttosto che essa rende tale rapporto tanto piú problematico e dialettico. L'opera musicale autonoma e autentica non realizza un valore estetico avulso dalla società, ma piuttosto rappresenta un valore in opposizione con la società costituita e perciò il compito del sociologo non viene meno in questo caso ma si fa piú complesso e difficile.

Nella concezione di Adorno l'opera non è allora la semplice «continuazione della società con altri mezzi» e neppure la società «diviene direttamente visibile in essa». Musica e società, se si vuole porre una differenza tra «l'arte e l'esistenza empirica» s'incontrano mediatamente e la tecnica è appunto il *tertium comparationis*.

Molti anni piú tardi, nel 1962, nell'*Introduzione alla sociologia della musica*, scriveva, riconfermando pensieri già espressi sin nei suoi primi studi: «... in ogni musica, e meno nel suo linguaggio che nella sua interiore connessione strutturale, appare la società antagonistica nella sua totalità. Un criterio per stabilire la verità della musica è di stabilire se essa abbellisce l'antagonismo che si afferma anche nel suo rapporto con gli ascoltatori, cadendo cosí in contraddizioni estetiche piú che mai senza speranza, ovvero se affronta l'esperienza dell'antagonismo nella sua propria costituzione». Nella musica nuova, l'antagonismo con la società si manifesta musicalmente come «divergenza tra interesse generale e individuale, mentre l'ideologia ufficiale vuole che entrambi armonizzino. La musica autentica, come del resto ogni au-

tentica arte, è sia criptogramma dell'opposizione inconcilia-
ta tra il destino del singolo e la sua destinazione umana, sia
rappresentazione della connessione sia pur problematica degli antagonistici interessi singoli con una totalità, sia infine
della speranza di una conciliazione reale. Di fronte a ciò gli
strati momentanei che riguardano le singole composizioni
sono secondari. La musica ha a che fare con le classi nella
misura in cui in essa s'imprime in toto il rapporto di classe.
Le posizioni assunte in ciò dall'idioma musicale restano degli epifenomeni rispetto a ogni apparizione della sostanza.
Piú l'antagonismo è assunto nella musica in modo puro e diretto, piú esso è raffigurato in essa, meno la musica è "ideologia" e piú essa è giusta in quanto coscienza oggettiva»[7].

Adorno, accusato spesso di subordinare i valori dell'arte
a quelli sociali ed economici, in realtà è ben lungi dal concepire l'arte e la musica come passivo rispecchiamento di uno
stato di fatto. Infatti l'arte, nel suo rapporto dialettico con
la realtà «non deve garantire o rispecchiare la pace o l'ordine, ma costringere ad apparire ciò che è posto al bando sotto
la superficie, e quindi resistere all'oppressione della superficie, della facciata»[8]. Cosicché la musica può assumere una
funzione stimolante nella stessa società, può denunciare la
crisi, la falsità dei rapporti umani, smascherare l'ordine costituito. Perciò non si può dare una risposta al tradizionale
problema se la musica sia espressiva o se il suo valore sia unicamente architettonico e formale. La risposta anche in questo caso per Adorno non potrebbe essere che dialettica. La
musica è *simile* al linguaggio, ma non è linguaggio; «la musica tende al fine di un linguaggio privo di intenzioni... La
musica priva di ogni pensare, il mero contesto fenomenico
dei suoni, sarebbe l'equivalente acustico del caleidoscopio.
E al contrario essa, come pensare assoluto, cesserebbe di essere musica e si convertirebbe impropriamente in linguaggio»[9]. La musica vive dunque in questa tensione dialettica
che si riflette sulle sue vicende storiche.

[7] *Einleitung in die Musiksoziologie*, Frankfurt 1962 (trad. it., Einaudi, Torino
1971, pp. 83-84).
[8] T. W. Adorno, *Dissonanze*, Feltrinelli, Milano 1959.
[9] Id., *Musica e linguaggio*, in *Filosofia e simbolismo*, a cura di E. Castelli,
p. 164.

In questo contesto filosofico s'inserisce l'analisi che Adorno fa della musica contemporanea. Nella società di oggi, in cui anche l'attività intellettuale rischia di essere completamente dominata e sommersa dai rapporti economico-sociali, in cui l'individuo è alienato perché la società industriale e capitalistica ha soffocato l'autonomia e la libera creatività, producendo una standardizzazione sempre crescente che ha coinvolto la stessa arte degradandola a prodotto commerciale, soggetto alle leggi del mercato, in una società siffatta, anche la musica rischia di diventare merce, di essere *dissacrata*, di perdere il suo carattere di verità per ridursi a puro gioco.

Adorno, nella sua nostalgia di un passato irrecuperabile, di un ideale di uomo integrato nella società in cui la musica assolveva ad una funzione espressiva ed equilibratrice e non si era ancora trasformata in prodotto per la massa, immagine dell'alienazione umana e della pietrificazione dei rapporti, concepisce solo due strade possibili per la musica, che vede simbolicamente impersonate in Schönberg e in Strawinsky, i due poli diametralmente opposti nel mondo musicale contemporaneo. La musica di Strawinsky rappresenta l'accettazione del fatto compiuto, della situazione presente; rappresenta la pietrificazione dei rapporti umani, «il sacrificio antiumanistico del soggetto alla collettività, sacrificio senza tragicità, immolato non all'immagine nascente dell'uomo, ma alla cieca convalida di una condizione che la vittima stessa riconosce, sia con l'autoderisione che con l'autoestinzione»[10]. La musica di Strawinsky con il suo artificioso recupero del passato, oggettivandolo, cristallizzandolo, ponendolo fuori della storia rappresenta la via dell'inautenticità, la tragica dissociazione del mondo moderno; essa rispecchia infine fedelmente e genialmente, ma passivamente, l'angoscia e la disumanizzazione della società contemporanea.

Anche Schönberg è un uomo del nostro tempo, ma in un senso totalmente diverso: se Strawinsky rappresenta l'accettazione, Schönberg rappresenta la rivolta, la protesta, la rivoluzione radicale, senza compromessi. Ma cosa può signi-

[10] Id., *Filosofia della musica moderna*, Einaudi, Torino 1959, pp. 145-46.

ficare la rivolta in un mondo siffatto? Essa non può essere
che il rifiuto nella totale solitudine, risponde Adorno. Se
l'angoscia è implicita nella musica di Strawinsky per il suo
carattere di supina acquiescenza a questo mondo, nella musica di Schönberg l'angoscia è presente come «soggettività
solitaria che si riassorbe in se stessa» [11]. La dodecafonia di
Schönberg è dunque l'unica via dell'autenticità per la musica. Nella costruzione dodecafonica volutamente il compositore si costringe entro i limiti di una costruzione immanente, negandosi quella libertà che ormai non può più avere.
Ma nello stesso tempo, nella rivolta alla tonalità, al linguaggio tradizionale, salva la soggettività, salva la musica dal cadere al rango di prodotto di massa standardizzato. I mezzi
musicali valgono solo in rapporto ai contenuti della vita soggettiva. La dodecafonia o, come dice Adorno, «la tecnica integrale della composizione, non è sorta né in vista dello stato integrale, e neppure con l'idea di dominarlo: ma è un tentativo di tener testa alla realtà e di assorbire quell'angoscia
panica a cui appunto corrisponde lo stato integrale. L'umanità dell'arte deve sopravanzare quella del mondo per amore
dell'uomo» [12]. La dodecafonia è una denuncia anzitutto, denuncia in se stessa destinata alla sterilità, destinata a inari-
dirsi e a spegnersi perché questa avanguardia in quanto pura protesta è destinata ad autodistruggersi. Così conclude
Adorno il suo ormai celebre saggio su Schönberg. «Gli *chocs*
dell'incomprensibile, che la tecnica artistica distribuisce nel-
l'era della propria insensatezza, si rovesciano, dànno un senso ad un mondo privo di senso: e a tutto questo si sacrifica la
musica nuova. Essa ha preso su di sé tutte le tenebre e la colpa del mondo: tutta la sua felicità sta nel riconoscere l'infe-
licità, tutta la sua bellezza nel sottrarsi all'apparenza del bello. Nessuno vuole avere a che fare con lei, né i sistemi individuali né quelli collettivi; essa risuona inascoltata, senza
echi. Quando la musica è ascoltata, il tempo le si rapprende
intorno in un lucente cristallo. Ma non udita la musica precipita simile a una sfera esiziale nel tempo vuoto. A questa
esperienza tende spontaneamente la musica nuova, espe-

[11] *Ibid.*, p. 143.
[12] *Ibid.*, p. 133.

rienza che la musica meccanica compie ad ogni istante; l'assoluto venir dimenticato. Essa è veramente il manoscritto in una bottiglia»[13].

Data questa interpretazione della dodecafonia come unica forma di autentica avanguardia, ma che ha già in sé dialetticamente i germi della sua dissoluzione, è comprensibile come pochi anni dopo il saggio su Schönberg e Strawinsky, Adorno abbia potuto dichiarare invecchiata la musica moderna, l'avanguardia dei primi decenni del Novecento. La irruenza della «nuova musica» è stata certo purificata dalle «scorie e dai residui del passato», ma tutto ciò non ha giovato alla musica. L'aggressività della vecchia avanguardia si è trasformata in mansuetudine, in «mentalità tecnocratica»; oggi la musica non rischia piú nulla, sono passati i suoi tempi eroici. Si serve ancora della dodecafonia, usa ancora gli strumenti tecnici dell'avanguardia, anzi li ha ancora piú radicalizzati, portati alle loro estreme conseguenze; «le sonorità usate sono rimaste le stesse, ma il fatto dell'angoscia, che aveva dato vita ai suoi primi istanti, è stato rimosso... Ma se l'arte accetta inconsciamente l'eliminazione dell'angoscia e si riduce a puro gioco perché è diventata troppo debole per essere il contrario, essa desiste dalla verità, perdendo l'unico diritto all'esistenza»[14].

Questo grido di allarme gettato da Adorno contro il pericolo di una neutralizzazione del potenziale rivoluzionario dell'avanguardia, prende corpo in un famoso scritto del 1954 *Invecchiamento della nuova musica*, incluso poi nel volume *Dissonanzen*. Il saggio aspramente criticato dai giovani musicisti e critici fautori dell'avanguardia darmstadtiana metteva in guardia contro certo manierismo rivoluzionario, di per sé sterile e assai lontano dagli ideali e dai sentimenti che avevano mosso la scuola di Vienna e gli inventori della dodecafonia. «Invecchiamento della musica moderna – affermava Adorno – non significa altro che la gratuità di un radicalismo che si manifesta nel livellamento e nella neutralizzazione del materiale, e che non costa piú nulla. Non costa piú nulla spiritualmente, in quanto, impiegando questi

[13] *Ibid.*, p. 134.
[14] Adorno, *Dissonanze* cit., p. 160.

accordi senza la precauzione con cui venivano scritti e go-
duti allora, si toglie loro anche ogni sostanza, capacità di
espressione e relazione col soggetto; e materialmente, dal
momento che nessuno oggi piú si scandalizza della dodecafonia». E ancora poco oltre: «... l'espansione del materiale
sonoro è arrivata al limite estremo. Alla fiducia nella facon-
dia intrinseca del materiale se ne è sempre abbinata un'altra:
la fiducia di trovare qualcosa che, simile a zone neutre, a ne-
vi vergini, permettesse una pura immediatezza, libera dalla
pressione del soggetto e dalla reificazione delle sue vestigia
in espressione convenzionale» [15]. Questa critica che solo una
lettura distratta può scambiare come un ripiegamento conservatore di Adorno, si è invece dimostrata assai profetica e
le vicende successive dell'avanguardia seriale e postseriale,
aleatoria, stocastica, elettronica, senza peraltro generalizza-
re eccessivamente, ha dimostrato quanto profetiche dovessero rivelarsi queste analisi fatte nei lontani anni '50. Uno
degli ultimi scritti di Adorno, *Vers une musique informelle* [16],
dimostra come tale atteggiamento fosse tutt'altro che di pre-
clusione verso le piú recenti evoluzioni della musica d'avanguardia, valutando positivamente certi aspetti della musica
di Boulez, di Stockhausen, e persino di Cage. Tuttavia permane in tutta la sua opera il timore che la spinta eversiva e
rivoluzionaria dell'avanguardia si sia ormai esaurito, e che il
tempo del radicalismo non sia piú il nostro. Ma a questo
punto il suo discorso esce dal campo della musicologia e della sociologia per entrare in quello della filosofia.

[15] *Dissonanzen*, Göttingen 1958 (trad. it. *Dissonanze*, Feltrinelli, Milano
1959, pp. 164 sgg.).
[16] *Vers une musique informelle*, in «Darmstädter Beiträge», IV (1962).

Capitolo nono

L'estetica e la dodecafonia

1. *La crisi del linguaggio musicale.*

Tra l'estetica musicale, intesa come teorizzazione e meditazione del fatto musicale, e la musica vera e propria, sono
sempre esistite relazioni incerte, tutt'altro che facili a deter-
minarsi. Certamente esiste in ogni epoca un certo rapporto
tra la viva esperienza musicale e il ripensamento che hanno
fatto di essa filosofi, musicologi, storici, critici, ecc. Rapporto che non si traduce certo in un semplice rispecchiamento
dell'uno nell'altro: rapporto attivo in cui di volta in volta i
teorici possono avere influenzato il corso della storia della
musica, offrendo lo spunto a tecniche nuove, suggerendo
nuovi mezzi espressivi, intervenendo quindi direttamente
nella creazione artistica; d'altra parte la realtà concreta della
musica, il suo modo di essere, di presentarsi al pubblico, la
sua funzione sociale, può aver stimolato il pensiero dei filosofi disposti all'attenta osservazione. In particolare vi sono
periodi di crisi nella storia del linguaggio musicale, periodi
di rinnovamento, in cui cadono le vecchie strutture e ne sorgono di completamente nuove, ed è proprio allora che i teorici si trovano dinanzi ad una nuova realtà che chiede im-
periosamente di essere interpretata, spiegata, giustificata.
Spesso i musicisti stessi si pongono in un atteggiamento di
critico distacco rispetto alla loro opera, che esige di essere
giustificata nella sua novità tecnico-espressiva, improvvisan-
dosi teorici e musicologi. Cosí ad esempio è avvenuto alla fine del rinascimento in quel delicato periodo che ha visto il
passaggio della musica dalla polifonia alla monodia con la
conseguente invenzione di nuove forme musicali quali il melodramma e l'introduzione della nuova tecnica armonica.
Proprio in questo periodo troviamo una fioritura di trattati

teorici, di cui molti scritti dagli stessi musicisti, impegnati a difendere la loro arte: l'estetica musicale si trova in quest'epoca di fronte a una concezione totalmente nuova della musica e a una mole enorme di nuovi problemi da risolvere.

È difficile oggi dire se la creazione della dodecafonia nella prima metà del secolo rappresenti una novità d'importanza tale da essere paragonata all'avvento dell'armonia tonale nel Seicento. Certo è che la storia della musica ha attraversato dalla metà dell'Ottocento ad oggi un periodo di crisi, di intense trasformazioni, di rinnovamento, periodo tutt'altro che concluso; ed anche oggi i filosofi, i critici, i musicologi e i musicisti stessi si sono trovati dinanzi a una realtà in rapida trasformazione, piena di interrogativi, di punti oscuri, di incertezze che attendono una sistemazione teorica in una nuova concezione della musica che sta facendosi strada attraverso numerosi tentativi ed esperimenti.

La cosiddetta crisi e dissoluzione del sistema tonale tradizionale di cui si è tanto parlato in questi anni ha trovato all'inizio del Novecento uno sbocco, se pure provvisorio, nel sistema dodecafonico. Il graduale abbandono della tonalità nella musica ha riproposto alla coscienza estetica contemporanea un problema vecchio ma tuttora fondamentale, cioè quello del valore dell'armonia e della tonalità, problema che ha sempre affaticato le menti di tutti i teorici da Zarlino in poi. La razionalità e la naturalità dell'armonia rappresentava la conclusione, il punto d'arrivo del pensiero della maggior parte dei teorici classici, al di là di ogni particolare divergenza, ed erano concetti che riposavano sulla fiducia che la tonalità fosse eterna e che l'armonia ne rappresentasse ormai la più perfetta, compiuta e immutabile espressione. La naturalità dell'armonia basata sul fenomeno degli armonici, di cui i primi sei producono la triade perfetta maggiore, rappresentava la garanzia più sicura della sua razionalità. Ma quando con l'Ottocento il linguaggio armonico si è complicato a dismisura, introducendo i musicisti un numero sempre crescente di eccezioni e anomalie, violando sempre più frequentemente le regole tradizionali codificate da Rameau e dagli altri teorici, con il sorgere dei primi seri studi storici sulla musica antica e orientale, costruite con altri sistemi, sono sorti i primi dubbi sulla pretesa naturalità e razionalità del-

l'armonia. Si incominciò a demitizzare la tradizione occidentale osservando che il sistema tonale non solo non è unico e
tanto meno eterno, ma non ha neppure basi razionali cosí
salde per le numerose incongruenze che presenta ad un'analisi approfondita. L'epoca attuale ha dunque assistito al tramonto dell'armonia tonale e della concezione classica della
musica, ha dovuto riaffrontare su basi piú critiche il problema del valore della tonalità e in senso lato il problema della
struttura del linguaggio musicale, come si è già potuto osservare in buona parte dell'estetica musicale contemporanea.

Già Hanslick e poi il Combarieu e altri studiosi generalmente di tendenza formalistica hanno messo in luce la storicità del linguaggio musicale, rivelando come ogni tecnica,
ogni modulo espressivo, ogni stile musicale insomma, sia
soggetto a un continuo logorio, a un consumo che impone
alla musica un perenne rinnovarsi delle sue forme. Una prospettiva estetica formalistica in cui l'attenzione viene portata sul fatto musicale in sé, sulla sua struttura formale non in
quanto possa esprimersi o riferirsi ad un mondo esterno ad
esso, si presenta forse come la piú adatta ad un'indagine che
tenga conto della storicità della tecnica come dimensione
essenziale del linguaggio musicale. Tuttavia non mancano
esempi di studiosi di tendenza formalistica che – forse con
scarsa coerenza – hanno cercato direttamente o indirettta-
mente di salvare la tonalità riaffermandone la pretesa naturalità, quando ormai la realtà stessa della musica ne aveva
proclamato la dissoluzione e forse la fine.

Oggi che la dissoluzione della tonalità classica è ormai un
fatto compiuto, la maggior parte dei critici, dei teorici, dei
musicisti stessi piú aperti e sensibili alla nuova realtà artistica ne hanno preso atto e hanno interpretato il movimento
dodecafonico cercando o di inquadrarlo entro schemi estetici preesistenti o di foggiarne di nuovi o presunti tali. Pertanto le piú interessanti interpretazioni della dodecafonia ce
le hanno fornite gli stessi inventori della dodecafonia con i
loro scritti polemici, autobiografici e illustrativi, dotati di
un'autoconsapevolezza critica davvero ammirevole, ma che
rivelano al tempo stesso il carattere ambiguo del movimento
dodecafonico, che si presenta come una reazione al romanticismo, pur non avendone abbandonato i caratteri.

2. *Schönberg e la poetica della dodecafonia.*

Arnold Schönberg, il musicista che si dà generalmente come l'inventore della dodecafonia, incarna veramente, nella sua musica e nei suoi numerosi scritti, la crisi e le incertezze in cui si è trovata la musica nei primi decenni del Novecento. È assai difficile ricostruirne quindi il pensiero e la concezione della musica, perché la sua complessa personalità non si è mai fermata e cristallizzata in un'unica formula, ma ha espresso in modo drammatico la crisi e l'ambiguità del nostro tempo, con oscillazioni tra concezioni assai diverse, slanci rivoluzionari seguiti da improvvisi pentimenti, ripensamenti, indietreggiamenti. Nei suoi scritti Schönberg ha dedicato numerose pagine ad illustrare la sua concezione dell'arte, ma non è qui che si può trovare la sua personalità rivoluzionaria e innovatrice. In queste pagine Schönberg appare come un tardo romantico legato alla mentalità del primo movimento espressionista tedesco.

In un saggio, forse del 1912, *Rapporto con il testo*, Schönberg sembra inclinare verso un rigoroso formalismo, affermando che la musica va intesa «in termini puramente musicali»; ma ci si accorge ben presto che questo atteggiamento si traduce in realtà in una concezione aristocratica della musica e dell'arte. L'intendere in termini puramente musicali è un privilegio dato a pochissimi, e i critici non sono certo i piú favoriti in tale tipo di ascolto. Il linguaggio della musica è solo per pochi iniziati e non si riduce certo a una costruzione o a un *arabesco*; la musica esprime in questo suo linguaggio la piú profonda interiorità dell'uomo, e la creazione è un *primum* assoluto, frutto solo dell'*ispirazione*, di un vero e proprio atto di illuminazione dell'artista.

In un altro famoso saggio *Composizione con dodici note*, di molti anni posteriore, del 1941, parla della creazione con afflato quasi mistico e religioso: «In effetti il concetto di creatore e quello di creazione dovrebbero essere formulati in armonia con il Modello Divino, in cui ispirazione e perfezione, aspirazione e attuazione coincidono spontaneamente e simultaneamente. Nella Creazione Divina non vi furono dettagli la cui realizzazione sia stata rimandata ad un secondo tempo. "La luce fu" subito e nella sua definitiva perfezione»[1].

Questo senso dell'aristocrazia e della vocazione artistica domina in tutti i suoi scritti («se è arte non è per tutti e se è per tutti non è arte»), e insieme al concetto del valore profetico del messaggio artistico dà al suo pensiero un'ineliminabile venatura romantico-espressionistica, che non scompare neppure nei suoi scritti piú tardi, molto lontana da quell'apparente formalismo cui egli sembrava propendere. In un saggio del 1927, *Criteri di valutazione della musica*, afferma quasi a suggello del suo pensiero: «La vita dei grandi uomini ci insegna come l'impulso creatore corrisponda a un sentimento istintivo e vitale, che nasce soltanto per trasmettere un messaggio all'umanità»[2]; e poco piú avanti: «Personalmente ho la sensazione che la musica rechi in sé un messaggio profetico che rivela una forma di vita piú elevata verso cui l'umanità si evolve»[3].

Ma Schönberg non è tutto qui; e la parte piú viva e rivoluzionaria del suo pensiero bisogna cercarla – prescindendo un po' artificiosamente da ciò che rappresenta la sua opera musicale – in altri scritti, apparentemente piú aridi, piú tecnici, quelli in cui parla piú da vicino della sua opera addentrandosi a volte in problemi tecnico-musicali specifici. Sotto la superficie romantico-espressionista si rivela il Schönberg teorizzatore della dodecafonia, in cui accanto alla vena misticheggiante affiora la sua personalità formalistico-costruttivistica, nell'atto di porre le basi teoriche per una profonda rivoluzione del linguaggio musicale. In uno dei saggi teorici piú importanti sotto questo riguardo, *Composizione con dodici note*, Schönberg si propone di giustificare teoricamente e storicamente la legittimità del suo metodo di composizione: il sistema tonale classico non è né eterno né ha altra necessità che quella di uno sviluppo storico che conduce infine alla sua dissoluzione e poi alla sua sostituzione con il metodo di composizione con dodici note. *L'emancipazione della dis-*

---

[1] Cfr. A. Schönberg, *Stile e idea*, Rusconi e Paolazzi, Milano 1960.
[2] *Ibid.*, p. 206.
[3] *Ibid.*, p. 207.

sonanza è il concetto fondamentale di cui si serve per porre le basi della dodecafonia. L'orecchio è stato *abituato* a distinguere le consonanze dalle dissonanze probabilmente perché i suoni dissonanti si trovano tra gli ultimi armonici. Tuttavia «una maggiore familiarità con le piú remote consonanze, ossia le dissonanze, eliminò gradatamente le difficoltà di comprensione e, alla fine, rese possibile non soltanto l'emancipazione dell'accordo di settima di dominante e degli altri accordi di settima, delle settime diminuite e delle quinte aumentate, ma altresí delle piú remote dissonanze presenti in Wagner, Strauss, Musorgskij, Debussy, Mahler, Puccini e Reger»[4]. Emancipazione della dissonanza significa quindi eliminare la base stessa dell'armonia che si reggeva appunto sul fatto che l'orecchio era abituato ad avvertire certi accordi come dissonanti ed a pretendere la risoluzione di essi in una consonanza. Consonanza e dissonanza sono quindi concetti storici, perituri, prodotti da una certa pratica e consuetudine musicale che lo sviluppo dell'armonia degli ultimi cent'anni ha radicalmente trasformato. L'orecchio abituato ad un numero sempre crescente di dissonanze «aveva perso il timore del loro effetto "incoerente". Non si aspettavano piú le preparazioni delle dissonanze di Wagner o le risoluzioni di quelle di Strauss, e le armonie non-funzionali di Debussy o l'aspro contrappunto di certi compositori non disturbavano piú»[5]. La dissonanza al termine di questo processo viene ormai considerata nel suo valore come equivalente alla consonanza. «Uno stile che ormai si basa su simili premesse tratta la dissonanza allo stesso modo della consonanza, e rinuncia a un centro tonale. Naturalmente evitando di stabilire una tonalità si viene a escludere la stessa modulazione, poiché modulare vuol dire abbandonare una determinata tonalità per entrare in *un'altra*»[6].

Lo smantellamento dell'armonia tonale comportava l'abbandono di una struttura formale che garantiva l'ordine e la comprensibilità di ogni opera musicale, costituendone l'intelaiatura, la forma fondamentale. Per cui abolito questo ti-

---

[4] *Ibid.*, p. 110.
[5] *Ibid.*, p. 109.
[6] *Ibid.*, p. 110.

po di costruzione, Schönberg si era trovato di fronte ad infinite possibilità di combinazioni sonore, cioè padrone di una libertà illimitata o forse del caos. L'irrazionalismo del periodo atonale, cioè precedente all'elaborazione del «metodo di composizione con dodici note che sono in relazione soltanto l'una con l'altra»[7], coincide con il periodo espressionista, in cui Schönberg non si è ancora posto con rigore il problema della struttura logica e formale dell'opera musicale ed inclina verso una concezione mistico-intuizionistica della musica, tutto preso dall'esaltazione della libertà creativa del genio. Ma la sua seconda natura razionalistica e costruttivistica ricompare nella formulazione del «metodo di composizione con dodici note».

Di qui è nata la piú banale e diffusa accusa alla musica di Schönberg, cioè quella di aridità, intellettualismo e artificiosità, accusa a cui Schönberg si è sempre mostrato particolarmente sensibile.

«Nelle arti e particolarmente nella musica, la forma tende soprattutto alla comprensibilità»[8]. A questa funzione dovrebbe assolvere per l'appunto la serie dodecafonica che rappresenta la nuova ossatura formale di ogni composizione. Infatti nella musica «non c'è forma senza logica e non c'è logica senza unità»[9]. Questo valore unificatore della serie viene paragonato per analogia al valore unificatore che può aver avuto nell'ambito dell'opera il *Leitmotiv* wagneriano.

Questa insistenza da parte di Schönberg sul valore della forma, sul suo imprescindibile dover essere nell'opera musicale non deve far pensare ad una radicale tendenza formalistica nel pensiero artistico dell'inventore della dodecafonia; al contrario, la forma è la condizione della comprensibilità della musica, del suo valore espressivo, del suo potere comunicativo. In questo senso perciò il porre l'accento sulla forma non è in contraddizione con la fiducia nel valore dell'ispirazione come momento chiave nella creazione dell'opera. Ispirazione non tanto romanticamente intesa come folgorazione, ma piuttosto come affermazione della necessità

[7] *Ibid.*, p. 112.
[8] *Ibid.*, p. 108.
[9] *Ibid.*, p. 147.

espressiva da parte del musicista, come senso dell'essenzialità del proprio messaggio umano, sociale e soprattutto in senso lato etico-politico. L'idea di ispirazione o come a volte si esprime Schönberg, di ubbidienza al «Comandante Supremo», esprime anzitutto questa fede nell'artista come portatore di valori positivi e affermativi; proprio questa fede, sul piano musicale si traduce in una concezione dell'opera d'arte come organizzazione logica, fondata su di una struttura formale razionale e perciò comprensibile.

Ma il nuovo linguaggio dodecafonico, la cui invenzione è strettamente connessa alle esigenze etico-musicali a cui si è accennato, tuttavia ha posto forse allo stesso Schönberg, ma sicuramente ai musicisti della sua scuola e a quelli della generazione successiva, problemi che sono andati ben più in là della formulazione di un nuovo «metodo» di composizione, problemi di ordine non solo musicali ma di ordine filosofico ed esistenziali in senso lato. Se l'opera musicale è interamente dedotta da una serie, la libertà creativa e inventiva del musicista si può pensare che si limiti esclusivamente all'invenzione della serie originaria. Tutto il resto potrebbe non essere altro che costruzione *intellettualistica* in cui si eserciterà l'abilità contrappuntistica o anche solamente combinatoria del musicista. D'altra parte la serie originaria nelle varie trasformazioni che subisce non è neppure percepibile e riconoscibile all'orecchio. Il problema consiste allora nel definire il significato della libertà nell'opera d'arte, problema che è sempre esistito ma che la dodecafonia, con la sua forte componente numerica e combinatoria ha riproposto in termini drammatici alla musica della seconda metà del Novecento. Se è vero che una fetta di non secondaria importanza dell'avanguardia nasce proprio dall'esperienza della dodecafonia, è anche vero che le esigenze di carattere non solo musicale ma anche etico, filosofico, ed esistenziali che ne stanno all'origine, sono state del tutto disattese e anzi sono state in fondo capovolte nella «nuova musica».

Se molti tra i primi scritti di carattere estetico-filosofico in cui Schönberg esprime le sue idee sull'arte e sulla musica risentono fortemente del clima espressionistico e del suo ideale di esasperato soggettivismo, e rimangono quindi strettamente legati a quell'esperienza, il suo *Manuale d'ar-*

monia[10] scritto tra il 1909 e il 1911 trascende le contingenze del momento storico e rappresenta forse ancor oggi la parte piú viva del suo messaggio. Per quanto il manuale sia stato scritto prima della formulazione del metodo dodecafonico e voglia essere un trattato per insegnare a comporre musica armonicamente, in esso Schönberg pone le premesse per il *superamento* dell'armonia classica, demitizzandola col metterne in luce la sua relatività storica. Piú che di trattato d'armonia si potrebbe parlare di metodologia della composizione: infatti Schönberg nell'atto stesso in cui insegna i principî dell'armonia tiene a precisare che «la tonalità non è una legge naturale ed eterna della musica» e che non garantisce di per sé il successo a nessun musicista. La tonalità di cui Schönberg già intravvedeva i limiti storici va considerata semplicemente come «uno dei mezzi piú efficaci per ottenere in musica un buon risultato formale». L'armonia o qualsiasi altro possibile sistema non è che un metodo e trae la sua legittimità semplicemente dai risultati che dimostra storicamente di essere atto a fornire. A rigore non si dovrebbe neppure parlare di *sistema*: «un vero sistema dovrebbe avere innanzitutto dei principî che abbraccino tutti i fenomeni; e l'ideale sarebbe che ne comprendessero tanti quanti ce ne sono in realtà, non uno di piú né uno di meno». Questo era il concetto di armonia che si trovava in Rameau, Tartini, e in tutti i teorici del Settecento: il principio aveva valore di legge di natura e come tale non ammetteva eccezioni; ma, soggiunge Schönberg, «le leggi dell'arte abbondano soprattutto di eccezioni!» Questa relatività di qualsiasi legge, principio o teoria è alla base di tutto il pensiero di Schönberg e permea la sua coscienza di maestro per cui può affermare a conclusione del capitolo introduttivo del suo *Manuale*: «per quanta teoria si faccia in questo volume... questo avverrà però sempre con la piena coscienza che io faccio solo paragoni nel senso sopra descritto, creo simboli, aspiro solo a collegare tra loro idee apparentemente lontane, a sollecitare la comprensibilità mediante la ricchezza di interrelazioni che tutti i fenomeni hanno con un'idea, ma non a stabilire nuove leggi eterne».

[10] S. Schönberg, *Manuale d'armonia*, Il Saggiatore, Milano 1963.

Emerge cosí, forse in contrasto con altri scritti, un ideale quasi artigianale di arte, concepita anzitutto come mestiere, acquisizione di una tecnica: «Se riuscirò ad insegnare a un solo allievo l'artigianato della nostra arte cosí a fondo come lo può fare qualsiasi falegname, allora sarò contento». Si riafferma e si accentua in tale prospettiva l'ideale formalistico e costruttivistico che si è già visto inscindibilmente connesso a una certa concezione della dodecafonia. Se «non esistono leggi eterne ma solo indicazioni che hanno valore finché non vengono superate ed eliminate, del tutto o in parte, da condizioni nuove», si comprende come ogni enunciazione del *Manuale* assuma un tono di provvisorietà e allo stesso tempo vengano svuotati di significato alcuni dei grossi problemi tradizionali. La confutazione o messa in dubbio scientifica degli armonici «ha poca importanza» per l'interpretazione dei problemi di armonia. Schönberg *vuole* basarsi sulla teoria degli armonici «anche se è discutibile», perché oggi può servire utilmente come ipotesi di lavoro. «L'unica cosa che può avere importanza è di basarsi su supposizioni che, senza voler essere considerate leggi di natura, soddisfino la nostra necessità formale di senso e coerenza». Cosí Schönberg continua per motivi di funzionalità didattica a servirsi dei concetti tradizionali di consonanza e dissonanza, pur ben certo che in un prossimo futuro tali concetti si svuoteranno di significato. L'appello alla natura per legittimare i nostri sistemi è troppo comodo e d'altra parte non c'è sistema o scala per bizzarra e esotica che non possa chiamare in causa la «*natura*». La nostra scala costruita sugli armonici e poi alterata con il temperamento è una felice scoperta ma va considerata come una tappa provvisoria. Il sistema temperato viene efficacemente definito da Schönberg come «un armistizio a tempo indeterminato». L'unica legge eterna riconosciuta come valida è la perenne possibilità di mutazione e di evoluzione dell'arte, in quanto l'arte riflette «la vita con la sua mobilità».

Queste osservazioni esplicite sparse in tutto il manuale di armonia, e piú ancora l'implicita concezione dell'armonia che emerge chiaramente dal modo con cui è condotta la trattazione, dalla spregiudicatezza e apertura intellettuale assunte a metodo d'insegnamento, sono di estrema importanza e costituiscono la parte piú viva e duratura del pensiero di Schönberg. Il *Manuale di armonia* rappresenta una tappa fondamentale nella stessa storia della musica moderna perché apre la strada agli sviluppi piú imprevedibili legittimando ogni nuova possibilità, e allo stesso tempo pone le basi teoriche e metodologiche per il futuro sviluppo della dodecafonia.

3. *Hindemith e Webern: due interpretazioni della dodecafonia.*

Il problema della naturalità dell'armonia costituisce pur sempre il centro della polemica che ha appassionato il mondo musicale tra le due guerre. Molti musicisti vi hanno preso parte con il peso della loro esperienza e autorità di compositori, con il loro gusto, le loro propensioni estetiche ed ideologiche. Il campo appare diviso tra coloro che difendono la supremazia e l'esclusività del linguaggio tonale richiamandosi ai vecchi principî elaborati nel Settecento e nell'Ottocento dai teorici dell'armonia e coloro che difendono la dodecafonia mostrando la sua legittimità e necessità storica, e negando quindi alla *natura* la facoltà di garantire la validità di qualsiasi sistema. Ma le generalizzazioni sono sempre inesatte, e spesso si presentano nella realtà numerose eccezioni. Hindemith e Webern, tra i principali protagonisti nel mondo musicale contemporaneo, di cui rappresentano due direzioni divergenti, si possono per certi riguardi avvicinare. Il loro giudizio sulla dodecafonia come è ovvio è opposto; però è interessante e non del tutto casuale il fatto che entrambi la condannano o la esaltano richiamandosi agli stessi principî.

Hindemith, che nell'ambito del panorama musicale del Novecento rappresenta l'ala conservatrice, ha espresso la piú dura e irrevocabile condanna della dodecafonia, dichiarando illegittimo il suo linguaggio perché non corrisponde alla «naturale» organizzazione dei suoni.

Webern, che è stato considerato come il portavoce dell'estrema sinistra dodecafonica, come colui che ha aperto la strada alle piú spericolate avventure dell'avanguardia, nei suoi scritti difende la dodecafonia mettendo in luce il legame che la unisce alla tradizione e quindi la «naturalità» del suo linguaggio. Non è forse cosí assurdo che partendo da uguali presupposti si possa giungere a conclusioni cosí radicalmente diverse: in realtà il fatto dimostra come la dodecafonia possa essere interpretata sia come violenta e definitiva rottura con la tradizione, come principio di un'era nuova, sia come un elemento che si aggiunge, anzi si inserisce ed emerge dalla tradizione occidentale, di cui rappresenta il logico e naturale sviluppo. Questa ambiguità di fondo, questa doppia faccia con cui si presenta la dodecafonia, tanto da poter essere interpretata come un atto rivoluzionario o come la continuazione di una tradizione che non può essere infranta, già si era rivelata nel pensiero di Schönberg. Hindemith nella sua intelligente posizione di conservatore, coerente nei suoi scritti con la sua opera di musicista, ha visto la dodecafonia esclusivamente sotto il profilo della rottura violenta, come l'assurda pretesa d'infrangere un ordine naturale ed eterno rappresentato dalla tonalità, l'unica autentica possibilità per la musica. La sua convinzione che tutto ciò che va contro la naturale organizzazione e parentela dei suoni significhi caos, disordine, incomprensibilità, in definitiva non-musica, si rivela senza possibilità di equivoco già dalle prime pagine del suo saggio piú importante[1]: «Il maestro di musica troverà in queste pagine i fondamenti della composizione musicale, come essi risultano dalla costituzione naturale dei suoni e che quindi hanno sempre validità»[2]. Senza addentrarci nelle particolarità tecniche del discorso di Hindemith, ci si può limitare a mettere in rilievo il senso generale del suo ragionamento: ciò che gli sta piú a cuore è di salvare la naturalità, la razionalità e quindi l'eternità della triade maggiore, l'accordo che sta a fondamento dell'armonia classica tonale. Non si è quindi molto lontani da Rameau. La tonalità non si può porre in discussione perché «è una forza come la forza d'attrazione della terra»[3], e la triade maggiore è «semplice e sbalorditiva come la pioggia, il gelo, il vento. Sino a che vi sarà la musica si partirà sempre da

[1] P. Hindemith, *Unterweisung in Tonsatz*, Mainz 1937.
[2] *Ibid.*, p. 123.
[3] *Ibid.*, p. 183.

questo che è il piú puro e il piú naturale di tutti gli accordi e si dovrà far risoluzione in esso; il musicista è legato ad esso come il pittore ai colori primari e l'architetto alle tre dimensioni...»[4]. Hindemith si appella dunque agli argomenti ormai tradizionali per affermare l'inamovibilità della tonalità con una fede e un ardore ammirevoli, in un momento in cui tutto è contro di lui, la teoria e la pratica.

Hindemith, come d'altronde molti altri musicisti e teorici, non si è accorto che anche se l'armonia e la tonalità per certi aspetti si fondano su fenomeni acustici, tuttavia la loro realtà storica rappresenta una scelta umana. Viene fatto di ricordare uno scritto di Schönberg citato da Herbert Eimert nel suo *Manuale di tecnica dodecafonica*, in cui l'inventore della dodecafonia conclude con molta chiarezza che la tonalità non si è rivelata come postulato di condizioni naturali, ma solo come l'utilizzazione di naturali possibilità; essa è un prodotto dell'arte, un prodotto della tecnica artistica. «Dal momento che la tonalità non è una condizione imposta dalla natura, è privo di significato insistere per volerla conservare per legge naturale». Secondo Hindemith pertanto solo una musica composta secondo la parentela dei suoni indicati dalla natura è musica che offre garanzie di comunicabilità e comprensibilità. È chiaro allora che nessuna differenza sostanziale esiste tra atonalità e dodecafonia, perché al di fuori della tonalità nessun sistema ha diritto all'esistenza e tutti sono ugualmente arbitrari.

La dodecafonia da questo punto di vista non è che uno schema astratto, un «puro problema architettonico di un tal formalismo, di fronte al quale gli artifici dell'antico contrappuntista fiammingo sembrano un gioco da bambino». L'allontanamento della tonalità è da ricondursi secondo Hindemith ad un'assurda ricerca di una libertà assoluta, che traducendosi in una negazione della natura assume l'aspetto dell'anarchia ingiustificata. La musica atonale, o meglio la «musica che nega le parentele dei suoni», affonda le sue origini alla fine del Seicento, quando il teorico Werckmeister pubblicò il suo trattato sul «temperamento»[5], in cui anche

[4] *Ibid.*, p. 39.
[5] A. Werckmeister, *Musicalische Temperatur*, 1691.

se apparentemente attraverso il livellamento dei suoni si proponeva di rafforzare il sistema tonale, in realtà secondo Hindemith aprí la strada alla sua dissoluzione introducendo un'alterazione nell'ordine naturale. Lo stesso prevalere della musica pianistica in questo ultimo secolo è stato dannoso sotto questo riguardo; con la scoperta del temperamento equabile «è giunta una maledizione nel mondo: la maledizione del raggiungimento troppo facile dei collegamenti dei suoni». «La composizione "atonale" – conclude Hindemith – rappresenta l'ultima realizzazione di questa scoperta: essa è l'adorazione acritica dell'idolatra accordatura temperata del pianoforte». L'atonalità si può paragonare a un *non essere*, privo di significato: «oggi naturalmente noi sappiamo che non può esistere alcuna atonalità, che tutt'al piú questa denominazione compete al disordine armonico».

È chiaro che Hindemith identifica l'atonalità e la dodecafonia semplicemente con un movimento di sterile opposizione e di rivolta alla tradizione, tanto piú inconcepibile dal momento che è logicamente impossibile sottrarsi a questa tradizione, la cui validità si fonderebbe su di una verità eterna e naturale e non su di una convenzione.

Questa tradizione, quasi paradossalmente, ha in fondo lo stesso valore anche per Webern, il musicista che ha portato il linguaggio dodecafonico alle sue estreme conseguenze; la tradizione armonico-tonale rappresenta il fondamento per giustificare la validità del nuovo linguaggio, il quale non è meno naturale dell'antico linguaggio. La dodecafonia si presenta nel pensiero di Webern[6] come un allargamento del concetto classico di tonalità e non come una rottura con esso, un sistema *naturale* nello stesso e preciso senso in cui lo era la tonalità per i teorici del Settecento: la dodecafonia non è altro che l'utilizzazione di un numero piú ampio di armonici. Su questo punto Webern è assai chiaro e la sua posizione è nettamente anticonvenzionalista: il nuovo sistema, afferma, «è completamente giusto», perché «nato dalla natura del suono», e la continuità con la tradizione è garantita dal fatto che il *nuovo* sistema «ci è stato dato dalla natura allo stesso modo di ciò che si è praticato fino ad oggi».

[6] A. Webern, *Verso la nuova musica*, Bompiani, Milano 1963.

Schönberg aveva abolito la differenza tra consonanza e dissonanza affermando la storicità e la convenzionalità di ogni sistema; anche Webern intende abolire tale differenza mostrando che essa non è qualitativa ma per cosí dire quantitativa, «non è sostanziale, ma è una differenza di grado. La dissonanza non è che un altro gradino della scala». La dodecafonia viene cosí difesa sul terreno stesso dei suoi avversari: invece di rivendicare la legittimità del nuovo sistema, ammettendo che ogni sistema è una libera invenzione, contro ogni pretesa di assolutizzarne uno sulla base di una presunta fondazione naturale, Webern ha scelto la via opposta. La dodecafonia è valida perché non rappresenta che un'estensione della naturalità della tonalità, fondata sulla scala diatonica, la quale «non è stata inventata, ma trovata». Curioso il fatto che proprio a Webern si è ispirato quel movimento di avanguardia che ha riconosciuto nella sua musica un limite invalicabile, oltre cui diventa inevitabile una definitiva rottura con la tradizione; la musica di Webern avrebbe cosí esaurito, secondo l'avanguardia, tutte le possibilità del materiale diatonico, oltre cui non c'è altra via che il silenzio o una nuova musica – che prescinda totalmente dalla tradizione occidentale, dalla scala diatonica e dalle strutture classiche. Se Webern è stato profeta con la sua musica, per lo meno nell'interpretazione che ne ha dato la piú recente avanguardia, non lo è stato certo nei suoi scritti, in cui ciò che piú tiene a salvare è la continuità con la tradizione e la coerenza logica della forma come presupposto della comunicabilità del discorso musicale. Anche i teorici dell'avanguardia nelle loro argomentazioni hanno spesso ricorso al concetto di natura, ma se per Webern natura s'identifica con un sistema organizzato, la cui organizzazione riposa su leggi eterne, per essi natura ha il significato di originario, di antecedente a qualsiasi sistema e sovrastruttura logica, di suono allo stato puro, eideticamente inteso, per usare un'espressione tipica della fenomenologia husserliana cui spesso si richiama l'avanguardia postweberniana.

4. *Dodecafonia e filosofia.*

Si è molto parlato in questi ultimi anni delle eventuali relazioni tra dodecafonia e filosofia; cioè si è cercato di stabilire se il sistema dodecafonico implicasse una determinata *Weltanschauung*: relazioni estremamente problematiche, incerte e tutte facilmente confutabili. Se la concezione armonico-tonale si può facilmente inquadrare nella visione newtoniana del mondo, concepito come un meccanismo retto da leggi infallibili di carattere matematico, per cui non sono pensabili né anomalie né eccezioni, sarebbe un'eccessiva semplificazione, anche se non priva di fondamenti, affermare che i presupposti filosofici che hanno servito ai primi teorici della dodecafonia presentano una pur vaga analogia con il convenzionalismo della logica moderna e il relativismo della scienza moderna. Se questa relazione si presenta come la piú intuitiva ed è facilmente accettabile, pur nell'arbitrarietà e gratuità connesse a generalizzazioni del genere, altri avvicinamenti sono stati proposti: una certa fortuna ha trovato il tentativo di istituire una parentela tra dodecafonia e fenomenologia d'ispirazione husserliana.

Il critico, studioso e compositore francese René Leibowitz nella sua adesione piena e totale alla dodecafonia schönberghiana rappresenta l'esempio forse piú significativo di una interpretazione in chiave fenomenologica di essa. Secondo il Leibowitz «solo ponendoci in una prospettiva fenomenologico-esistenziale saremo in grado di comprendere ciò che costituisce la novità peculiare della tecnica dei dodici suoni»[1]. Già in tutta l'opera teorica e pratica di Schönberg è implicito il tipico atteggiamento di riduzione fenomenologica, dal momento che «sbarazzandosi del sistema tonale egli si pone in un certo senso al di fuori di qualsiasi contingenza musicale prestabilita... Un tale atteggiamento che *mette "tra parentesi" il mondo musicale* corrisponde perfettamente al procedimento della *riduzione fenomenologica* come l'intende Husserl». Solo dopo questo atto di *messa tra parentesi* si può poi procedere alla *costituzione* in senso fenomeno-

---

[1] R. Leibowitz, *Introduction à la musique de douze sons*, L'Arche, Paris 1949.

logico di un universo sonoro, grazie ad un atto intenzionale d'organizzazione dei dodici suoni, della scala cromatica. Di fronte a questa interpretazione che trova il pieno consenso, ad esempio, del Rognoni[2], si potrebbe però osservare, pur all'interno della prospettiva fenomenologica, che il materiale della scala cromatica è lungi dal presentarsi come l'*essenza eidetica* anteriore a qualsiasi sistema prestabilito, ma che esso rimane ancora all'interno della civiltà musicale occidentale di cui la scala cromatica è un dato fondamentale. D'altra parte ogni tentativo di *riduzione* o speranza di poter prescindere da ogni schema per attingere a un mondo precategoriale risulta in ogni caso assai problematico.

La tonalità, come d'altra parte anche la modalità, secondo il Leibowitz giocano un ruolo che si potrebbe paragonare «agli schemi organizzatori di Kant», rappresentazioni intermedie omogenee con le categorie e con i fenomeni. Il compositore non sceglie la tonalità, in quanto essa è in una certa misura un *già dato*. La dodecafonia ha rivoluzionato questo stato di fatto: l'atto compositivo, dice il Leibowitz, si trova circoscritto solo dopo la scelta della serie originaria, pur non assumendo essa il ruolo di essenza che precede l'esistenza, ma al contrario di «esistente ricreato ad ogni nuovo sforzo compositivo, che elabora la sua essenza e le sue proprie leggi». Per il Leibowitz dunque l'opera dodecafonica si differenzia profondamente da quella tradizionale, modale o tonale che sia, non solo per l'uso di una tecnica diversa, ma per la diversa struttura dell'atto creativo. Dalla molteplicità del mondo modale, in cui ogni modo corrispondeva ad uno schema prestabilito, per cui si può definire un sistema che sottolinea la *particolarità* di ogni modo, attraverso un logico sviluppo si è giunti all'*universalità* del sistema tonale, in cui la differenza tra una composizione e un'altra è solamente *relativa* «perché tutte le tonalità partecipano della stessa essenza». La dodecafonia si presenta come una sintesi perché contiene i due aspetti *particolarizzanti e universalizzanti*: ogni serie è un *tutto* specifico che conferisce alle melodie e armonie una fisionomia particolare, ma al tempo stesso abbracciando il *totale cromatico* acquista un carattere universale,

[2] Cfr. Luigi Rognoni, Introduzione al *Manuale d'armonia* di Schönberg.

perché da questo punto di vista «la sua essenza è la stessa di quella di qualsiasi altra possibile serie di dodici suoni».

L'interpretazione della dodecafonia del Leibowitz si inserisce nella sua visione della storia della musica: la dodecafonia rappresenta l'ultima tappa, la sintesi dialettica di un processo secolare in cui la dissonanza, dalla polifonia in poi, ha allargato sempre piú il suo dominio secondo un costante progresso. La dodecafonia non è che «la presa di coscienza sempre piú totale riguardo alle possibilità della scala cromatica». Se Schönberg tendeva a concepire la dodecafonia come uno strumento, un metodo aperto suscettibile di evoluzione e di correzioni, sconsacrando e demitizzando ogni sistema, il Leibowitz tende invece a rinchiuderla in un *sistema*, inquadrandola in una rigida visione storica di cui rappresenta una tappa conclusiva.

Se la fenomenologia è servita al Leibowitz, e non solo a questi, per la consacrazione della dodecafonia, in particolare schönberghiana, ha potuto servire ugualmente bene a sostenere una tesi del tutto opposta, in strenua difesa della tonalità.

Ernest Ansermet, l'illustre direttore d'orchestra e studioso, ha condensato in un vastissimo saggio[3] tutta la sua profonda cultura musicale, filosofica, matematica; tale studio rappresenta forse una delle piú complete ed intelligenti prese di posizione a favore della concezione armonico-tonale come unica possibilità per la musica, fondando le sue argomentazioni su di una concezione filosofica fenomenologico-esistenziale. Studio fenomenologico della musica significa per Ansermet analizzare «i fenomeni della coscienza che sono messi in gioco dall'*apparizione della musica nei suoni* e che ci spiegano tale apparizione». Il fenomeno percettivo è dunque il primo oggetto di questo studio per arrivare fino all'analisi delle strutture musicali vere e proprie. Ma i fenomeni della coscienza sollecitati dalla musica «sono i medesimi di quelli che stanno all'origine delle determinazioni fondamentali dell'uomo nella sua relazione con il mondo, con Dio, con la società umana». È impossibile allora, dice Ansermet, farsi

---

[3] E. Ansermet, *Les fondements de la musique dans la conscience humaine*, A la Baconnière, Neuchâtel 1961.

un'idea della musica senza farsi un'idea dell'uomo, senza delineare tutta una filosofia e una metafisica. La musica assume cosí un ruolo globale e rivelativo nella coscienza umana, e la tonalità ne rappresenta la legge invalicabile. «La legge etica della coscienza musicale è la sua legge tonale»; ma se questa legge viene violata, come spesso è accaduto nella musica contemporanea, se viene abbandonato «il fondamento dei fondamenti», che si esprime nel rapporto fondamentale tonica-dominante-tonica, «la coscienza musicale sembra essere colpita da un'impotenza creatrice». «La perdita di questo fondamento», conclude Ansermet, «equivale alla morte di Dio per la coscienza musicale», in quanto il rapporto tonica-dominante-tonica ha una struttura analoga al nostro rapporto con Dio.

Se la tonalità non è una tecnica compositiva, non fonda pertanto la sua validità in una presunta derivazione dalla natura, ma piuttosto in un progetto intenzionale della coscienza umana che l'assume come possibilità del linguaggio musicale: la struttura del discorso musicale corrisponderà, o meglio sarà tutt'uno, con la struttura della coscienza musicale. Di qui nasce la polemica con Schönberg: non è possibile pensare, afferma Ansermet riferendosi al *Manuale d'armonia*, che il concetto di consonanza possa essere superato e che l'orecchio affinandosi possa cogliere delle relazioni tra i suoni sempre piú lontani nella serie degli armonici. L'educazione dell'orecchio è un'educazione della coscienza musicale e della sua fondamentale «attività razionale». La legge tonale non è la legge naturale né dell'orecchio né del suono, ma della coscienza musicale. Affinamento della coscienza musicale significa un affinamento della sua capacità di percepire strutture tonali sempre piú complesse, ma al di fuori di questa struttura non ci può piú essere significato alcuno, perché «il rapporto dalla quinta alla quarta nell'ottava è il solo fondamento possibile del mondo dei suoni musicali» per la coscienza umana.

Su queste basi filosofiche si articolano le complesse e acutissime analisi della musica contemporanea, di cui Ansermet è un profondo conoscitore. Se Strawinsky, cui Ansermet dedica una lunga nota critico-filosofica, rappresenta oggi l'unica via di salvezza per la musica, poco si salva della produzio-

ne dodecafonica; solo alcuni passaggi di composizioni di Al-
ban Berg, in cui Ansermet individua strutture tonali che
riaffiorano inconsciamente dalle strutture seriali, trovano
una giustificazione e una ragion d'essere espressiva.

Il dibattito sulla dodecafonia nel mondo musicale e filosofico contemporaneo non è dunque piú una polemica per
specialisti, che si esaurisce entro le anguste mura del campo
strettamente tecnico-musicale. Il problema che potrebbe ridursi ad una questione di mera tecnica compositiva, si è visto come in realtà abbia coinvolto un'infinità di problemi
estetici e filosofici, e come sia risultato quasi un passaggio
obbligato per qualsiasi studioso che si sia occupato di questioni teorico-musicali; non solo, ma si può forse arrivare a
dire che la dodecafonia rappresenti oggi un po' il banco di
prova di ogni teoria estetica, e si è già visto come spesso numerosi studi di estetica musicale cadono proprio su questo
punto, non riuscendo a comprendere e a giustificare questa
nuova realtà, ormai ineliminabile dal panorama della musica
contemporanea. Non c'è critico musicale o musicologo che
non abbia dato la sua interpretazione della dodecafonia, in
chiave mistica, pitagorica, razionalistica, sociologica, ecc.,
pronunciandone la condanna od esaltandola come una formula miracolistica capace di per sé di produrre capolavori.

5. Bloch e il pensiero utopico.

Non è forse del tutto casuale che proprio negli anni in cui
Schönberg meditava e progettava il suo nuovo metodo di
comporre con dodici note, gli anni durante la prima guerra
mondiale, un grande filosofo come Ernst Bloch, per piú di
un motivo vicino alla mentalità e allo spirito del musicista
pubblicasse nel 1918 l'opera sua forse piú nota e famosa *Der
Geist der Utopie*[1]. Per certi aspetti questo volume può essere
letto come una trasposizione in termini filosofici piú consapevoli delle aspirazioni etico-musicali ed estetiche di Schönberg negli anni a cavallo tra l'allucinazione espressionista e
la ricostruzione dodecafonica. Perciò appare tanto piú signi-

[1] Cfr. trad. it. *Lo spirito dell'utopia*, La Nuova Italia, Firenze 1980.

ficativo in quanto lo sforzo filosofico di Bloch s'inserisce in un clima ben preciso e nonostante l'apparente totale astrazione in cui si muove, ha dei referenti anche musicali e culturali.

L'ansia espressiva che Schönberg proietta sulle opere di questi anni, nella ricerca di un'espressione che vada al di là della pura soggettività e del ristretto mondo dei propri sentimenti, per raggiungere le regioni dell'ideale, del metafisico, trova uno dei suoi più alti momenti nel *Mosè e Aronne*, l'opera incompiuta a cui pensava già dal 1915, ma che realizzò solamente nel 1932. Quest'opera, terminata nel libretto ma non nella musica non è altro in fondo che il contrasto tra utopia e realtà, tra l'indicibilità dell'ideale e la sua caduta nel mondo della parola, della realtà. La musica può forse rappresentare il modo, l'unico modo attraverso cui la valenza utopica dell'idea può incarnarsi, almeno a livello simbolico. Anche per Bloch, la musica ha una valenza utopica, superiore a quella di tutte le altre arti. Ma se la musica ha una valenza utopica, ciò non significa che realizza l'utopia ma piuttosto che la preannuncia, che ne è il simbolo, che ne è il motore propulsore. Perciò la musica è un linguaggio, ma un linguaggio incompleto che allude ma non realizza, che rimanda ad un'altra realtà ma senza darcela pienamente. Sotto questo profilo la vecchia disputa tra espressionisti e formalisti, tra Hanslick e i romantici viene a cadere o perlomeno assume un aspetto del tutto nuovo: in un'intervista rilasciata nel 1974 a proposito della sua opera *Lo spirito dell'utopia*, ne riassumeva la ampia parte sulla musica con queste parole: «... che ne è del linguaggio della musica? Perché ognuno crede di comprenderla e tuttavia nessuno sa che cosa essa significhi o quale sia il significato di una melodia? Eppure la si comprende...», e conclude poco oltre «Quando cominceremo finalmente a comprenderla in modo chiaro? Quando potremo infine sentire con chiarezza Beethoven, ascoltandolo e comprendendolo come una parola detta? Nel suo permanere aperta la musica è una spedizione in utopia, nell'utopia di noi stessi. Perciò in essa echeggia l'incontro con il Sé»[2].

[2] *Ibid.*, trad. it., p. IX.

La forma della musica non limita perciò il suo significato racchiudendolo entro confini formali, ma piuttosto rappresenta un'enigmatica anticipazione di un regno a venire, il regno dell'utopia, profezia e presagio di un mondo messianico, acquistando cosí un potente valore propulsivo nei confronti della storia umana.

Tra forma ed espressione viene cosí ad instaurarsi una tensione dialettica nel senso che la musica per Bloch è forma che tende all'espressione, linguaggio non ancora formato, «balbettio di un bimbo» ma che tende disperatamente alla condizione di un linguaggio, anzi del linguaggio. Perciò la musica non si lascia mai del tutto comprendere pur rappresentando un incessante invito alla comprensione. Perciò la musica non potrà mai essere ridotta al linguaggio delle parole e anzi tutte le parole in un certo senso possono accompagnare la musica proprio perché sono di per sé inadeguate al suo significare, al suo aspirare ad essere il linguaggio originario o, il che è lo stesso, finale, ultimo dell'uomo, in prospettiva utopica, di redenzione ultima. Si viene cosí a creare una tensione tra la musica che possiamo ascoltare, quella concreta che ci offre la realtà quotidiana della storia della musica, e una musica *ideale*, metastorica, che tuttavia non ha altra realtà se non nelle vestigia che di essa possiamo cogliere nella musica reale, nei capolavori piú pregnanti di significato che la storia della musica ci offre, lasciandoci intravvedere in essa il suo potere utopico. I capolavori della storia perciò rappresentano pur sempre una concreta promessa anche se non possono mai darci il futuro ma solo un'immagine, un concreto simbolo di essa. «... Ma il suono cammina con noi ed alla fine non si ritira allegoricamente in una patria a noi estranea e proibita. Pur rimanendo solo allusivo e ancora inautentico, non si riduce ad un segno e il suo linguaggio enigmatico non vuole nasconderci nulla che sia già risolto sul piano ultraterreno: la funzione della musica è invece la piú completa apertura, e il mistero, il comprensibile-incomprensibile, il simbolico in essa racchiuso è l'oggetto umano piú proprio a se stesso *realmente* velato». E cosí conclude Bloch: «... i nuovi musicisti precederanno i nuovi profeti; è alla musica che vogliamo destinare il primato di una realtà altrimenti indicibile...»[3]. I concetti espressi in questo stile spesso metaforico e immaginifico, cosí frequente negli anni dell'espressionismo, sono in fondo molto analoghi a quelli espressi da Schönberg. Le parole con cui Schönberg chiude il secondo atto del *Mosè e Aronne* sembrano parafrasare Bloch de *Lo spirito dell'utopia*. La tensione dialettica all'interno dello stesso linguaggio musicale è espressa nell'impossibilità di Mosè di farsi intendere e della parallela inadeguatezza della parola cantata di Aronne. L'idea utopica di Mosè non sa farsi musica, non riesce a comunicare, mentre la voce di Aronne è troppo lontana dall'utopica idea, irraffigurabile, indicibile, inesprimibile di Mosè:

> Dunque, son vinto!
> Ed era tutto follia ciò che ho pensato
> e non può né deve essere
> detto!
> O parola, parola che mi manca!

Cosí termina il secondo atto, l'ultimo musicato, dell'opera di Schönberg, lasciandoci un messaggio *utopico* in cui la «parola» a cui allude non è altro forse che quel linguaggio pienamente significativo, che non ha nulla a che vedere con il linguaggio verbale, ma piuttosto può identificarsi con quel punto limite di sviluppo del linguaggio musicale, di cui lo stesso Bloch offre una specie di storia *ideale* nel suo saggio, quel linguaggio pienamente esplicitato di cui pertanto la musica storica ci offre, anche se in modo incompiuto e problematico, un'anticipazione e una promessa. Gli anni dell'espressionismo, quelli del *Pierrot lunaire*, dell'*Erwartung* accentuano il momento della lontananza e dell'inafferrabilità dell'ideale utopico, della problematicità della comunicazione musicale, mentre con la dodecafonia Schönberg ha voluto riaffermare, come ha detto Bloch, che «il suono non si ritira allegoricamente in una patria a noi estranea e proibita», ma che l'utopia può diventare forza attiva e propulsiva nella storia. Anche se i legami concreti tra Bloch e Schönberg sono assai fragili e non si può neppure affermare che il filosofo abbia compreso appieno la portata della dodecafonia schön-

[3] *Ibid.*, p. 183.

berghiana, vi è un'indubbia parentela che si manifesta soprattutto nell'anelito messianico che anima il pensiero di entrambi. Un *Aforisma* di Schönberg, scritto probabilmente nel lontano 1910 riassume meglio di ogni altra considerazione quello che è insieme uno stato d'animo e una filosofia dell'arte, a cui il musicista è rimasto fedele tutta la vita:

> L'arte è l'invocazione angosciosa di coloro che vivono in sé il destino dell'umanità. Che non se ne appagano, ma si misurano con esso. Che non servono passivi il motore chiamato «oscure potenze», ma si gettano nell'ingranaggio in moto per comprenderne la struttura. Che non distolgono gli occhi per mettersi al riparo da emozioni, ma li spalancano per affrontare ciò che va affrontato. E che però spesso chiudono gli occhi per percepire ciò che i sensi non trasmettono, per guardare al di dentro ciò che solo in apparenza avviene al di fuori. E dentro, in loro, è il moto del mondo; fuori non ne giunge che l'eco: l'opera d'arte[4].

6. *Adrian Leverkuhn: dodecafonia e avanguardia.*

L'invenzione della dodecafonia è stata indubbiamente uno degli eventi dirompenti nella storia della musica del nostro secolo; ma la sua importanza è andata ben al di là dell'invenzione di un nuovo linguaggio musicale e ha rappresentato uno stimolo alla riflessione per i filosofi, per gli uomini di cultura oltre che per i critici musicali e gli stessi musicisti. Dalla dodecafonia, com'è noto, è nata l'avanguardia; tuttavia anche se il principio della serialità proviene da Schönberg e dalla sua scuola, è indubbio che i principî ispiratori della dodecafonia, sono stati del tutto traditi e disattesi dalla scuola di Darmstadt; o forse piú convenientemente si potrebbe dire che essa potenzialmente, in quanto nuovo modo di fare e di concepire la musica, conteneva in sé implicazioni che andavano ben al di là della volontà del suo primo inventore.

Spesso capita che le invenzioni sfuggano di mano ai propri inventori, e questo forse è proprio stato il caso della do-

---

[4] A. Schönberg, *Testi poetici e drammatici*, Feltrinelli, Milano 1967, p. 199.

decafonia. Già Webern, come musicista aveva piegato la dodecafonia verso la pura astrazione, tendendo a privilegiare l'aspetto combinatorio rispetto a quello espressivo. Certo il nuovo linguaggio dodecafonico, per la sua stessa strutturazione interna, metteva a nudo uno dei problemi estetici piú drammatici dell'operare artistico, in particolare del nostro tempo: l'antinomia tra la libertà e la necessità, tra l'espressione e le leggi del materiale sonoro, tra la comunicazione e l'oggettività impersonale del numero. Schönberg aveva operato una scelta netta in questa alternativa, in particolare negli ultimi anni della sua vita, scegliendo per l'espressione, senza compromessi e sottolineando piú volte come per lui la dodecafonia non fosse altro che un metodo, da seguire senza fanatismi, da tradire quando fosse necessario, seguendo solamente l'impulso interiore verso l'espressione e la comunicazione.

Proprio negli ultimi anni della vita di Schönberg, nel 1947 fu pubblicato il famoso romanzo di Thomas Mann *Doktor Faustus* in cui si offriva un'interpretazione della dodecafonia che andava in una direzione totalmente diversa. È noto quanta parte ebbe Adorno nel suggerire allo scrittore non solo alcuni particolari tecnici ma soprattutto la filosofia ispiratrice del nuovo linguaggio, anche se indubbiamente dovette esserci una consonanza di pensiero tra il critico e lo scrittore. Schönberg ebbe a risentirsi del fatto che nel *Doktor Faustus* l'invenzione della dodecafonia viene attribuita all'eroe del romanzo, Adrian Leverkuhn, mentre non è fatto neppure menzione in una nota che il vero autore era Schönberg; ma in realtà il motivo piú vero del risentimento era quello di constatare che il significato della dodecafonia era completamente alterato rispetto al modo in cui lui stesso l'aveva intesa. Thomas Mann d'altra parte aveva ben capito qual era il vero motivo del risentimento del musicista tanto è vero che nel *Romanzo di un romanzo* ebbe a scrivere a proposito della postilla posta poi su desiderio di Schönberg alla fine del romanzo con il riconoscimento della paternità della dodecafonia: «Lo devo, e il libro porterà in avvenire su desiderio di Schönberg una postilla che chiarisca per i non avvertiti il suo diritto di proprietà spirituale. Ciò avviene un poco contro la mia convinzione. Non tanto perché un simile

chiarimento pratica una piccola fessura nella conclusività
sferica del mondo del mio romanzo, ma perché l'idea della
tecnica dei dodici suoni acquista nella sfera del libro, in questo mondo del patto col diavolo e della magia nera una colo-
razione, un carattere che essa – non è vero? – non possiede
nella sua essenza e che la rende, in un certo senso, mia proprietà: cioè proprietà del libro. Il pensiero di Schönberg e la
mia versione ad hoc divergono tanto che a prescindere dal-
l'infrazione stilistica, ai miei occhi sarebbe stato quasi offen-
sivo citare il suo nome nel testo». In effetti il significato della dodecafonia nel *Doktor Faustus* è del tutto diversa da
quella che assume nell'opera e nel pensiero di Schönberg:
essa è piuttosto la reazione alla sterilità creativa del suo tempo, reazione al vecchio e falso soggettivismo e all'effusione
espressiva, ormai ritenute del tutto inadeguate alla tragicità
del mondo contemporaneo. Il patto col diavolo rappresenta
la garanzia in negativo che la sterilità può rovesciarsi positivamente nell'oggettività e frigidità della costruzione dodecafonica: in essa la disperazione assume la forma dell'impersonale, dell'assenza di sé, del rifugio nella purezza glaciale
della forma, nel rigore del calcolo, nell'esoterismo numerico
astratto.

Tutto ciò è totalmente alieno dalla personalità di Schönberg, dalla pratica come dalla teoria. Per Schönberg la dodecafonia in quanto metodo compositivo, garantisce l'unità
dell'opera, la coerenza del linguaggio, la possibilità di strut-
turare ampie composizioni. Dove non c'è regola c'è il caos,
l'assenza di forma e dove non c'è forma e unità non c'è possibilità di comunicazione. Certo Schönberg, al quale piú di
ogni altra cosa premeva per l'appunto il valore comunicativo
ed espressivo dell'arte, non avrebbe potuto condividere l'affermazione di Adorno (cfr. *Minima moralia*) secondo cui «il
compito attuale dell'arte è d'introdurre caos nell'ordine».
Adorno e Thomas Mann, se hanno probabilmente errato
nell'interpretare il significato della dodecafonia di Schönberg, sono invece stati profeti nell'intravvedere il destino
della musica dopo gli anni '50 nelle avanguardie uscite dalla
scuola di Darmstadt. Adrian Leverkuhn indubbiamente
non incarna Schönberg ma piuttosto il nuovo modello di
musicista della seconda metà del nostro secolo. Perciò il ro-

manzo di Thomas Mann è di fondamentale importanza, perché seppur in chiave letteraria offre una visione quasi profetica del destino dell'avanguardia: elevare la sterilità creativa, in senso tradizionale, a regola e a stile di un nuovo modo di concepire l'arte e il «linguaggio».

Il protagonista del romanzo afferma, spiegando il suo nuovo modo di comporre: «... la libertà non è che un'altra parola per soggettività, e un bel giorno non si accontenta piú di se stessa, un bel giorno dispera delle possibilità di creare da sé e cerca tutela e sicurezza nell'oggettività»[1]. Ma questo non è che il primo passo del futuro patto col diavolo che sancirà il senso della nuova oggettività. Proprio per bocca del diavolo Thomas Mann afferma significativamente che «il movimento storico del materiale musicale si è volto contro l'opera in sé conchiusa. Questo materiale si raggrinza nel tempo, ripudia l'estensione nel tempo che è lo spazio dell'opera musicale, e lo lascia vuoto»[2]. Al che risponde Adrian Leverkuhn: «... si potrebbe potenziare il giuoco, giocando con forme dalle quali, come si sa, la vita è sparita».

L'ombra di Adorno si staglia chiara in queste famose pagine del dialogo tra il diavolo e Leverkuhn e come non ricordare le pagine scritte non molti anni piú tardi dal musicologo in *Invecchiamento della nuova musica*, in cui accusava per l'appunto l'avanguardia di aver consumato il suo potenziale rivoluzionario e di aver ormai feticizzato il materiale sonoro, ridotto a pure formule prive di carica umana e musicale, puro esercizio esoterico. Ma non era appunto ciò che in qualche modo era previsto dal patto tra il musicista protagonista del *Doktor Faustus* e le forze del negativo, impersonate dal diavolo? Forse che non preconizzava l'attuarsi di quella unione tra «estetismo e barbarie» di cui parla spesso Mann, come carattere dei nuovi tempi, di quell'arte che sarebbe uscita dal mondo «dopo Auschwitz»? Non era stato proprio Adorno a dire che dopo Auschwitz non sarebbe stato piú possibile fare poesia? E in fondo l'arte di Leverkuhn è arte solo in senso metaforico, ma in senso proprio è negazione dell'arte, di quel concetto di arte legata al concetto di opera

[1] T. Mann, *Doktor Faustus* (trad. it., Mondadori, Milano 1956, p. 215).
[2] *Ibid.*, p. 271.

conchiusa, di opera come espressione di valori, di opera come comunicazione. Adrian nel suo ultimo discorso agli amici cosí concludeva: «questa è l'epoca in cui non è piú possibile compiere un'opera per vie normali, nei limiti della pietà e del raziocinio, e l'arte è divenuta impossibile senza il sussidio del demonio e il fuoco infernale sotto il paiolo... In verità, diletti compagni, se l'arte è incerta ed è divenuta difficile ed è ludibrio a se medesima, se tutto è divenuto troppo difficile e il povero uomo di Dio non sa piú a che santo votarsi nelle sue strettezze, la colpa è di quest'epoca»[3].

Adrian Leverkuhn, il musicista che accetta attraverso il patto col diavolo, di sancire quasi sacralmente la propria sterilità creativa, segno dei tempi, annuncio di sciagure cosmiche, simbolo della fine di un'era, preannuncia molti caratteri delle avanguardie di questo dopoguerra ben piú che la figura di Schönberg per tanti aspetti cosí lontana dagli atteggiamenti delle generazioni di Darmstadt. Si può anche facilmente comprendere come la sua austera e nobile figura sia stata sentita dalle nuove generazioni come un'ombra fastidiosa. Il suo fare predicatorio, forse un po' moralistico, il suo messianesimo, il suo profetismo, suona indubbiamente anacronistico in un mondo in cui spesso il musicista ha elevato a suprema regola il gioco combinatorio quale segno di un disimpegno radicale dal linguaggio e dalla comunicazione.

L'avanguardia è stata spesso accusata di cerebralismo e con essa un po' tutta l'arte contemporanea. Accusa molto vaga in cui è stato coinvolto anche Schönberg e tutta la scuola dodecafonica. Ma anche a questo proposito vanno fatte le opportune distinzioni: per quanto riguarda Schönberg nulla di piú significativo che riportare un passo dello stesso musicista: «Non è soltanto il cuore a creare ciò che vi è di bello, commovente, patetico, affascinante, come del resto non è soltanto il cervello a produrre tutto ciò che v'è di ben congegnato, organizzato, logico e complesso. Innanzitutto qualsiasi manifestazione artistica di grande valore deve rivelare la presenza del cuore come del cervello. In secondo luogo il vero genio creativo non ha mai difficoltà a con-

[3] *Ibid.*, p. 547.

trollare con la mente i suoi sentimenti laddove del resto, non è affatto detto che il cervello, solo perché si concentra sulla precisione e la logica, debba per questo dare unicamente cose aride e astratte. D'altra parte è molto sospetta la sincerità di quei lavori che mettono insistentemente in mostra il cuore, che fanno appello ai nostri sentimenti di compassione, che ci invitano a sognare con loro una bellezza vaga e indefinita, od emozioni eteree e inconsistenti, che esagerano per mancanza d'ogni senso della misura, la cui semplicità è soltanto povertà, nullità, aridità, la cui dolcezza è artificiale, la cui suggestione sfiora soltanto la superficie del superficiale. Opere simili rivelano in realtà la totale assenza di cervello e al tempo stesso dimostrano come questo sentimentalismo abbia la sua origine in un cuore meschino»[4]. Con questa dichiarazione Schönberg, con assoluta chiarezza stabilisce dei confini molto netti tra il suo modo di concepire l'opera musicale, in fondo ancora saldamente radicata in una tradizione che potremmo definire classica e la successiva avanguardia. Non è cerebrale Schönberg dunque, come egli stesso ha ben precisato, ma forse non lo è neppure la successiva avanguardia: se mai, tutt'al contrario, è ben piú irrazionalista di Schönberg: il culto del numero, il feticismo per il materiale sonoro, la destrutturazione del linguaggio, la teorizzazione dell'insensatezza elevata a valore, tutto ciò ha piú a che fare con l'esoterismo e il culto dell'astrazione come fuga dall'espressione che con una qualsiasi forma di cerebralismo. Hanno visto giusto pertanto coloro che hanno voluto scorgere nella morte di Schönberg la fine di un'epoca, il definitivo tramonto di una civiltà che siglava la sua estinzione e il suo tramonto nella morte di colui che poteva considerarsi come l'ultimo erede di una tradizione ma al tempo stesso come colui che aveva gettato il seme di una nuova era. La dodecafonia infatti può essere intesa, com'è stata intesa dal suo creatore, come un duttile metodo per esprimere nuovi contenuti, come un allargamento delle possibilità dell'ormai logoro linguaggio tonale; tuttavia ha in sé non solo il germe della novità positiva, ma anche il germe della distruzione e

---

[4] A. Schönberg, *Cuore e cervello nella musica* (1947), in *Style and Idea* (trad. it., *Stile e idea*, Feltrinelli, Milano 1975, p. 177).

della fine dello stesso linguaggio musicale, della sua destrutturazione linguistica e temporale. Webern ha mostrato infatti come partendo sempre dalla dodecafonia si potesse in un certo senso giungere al silenzio, al non linguaggio, alla musica intesa non piú come flusso temporale strutturato ma come una serie di punti irrelati nello spazio, come astrazione radicale. Le avanguardie di Darmstadt hanno proseguito su questa strada con la serializzazione di tutti i parametri musicali, non piú solo le altezze, elevando quindi a sistema l'irrazionalità radicale: cosa può esservi di piú irrazionale che assumere la razionalità numerica a parvenza, serializzando secondo il numero dodici (e perché non quindici o venti?) i timbri o i modi di attacco e tutti i possibili parametri del suono?

Capitolo decimo

Le poetiche dell'avanguardia

1. «*Schönberg è morto*».

«Schönberg è morto». Cosí Pierre Boulez, un giovane musicista d'avanguardia, intitolò negli anni del dopoguerra un suo saggio. E in un certo senso possiamo dargli ragione: tra la dodecafonia di Schönberg e la musica d'avanguardia di questo dopoguerra c'è un salto cosí profondo e radicale da far apparire oggi la dodecafonia come ormai assimilata alla musica classica, nel solco della grande tradizione occidentale. La vera e propria rivoluzione è avvenuta dopo, con la musica elettronica, concreta, puntillistica, aleatoria, spaziale; con l'abbandono cioè della scala diatonica e cromatica che potevano ben dirsi il fondamento comune linguistico della nostra vecchia musica.

La musica d'avanguardia, o cosiddetta postweberiana, nasce però molto spesso piú da un impulso critico, filosofico, estetico, che da ragioni di ordine strettamente musicali: insomma nasce piú dalla coscienza riflessiva che dalla coscienza intuitiva; ma questo nutrirsi di pensiero piú che di abbandono lirico, è ormai quasi un luogo comune che si può ripetere per tutta l'arte contemporanea e lo si ripete qui per giustificare che in un libro che vorrebbe essere una specie di storia dell'estetica musicale si introduce un capitolo in cui si dovrebbe parlare di musica e musicisti invece che di concetti filosofici. In realtà molti musicisti dell'avanguardia sono anche un po' filosofi, e amano riflettere sulla loro produzione; anzi spesso sembra che la loro opera di musicista sorga su di un terreno di polemica estetica come dimostrazione di certi assunti teorici. Non si vuole con ciò dare un giudizio estetico negativo o positivo sui giovani compositori d'avanguardia, che questo davvero non ci riguarda e d'altra parte non crediamo che un'arte cosí nutrita di pensiero sia compromessa in partenza nei suoi valori artistici – forse che *L'arte della fuga* di Bach non è nata da una precisa ed esplicita esigenza teorica e didattica?

Ritornando al tema iniziale, si può affermare che certamente da un'analisi complessiva e sommaria della poetica dell'avanguardia se ne può ricavare indicazioni assai utili per ricostruire un quadro della concezione della musica e dei suoi problemi nel nostro tempo.

Il piú grosso e vistoso problema della musica di questo dopoguerra è rappresentato dalla comparsa della musica elettronica. La quale appare, almeno dal punto di vista teorico, come l'atto rivoluzionario piú radicale compiuto nella tradizione della musica occidentale. La novità tecnica che essa rappresenta riguarda anzitutto la possibilità da parte del compositore di plasmare egli stesso il suono a suo piacimento. Il musicista si trova cosí liberato da qualsiasi vincolo: non esistono piú come dati imprescindibili di cui tutti dovevano tener conto, né gli strumenti con i loro timbri, né il materiale della scala diatonica o cromatica, andando ben piú in là della profezia di Busoni quando scriveva nel lontano 1906: «Il terzo di tono batte già da tempo alla porta, e non diamo ancora ascolto al suo annunzio»[1].

La musica elettronica si potrebbe interpretare, nel modo piú semplicistico, come un ampliamento delle possibilità materiali a disposizione del compositore, ma in realtà può assumere un significato assai piú ampio nella storia della musica. Da una parte la si può pensare come il prodotto di una logica evoluzione della dodecafonia dopo Webern, come ultima tappa nella dissoluzione della tonalità; dall'altra è un atto di rivolta anche verso la stessa dodecafonia in cui prevaleva ancora il principio costruttivistico, nella rigida formazione della composizione attraverso la serie dei dodici suoni. Nel campo della musica elettronica ci si trova invece di fronte alla massima e totale libertà, condizionata unicamente dalle possibilità fisiche di recezione dell'orecchio umano. Si è parlato di ritorno alla natura, allo stato originario del suono: quasi paradossalmente attraverso queste com-

[1] F. Busoni, *Scritti e pensieri sulla musica*, Ricordi, Milano 1954, p. 149.

plesse apparecchiature, frutto della piú raffinata tecnica, si sarebbe ritrovato la natura, il suono allo stato puro, nascente, il suono privo di timbro, individuando cosí una certa analogia tra le esigenze che stanno alla base della musica elettronica con quelle della fenomenologia filosofica di Husserl, e dell'esistenzialismo di Heidegger[2]. Ma si potrebbe anche parlare di ritorno alla barbarie, o ad uno stato premusicale e a quella condizione preistorica della musica in cui si presume che il suono o il rumore fosse usato unicamente come stimolo emotivo.

Il lungo cammino percorso dalla musica in tanti secoli di storia ha significato la lenta e faticosa costruzione di un sistema, la trasformazione del rumore in suono e l'organizzazione del suono in linguaggio per mezzo del quale il compositore potesse esprimersi. La musica elettronica in un certo senso ha distrutto tutto ciò, mettendo quindi in discussione il concetto stesso di linguaggio musicale. Si comprende molto bene, come sul terreno della musica elettronica sia nata la cosiddetta poetica del *caso* per cui si è elevato il caso a dignità di autore o co-autore, fenomeno d'altronde che oggi si può ritrovare anche in altre arti come nella pittura e nella letteratura.

La musica elettronica significa dunque anzitutto, almeno per ora, la distruzione del linguaggio tradizionale, anzi, la distruzione del linguaggio musicale stesso. Il suono non viene piú inteso in relazione ad altri suoni, non è piú un elemento nel quadro di un qualsiasi sistema, di un ordine formale naturale o convenzionale; il suono è sentito come valore assoluto, autonomo e indipendente da relazioni gerarchiche, nella sua pura fisicità e corposità. La musica, se di musica ancora si vuol parlare, non viene piú offerta alla fruizione come racchiusa in una ben determinata forma. Si è parlato di forma aperta: in effetti si fa appello all'esecutore, all'ascoltatore, affinché essi stessi diano forma all'opera, non limitandosi alla fruizione passiva, ma trasformandosi in parte viva, diventando un elemento essenziale per l'esistenza dell'opera stessa.

La musica d'avanguardia spesso si presenta oggi all'esecu-

---

[2] Cfr. L. Rognoni, *Atti del III Congresso internazionale di estetica*, 1956, p. 651.

tore, e in un certo senso anche all'ascoltatore, come un campo di possibilità, entro cui si deve operare una scelta che inciderà sull'opera stessa; la quale non sarà dunque piú un *dato*, ma una proposta, un'indicazione di massima, uno stimolo a ricostruire un ordine, una forma organica. Non è che con ciò si voglia affermare che la passività sia la condizione d'ascolto nella musica classica; tuttavia ascoltare significava in fondo riconoscere, ritrovare nell'ambito della nuova creazione, attraverso un attivo processo interpretativo, una forma, un linguaggio già noto, cogliere un discorso costruito secondo una interna necessità, che ci suonava sempre familiare pur nelle sue novità. Nella musica postweberniana non si tratta piú di riconoscere, di ritrovare: i musicisti si appellano direttamente alla coscienza individuale perché unifichi, formi, organizzi liberamente ciò che non è che un campo di possibilità aperto, di cui non sempre l'autore sa prevedere gli esiti possibili.

Un'espressione non del tutto esteriore di questo stato di cose è la grafia musicale in cui si esprime tale musica e anche qui, come molte altre volte nella storia della musica, la notazione può essere una spia rivelatrice di fatti che vanno molto al di là di essa. Senza addentrarci in particolari tecnici, basterà ricordare intanto che la musica elettronica vera e propria ha addirittura abolito il problema della notazione, a meno che non si vogliano chiamare con questo nome i diagrammi che indicano i valori di tempo e le frequenze che serviranno come guida alla realizzazione della composizione, la quale troverà poi la sua sistemazione definitiva in un nastro magnetico: l'interpretazione, il vecchio problema che sembrava inscindibilmente connesso alla musica viene cosí eliminato. Ma uscendo dal campo della musica elettronica vera e propria, troviamo varie manifestazioni della musica d'avanguardia, dalla musica concreta a quella aleatoria, puntillista, ecc. che hanno posto dei complessi problemi di grafia. La condizione nuova della musica, la sua struttura spesso libera, aperta, i nuovi suoni, del tutto inediti, prodotti non solo da strumenti, cioè i rumori, i suoni senza un'altezza determinata, le strutture ritmiche non contemplate da nessuna tradizione, tutto ciò, insomma, doveva essere in qualche modo *scritto*. Il pentagramma con la notazione tradizionale si è dimostrato completamente inadeguato per tale scopo, per cui si è ricorso a un'infinità di segni integrativi per fissare la nuova realtà sonora. Si è parlato anche di grafia aleatoria: si è a volte del tutto abbandonato il pentagramma, e fatta consistere la partitura di puntini, macchioline, disposte piú o meno casualmente sul foglio del compositore, i quali dovrebbero servire come libero stimolo per l'esecutore, per creare un'opera tra le infinite possibilità offerte dal compositore. Oppure si dà il caso di grafie che possono leggersi da sinistra a destra, o da destra a sinistra, dall'alto al basso o viceversa, o varie sezioni di composizioni che si possono unire le une all'altre in molti modi diversi, ecc. Questi artifizi, che in parte testimoniano solo un certo barocchismo o intellettualismo gratuito, spogliati del loro inevitabile esibizionismo, rivelano quella forte esigenza di creare un rapporto estremamente aperto e creativo tra compositore, esecutore e pubblico. Spesso cosí la composizione si presenta come una serie di elementi isolati di fronte ai quali l'esecutore e il pubblico devono esercitare la loro attività unificante, per instaurare delle relazioni tra tali elementi.

Questi numerosi tentativi, caratteristici dell'inquieta sensibilità artistica odierna, insieme a molti altri, come ad esempio l'esigenza di accentuare la dimensione spaziale della musica, ponendo l'ascoltatore come al centro di numerose sorgenti sonore, dove la direzione del suono verrebbe a costituire non un incidente ma una dimensione essenziale della musica, tutti questi fenomeni dunque, se si spogliano di quello che hanno di transitorio, di connesso ad una moda, ad un costume artistico, ripropongono in modo quasi drammatico il problema del linguaggio musicale. Finché la musica parlava nel linguaggio armonico tonale nella sua lenta e secolare evoluzione, il problema era piú astratto, o se si vuole accademico. Ma oggi che la questione è stata messa in discussione dagli stessi musicisti, oggi che si è distrutto dalle fondamenta il linguaggio dei nostri padri, e attraverso mille tentativi e barcollamenti si va alla ricerca di una nuova base linguistica ed espressiva, il problema, anche nei suoi aspetti filosofici ed estetici, è diventato veramente pressante: e infatti mai come oggi si parla di linguaggio a proposito e a sproposito.

2. *Linguaggio e struttura.*

La profonda rivoluzione *linguistica* che ha sconvolto la musica in questo ultimo mezzo secolo, piú profonda e radicale di quante si può riscontrarne in tutta la storia precedente, non ha mancato, come già si è visto, di porre nuovi problemi ai filosofi e musicologi e soprattutto di attirare la loro attenzione su alcuni aspetti della musica connessi alla sua rapida trasformazione ed in particolare sul fattore linguistico. Se dal Settecento sino a ieri si parlava di *linguaggio musicale* come di un qualcosa di pacificamente accettato, pur intendendo cose assai diverse sotto la medesima etichetta, oggi la musica stessa ha messo in crisi il concetto di linguaggio musicale, riproponendo anzitutto il problema se sia o meno un linguaggio, e in che senso la si possa dire tale.

La musica d'avanguardia ha pure costituito un invito per la psicologia della percezione a rivedere su di un piano non solo teorico ma anche sperimentale i fondamenti percettivi di tutta la musica in generale. La psicologia sperimentale, la teoria dell'informazione, i *tests* uditivi, hanno rappresentato degli strumenti di indagine d'indubbio interesse, per uno studio spregiudicato dell'acustica in rapporto alla percezione dei suoni [1], in una prospettiva che tenga conto che il linguaggio musicale non s'identifica *tout-court* con la tradizione occidentale, ma che esistono altre tradizioni diverse dalle nostre, altri suoni e timbri diversi da quelli degli strumenti a noi familiari, altri intervalli, altri sistemi. La musica d'avanguardia ha pertanto avuto l'indubbio merito di demitizzare il mondo classico dei suoni, che sino a ieri sembrava l'unico possibile, favorendo cosí un ripensamento radicale dei fondamenti stessi della musica, e non per nulla si è visto come all'avanguardia si sia interessata quella corrente filosofica che va sotto il nome di fenomenologia.

Alcuni filosofi, particolarmente sensibili ai nuovi problemi posti dalla nuova musica, sono stati indotti a modifica-

---

[1] Si allude qui in particolare agli studi di R. Francès, *La perception de la musique*, Vrin, Paris 1958, e di A. Moles, *Théorie de l'information et perception esthétique*, Flammarion, Paris 1959, di cui un'ampia parte è dedicata alla musica e ad altri studiosi che fanno capo alla rivista «Sciences de l'Art».

re e a rivedere le loro posizioni riguardo alla musica. Gisèle Brelet ad esempio, di cui si è già ampiamente trattato, in alcuni articoli apparsi in questi ultimi anni di fronte alla nuova realtà che oggi la musica presenta è stata portata a modificare sostanzialmente la sua prospettiva. Nelle sue opere precedenti la Brelet considerava la tonalità come la piú perfetta incarnazione della «durata pura della coscienza» e riteneva impossibile rompere con essa perché avrebbe significato negare «le necessità eterne su cui si fonda» e formulava una critica fondamentale nei riguardi della musica seriale, la quale non era riuscita ad autodeterminarsi in regole interiori creando una nuova coerenza della struttura musicale e si era cosí ripiegata «su regole convenzionali ed arbitrarie» che non portavano un ordine nella «durata psicologica». Questa diagnosi che si può formulare in altri termini come il riconoscimento del carattere *astratto*, cioè *inudibile* e solo riconoscibile sulla carta, dell'ordine dodecafonico, condivisa peraltro da buona parte della critica contemporanea ostile alla dodecafonia viene del tutto rovesciata nei piú recenti studi della Brelet[2]. Le strutture tonali, essa afferma, sono schemi prestabiliti, ancora dotati di una forte dose di convenzionalità, sovraimposti all'autentica struttura musicale, schemi propri del linguaggio classico-romantico, che non rispondono piú allo spirito della nostra epoca; il fine della musica seriale «è di liberare totalmente il pensiero e la sensibilità musicale» da tali convenzioni, per «conferire al soggetto musicale una piena autonomia». «Ci è cosí restituita – continua la Brelet – l'essenza stessa del fenomeno musicale, cioè la purezza della struttura»[3]. Questa radicale *emancipazione* del suono, realizzato soprattutto dalla musica elettronica e concreta, che ha rinunciato a qualsiasi schema aprioristico per appropriarsi della struttura stessa del suono prescindendo da ogni privilegio di durata, intensità, timbro, altezza, sembra giungere al cuore stesso del fenomeno musicale. La nuova struttura dell'opera nascerebbe cosí dalla stessa struttura

[2] Si rimanda soprattutto al saggio *Musique et structure*, apparso nel n. 73-74 della «Revue Internationale de Philosophie», interamente dedicato ai problemi dello strutturalismo nell'arte.

[3] *Ibid.*

del materiale sonoro allo stato elementare. Alla macrostruttura della forma classica si sostituisce la microstruttura che
rivela l'intima e piú autentica possibilità del materiale sonoro, scoprendo «il significato immanente del sensibile» in
una nuova fedeltà alla materia. Al ritmo classico, ritagliato
e scandito convenzionalmente nella battuta, si sostituisce un
ritmo piú interiore, piú sintetico, vissuto nella coscienza
musicale del creatore.

L'ideale del musicista d'avanguardia sarebbe proprio la
realizzazione «di una struttura vissuta nel tempo stesso, e
non in un tempo spazializzato attraverso una forma esteriore e preesistente». Si potrebbe dire che «nella musica classica l'esperienza personale si trova mediata dagli archetipi formali, mentre nella nuova musica essa si esprime direttamente». Per confermarsi in questa struttura «aperta» l'opera
d'avanguardia si serve anche dell'elemento aleatorio, lasciando pure ampio spazio all'improvvisazione dell'interprete. Può sembrare che il caso tenda a dissolvere la struttura,
cancellando lo stesso concetto di opera. Tuttavia, per la Brelet, la musica aleatoria non fa che portare alle sue estreme
conseguenze una verità fondamentale: «arte del tempo, la
musica non trova la sua struttura definitiva che nell'attualità del tempo vissuto...»[4]. Il concetto di *forma* e quello di
struttura si contrappongono in questa prospettiva estetica.
La forma «simbolo del razionalismo classico», può paragonarsi all'intelletto kantiano che piega la realtà alle sue forme
e concetti a priori. La struttura invece non si lascia imprigionare da schemi precostituiti e può rispecchiare l'ampiezza e
la varietà del reale.

Siamo evidentemente di fronte non solo ad un giudizio
sulla musica d'avanguardia ma ad una complessa concezione
estetica che sembra contrastare con le piú note concezioni
filosofiche della Brelet. Il tempo vissuto di cui parla nel saggio ora esaminato non è lo stesso concetto a cui si richiama
nei precedenti scritti la musicologa francese. Tempo vissuto
sembra qui coincidere con «la durata psicologica» la quale
nella nuova musica non ha piú da «superarsi in una forma

---

[4] *Ibid.*

che determinandola e oltrepassandola la riscatti»[5]. Arte e vita sembrano ora coincidere senza residui giungendo cosí ad una visione mistica dell'arte; e questa è la prospettiva della Brelet quando afferma che la musica mette in luce quella specie di armonia prestabilita tra io e mondo, in cui si verifica quella coincidenza tra la struttura dell'io individuale e quella della materia fisica del suono. La musica oggi sarebbe l'espressione tangibile di questa solidarietà priva di mediazione tra spirito e materia. L'analisi della Brelet pertanto è assai significativa perché mette chiaramente in luce, teorizzandoli su di un piano filosofico, quelli che a nostro giudizio sono i rischi dell'avanguardia: da una parte la feticizzazione del materiale sonoro, considerato un valore già dato di per sé, dall'altra un concetto di libertà creatrice che coincide con un deterministico divenire puro e semplice, non ancora strutturato dall'intervento di un'attività formatrice. La Brelet pertanto si è fatta acuta interprete di alcune esigenze non solo artistiche ma in senso lato filosofiche della musica d'avanguardia ed ha aperto un discorso che merita di essere allargato e approfondito. Ciò che ci appare piú difficilmente accettabile della prospettiva della Brelet è proprio la fiducia di poter stabilire una comunicazione diretta ed immediata e perciò extralinguistica e ciò che essa presuppone, la mistica identificazione di arte e vita.

Il punto di vista strutturalistico ci sembra piuttosto negato che affermato sia nei recenti studi della Brelet, sia nella stessa posizione estetica, implicita negli atteggiamenti dell'avanguardia. Concluderemo questo capitolo accennando, quasi a riprova di quanto detto, al pensiero sulla musica di uno dei fondatori dell'antropologia strutturalistica, Claude Lévi-Strauss.

In un'ampia introduzione di un suo recente studio[6] Lévi-Strauss avvicina la struttura del linguaggio musicale a quella del mito in quanto entrambi si pongono come mediatori tra il mondo delle strutture logiche e quello dell'esperienza sensibile, tra il mondo interno e quello esterno, tra la natura e la cultura. Non è qui il caso di approfondire la parentela tra

[5] Cfr. G. Brelet, *Esthétique et création musicale*, p. 99.
[6] *Il crudo e il cotto* cit.

musica e mito, ma piuttosto di illustrare la lucida analisi di
Lévi-Strauss riguardo al linguaggio musicale e il conseguente
giudizio sull'avanguardia.

La musica «opera per mezzo di due trame. Una è fisiologica, quindi naturale; la sua esistenza dipende dal fatto che
la musica sfrutta i ritmi organici... L'altra trama è culturale,
e consiste in una scala di suoni musicali, il numero e gli intervalli dei quali variano a seconda delle culture. Questo sistema di intervalli fornisce alla musica un primo livello di articolazione, in funzione non già delle relative altezze... ma
dei rapporti gerarchici che appaiono fra le note della scala»[7].
Il linguaggio musicale si differenzia perciò, ad esempio, da
quello del poeta, perché «si serve di un veicolo che le appartiene in proprio, e che, fuori di essa, non è suscettibile di
nessun uso generale, mentre la poesia «si serve invece di un
bene comune che è il linguaggio articolato»[8]. La funzione
del compositore in questo contesto «consiste nell'alterare
questa continuità senza revocarne il principio: sia che, nella
trama, l'invenzione melodica crei delle lacune temporanee,
sia che, ancora temporaneamente, chiuda o riduca i buchi...
L'emozione musicale proviene proprio dal fatto che, in ogni
istante il compositore toglie o aggiunge piú o meno di quanto l'uditore preveda sulla scorta di un progetto che egli crede di indovinare, ma che in realtà è incapace di penetrare
autenticamente, a causa del proprio assoggettamento ad una
doppia periodicità: quella della gabbia toracica, che inerisce
alla sua natura individuale e quella della scala, che dipende
dalla sua educazione... Il piacere estetico è fatto di questa
moltitudine di sussulti e di pause, attese deluse e ricompensate piú del previsto, risultato delle sfide lanciate dall'o-
pera...»[9].

L'esigenza filosofica piú importante, in questo discorso,
è che la musica, come ogni linguaggio d'altra parte, rappresenti una mediazione, si costituisca come incontro di due
trame, una culturale, l'altra naturale: questa è la condizione
affinché possa essere significativa.

[7] *Ibid.*, pp. 33-34.
[8] *Ibid.*, p. 36.
[9] *Ibid.*, p. 34.

In questa prospettiva come si situa la musica d'avanguardia? Bisogna anzitutto distinguere con Lévi-Strauss la musica concreta, quella che si serve di rumori, rendendoli poi magari irriconoscibili dal punto di vista naturalistico, dalla musica seriale ed elettronica. Il linguaggio musicale opera mediante due livelli di articolazione. Il primo è dato dalla tradizione culturale, che impone una certa sintassi generale dei suoni, i quali già sono frutto di un'operazione culturale, opponendosi ai rumori, gli unici suoni dati in natura; il secondo è quello su cui opera il musicista alterando e modificando liberamente il primo livello di articolazione, ma non sino al punto da renderlo del tutto irriconoscibile. La musica concreta sembra rinunciare al primo livello di articolazione, perché anche se questo sembra essere sostituito dai rumori, regno già di per sé povero, tuttavia il musicista li rende per lo più irriconoscibili attraverso opportuna manipolazione. I rumori non possono così neppure fungere da sostrato di una seconda articolazione. «Per quanto si inebri dell'illusione di parlare, la musica concreta non fa altro che annaspare in prossimità del senso»[10].

Il caso della musica seriale è più complesso. Tale musica di pone subito sul piano dei «suoni» e sembra essere «padrona di una grammatica e di una sintassi raffinata», tuttavia tale sintassi appartiene al secondo livello di articolazione, perché il primo è stato coscientemente soppresso. Un compositore d'avanguardia ebbe a esprimere molto lucidamente questa situazione. «Utilizzando una determinata metodologia, il pensiero del compositore, ogniqualvolta deve esprimersi, crea gli oggetti di cui abbisogna e la forma necessaria per organizzarli. Il pensiero tonale classico è fondato su un universo definito dalla gravitazione e dall'attrazione, il pensiero seriale su un universo in perpetua espansione» (Boulez). Il compositore dunque crea tutto, il primo e il secondo livello di articolazione, cioè li appiattisce uno sull'altro. Manca pertanto il punto d'appoggio, il punto di «gravitazione» proprio del sistema modale o tonale: «l'ancoraggio naturale è precario se non assente»[11].

---

[10] *Ibid.*, p. 42.
[11] *Ibid.*, p. 44.

L'allusione fatta da Boulez ad un universo in espansione è assai importante e indica con una efficace metafora la situazione in cui si vengono a trovare rispettivamente musicista e fruitore. Se la musica è un universo in espansione, senza centro di gravitazione, l'ascoltatore, privato della possibilità di riferirsi piú o meno inconsciamente ad un mondo stabilmente strutturato (la sintassi musicale) dovrà aderire senza l'aiuto di alcuna mediazione al mondo creato dal compositore; «grazie alla potenza di una logica interna e sempre nuova, ogni opera strapperà l'uditore alla sua passività, lo renderà solidale con il proprio slancio, cosicché la differenza fra l'inventare la musica e l'ascoltarla non sarà piú di natura, ma di grado» [12]. Ma può anche avvenire, ed è forse piú probabile, che la musica prosegua nella sua traiettoria – sempre riferendosi alla metafora astronomica – e che l'ascoltatore non la raggiunga e non la riconosca piú nella sua lontananza «se non da brevi e fuggevoli bagliori».

Il discorso a questo punto sembra ricongiungersi con quello iniziato dalla Brelet. Nella musica d'avanguardia, si tende effettivamente ad instaurare un diverso rapporto tra compositore ed opera e la diversa funzione dell'esecutore, e a volte la sua abolizione lo testimonia a sufficienza. Il compositore richiede la partecipazione, o meglio, l'identificazione assoluta con il mondo da lui creato, come unica condizione per una eventuale comprensione, rinunciando a quelle strutture generali (quelle che la Brelet chiamava «gli archetipi formali», o gli «schemi aprioristici») le quali permettono, in quanto sono comuni, «la codificazione e decodificazione dei messaggi». Tale identificazione equivale al concetto affermato dalla Brelet per cui «la musica non trova la sua struttura definitiva che nell'attualità del tempo vissuto».

Questo particolare tipo di misticismo o vitalismo artistico per cui l'arte coincide con il gesto che la crea o la ricrea nell'ascolto, è indubbiamente uno degli esiti, anche se non l'unico, dell'avanguardia. La lucida analisi di Lévi-Strauss, in fondo concordante con quella della Brelet, da cui diverge solo nelle conclusioni, è esemplare per il rigore con cui ha colto, da una prospettiva rigorosamente linguistica, il punto

[12] Ibid., p. 46.

centrale, già vagamente e confusamente avvertito da altri studiosi, che spiega i motivi dell'impopolarità dell'avanguardia, il suo gergo, la difficoltà intrinseca di un suo avvicinamento da parte del pubblico, in altre parole, la crisi del linguaggio musicale, il quale «sembra cedere all'utopia del secolo, che è di costruire un sistema di segni su un unico livello di articolazione»[13].

Il problema di fondo rimane allora la costruzione di un nuovo linguaggio musicale: l'aspirazione a ritrovare il suono orginario puro, il ricorso al rumore, al caso, a nuovi tipi di unione tra musica e parola sono indici di una stanchezza per le forme classiche e dell'esaurimento cui sono andati incontro nel corso del tempo i timbri tradizionali degli strumenti, gli intervalli consueti, tutta la musica insomma tradizionalmente concepita e legata ad un determinato tipo di esecuzione e di ascolto. Ci si è forse illusi che con questo ricorso al materiale sonoro, feticizzato, vagheggiato come valore autosufficiente si potesse risolvere tutto, come se dal suono in quanto tale potesse venire una soluzione miracolistica ai problemi espressivi di oggi; non si può negare pertanto che il ringiovanimento dei timbri, dei suoni, come l'abbandono e la rottura completa con le strutture e le forme della musica nella sua concezione tradizionale, possa rappresentare una delle vie del rinnovamento della musica e un arricchimento dei tradizionali mezzi di produzione del suono, purché tutto ciò non lo si intenda come fine a se stesso. Il fatto è che i compositori d'avanguardia accentrano sempre piú il loro interesse sugli elementi puramente tecnici e fisici del suono, rischiando in tal modo di cadere, in questa adorazione del suono, in una forma di ingenuo atteggiamento misticheggiante.

Si tratta in definitiva che i nuovi suoni, i nuovi rumori acquistino *significato*, e che l'apertura interpretativa, l'infinita possibilità di comprensione che l'opera nuova presenta, non si trasformi in indeterminatezza, in confusione, in *rumore*, ma si strutturino nuovamente oltre lo sperimentalismo, in una forma linguistica organica. Ma qui si rientra nel campo dell'estetica pura e viene messo in discussione il con-

[13] *Ibid.*, p. 44.

cetto stesso di opera d'arte: probabilmente se un giovane musicista d'avanguardia leggesse queste pagine ci accusereb-be di essere rimasti ancorati ad una concezione vecchia e ol-trepassata di opera d'arte.

3. Indeterminazione e negazione del linguaggio musicale.

Oggi che l'esperienza della scuola di Darmstadt e della serialità integrale può dirsi conclusa, ci si può permettere di guardare ad essa con un certo distacco per tentare un bilan-cio storico di questa importante fase attraversata dalla mu-sica dei nostri giorni. Premesso che può essere rischioso par-lare globalmente della scuola di Darmstadt, per il fatto che in essa sono confluite personalità tanto diverse come Bou-lez, Berio, Nono, Stockhausen, Maderna, per non parlare che di alcuni dei piú noti esponenti di questa corrente, tut-tavia non si può negare che vi sono alcune caratteristiche co-muni nella poetica, nel pensiero, nei modi di operare della generazione che ha rappresentato in questo dopoguerra il piú agguerrito assertore della nuova musica. L'avanguardia che si è rigogliosamente sviluppata dagli anni '50 sino circa agli anni '70, prima di cominciare a dare i primi segni di crisi e di stanchezza e che ha avuto il suo primo centro propulso-re nei famosi corsi estivi di Darmstadt, pur nell'infinita va-rietà di atteggiamenti, è riconducibile ad alcune matrici cul-turali, filosofiche ed estetiche quali fonti ispiratrici della sua ideologia.

Agli inizi dell'Ottocento Hegel aveva parlato di morte dell'arte e del suo lento ma inesorabile scivolamento verso la filosofia; tale profezia sembra oggi proiettarsi come un'om-bra sulle avanguardie di questo dopoguerra: infatti la loro opera o meglio il loro operare è filosofico per eccellenza. Non per nulla le loro musiche sono per lo piú accompagnate da dichiarazioni di principio, da testi esplicativi di natura e intonazione filosofica tanto che a volte risulta difficile sta-bilire se le opere sono fatte ad illustrazione degli scritti teo-rici e filosofici o viceversa se gli scritti sono illustrazioni del-le opere. Nulla di meglio quindi che leggere gli scritti critici dell'avanguardia per capire e conoscere le piú segrete motivazioni del loro operare, tanto sono eloquenti, profondi e dettagliati.

L'immagine del musicista di un tempo, tutto assorto nel suo lavoro creativo e artigianale non è certo piú attuale dopo Boulez, dopo Stockhausen e Cage. Sono forse piú numerosi i libri e i saggi che essi hanno scritto su se stessi, sulla loro musica e sulla musica dei loro colleghi, delle loro musiche. Questo è un carattere assolutamente intrinseco delle avanguardie e il giudizio sulle loro opere non può essere scisso dal giudizio sui loro scritti e viceversa: essi fanno corpo uno con l'altro e forse si tratta solamente di una sfaccettatura, di una medesima forma di progettazione artistica, comunque radicalmente diversa rispetto ad un passato anche vicino in cui l'opera conservava ancora la sua chiusa sfericità. Di fronte alla massa imponente di programmi, di dichiarazioni di principio, di manifesti, di astrusi saggi sulla nuova musica, di teorie filosofiche e a volte pseudofilosofiche sul proprio linguaggio o assenza di linguaggio, di esoteriche spiegazioni sulla inudibile struttura delle proprie musiche, radicalmente errata l'idea che poco valgono le dichiarazioni degli artisti mentre ciò che conta in definitiva sono le loro *opere d'arte*: ciò equivarrebbe ignorare che ci si trova di fronte ad un'idea di opera totalmente diversa e che le tradizionali categorie estetiche di giudizio, l'idea della separazione tra arte e filosofia, tra atteggiamento critico e atteggiamento creativo non regge piú. Infatti il primo e fondamentale mutamento di prospettiva richiesto dall'avanguardia è proprio l'inclusione dell'atteggiamento critico, proprio a tutta l'arte contemporanea, nell'opera stessa. Non si tratta di due momenti distinti, dell'uomo che prima opera come artista e poi riflette criticamente sulla sua opera, ma piuttosto si tratta di un processo di ricerca che si articola in direzioni diverse, come esperimento sul materiale sonoro e come progettazione e chiarimento a livello critico e filosofico della stessa ricerca. Se non si vuole parlare di morte dell'arte, si è di fronte perlomeno ad un'idea di opera che ben poco ha a che fare con l'idea classica di arte come organismo compiuto e autosufficiente. Ciò che qui interessa affermare è la piena pertinenza dei documenti non musicali, cioè degli scritti programmatici per un'analisi del significato delle opere stesse, ma anche del valore *filosofico* delle opere stesse: scritti e musica, nell'avanguardia, agiscono un po' come in un gioco di specchi con continui ed infiniti rimandi da uno all'altro. Di fronte a questi sottili e continui rimandi, il compito del critico e dello storico è particolarmente delicato: l'atteggiamento può essere duplice; o il giudizio rimane all'interno del nuovo mondo proposto dall'avanguardia[1], accettandone implicitamente le categorie, i metri di giudizio, ma rischiando con ciò stesso di rimanere impigliati nel suo cerchio magico, oppure si percorre la via del giudizio *storico*, in prospettiva, ma col pericolo di non riuscire a cogliere la peculiarità dell'avanguardia, il suo contenuto rivoluzionario, misurandola con un metro fatto per altri linguaggi, per altri tipi di opere. Può essere rischioso fare un discorso storico quando si rifiuta la storia, pronunciare un giudizio estetico quando si rifiuta il concetto di opera, compiere una ricerca di ascendenze culturali quando si propone una frattura radicale con il passato. Se questa alternativa poteva rappresentare un grosso problema sino ad una decina di anni or sono, oggi, in cui si può affermare con una certa sicurezza che l'avanguardia, questa avanguardia, è ormai al tramonto e che gli stessi protagonisti stanno disarmando e cercando nuove strade, si può e anzi si deve correre il rischio di un giudizio *storico* sulle avanguardie.

Si può perciò tentare un bilancio storico, tentando di tracciare alcune linee di una possibile e piú approfondita analisi critica sulla musica dell'avanguardia postweberniana. Di fronte a tutti i programmi radicali di ricominciamento, di fronte alle affermazioni di voler far piazza pulita di tutto il passato e ai propositi di iniziare nuove ere, in tutto e per tutto nuove ed originali rispetto alle precedenti, di fronte ad ogni visione apocalittica, sorge spontaneo nel critico un certo moto di scetticismo e il desiderio di andar piú a fondo per verificare la consistenza e la portata del *nuovo* programma.

Secondo una tradizione critica che ha visto il suo esemplare coronamento nell'opera di Adorno ci si è abituati a concepire la storia della musica di questi ultimi cent'anni

---

[1] Cfr. M. Bortolotto, *Fase seconda*, Einaudi, Torino 1969.

sotto il segno della progressiva dissoluzione del mondo tonale e delle strutture formali che ne esprimevano la natura architettonica, le tensioni e risoluzioni; l'atonalità e la dodecafonia parevano il frutto piú maturo di questa grande rivoluzione che aveva sovvertito tutte le leggi del passato creando un nuovo mondo di suoni. L'espressionismo e la scuola viennese hanno costituito l'esperienza culturale e ideologica in cui la dodecafonia si è riconosciuta ed ha acquistato coscienza della sua portata rivoluzionaria. Questa visione storica della musica che parte dall'identificazione di espressionismo e dodecafonia, in una prospettiva evoluzionistica ed espressiva del linguaggio musicale, indica il processo di dissoluzione della tonalità in quella genealogia di musicisti che da Wagner attraverso Mahler, Schönberg e Berg, culmina nella sua ·espressione piú radicale con Webern. La dodecafonia, che rappresenta la coscienza piú amara e dolorosa della crisi dell'uomo contemporaneo, trova la sua antitesi nel neoclassicismo di Strawinsky, nella «musica al quadrato», nella musica che nell'accettazione ironica ed impietosa della tradizione, attraverso l'autoderisione, mette a nudo, ma senza la coscienza sofferta della sua tragicità, la follia e l'alienazione della società contemporanea. È inutile insistere su questo schema adorniano che pur nella sua efficacia taglia fuori dalla sua prospettiva troppo importanti frangie della musica contemporanea e soprattutto si trova bloccato nell'interpretazione di ciò che è successo dopo Webern.

Si è accennato a questa concezione storico-dialettica di Adorno solo per contrapporre ad essa un'altra interpretazione del recente passato musicale, fatta propria in genere dall'avanguardia. I giovani delle ultime generazioni di musicisti non riconoscono in Schönberg un maestro, e alla rivoluzione dodecafonica della scuola viennese attribuiscono un valore del tutto marginale. La dodecafonia per essi non è altro che l'estrema propaggine di un mondo musicale che appartiene per intero al passato e che essi rifiutano. La dodecafonia non ha rinnegato il diatonismo; la serialità applicata solo all'altezza delle note è un modo di reintrodurre il tematismo che rievoca il mondo musicale di ieri, con la sua retorica, con il suo ineliminabile soggettivismo, con il suo formalismo, con le sue convenzioni piú o meno stereotipe, e soprattutto è una riconferma della concezione della musica come discorso coerente, cioè come linguaggio. Quando nel 1952 Pierre Boulez, scriveva il famoso e già citato articolo *Schönberg è morto*, nella sua acuta requisitoria metteva per l'appunto in luce come Schönberg non avesse sfruttato altro che esteriormente la dodecafonia, nel senso che «la serie interviene come un comune denominatore inferiore per garantire l'unità semantica dell'opera; mentre gli elementi del linguaggio cosí ottenuti vengono organizzati da una retorica preesistente, non seriale. Pensiamo di poter affermare che proprio qui si manifesta l'*inevidenza* provocante di un'opera senza unità intrinseca»[2]. Schönberg, nota ancora Boulez, non ha neppure intravisto la verità e non può paragonarsi a «una specie di Mosè che muore dinanzi alla Terra Promessa»; Schönberg è un «fallimento» totale nonostante il *Pierrot lunaire* e qualche altra opera, perché non ha intravisto «l'universo sonoro implicato nella serie» e si è servito della dodecafonia come di «una legge rigorosa per controllare la scrittura cromatica». La via indicata da Boulez è la dissociazione della serialità dalla dodecafonia di Schönberg; ponendo cosí la parola fine al fenomeno Schönberg, per rivolgersi a Webern, ed alla sua ricerca dell'*evidenza* sonora «tentando un ingeneramento della struttura a partire dal materiale»[3].

Tralasciando per ora questo discorso, peraltro centrale, sul significato del concetto di struttura musicale, riprendiamo ancora il pensiero di Boulez sulla dodecafonia. È significativo che Webern sia visto non come l'ultimo anello di una catena e come la logica e necessaria evoluzione della serialità di Schönberg, ma piuttosto come la prima autentica voce dopo la decadenza romantica. In un breve articolo del 1954 dal titolo significativo, *Incipit*, Boulez contrappone radicalmente Schönberg e Berg, che si ricollegano alla decadenza della grande corrente romantica tedesca, a Webern. Quest'ultimo «attraverso Debussy reagisce con violenza contro qualsiasi retorica di eredità, con lo scopo di riabilitare il po-

---

[2] L'articolo pubblicato nella rivista «The Score», è riportato nel volume *Relevés d'apprenti*, Editions du Seuil, Paris 1966 (cfr. trad. it. *Note d'apprendistato*, Einaudi, Torino 1968, p. 238).
[3] *Ibid.*, pp. 236-38.

tere del suono». Continua Boulez: «Soltanto Debussy, in realtà, si può ravvicinare a Webern, in una simile tendenza rivolta a distruggere l'organizzazione formale preesistente all'opera, in uno stesso ricorso alla bellezza del suono per se stesso, in una stessa ellittica polverizzazione del linguaggio»[4].

Questo richiamo a Debussy si accompagna nell'avanguardia al richiamo a Strawinsky, non a tutto Strawinsky, ma solo a quello di *Le sacre*, di *Noces* ecc. «Una generazione, afferma ancora Boulez, si definisce in rapporto ai propri genitori». Pare non si possa fare una scelta piú significativa eleggendo Strawinsky e Webern come i due punti di riferimento che hanno fornito alla maggior parte dei musicisti di questa generazione, la nostra, l'occasione di una specie di geodesia pratica...[5]. Dunque, tra gli antenati, alla triade Schönberg, Berg, Webern, si sostituisce quella Debussy, Strawinsky, Webern; ma beninteso Webern rappresenta non la conclusione di un'epoca ma «l'incipit».

Che cosa significa questa sostituzione, questo diverso schema storico? Evidentemente si tratta di privilegiare valori diversi che si possono intravedere per l'appunto in Debussy piuttosto che in Wagner, in Strawinsky piuttosto che in Schönberg. Nella tradizione occidentale, dalla polifonia in poi, tutta la musica si è fondata sull'intervallo piuttosto che sul ritmo, il quale è sempre stato subordinato alla funzione privilegiata dell'armonia. Il problema ritmo, o meglio il problema ritmo come temporalità strutturante la musica, è emerso come centrale solo nel mondo musicale contemporaneo anche sotto l'influenza di tradizioni musicali extraeuropee. Si trova qui una prima giustificazione al richiamo a Debussy e Strawinsky; ma in fondo il problema della temporalità della musica è filosofico prima che musicale.

Alla concezione razionale, formale e strutturale della musica occidentale, la quale si è evoluta entro forme o generi ben prestabiliti e riconoscibili, corrisponde una concezione spaziale della successione temporale propria della musica: il tempo cioè nella musica tradizionale si rapprende, si immo-

---

[4] Cfr. *ibid.*, p. 241.
[5] *Ibid.*, pp. 243-44.

bilizza nel suo fluire in una determinata architettura formale i cui nessi linguistici creano un tutto organico; la percezione di questa musica avviene nel tempo, ma in un tempo in cui tutto è compresente come nello spazio, in cui tutto è in buona parte prevedibile, in cui le attese, le sospensioni, le incertezze, sono prima o poi ricompensate e risolte. L'armonia tonale incarna in modo esemplare nel suo modo di funzionare questa concezione della musica assai meglio delle modalità gregoriane e della stessa polifonia. La musica tonale, come è stato detto, non si sottopone al tempo ma piuttosto lo cattura, lo fa proprio, lo sottopone alle proprie regole e leggi. Questa tradizione tipicamente razionalistica che è stata accusata di antropocentrismo e di eurocentrismo, dal momento che, bisogna riconoscerlo, esistono anche altre tradizioni musicali che si ha avuto il torto di ignorare per troppo tempo, è oggi entrata in crisi; la crisi della nostra tradizione musicale ha coinciso, e non a caso, con la crisi della nozione stessa di opera musicale quale è abituato a concepire chi è stato educato a contatto con i capolavori del nostro passato.

Qual è l'alternativa? In fondo il punto di riferimento filosofico è pur sempre Bergson, e la sua contrapposizione tra tempo vissuto, tempo interiore e tempo spazio. L'accusa nei confronti della musica tradizionale, tonale o dodecafonica che sia, è di aver cristallizzato il tempo, alternandone la natura, rendendolo meccanico attraverso il ritmo nella sua accezione metrica tradizionale. L'intuizione di una diversa natura del tempo si ha solamente con Debussy, nonostante i suoi legami con il naturalismo e l'impressionismo; ma si affaccia tuttavia in Debussy un nuovo tipo di discorso musicale o meglio il primo tentativo di concepire la musica non piú come discorso lineare e rettilineo, e ciò attraverso la compresenza di piú successioni temporali con il rifiuto delle forme prestabilite, con la ricerca di asimmetrie ritmiche e l'atomizzazione della sostanza tematica [6].

Si è ricordato Bergson ma ci si potrebbe richiamare ancora a Kierkegaard e a Nietzsche. Il tempo, nella concezione dell'avanguardia, si può al limite identificare con l'istante.

---

[6] Cfr. Bortolotto, *Fase seconda* cit., pp. 21 sgg.

Ogni istante vale non per quello che seguirà o si prevede che segua, ma di per sé. Il tema musicale non è un seguito di istanti ma è una certa organizzazione razionale del tempo fondata sulla successione. Il tempo come autosufficienza dell'istante assume una dimensione sacrale; è l'atto, la vita stessa nella sua pienezza, o, potremmo dire usando un linguaggio nietzschiano, il dionisiaco. La musica come puro divenire si pone agli antipodi della musica come narrazione o come vicenda, sia pure una vicenda psicologica, con un inizio uno svolgimento e una conclusione; su questa strada, dopo Debussy di trova la musica di Strawinsky: «Il *proprium* di quest'arte è un principio diverso, tendente non già a rinvigorire un ritmo salvandolo dall'ovvia scansione, quanto a rapprenderlo, a raggelarlo in fissità immote... Il fine che il musicista s'è proposto è, senza dubbio, quello di estinguere il significato temporale della musica europea dal XVII al XIX secolo, culminante nel tempo di Beethoven (ma protrattosi fino a certo Schönberg e Berg)... La musica si sottopone al tempo, si lascia andare, si osserva vivere»[7]. Questa concezione della temporalità della musica come puro divenire che rifiuta di lasciarsi incapsulare in qualsiasi forma preesistente che non scaturisca dal materiale sonoro stesso, si contrappone o meglio corrisponde come il positivo al negativo alla concezione opposta: quando il De Schloezer afferma che «organizzare musicalmente il tempo, significa trascenderlo» o quando Lévi-Strauss dice che «tutto avviene come se la musica [...] non avesse bisogno del tempo se non per infliggergli una smentita» in fondo non dicono nulla di diverso dall'avanguardia nel senso che si riferiscono alla musica del passato, confermando la diagnosi dei giovani radicali, anche se con segno di valore invertito. Gisèle Brelet, la musicologa francese che nei suoi ultimi scritti ha abbracciato la causa dell'avanguardia, parla della forma come di «simbolo del razionalismo classico», che piega la realtà ai suoi schemi aprioristici. «La struttura invece (come la intende l'avanguardia) incarna una ragione che si libera dalle categorie in cui si era preteso d'imprigionarle, per conquistare tutta l'ampiezza e

[7] *Ibid.*, p. 29.

la sottigliezza del reale»[8]. In questa visione mistica ed estetizzante arte e vita coincidono senza residui, scompare ogni
contrapposizione tra soggetto e oggetto: nel rivelarsi del materiale sonoro al soggetto senza alcuna mediazione formale,
senza alcun privilegio di durata, d'intensità, di timbro, di altezza, il soggetto si fa quasi ricettacolo passivo, ma proprio
in questa passività ritroverebbe la sua assoluta libertà. Se si
prescinde dal segno di valore, queste due concezioni si corrispondono perfettamente: la musica del passato è linguaggio, vicenda, mediazione, comunicazione, forma, opera
strutturata; quella di oggi puro divenire, immediatezza, atto, annullamento della distinzione, identificazione mistica,
feticismo del materiale sonoro. Né gli uni né gli altri negano
che le cose si pongono in questo modo anche se portano le
loro preferenze sul passato o sul presente. Le due prospettive sono esclusive una rispetto all'altra; accettando la musica
tradizionale si nega l'avanguardia; se si accetta l'avanguardia si nega la tradizione. Se l'avanguardia intrattiene un
qualche rapporto con la tradizione non può avvenire che
nella forma derisoria che ha indicato Strawinsky, con una
«contemplazione» del passato «avulsa da ogni mentalità storicistica o semplicemente storica»[9].

A questo concetto di tempo si ricollega il concetto di
struttura. Il termine struttura viene continuamente usato
nei testi dell'avanguardia ma in modo del tutto equivoco: si
contrappone spesso la macrostruttura delle musiche tradizionali alla microstruttura di quelle odierne; ma è il concetto
stesso che va chiarito. Non si tratta tanto di strutture piú
piccole o piú grandi ma di un principio diverso. L'avanguardia, come si è già detto, considera la struttura nel senso tradizionale, cioè come architettura formale per mezzo della
quale si creano rapporti significanti all'interno dell'opera,
come un impiccio, un freno alla libertà.

Il concetto stesso di linguaggio è qui in discussione: non
bisogna lasciarsi ingannare quando Gisèle Brelet, Boulez o
magari Cage stesso ci parlano di strutture. Dire che la strut-

---

[8] G. Brelet, *Musique et structure*, in «Revue Internationale de Philosophie»,
n. 73-74.
[9] Bortolotto, *Fase seconda* cit., p. 30.

tura non deve essere un qualcosa di progettato, frutto di una convenzione o della tradizione, ma che deve scaturire dallo stesso materiale sonoro il quale rifiuta qualsiasi organizzazione esterna, significa in realtà negare il principio stesso di un qualsiasi concetto di struttura come linguaggio, cioè il principio di una mediazione. Negando la struttura, il suono diventa disponibile in quanto tale – con la conseguente abolizione di ogni distinzione tra suono e rumore; esso si dà, si offre al soggetto al quale non rimane altro compito che esplorarlo, sperimentarlo con un'attitudine impersonale, perdendo con ciò ogni significato il tradizionale concetto di creazione. Il problema è di stabilire con quali *strumenti* si deve condurre questa operazione di ricerca *sperimentale*. Il musicista d'avanguardia spesso si pone nell'atteggiamento dello scienziato il cui interesse è tutto nella ricerca, nella scoperta di nuovi mondi sonori inesplorati; ma tale atteggiamento è del tutto immaginario per il fatto che il problema dello scienziato è quello del metodo o degli strumenti con cui opera, mentre per questo aspetto le aspirazioni scientifiche dell'avanguardia si esprimono per lo piú con un atteggiamento di mistico vitalismo, nell'aspirazione ad un incontro diretto, dionisiaco e sacrale con la Realtà.

Stockhausen, spesso propenso ad abbandonarsi a fumoserie misticheggianti, esprime con una certa ingenuità questo mito scientista connesso con l'impersonalità dell'operare artistico: «Oggi il modo di avvicinarsi alla musica è diverso: personalmente io ho un modo di avvicinarmi scientifico, se si vuole, come un biologo che vuol vedere come stanno le cose... Non mi interessa piú questa questione dell'esprimersi. Ciò che veramente è importante oggi è che la musica rappresenti davvero un'evoluzione dello spirito, come una nuova scienza...»[10]. Ma questo sincero atteggiamento di ricercatore scientifico si colora di venature non precisamente scientifiche quando piú ingenuamente richiamandosi ad una Realtà totalitaria afferma: «tutto ciò che oggi è interessante è di non piú pensare nella direzione di definire un processo

[10] K. Stockhausen, da un'intervista concessa in Italia nel 1968 e riportata nel volume di A. Gentilucci, *Guida all'ascolto della musica contemporanea*, Feltrinelli, Milano 1969, p. 394.

musicale mediante tabú, ma piuttosto di domandarsi come posso aprire un mondo sonoro a tutto. È l'estremo s'intende...»[11].

Tenendo conto di questa prospettiva ideologica l'avanguardia si può proporre un duplice compito: da una parte essa si prefigge lo scardinamento sistematico di ogni nesso linguistico tradizionale, con l'uso di rumori, di suoni elettronici, di strumenti tradizionali usati fuori dal loro contesto, attraverso la ricerca dello scandalo voluto, attraverso l'azione o il gesto provocatorio e dissacrante; dall'altra mira alla costruzione del nuovo mondo sonoro, conducendo innanzi il programma indicato da Webern, con la serializzazione integrale di tutti i possibili parametri auditivi.

La maggior parte dell'avanguardia riconosce il proprio profeta, il proprio maestro in John Cage, e con ragione. Infatti l'enfant terrible della musica contemporanea ha condotto innanzi con un rigore esemplare questo duplice programma, ed ha saputo illustrarlo senza parsimonia di parole nei suoi numerosi scritti che si pongono come complemento essenziale alla sua musica. In Cage si trova davvero tutto: la provocazione, il gusto dello scandalo, l'ironia, il gesto iconoclasta insieme allo Zen, al misticismo orientale, all'irrazionalismo nietzschiano, al neodadaismo. In questo strano miscuglio di idee e di atteggiamenti emergono tuttavia alcuni concetti per cui con ragione Cage può venir considerato un maestro di tutta l'avanguardia irrazionalista. Alcune prese di posizione di Cage pur nella loro espressione paradossale, sono assai illuminanti e fanno comprendere facilmente come il personaggio Cage, i suoi scritti e la sua musica siano diventati esemplari. La negazione del concetto di struttura che in Boulez o in Stockhausen è affermata con non poche preoccupazioni ed attenuazioni (si parla di microstrutture, strutture emergenti dal materiale sonoro, di organizzazione seriale integrale, ecc.) in Cage si fa radicale, con tutto ciò che essa comporta, l'inespressione, la mancanza di volontà creativa, l'assenza di ogni soggettività, l'immediatezza che porta l'arte sul piano del vissuto. Al posto di un qualsiasi ti-

---

[11] Da una conferenza tenuta a Roma il 19 dicembre 1967 e riportata ne «Il Verri», n. 3, p. 84.

po di organizzazione, sia pure interno al materiale sonoro stesso, Cage eleva a supremo arbitro della composizione il caso. L'alea non è piú apertura interpretativa, allargamento del campo, ma è la stessa struttura o meglio non struttura del reale. Sorge spontanea la domanda che lo stesso Cage previene: «con quale scopo allora scrivere musica?» «Ovviamente vi è un solo scopo ed è di non avere scopi cioè avere a che fare solamente con i suoni. La risposta deve assumere la forma del paradosso: lo scopo di non aver scopo ovvero un gioco senza scopo. Questo gioco pertanto è un'affermazione di vita – non un tentativo di portare ordine nel caos o di tentare progressi creativi, ma semplicemente un modo di svegliarsi alla vera vita che stiamo vivendo...»[12]. Cage parla di gioco, ma si tratta di un gioco sui generis, cioè di un gioco senza alcuna regola; gioco ha qui il significato di pura avventura, di cammino sprovvisto di qualsiasi meta. Questa musica è stata definita spesso dagli stessi suoi autori come *sperimentale* e Cage ci dà importanti precisazioni su questo termine: «Sono state sollevate obiezioni sull'uso del termine *sperimentale* per descrivere queste opere perché si è osservato che ogni esperimento precede il gradino finale a cui si giunge infine attraverso una determinazione la quale significa la conoscenza e il possesso effettivo di un ordine particolare, anche se non convenzionale, degli elementi usati a tal fine. Queste obiezioni sono del tutto ammissibili ma solo se, come nell'odierna musica seriale, permane il problema di creare qualcosa entro un limite, una struttura... dotata di espressione. Ma se invece l'attenzione si muove verso l'osservazione e l'ascolto di piú fatti contemporanei, compresi quelli dell'ambiente circostante – l'attenzione diventa quindi inclusiva piuttosto che esclusiva – non può sorgere alcun problema creativo nel senso di produrre strutture comprensibili ed allora il termine *sperimentale* può essere usato purché non sia inteso come descrizione di un atto da essere poi giudicato in termini di successo o di fallimento ma semplicemente come descrizione di un atto il cui emergere ci è sconosciuto»[13]. Questo passo meritava di essere citato

[12] J. Cage, *Silence*, Wesleyan University Press, Middletown 1961, p. 12.
[13] *Ibid.*, p. 13.

per intero perché in esso vengono esposti in modo sintentico
alcuni concetti chiave dell'avanguardia: il far musica come
«ascolto» dei suoni invece che produzione di suoni, il principio dell'operare sui suoni in modo «inclusivo», mentre in
tutta la tradizione occidentale far musica significava sempre
operare una scelta all'interno di una scala gerarchica già scelta in precedenza, l'esplicita e radicale negazione di ogni concezione linguistica della musica, l'abolizione di ogni forma
di gerarchizzazione. Certo con Cage si ha l'espressione piú
radicale e conseguente dell'aspetto *negativo* dell'avanguardia. Cage infatti rappresenta com'è stato detto «l'*altro* della
musica stessa»; l'ultimo legame con la tradizione alla quale
in fondo, sia pure per antitesi, per polemica, ancora si sentono legati musicisti dell'avanguardia europea, appare spezza-
to in Cage e nella sua scuola; è forse per questo che molti
giovani musicisti europei hanno guardato a Cage come ad
un faro irraggiungibile, come a chi è davvero riuscito a ritrovare l'innocenza originaria.

Questo mito di una creazione che non sia piú assolutamente creazione ma mistica ricezione passiva si ritrova
in tutta la scuola di Cage come supremo ideale, anche se a
volte viene ripresentato con un'ombra di dubbio. Morton
Feldman esprime assai bene questa coscienza tormentata:
«... cominciai ad avvertire, scrive il musicista, che i suoni
non partecipavano alle mie idee di simmetria e di forma, che
essi volevano esprimere altre cose. Essi volevano vivere e io
li stavo soffocando. Non è questione di una metodologia
controllata o no. In entrambi i casi è una metodologia.
Qualcosa sta per essere fatto. E fare qualcosa è come limi-
tarla. Io non ho trovato soluzione a questo dilemma. Tutta
quanta la mia via creativa è un tentativo di adattarmi a ciò...
Mi sembra che, a dispetto degli sforzi che facciamo per im-
pedirlo, la musica sia già volata fuori della stia... Scappata.
C'è un vecchio proverbio: "L'uomo fa dei piani... Dio sorride. Il compositore fa dei piani... la musica sorride"»[14]. Il
dubbio che tormenta la coscienza di Feldman svela in fon-

[14] M. Feldman, *Un problema di composizione*, in «Il Verri», n. 30, 1969,
p. 70.

do il dramma intimo dell'avanguardia, la sua aspirazione impossibile, la volontà di annientamento del soggetto che resiste alla sua totale distruzione.

Forse si può pensare che questo contrasto ripropone in forma moderna l'antitesi greca e medievale tra musica come armonia delle sfere e musica come creazione umana. La prima non udibile, limite ideale, si ascolta in *interiore homine*, risuona indipendentemente da noi e bisogna solo saperla ascoltare; la seconda, pallido riflesso della prima, non è che creazione artigianale, per la comunicazione tra gli uomini; la prima ci pone in comunicazione con l'assoluto, l'eterno, la seconda non è che cicaleccio. L'ideale mistico dell'avanguardia non è dunque del tutto nuovo anche se nuovo è il tentativo eroico di concretarlo sonoramente, mentre nel passato esso non si traduceva in suoni ma piú realisticamente confinava con la suprema conoscenza filosofica e rappresentava il concetto limite di una musica inudibile. Questa prospettiva non è neppure estranea alla moderna avanguardia e già il titolo del libro citato di Cage è significativo: *Silence*. Portata alle sue estreme conseguenze infatti la poetica dell'avanguardia non può portare che al silenzio o al suono indifferenziato, o al suono singolo fruito di per sé, il che è lo stesso.

Il problema pertanto, constatato che il mito perseguito con eroica e ascetica ostinazione dall'avanguardia non è nuovo, è di stabilire che significato può avere oggi nel contesto della nostra civiltà musicale. Il porsi questa domanda ci pone già fuori dall'avanguardia stessa perché è un quesito palesemente «storicistico» e quindi privo di senso per un musicista d'avanguardia il quale persegue l'ideale di una musica assoluta, destoricizzata. Si tratta di compiere l'operazione inversa a quella voluta dall'avanguardia, cioè inserire nella storia, dare un significato a ciò che vorrebbe porsi fuori della storia, negarsi per principio alla comunicazione e al significato.

Inevitabilmente il discorso qui porterebbe in regioni molto lontane dalla musica e dall'estetica musicale. Si può tuttavia concludere richiamandosi ancora al già citato scritto di Lévi-Strauss. Quando egli negava ogni validità linguistica all'avanguardia perché il suo linguaggio o pseudolinguaggio non rispetterebbe le regole elementari per cui un linguaggio possa dirsi comunicativo, cioè non si baserebbe su di un duplice livello di articolazione, la risposta da parte di un Cage o di un altro musicista d'avanguardia sarebbe che la propria musica non ha nessuna pretesa di comunicare alcunché, che non aspira ad articolare i suoni né su di un livello e tanto meno su due livelli, dal momento che non crede né all'espressione né alla comunicazione.

Il problema, visto dall'esterno, è di verificare sino a che punto è davvero possibile sottrarsi ad ogni comunicazione, ad ogni articolazione, ad ogni rapporto con il linguaggio della tradizione, o, se tale ideale, forse utopistica, non è piuttosto da mettersi in relazione con una crisi linguistica, espressiva e storica di piú vasta portata, la cui origine è da ricercarsi ben oltre il puro mondo della musica e dei linguaggi artistici.

Si è tentati oggi di ricordare ancora le parole di Adorno che sembrano acquistare una nuova attualità in quest'epoca ormai di postavanguardia, quando nel già citato saggio *Invecchiamento della nuova musica*, nel lontano 1955 richiamava al pericolo insito nella «gratuità di un radicalismo» che porta inevitabilmente al «livellamento» e alla «neutralizzazione», «che non costa piú nulla». Oggi permane forse il livellamento e la neutralizzazione anche se è scomparso il radicalismo della scuola seriale. Permane pure in larghi strati della musica contemporanea l'idea della gratuità del far musica, idea accettata e fatta propria in vario modo da piú di un musicista a cominciare da Cage e che si ritrova spesso non solo nelle avanguardie seriali e aleatorie, ma anche in musicisti delle nuove generazioni che si definiscono neoromantici, idea che ci riporta ad un concetto di arte come gioco inessenziale.

«Se l'arte – ci ricorda ancora Adorno – accetta inconsciamente l'eliminazione dell'angoscia e si riduce a puro gioco perché è diventata troppo debole per essere il contrario, essa desiste dalla verità, perdendo l'unico diritto all'esistenza. Eccola allora ad esaltare la superiorità dello spirito eccelso superiore alle meschinità e ai garbugli di questa terra: ma è soltanto una scappatoia per la sua coscienza sporca»[15].

---

[15] Cfr. *Dissonanze* cit., p. 160.

L'ideale del musicista sperimentatore e scienziato, proprio anche questo di una mentalità formalistica, si rivela a ben vedere come un ideale irrazionale: «Nella razionalizzazione – afferma Adorno – si cela un pessimo fattore irrazionale, la fiducia cioè che una materia astratta possa avere un significato in se stessa: ed è invece il soggetto che si misconosce in essa, mentre esso solo potrebbe cavarne un senso. Il soggetto è accecato dalla speranza che quelle materie possano sottrarlo alla cerchia magica della propria soggettività»[16].

Questa tensione verso l'autoannullamento, che sul piano linguistico si traduce nella distruzione implacabile di ogni parvenza di nessi significanti, su di un piano dialettico era già presente nella dodecafonia come coscienza tragica della crisi dei linguaggi tradizionali, ma nell'avanguardia invece perde la dimensione contestativa. Alla distruzione del linguaggio tradizionale non è connessa né l'aspirazione alla creazione di nuovi linguaggi e di nuovi significati e neppure la presa di coscienza di rispecchiare il caos e l'alienazione del mondo moderno come crisi della comunicazione e dei significati. Il rapporto di questa musica con la condizione di angoscia della nostra civiltà non è intenzionale, non è frutto di una presa di coscienza, ma è una constatazione di fatto. L'avanguardia si pone perciò non come coscienza critica ma come passivo rispecchiamento.

La contrapposizione adorniana tra Schönberg e Strawinsky potrebbe forse oggi essere riformulata in chiave attuale, anche se mancano personaggi di quella statura artistica che possano aspirare a diventare termini emblematici di una antitesi dialettica. Tuttavia almeno su di un piano concettuale, può essere ripresa in chiave meno ideologica e meno moralistica la contrapposizione che continua pur in qualche modo a sussistere tra chi crede ancora, magari anche nella forma della negazione radicale, nel *dovere* dell'arte e del musicista di comunicare con i suoni valori legati all'uomo e alla sua individualità, e chi, sull'onda del nichilismo, non vede nella musica altro che la gratuità del puro gioco.

[16] Adorno, *Invecchiamento della nuova musica* cit., p. 170.

4. *Ultime tendenze del pensiero musicale contemporaneo.*

Prescindendo ancora una volta dal problema del valore artistico delle opere dell'avanguardia, quesito che esorbita dai nostri interessi cosí come forse esorbita anche dagli interessi della stessa avanguardia, piú pertinente invece chiedersi quale rilievo può avere un discorso sull'avanguardia in uno studio che mira a tracciare un quadro storico dell'estetica musicale. In effetti una cosa è la storia della musica, un'altra la storia delle idee sulla musica. Ma queste nette distinzioni che hanno un preciso senso a livello di intenzioni programmatiche, reggono poco a livello pratico, e in particolare in questi ultimi decenni risulta molto arduo trovare delle linee nette di demarcazione tra i due campi. Non solo perché, come già si è detto, l'avanguardia ha dedicato ampie energie alla riflessione sul suo stesso operato, ma anche perché nel nostro secolo le rivoluzioni linguistiche nell'ambito della musica e non solo della musica sono state cosí ampie e profonde da fornire materia di riflessione a critici e filosofi. Non si può parlare certo di estetica musicale nel nostro tempo che non sia anzitutto ripensamento del significato degli eventi che si sono tumultuosamente succeduti nella stessa musica. Dall'atonalismo alla dodecafonia, dalla serialità integrale alla musica aleatoria, dalla musica concreta all'irrompere di ideologie musicali prese a prestito da altre culture, a tutto ciò non poteva rimanere indifferente il filosofo. I vecchi o vecchissimi temi quali la semanticità della musica, la naturalità del linguaggio, il rapporto con il linguaggio poetico o verbale, non sono certo scomparsi dall'orizzonte dell'estetica musicale ma hanno dovuto essere ripensati in termini del tutto nuovi alla luce delle drammatiche e radicali trasformazioni avvenute nel mondo della musica.

Tutti gli studi che si possono in qualche modo definire di estetica musicale apparsi in questi ultimi decenni non solo non possono non tenere conto della nuova realtà musicale che ha cambiato completamente il volto della nostra civiltà sonora nel corso di un cinquantennio o poco piú, ma sono polarizzati dai problemi del tutto nuovi da essa posti con forza imperativa. È anche naturale che parallelamente a ciò che è avvenuto in molti altri campi degli studi filosofici si sia assistito anche per quanto riguarda l'estetica musicale ad una frammentazione degli interessi teorici, non solo per una certa diffidenza dei nostri tempi nei confronti dei grandi e onnicomprensivi sistemi filosofici ottocenteschi, ma anche per l'urgere di tutta una serie di nuovi problemi che richiedono spesso competenze diverse per accostarvisi. Si potrebbe anche parlare non solo di morte dell'arte ma anche di morte dell'estetica musicale; ma forse in termini meno apocalittici può essere piú realistico parlare di profondo mutamento intervenuto in questi ultimi decenni nel modo di pensare i problemi della musica anche a livello teorico, filosofico ed estetico. Molti problemi *classici* dell'estetica musicale, come ad esempio il dibattito tra fautori della forma e fautori dell'espressione oggi sono ripensati in altri termini, con un nuovo linguaggio e si servono di altre armi polemiche.

La linguistica, disciplina nata all'inizio del secolo come studio dei meccanismi che presiedono al funzionamento del linguaggio verbale si è recentemente estesa allo studio di tutti i sistemi significanti, non esclusa la musica; sull'onda di questo fervore di studi è nata anche la semiologia della musica, disciplina che ha incontrato il suo momento di maggiore sviluppo negli anni '70. Alla luce di queste ricerche, l'attenzione si è concentrata, cosí come è avvenuto per il linguaggio verbale, sul significante, sulle sue strutture interne e sui meccanismi che ne presiedono il funzionamento. Il problema del significato non è stato scartato ma piuttosto riconsiderato sotto un'altra prospettiva rispetto all'astratto quesito di origine hanslickiana: la musica ha il potere di significare? Tale quesito si è trasformato piuttosto nel quesito: quali sono le funzioni della musica? Le funzioni della musica sono multiple e il loro studio ci porta all'interno del problema del significato: le funzioni possono essere artistiche e non artistiche, accompagnamento o integrazione di altri linguaggi, tra cui in primo luogo quello verbale: funzioni socio-linguistiche, socio-psicologiche, didattiche, educative, ecc. In tal modo gli studi di semiologia della musica sono andati spesso a intrecciarsi ad altri studi oggi assai promettenti, in quanto campi seminesplorati quali la psicologia della musica, la sociologia, la musico-terapia, lo studio della percezione sonora a livello scientifico, ecc.

Può essere utile pertanto esaminare anche sommariamente alcuni punti chiave dei più recenti studi di semiologia della musica, che hanno servito a stabilire i capisaldi di questa giovane disciplina. Nel breve ma fondamentale studio di Lévi-Strauss, di cui si è già parlato, per la prima volta forse, si sono utilizzati alcuni strumenti della linguistica per applicarli alla musica; su questa scia parecchi altri studiosi, molti francesi, hanno proseguito per ampliare, approfondire e a volte contestare i suoi risultati. Sotto questo profilo lo studio di Nicolas Ruwet[1] è assai importante non solo per acutezza d'indagine ma perché è rimasto anche negli anni successivi un punto di riferimento obbligato. Gli studi di De Saussure ma anche quelli più recenti di Jakobson hanno rappresentato i punti di riferimento fondamentali; si trattava tuttavia di compiere il difficile trasferimento dell'analisi dal linguaggio verbale ad un linguaggio assai diverso per struttura e modalità di funzionamento qual è la musica, ammesso poi che la si consideri un linguaggio, il che non è poi sempre così pacifico, anche perché la musica può essere linguaggio in certe circostanze storiche, sociali e stilistiche, e non esserlo in altre circostanze. Per Ruwet «la musica è linguaggio. Cioè essa è, fra altri, uno dei sistemi di comunicazione per mezzo dei quali gli uomini scambiano significati e valori. Per esistere, avere un'efficacia, essa deve obbedire alle regole che rendono possibile, in maniera generale, il funzionamento di un sistema di comunicazioni»[2].

Proprio qui incomincia il lavoro dei semiologi della musica, cioè individuare quelle regole che rendono possibile il funzionamento della musica come linguaggio, anche se sui generis, dotato di struttura che solo metaforicamente la può far definire un linguaggio. Forse è questo uno dei motivi che hanno creato una certa diffidenza nei semiologi della musica nei confronti dell'avanguardia postweberniana. Già Lévi-

---

[1] N. Ruwet, *Language, musique et poésie*, Editions du Seuil, Paris 1972 (trad. it., Einaudi, Torino 1983).

[2] *Ibid.*, p. 8.

Strauss aveva creduto di poter concludere che la dodecafonia e piú in generale la musica seriale non assolvesse a quelle condizioni minime per poterla dire un linguaggio. Anche Ruwet apre significativamente la sua raccolta di saggi sopra citata con un capitolo dal titolo *Contraddizioni del linguaggio seriale* e termina il capitolo esprimendo seri dubbi che la musica di Webern e ancor piú quella dopo Webern possa giungere a costruire «un sistema di rapporti differenziati», e conclude affermando che «ciò spiegherebbe la brevità, l'economia di Webern: piuttosto che per una non so quale preoccupazione di ascetismo, esse si comprenderebbero per la volontà di dominare un sistema instabile, labile. Si comprenderebbe cosí che non si tratta di condannare il sistema seriale in nome delle leggi naturali, ma di riconoscere che le sue possibilità strutturali sono limitate, e che esse sono forse già state esaurite da Webern, e in talune opere eccezionali, quale il *Marteau sans Maître*»[3].

Se alcuni autori come Ruwet mettono l'accento piú sulla struttura che sulla comunicazione, o meglio sulla struttura come prius logico che rende possibile la comunicazione, altri, come ad esempio Gino Stefani preferisce sottolineare maggiormente il momento della comunicazione del linguaggio musicale. «Il nostro punto di partenza – afferma Stefani – è che la musica parla della realtà e piú precisamente della cultura di una data società. Come la lingua, i gesti, i cerimoniali, il modo di vestire... insomma tutti i diversi tipi di cultura, cosí anche la musica – per noi, la nostra musica occidentale, classica e leggera, tradizionale e contemporanea – ci rinvia alla cultura circostante per mezzo di un sistema anzi parecchi sistemi di convenzioni». Conclude l'autore, precisando i compiti di una semiologia della musica: «Noi tutti "parliamo", cioè esercitiamo e comprendiamo queste convenzioni, questi codici culturali: anche senza rendercene conto, come avviene per la lingua. Riconoscere questi codici significa mettere il dito sui meccanismi fondamentali della comunicazione in musica, significa spiegare – da un punto di vista sociale-linguistico – perché e come noi "capiamo" la musica. La semeiotica musicale, come noi la intendiamo,

[3] *Ibid.*, pp. 23-24.

si occupa precisamente di questo»[4]. Questo lavoro, secondo Stefani può essere condotto a vari livelli, e non necessariamente solo da specialisti. Ogni tentativo consapevole di collegare «certi significati (certi aspetti della cultura) con certi aspetti della musica» è un lavoro semiologico.

Ogni analisi semiologica è pertanto un'analisi strutturale, anche se un'analisi strutturale, da sola, non è semiologica: infatti se la semiologia è una scienza dei significati, ogni indagine semiologica non può prescindere dal tenere conto di un doppio livello d'indagine, da una parte si deve articolare nello studio del significante (cioè della struttura analitica del brano musicale, delle sue regole interne, della sua strutturazione), dall'altra nella corrispondente analisi del suo significato nel mondo della cultura. «L'ipotesi di base della semeiotica è che ogni segmentazione sul piano dell'espressione è nello stesso tempo una segmentazione sul piano dei contenuti e viceversa. Ciò significa due cose. Primo: una semantica, o studio dei significati, senza un criterio corrispondente nell'organizzazione del significante, non è ancora uno studio semiotico; la critica musicale dovrebbe implicare l'analisi testuale. Secondo: non sembra piú possibile immaginare una teoria e un'analisi musicale che prescindano dal significato»[5].

Questi punti fermi, messi bene in evidenza da Stefani, pongono tuttavia una serie di problemi ampiamente discussi dai semiologi in questi ultimi anni: quali sono i limiti e i caratteri di una corretta analisi musicale? Se l'analisi e quindi la segmentazione linguistica a cui deve essere sottoposto il testo corrisponde sempre ad una parallela segmentazione sul piano dei significati, ci sarà un livello per cosí dire «neutro» dell'analisi? E sul piano dei significati il rimando sarà di tipo puramente emotivo o si può immaginare anche un rimando di tipo cognitivo? Questi e altri problemi inerenti a questo tipo di analisi-critica del linguaggio musicale sono stati ampiamente dibattuti tra i semiologi della musica; la discussione sul cosiddetto livello «neutro» dell'analisi è stata negli

---

[4] G. Stefani, *Introduzione alla semiotica della musica*, Sellerio, Palermo 1976, p. 13.
[5] *Ibid.*, p. 32.

anni '70 particolarmente vivace in quanto l'ipotesi di esistenza di un tale livello effettivamente è centrale per la semiologia della musica. Prima Ruwet, poi in particolare J.-J. Nattiez e ancora Stefani hanno particolarmente insistito sul livello neutro di analisi. Generalmente ogni analisi musicale segmenta in parti il continuum musicale, cercando di giungere a unità che possano rappresentare in qualche modo dei «significati»; tali unità possono essere le forme, o parti delle forme quali temi principali, secondari, ecc., accordi, gruppi di note, incisi, ecc. Non importa poi quale tipo di significato si attribuisca a tali unità, se di tipo puramente formale o emozionale e contenutistico. Il problema per i semiologi è piuttosto quello di ipotizzare un livello di analisi che possa essere neutra dal punto di vista del possibile significato. I tipi di segmentazione di un qualsiasi testo musicale possono essere infiniti e possono basarsi sul tessuto armonico, su quello timbrico, su quello dinamico, ecc.; ovviamente la maggiore o minore pertinenza di un tipo di analisi piuttosto che un'altra va repertita in un fattore di tipo culturale, storico e sociale. Vi sono contesti culturali e sociali in cui un tratto pertinente per quanto riguarda i significati è il timbro, un altro in cui è l'altezza delle note e cosí via. Ma esiste allora un tipo di analisi «*neutra*», in cui cioè la segmentazione di un brano musicale possa davvero prescindere dal significato e giunga quindi a reperire delle unità «naturali» che non siano compromesse dal linguaggio in cui storicamente e culturalmente si è incarnata la musica in un determinato contesto storico e sociale?

Non si può certo qui fornire soluzioni a questo complesso problema che è stato messo in luce dai semiologi della musica, ma come tutti i problemi della semiologia musicale in realtà hanno un loro rilievo anche in contesti filosofici e metodologici diversi. In definitiva l'analisi semiologica di un brano musicale non dovrebbe differire di molto, almeno in linea di principio, dalle operazioni compiute dal critico musicale di stampo tradizionale, il quale per via intuitiva cerca di correlare la musica, la struttura musicale, le forme musicali, il linguaggio di un'epoca, agli affetti, alle situazioni culturali, ai comportamenti sociali, ecc.; la differenza potrebbe consistere piuttosto nel diverso grado di consapevolezza delle operazioni compiute, nella coscienza metodologica del proprio lavoro, in definitiva in una piú attenta riflessione sul proprio lavoro di critico e sui presupposti concettuali che lo rendono possibile e utile. In altre parole tra una critica tradizionale ed una fatta da un semiologo della musica vi è la stessa differenza che vi può essere tra un'analisi intuitiva ed un'analisi rigorosa. Tuttavia è indubbio che la semiologia della musica ha avuto notevoli meriti nell'indirizzare l'attenzione del critico e del musicologo sui meccanismi di funzionamento del linguaggio e sulla dimensione sociale della sua comprensione e fruizione. Infatti il linguaggio musicale, in quanto codice, è un «oggetto culturale, ossia sociale. La semiotica musicale si potrebbe cosí, in modo riduttivo ma efficace, descrivere come la disciplina che studia i codici sociali con cui si correla il significante musicale al piano del significato. Con ciò la semiotica si differenzia dall'ermeneutica, che presiede all'interpretazione intesa come attività del soggetto umano in quanto tale, cioè non in quanto socializzato in una data cultura»[6].

Il porre l'accento sul linguaggio come fatto sociale e culturale piú che come fatto espressivo e individuale ha fatto sí che la semiologia della musica abbia forse raggiunto i suoi migliori risultati nell'analisi dei momenti piú *comunicativi* del fatto musicale, cioè della musica di consumo, o della musica non specificamente destinata ad una fruizione artistica. Cosí, come già si è detto, è riuscita meglio nell'analisi di quelle musiche sviluppatesi sul filo di una solida tradizione linguistica come quella tonale piuttosto che nell'ambito delle piú recenti avanguardie che hanno problematizzato l'esistenza stessa di un linguaggio musicale. La critica cosiddetta tradizionale, quella che secondo i semiologi si affiderebbe soprattutto all'intuizione, senza pretese di rigore scientifico, non è stata soppiantata dalla semiologia e raramente si è servita in modo sistematico degli strumenti che il semiologo le ha offerto.

Forse un eccesso di rigidezza gergale, forse una certa ovvietà nelle conclusioni raggiunte dopo faticosi percorsi, ha fatto sí che in questi ultimi anni si sia abbandonato il primi-

---

[6] *Ibid.*, p. 48.

tivo rigore dottrinario di certa semiologia negli anni dell'entusiasmo della sua scoperta e fondazione per approfondire invece molti aspetti che si sono rivelati piú produttivi anche se apparentemente laterali. Infatti se si riconosce come assunto centrale della semiologia della musica lo studio del rapporto tra significante e significato si aprono numerosi campi d'indagine che di per sé non sono certo nuovi, ma possono essere nuovi i modi di affrontarli. A seconda se il linguaggio musicale viene visto piú dall'angolo visuale del significante, cioè dalla sua struttura grammaticale-sintattica, qualunque essa sia, oppure se viene visto dal punto di vista del significato e del destinatario sorgono implicazioni e indirizzi di ricerca diversi: al primo tipo di approccio tendono gli studiosi della scuola di Montreal (Nattiez, Hirbour-Paquette); con esiti positivi nel campo degli studi piú propriamente analitico-linguistici. Al secondo tipo di approccio si sono dedicati parecchi studiosi sia italiani che francesi. Gino Stefani ha sottolineato nei suoi studi le implicazioni a livello socio-pedagogico, mentre studiosi francesi quali Michel Imberty[7] hanno studiato le implicazioni sul piano psicologico e psicanalitico del processo di significazione della musica. Altri ancora hanno approfondito il meccanismo significativo proprio della musica in relazione al linguaggio poetico; tra cui merita ricordare gli studi già menzionati di Ruwet oltre ai piú recenti di Marcello Pagnini[8] e di altri ancora. Pertanto molti di questi studi vengono poi a confluire nei loro risultati con quelli di studiosi di altre scuole, già menzionati, quali sociologi della musica, studiosi dei processi semantici, quali il Meyer, il Cooke o la stessa Langer, De Schloezer o Francès per quanto riguarda la psicologia della percezione musicale.

La semiologia della musica si serve pertanto di altre discipline e a sua volta ha servito ad altri indirizzi di studio come stimolo ad una maggiore attenzione agli aspetti linguistici

---

[7] M. Imberty, *Semantyque psychologique de la musique*, Tesi di Dottorato, Parigi 1978. Cfr. anche dello stesso autore *Entendre la musique*, Dunod, Paris 1979 e *Les écritures du temps*, Dunod, Paris 1981 (in trad. it. cfr. *Suoni Emozioni Significati. Per una semantica psicologica della musica*, a cura di L. Callegari e J. Tafuri, Clueb, Bologna 1986).

[8] M. Pagnini, *Lingua e musica*, Il Mulino, Bologna 1974.

della musica e ai meccanismi della comunicazione; un esempio d'intersecazione di discipline può essere fornito dalla teoria dell'informazione[9] che ha cercato di condurre un'analisi semiologica della musica intesa come trasposizione dei modelli della teoria dell'informazione al linguaggio musicale. Inoltre queste indagini pongono l'accento sul percettore del messaggio musicale, cioè sull'individuo con le sue caratteristiche psicologico-percettive; perciò la teoria dell'informazione viene utilmente sorretta dalla psicologia e in particolare dalla *Gestaltpsychologie*; il concetto di forma come elemento di strutturazione del messaggio viene ad innestarsi sul principio della prevedibilità del discorso musicale come base per la sua comprensibilità. Indubbiamente anche questo tipo di studio viene inevitabilmente a privilegiare gli aspetti tonali del linguaggio musicale e le forme classiche in cui si è strutturato.

La semiologia è stata soprattutto negli anni '70 uno dei centri d'interesse maggiore per l'estetica musicale e se ne ritrovano gli echi nell'abbondante letteratura sull'argomento prodotta nel giro di un decennio. È sorta persino una rivista in Francia dedicata prevalentemente ad ospitare studi di semiologia della musica[10], importante come segnale culturale, anche se la sua vita è stata breve. Ma la semiologia non è stata certo l'unica corrente vitale dell'estetica musicale di questi ultimi decenni. Sino a non molti anni or sono indubbiamente l'avanguardia ha rappresentato uno dei nuclei attorno al quale si sono condensati i problemi piú appassionanti e stimolanti per i teorici della musica. Difficile stabilire se tutte le discussioni che hanno preso lo spunto dai molteplici aspetti della musica di avanguardia rientrino in quella disciplina o in quel complesso di discipline che vanno sotto il nome di estetica musicale o per dirla con un termine meno ambizioso di riflessioni sull'esperienza musicale. Ma non è stata solamente la rivoluzione linguistica che ha portato sino alla negazione stessa del concetto di linguaggio ad at-

[9] A. Moles, *Théorie de l'information et perception esthétique*, Flammarion, Paris 1958 (trad. it. *Teoria dell'informazione e percezione estetica*, Lerici, Roma 1969).
[10] Cfr. *Musique en jeu*, 1973-75.

trarre i pensatori; molti altri fenomeni connessi alle avanguardie dopo gli anni '50, hanno posto numerosi problemi spesso del tutto nuovi. L'alea ad esempio ha sollecitato a porsi nuovi interrogativi sulla portata del fenomeno interpretativo nella musica cosí come ad un ripensamento della creatività musicale. Anche la musica elettronica ha portato a riflessioni sulla natura del suono, del timbro e dei sistemi musicali. Altri campi ancora, assai vicini all'estetica musicale sono sorti o sono stati potenziati da alcuni aspetti dell'esperienza musicale fruitiva e compositiva di questi ultimi decenni. La cultura musicale, le nuove dimensioni della fruizione musicale, i nuovi modelli di percezione sonora indotta da imponenti fenomeni sociali quali l'allargamento dell'ascolto, il diffondersi dell'istruzione musicale anche a livello scolastico, tutto ciò non può essere stato privo di riflessi nell'elaborazione di nuovi filoni di riflessione, di nuovi modelli di pensiero. Se l'esperienza dell'avanguardia è stata decisiva in questi ultimi decenni per il pensiero musicale, anche altri campi degli studi musicologici hanno pertanto giocato un ruolo importante. L'ampliarsi dell'orizzonte degli studi storici anche ad altre civiltà e a epoche molto lontane dalla nostra, l'affinamento degli strumenti d'indagine e di ricerca, l'elaborazione di nuove metodologie di studi storici hanno dalla fine dell'Ottocento in poi creato forti sollecitazioni all'elaborazione di teorie sull'analisi musicale. Campo che per certi aspetti è lontano dall'estetica ma per altro denso d'implicazioni estetiche e soprattutto filosofiche.

L'analisi musicale è un concetto assai vago che rimanda a qualsiasi metodologia atta a *analizzare* un brano musicale. Le analisi di Hoffmann sui *trii* di Beethoven, quelle di Schumann sulla *Sinfonia fantastica* di Berlioz, potrebbero ascriversi all'analisi musicale. Tuttavia come disciplina consapevole dei propri strumenti d'indagine, dei propri metodi la si trova in epoca positivistica con il Riemann. Ma una vera e propria disciplina analitica è sorta solamente con gli studi del teorico austriaco Heinrich Schenker il quale nella sua grande opera *Nuove teorie e fantasie musicali* (1906-35) espose la sua teoria analitica della musica che ancor oggi rimane una base almeno di discussione per ogni altro approccio di tipo analitico, soprattutto negli studi provenienti dall'area culturale anglosassone, anche se nel corso degli ultimi anni l'interesse per le metodologie analitiche si è esteso anche all'Europa, innestandosi anche sugli studi di carattere semiologico[11].

L'analisi schenkeriana ha un indubbio riferimento filosofico, la fenomenologia di Husserl. Infatti le premesse metodologiche delle sue teorie analitiche si fondano sul fatto che *al di sotto* della pagina musicale (il riferimento è sempre alla musica tonale) sta sempre una struttura originaria a cui bisogna in qualche modo risalire se si vuole cogliere la reale struttura del brano analizzato. L'analisi di Schenker mira dunque a cogliere sempre le strutture nascoste, quelle che condizionano le manifestazioni esteriori di un'opera, strutture che si riducono all'individuazione di una *ur-linie*, una linea originaria o primordiale che va liberata per cogliere *l'essenza* dell'opera stessa. Tale linea è sempre di carattere melodico e ad essa viene riportato il carattere *profondo* dell'opera musicale. I presupposti teorico-filosofici delle teorie schenkeriane sono stati giustamente avvicinati a quelli della grammatica generativa di Chomsky.

Pur nei limiti indicati da molti studiosi delle teorie di Schenker (il privilegiamento della funzione melodica, la sua applicabilità alla sola musica tonale, ecc.) la teoria analitica di Schenker ha avuto l'indubbio merito di aprire vasti campi di ricerca e di suggerire metodi analitici che pur giungendo ad una dissezione dell'opera non perdano tuttavia di vista il suo valore unitario, quello che viene individuato nella struttura originaria che ne sta alla base. Gli studi e le teorie di carattere analitico si sono sviluppate con grande rigoglio in questi ultimi decenni e sono numerosissimi i testi che si riallacciano in qualche modo a questa corrente di pensiero, e non è certo possibile qui darne un resoconto completo e non si può che limitarsi a pochi accenni.

Evidentemente ogni teoria analitica si trova di fronte al problema di privilegiare la dimensione dell'opera che si ritiene piú rilevante rispetto alle altre. Tuttavia ogni scelta comporta delle esclusioni per cui ogni approccio analitico

---

[11] H. Schenker, *Neue musikalische Theorien und Phantasien*, cfr. la recente edizione Universal Edition, Wien 1956.

inevitabilmente sottolinea un aspetto a scapito di altri e rischia di non poter mai afferrare ciò che utopisticamente si vorrebbe cogliere, cioè la totalità dell'opera. Si è visto come Schenker tendeva a privilegiare l'aspetto melodico tonale come quello piú rilevante al fine della individuazione della struttura «originaria» dell'opera. Su di una linea non molto diversa si collocano gli studi di Rudolph Reti, musicologo statunitense. Nella sua opera piú nota[12] egli vuole dimostrare che nelle opere dei grandi musicisti tutte le idee tematiche derivano da un unico motivo germinale la cui successiva trasformazione rappresenta un processo atto a conferire all'intera composizione significato e senso unitario. La ricerca di questo *modello* tematico rappresenta un processo di *riduzione* – per servirsi di un linguaggio fenomenologico – simile a quello di Schenker nella ricerca della linea melodica originaria. Anche in questo caso ci si riferisce evidentemente sempre a esempi tratti dalla musica tonale. Come afferma lo stesso Reti «nelle grandi opere della letteratura musicale i diversi movimenti di una composizione sono legati tra loro da un'unità tematica – unità che viene conferita non solamente da una vaga affinità, ma da un'identica sostanza musicale»[13]. Ciò da una parte comporta che si deve dimostrare questa unità tematica sottostante ad ogni opera, ma presuppone anche che l'unità stessa rappresenti il valore estetico per eccellenza. Dimostrazione non sempre possibile, a meno che si voglia affermare dogmaticamente che ad esempio in una sonata i due temi «contrastano in superficie ma sono identici nella sostanza»[14]. Il concetto di unità permane dunque assai problematico, sia nel suo aspetto tecnico-analitico, sia in quello estetico-filosofico.

Le obbiezioni all'impostazione del Reti, il quale pur raggiunge spesso risultati validi e stimolanti, sono peraltro abbastanza facilmente intuibili e si possono riassumere nella unilateralità dell'analisi. Pertanto il problema di afferrare la globalità dell'opera attraverso un processo analitico rimane centrale in tutti gli studiosi. Leonard Meyer, di cui si è già

---

[12] R. Reti, *The Thematic Process in Music*, Faber and Faber, London 1961.
[13] *Ibid.*, p. 4.
[14] *Ibid.*, p. 139.

parlato nei precedenti capitoli, nelle sue opere posteriori a
Emotion and Meaning in Music, pur non rinnegando la sua
impostazione gestaltica, rivolge la sua attenzione in modo
piú specifico ai problemi e alle teorie analitiche, formulando
fondate obbiezioni alle teorie del Reti, considerate eccessivamente riduttive rispetto alla concreta ricchezza delle opere musicali. In uno dei suoi piú recenti studi il Meyer nota
come l'unità viene conferita all'opera non da un solo parametro (quello melodico-tematico) come affermava il Reti,
ma da un complesso di parametri che variano a seconda delle epoche e delle civiltà e comunque l'unità viene in definitiva percepita da un orecchio storico. Il concetto di forma in
senso gestaltico, che era al centro dei suoi studi precedenti
può perciò essere ripreso e sviluppato in chiave analitica e
servire da correttivo ai metodi analitici di origine schenkeriana, introducendo una variabile «soggettiva» in un contesto teorico che puntava ad una oggettività che spesso si rivelava astratta e astorica. Il Meyer rielabora il concetto di unità servendosi dell'espressione inglese intraducibile «confor-
mant relationships» (relazioni di conformità); questo principio assolve al compito primario di «creare il senso della
coesione» e quindi in definitiva di fondare l'unità dell'opera. Tali relazioni evidentemente hanno valore solo in quanto
sono percepite e non vanno intese in senso puramente formale o strutturale o sintattico; hanno egual valore relazioni
riguardanti il «carattere e l'ethos»[15]. Inoltre non vanno con-
fuse con la somiglianza: non è sufficiente individuare temi
simili, particelle motiviche somiglianti per stabilire l'unità
dell'opera. Le teorie analitiche di Meyer aprono pertanto
prospettive piú ampie anche dal punto di vista estetico, evitando le chiusure e le assolutizzazioni presenti spesso negli
studiosi di orientamento analitico.

Gli studi analitici hanno assunto in questi ultimi anni dimensioni impensate, uscendo anche dagli ambiti strettamente specialistici, sino al punto da sfumare spesso in altre
zone degli studi musicologici, servendosi spesso della psico-

---

[15] L. Meyer, *Explaining Music. Essays and Exploration* University of Chicago
Press, Chicago 1978. Cfr. anche dello stesso Meyer *Music, the Arts and Ideas*, ivi
1967.

logia, della psicanalisi, della teoria della percezione, ecc. Pertanto alla base degli studi analitici ci sta pur sempre il tentativo di creare dei modelli teorici esplicativi dotati di una piú o meno accentuata universalità. La tradizione analitica schenkeriana ha privilegiato l'aspetto formale dell'opera musicale; tuttavia si può fare risalire al filone analitico anche studi apparentemente lontanissimi come quelli di Hermann Kretschmar, che si richiamano all'ermeneutica cioè alla scienza dell'interpretazione, dove per interpretazione si intende lo scoprimento del significato del testo. Significato non formale ma affettivo, emotivo o anche intellettivo. Perciò la vecchia teoria degli affetti settecentesca può in qualche modo essere considerata come un primo tentativo di teoria analitica della musica ma già prospettata dal punto di vista dei contenuti affettivi in relazione a determinate «figure» proprie della retorica musicale barocca. Le teorie di Kretzschmar furono riprese e radicalizzate da Arnold Schering mettendo del tutto tra parentesi i valori tecnici e formali per sottolineare esclusivamente quelli espressivi[16].

Se il compito della musicologia analitica può essere definito all'incirca come la comprensione dei processi compositivi della musica, mettendo l'accento, almeno nei primi tempi dello sviluppo di questa disciplina sul valore *oggettivo* del modello teorico individuato, in tempi piú recenti gli studi analitici hanno rivalutato l'altro polo del linguaggio musicale, cioè il destinatario, aprendosi cosí ad una gamma impensata di nuovi studi che possono comprendere la psicologia, la sociologia, l'estetica, la teoria dell'informazione, ecc. Questa maggiore attenzione a tutti quei fenomeni connessi con la ricezione della musica nelle loro componenti anche storiche ha portato a sottolineare alcuni fenomeni trascurati nel passato. La storia della ricezione, ad esempio, può portare ad una riformulazione della storia della musica sotto angolature assai nuove e promettenti. Anche in questo campo le osservazioni teoriche del Dahlhaus sono assai pertinenti e centrano con acutezza il problema. Non si può oggi parlare

---

[16] Di H. Kretzschmar cfr. in particolare *Einführung in die Musikgeschichte*, Lipsia 1920. Di A. Schering cfr. la raccolta di saggi *Das Symbol in der Musik*, a cura di W. Gurlitt, Leipzig 1941.

di una vera e propria storia della ricezione, ma piuttosto di studi che si pongono a livello teorico e filosofico il problema di una storia della musica che tenga conto di questo fondamentale parametro della sua esistenza storica, cioè la sua ricezione. Ovviamente l'accento viene a cadere in questo caso più sul momento dell'interpretazione, dell'esecuzione e del modo di ascolto più che sul momento della produzione e sulla consistenza dell'opera d'arte al momento della sua creazione. L'opera non viene più vista come un'essenza racchiusa nel suo tempo, idealisticamente frutto di un atto creatore che la produce una volta per tutte o marxisticamente rigidamente legata alla propria epoca storica in quanto sovrastruttura del processo economico. Secondo un'estetica della ricezione l'opera d'arte in generale e in modo ancor più evidente l'opera musicale è proiettata nel futuro e nella storia in cui vive la sua vera vita, offrendosi all'interprete – sia questi l'esecutore o l'ascoltatore – e dispiegando la sua vita proprio nella molteplicità delle interpretazione possibili. Il rapporto interprete-opera non è pertanto incidentale ma è costitutivo della vita e della stessa essenza dell'opera. Naturalmente questa prospettiva non è solamente storiografica ma investe il modo stesso di concepire l'opera d'arte. Infatti ciò che mette in questione è la consistenza della musica in quanto opera d'arte chiusa e definita in se stessa. Come giustamente nota il Dahlhaus «la vistosa svolta – talora anche programmatico-polemica – dell'interesse storiografico verso la storia dell'efficacia ovvero verso la storia della ricezione, si può intendere come espressione e conseguenza della crisi in cui è caduto negli ultimi decenni il concetto dell'opera in sé chiusa, autonoma, sulle prime nell'arte stessa e più oltre anche nella sua teoria»[17]. Da una parte quindi sembra che la storia della ricezione o per meglio dire l'estetica della ricezione abbia una particolare congenialità con alcuni aspetti tipici della musica contemporanea, come la sua apertura all'interprete attraverso l'accentuazione del momento aleatorio, la sua apertura al fruitore, chiamandolo spesso ad una sorta di collaborazione creativa, sollecitando le sue rea-

---

[17] C. Dahlhaus, *Grundlagen der Musikgeschichte*, Arno Volk Verlag, Köln 1980 (trad. it., Discanto, Fiesole 1980, p. 187).

zioni come parte costitutiva dell'opera stessa che pertanto tende sempre piú a disgregarsi come unità creativa e a frammentarsi nei modi in cui viene recepita e continuamente ricreata o creata. Dall'altra l'estetica della ricezione pone un problema piú vasto: in qual misura l'opera musicale tramandataci dal passato, fondata proprio sul concetto di opera conclusa e autosufficiente nella sua completezza, può essere *interpretata* cioè rivissuta e fatta vivere nella sua totalità proprio attraverso l'accentuazione del valore intrinseco della storia delle sue interpretazioni nella storia, intese come momento interno alla vita stessa dell'opera musicale? Esemplare da questo punto di vista lo studio di Eggebrecht sulla storia della ricezione di Beethoven[18], in cui lo studioso cerca di passare dalla fase teorica a quella pratica per applicare le categorie filosofiche alla concreta ricerca storica. Il problema pertanto rimane quello di sfuggire all'estetica dell'«oggetto ideale», senza cadere nel soggettivismo piú radicale, «il relativismo estremo, l'assetto provocatorio che l'*Eroica* di Beethoven esista tante volte quante sono negli auditori le teste dalle quali viene recepita»[19]. L'estetica essenzialista non è che sottovalutasse l'importanza della pluralità delle interpretazioni, ma tendeva sempre a commisurarle alla loro adeguatezza, alla «verità» dell'opera, la quale permaneva come costante nelle molteplicità storiche e individuali delle interpretazioni.

Queste riflessioni filosofiche e storiografiche insieme, rimettono in discussione anche tutto il settore degli studi filologici, non certo per sottovalutarli, ma per ripensarli in una chiave meno rigidamente ancorata al tradizionale concetto di autenticità. L'estetica della ricezione pertanto è ancora un caso in cui si evidenzia l'incrocio di esperienze diverse quali la filosofia ermeneutica da una parte e la riflessione sull'avanguardia dall'altra; da tali esperienze, in apparenza cosí eterogenee ne è scaturita una prospettiva storiografica sulla musica assai stimolante e densa di conseguenze anche sul piano operativo.

---

[18] H. H. Eggebrecht, *Zur Geschichte der Beethoven Rezeption. Beethoven 1970*, Wiesbaden 1972.
[19] Dahlhaus, *Grundlagen der Musikgeschichte* cit., p. 189.

Conclusioni

Dove va l'estetica musicale?

Al termine di un lungo excursus storico s'imporrebbero delle conclusioni, delle indicazioni direzionali, una qualche sorta di previsione per il futuro prossimo. Dove sta andando l'estetica musicale? Esiste ancora l'estetica musicale? Ed infine la domanda forse piú insidiosa e compromettente proprio al termine di questo studio: è mai esistita l'estetica musicale come disciplina? E come può venire un dubbio del genere dopo averne scritto la storia? Questi interrogativi esigono risposte articolate che non possono ridursi ad un sí o ad un no. Può essere opportuno invertire le risposte e partendo dall'ultimo interrogativo. Se si ripercorre a ritroso la storia dell'estetica musicale sorge legittimamente il dubbio che tra le speculazioni della musica fatte da Platone, da Galreanus, da Hegel o da Schelling ci sia ben scarsa parentela, forse troppo poca da poterle immaginare riunite in uno stesso schizzo storico che pretenda di comprenderle in una stessa linea di sviluppo. In effetti l'estetica musicale, come è stata intesa in questo excursus riunisce molte, forse troppe differenti linee radicalmente diverse ed eterogenee tra loro, esperienze di pensiero che partono da esigenze a volte speculative, a volte pratiche che sembra non abbiano nulla in comune. Per cui meglio forse sarebbe stato una pluralità di storie diverse, seguendo la genesi e lo sviluppo di ogni filone di pensiero. Vi è indubbiamente uno sviluppo già piú unitario tra le riflessioni sulla musica che nascono da un'esigenza nettamente speculativa, da una riflessione chiaramente filosofica e sistematica, in cui la musica viene ricompresa in una prospettiva filosofica ed estetica unitaria; oppure in quelle riflessioni che traggono origine dall'esperienza pratica e teorica sulla materia sonora, riflessioni sull'acustica, sull'armonia, sui grandi mutamenti che avvengono nella storia della musica, come il passaggio dalla polifonia all'armonia, dalla tonalità alla dodecafonia, ecc. Indubbiamente ne sarebbe risultato un percorso storico piú omogeneo, privo di quei continui salti e intersezioni che caratterizzano il percorso qui tracciato. Eppure, guardando a ritroso il cammino percorso, ci sembra che era necessario tentare di evidenziare proprio questo intricato sviluppo a costo di sembrare a volte confusi e incoerenti. Infatti, per rimanere vicino ai nostri tempi, è vero che a prima vista sembra che tra le annotazioni sulla musica di Hoffmann, di Wackenroder, e quelle di Hegel o di Schopenhauer e gli studi sull'armonia di Rameau o di Tartini di pochi decenni precedenti, ci sia ben poca parentela, per riunirle in uno stesso profilo storico di sviluppo. Ma a ben vedere c'è un segreto filo che annoda insieme queste esperienze di pensiero cosí diverse, che va al di là dell'esser partecipi del medesimo spirito dell'epoca. In realtà è la musica ad essere un oggetto multiforme e ciò che vi è di comune tra le diverse trattazioni cui si è accennato è proprio di essere in definitiva centrate sullo stesso oggetto che, come un prisma dalle molte facce può essere colto ed analizzato da prospettive assai diverse, le quali tuttavia in qualche modo si integrano e colgono lo stesso problema anche se da angolature diverse. Perciò si è preferito ampliare l'orizzonte e in linea di principio non trascurare nessuna fonte di riflessione sulla musica, accostando esperienze di per sé eterogenee. L'intenzione era proprio di mostrare come l'approccio chiaramente filosofico e classificatorio in realtà ha stretti legami con quello letterario da una parte, e come l'approccio teorico, acustico, matematico dall'altra implica, sottintende e a volte completa quello filosofico.

D'altra parte non in tutte le epoche sono egualmente compresenti tutti i tipi di approccio a questo oggetto multiforme che è la musica; chiaramente ogni epoca privilegia un certo tipo di approccio perché i problemi piú pressanti posti dalla musica in quel tempo sollecitano un approccio piuttosto che un altro, privilegiano una prospettiva piuttosto che un'altra. Anche per questo motivo si è preferito mantenere aperte tutte le strade e non escludere nessun tipo di riflessione: altrimenti forse ne sarebbe risultata una storia apparentemente piú unitaria ma in realtà fatta a singhiozzo, con grossi vuoti e zone apparentemente prive di riflessioni. Inoltre spesso ci si accorge che in fondo è sempre lo stesso problema ad essere affrontato anche se con linguaggio e con atteggiamento diverso: la grande questione – uno dei fili rossi dell'estetica musicale – quella della semanticità della musica forse che non è al centro della speculazione dei grandi filosofi sistematici romantici cosí come del teorico e musicologo Eduard Hanslick o dei positivisti e antropologi che studiano l'origine della musica? E allora ci sembra che un altro punto di coagulazione di approcci diversi sia non soltanto l'oggetto musica ma anche l'orizzonte di problemi che in ogni epoca esso ha posto agli studiosi, ai filosofi come ai teorici e agli stessi musicisti, per cui il problema piú pressante in ogni momento storico ha rappresentato spesso il nucleo, il momento di convergenza di esperienze diverse e apparentemente tanto lontane tra loro.

E procedendo a ritroso, nell'elenco degli interrogativi che ci si era posti, quali prospettive esistono oggi per l'estetica musicale? Se si prendesse il termine estetica musicale in senso stretto, come riflessione filosofico sistematica sulla musica, si dovrebbe forse concludere che essa oggi è alle sue ultime battute o forse che è finita da qualche decennio. Ma se la si considera secondo l'accezione piú larga con cui è stata considerata in questo studio, si deve semplicemente concludere che oggi l'estetica musicale ha preso nuovi orientamenti e tende a frammentarsi in tanti settori diversi di studio sull'esperienza musicale presa nella sua molteplicità di aspetti.

Ogni grande rivoluzione stilistica e linguistica nella storia della musica ha portato l'attenzione degli studiosi, dei filosofi come dei teorici e dei musicisti a riflettere maggiormente sugli aspetti propriamente tecnici e linguistici della propria arte, giungendo indirettamente ad affrontare i problemi filosofici ed estetici sempre comunque connessi alle nuove esperienze artistiche. Cosí è avvenuto nel passaggio dall'*Ars Antiqua* all'*Ars Nova*, cosí nel passaggio dalla polifonia alla monodia e cosí oggi con l'invenzione della dodecafonia e con le esperienze linguistiche radicalmente nuove delle avanguardie. Non è quindi neppure un fenomeno cosí inedito se oggi si assiste ad un tramonto dell'estetica musicale come disciplina filosofico-sistematica, ma parallelamente ad una proliferazione di studi non sempre agevolmente classificabili su molti aspetti della nuova musica, sull'esperienza musicale, interpretativa, sulla fruizione e ricezione, sulle metodologie storiografiche, sulla psicologia dell'ascolto e della creazione, sui meccanismi linguistici che rendono possibile la formazione dei significati, ecc.

Può ancora considerarsi estetica musicale tutto ciò? L'interrogativo appare senza dubbio in larga misura superfluo e per certi aspetti ozioso. Questi sono i modi con cui oggi è possibile una riflessione sulla musica, riflessione che, anche se non sempre si inserisce in un rigido sistema filosofico, anche se spesso sembra destinata a perdersi in mille rivoli, utilizzando mille discipline, le piú svariate metodologie di ricerche, appoggiandosi alle piú diverse scienze, pur tuttavia non sfugge alle implicazioni di carattere estetico e filosofico che ne stanno alla base o ne rappresentano il punto di arrivo. Spesso schegge frammentarie di pensiero si ricompongono inaspettatamente in prospettive piú unitarie, piú esplicitamente filosofiche. D'altra parte ciò che è avvenuto in questi ultimi decenni nell'estetica musicale è analogo a ciò che è avvenuto negli altri campi della riflessione estetica sull'arte in generale e sulle singole arti in particolare.

Ogni approccio alla musica presenta a chi lo sa cogliere un fondamento filosofico, una relazione implicita con aspetti piú vasti della cultura e del pensiero. Il proposito di autoconfinarsi nello specialismo, nel tecnicismo, nel gergo specialistico, non è sufficiente a isolare la riflessione sulla musica dall'estetica e dalla filosofia. Anche per questo motivo è impossibile prefigurare l'avvenire dell'estetica musicale: non è mai stata infatti una disciplina autosufficiente, con uno sviluppo interno al suo discorso, e oggi meno che mai. Essa, proprio per la sua accentuata interdisciplinarità e la sua voluta frammentazione, è piú che mai legata alle piú ampie vicende del pensiero e della società in cui si sviluppa e da cui trae alimento al suo sviluppo. Cosí i grandi temi della riflessione sulla musica attraverso i secoli, quali il secolare dibattito sulla semanticità e sul formalismo, la relazione della

musica con la poesia e gli altri linguaggi artistici e non artistici, il senso dell'opera musicale e della sua storia, il rapporto tra opera, interprete e fruitore, sembrano essersi eclissati
di fronte alle piú puntuali e concrete ricerche su problemi
forse piú minuti ma piú precisi; tuttavia i grandi temi del
pensiero musicale non sono scomparsi, ma rinascono, anche
se in nuova forma, e si ripresentano sotto nuova veste, spesso arricchiti da una maggiore attenzione alla ricchezza con
cui oggi il fenomeno musicale si presenta all'occhio di un osservatore attento ai suoi molteplici aspetti.

La natura ineliminabilmente filosofica di ogni riflessione
sulla musica, a qualsiasi livello essa si presenti, non può essere cancellata da apparenze che tendano ad avallare la morte
della filosofia. Indubbiamente oggi è morto o forse solamente messo tra parentesi un certo modo di fare e di concepire
la filosofia e quindi l'estetica musicale, non il pensiero sulla
musica e sui suoi problemi, che comunque siano affrontati
hanno pur sempre una valenza intrinsecamente filosofica.
L'avvenire di tale pensiero, le forme che assumerà nel futuro, la consistenza, le soluzioni che sarà capace di prospetta-
re, dipendono evidentemente da tali e tanti parametri che
riguardano non soltanto il mondo della musica e dell'arte in
generale, ma della civiltà stessa in cui viviamo, da rendere
ogni ipotesi del tutto azzardata.

Oggi non possiamo che constatare, forse con compiacimento per alcuni o forse con rimpianto per altri, la sua ricchezza e molteplicità, da cui domani potranno scaturire sintesi piú ampie e capaci di superare da una parte l'eccessiva
frammentazione e dall'altra la povertà in cui rischia a volte
di cadere il pensiero esclusivamente sistematico.

Bibliografia

Questa breve nota bibliografica vuole solo fornire al lettore alcune indicazioni sia sulle principali fonti servite alla stesura di questa breve storia dell'estetica musicale, sia su quelle opere che possono servire ad approfondire i vari argomenti trattati e ad integrare quelli non trattati. Nella bibliografia generale, che precede quella sui vari capitoli, ci si è limitati ad elencare le piú importanti opere riguardanti in modo specifico la storia dell'estetica musicale del periodo che va dal rinascimento ad oggi, tralasciando volutamente le numerose storie dell'estetica in generale. Per quanto riguarda la bibliografia riferentesi ai vari momenti storici trattati, si è seguito lo stesso criterio, di elencare cioè solo le opere riguardanti strettamente l'estetica musicale. Non si sono ripetuti alcuni titoli di opere già citati nel corso del volume. Per brevità inoltre ci si è limitati ai libri piú importanti, tralasciando gli articoli di riviste.

Bibliografia generale. Opere di consultazione
sulla storia dell'estetica musicale.

E. NAUMANN, *Die Tonkunst in der Kulturgeschichte*, Behr, Berlin 1870.

H. EHRLICH, *Die Musikästhetik in ihrer Entwicklung von Kant bis auf die Gegenwart*, 1882.

H. RIEMANN, *Geschichte der Musiktheorie im 9.-19. Jahrhundert*, Berlin 1898.

J. DE LA LAURENCIE, *Le goût musical en France*, Joanin, Paris 1905.

M. EMMANUEL, *Histoire de la langue musicale*, 2 voll., Lawrence, Paris 1911.

P. MOOS, *Die Philosophie der Musik von Kant bis Ed. von Hartmann*, Stuttgart 1922.

F. GATZ, *Die Musikästhetik in ihren Hauptrichtungen*, Enke, Frankfurt-Stuttgart 1929.

- *Musikästhetik grosser Komponisten*, Enke, Frankfurt-Stuttgart 1929.

P. LASSERRE, *Philosophie du goût musical*, Calmann-Lévy, Paris 1931.

R. SCHAFKE, *Geschichte der Musikästhetik*, Berlin 1934.

D. W. ALLEN, *Philosophies of Music History*, American Book Co., New York 1939.

T. SAMONÀ FAVARA, *La filosofia della musica*, Milano 1940.

E. DAMAIS, *Les grandes étapes de la pensée musicale*, Paris 1945.

M. GRAF, *Composer and Critic*, Chapman and Hill, London 1947.

D. N. FERGUSON, *A History of Musical Thought*, Appleton 1948.

O. STRUNK, *Source Reading in Music History*, Norton and Co., New York 1950.

R. LEIBOWITZ, *L'évolution de la musique de Bach à Schönberg*, Correa, Paris 1951.

H. J. MOSER, *Musikästhetik*, Walter de Gruyter, Berlin 1953.

J. PORTNOY, *The Philosopher and Music. A Historical Survey*, The Humanities Press, New York 1954.

S. MORGENSTERN, *Composers on Music*, Faber and Faber, London 1956.

L. RONGA, *Dall'Ars Nova a Debussy*, Ricciardi, Milano-Napoli 1956.

– *L'esperienza storica della musica*, Laterza, Bari 1961.

L. MAGNANI, *Le frontiere della musica*, Ricciardi, Milano 1957.

N. CASTIGLIONI, *Il linguaggio musicale dal Rinascimento a oggi*, Ricordi, Milano 1959.

A. DELLA CORTE, *La critica musicale e i critici*, Utet, Torino 1961.

Il Settecento.

Per la teoria dell'imitazione della natura e la condanna moralistica della musica si veda soprattutto:

N. BOILEAU-DESPRÉAUX, *Art poétique*, 1674.

J. LA BRUYÈRE, *Caractères* (cfr. il cap. *Des ouvrages de l'esprit*), 1688.

L. A. MURATORI, *Della perfetta poesia italiana*, Modena 1706.

C. SAINT-ÉVREMOND, *Lettres sur les opéras*, 1711.

Sul problema del melodramma, le critiche e i progetti di riforma nel 1700:

F. RAGUENET, *Parallèle des italiens et des français en ce qui regarde la musique et les opéras*, 1702.

J.-L. LECERF DE LA VIEVILLE, *Comparaison de la musique italienne et de la musique française*, Bruxelles 1704.

J. ADDISON, «The Spectator» (cfr. in particolare 6 marzo, 15 marzo, 3 aprile 1711).

B. MARCELLO, *Il teatro alla moda...*, 1720.

A. PLANELLI, *Trattato dell'opera in musica*, Napoli 1722.

N.-A. PLUCHE, *Le spectacle de la nature*, libro VII, 1732.

C. AVISON, *An Essay on Musical Expression*, London 1752.

F. ALGAROTTI, *Saggio sopra l'opera in musica*, 1755.

A. EXIMENO, *Dell'origine e delle regole della musica*, Roma 1774.

S. ARTEAGA, *Le rivoluzioni del teatro musicale italiano*, Bologna 1783.

V. MANFREDINI, *Difesa della musica moderna e dei suoi celebri esecutori*, 1788.

Per le dispute tra buffonisti e antibuffonisti, e poi tra gluckisti e piccinnisti, si veda soprattutto:

J.-J. ROUSSEAU, *Ecrit sur la musique*, Paris 1838 (in questo volume sono raccolti tutti gli scritti riguardanti la musica di Rousseau).

F.-M. GRIMM, *Lettres à Omphale*, pubblicata nel «Mercure de France», 1752.

– *Le petit prophète de Boemisch Broda*, 1753.

J.-P. RAMEAU, *Erreurs sur la musique dans L'Encyclopédie*, Paris 1755.

R. CALZABIGI, *Dissertazione su le poesie drammatiche del sig. Abbate Pietro Metastasio*, 1755.

J.-B. D'ALEMBERT, *Sur la liberté de la musique*, in *Mélanges de littérature*, tomo IV, Paris 1760.

D. DIDEROT, *Le neveu de Rameau*, Paris 1760-64. Si veda inoltre le considerazioni sulla musica sparse in molte altre opere di Diderot, come ad esempio in: *Lettre sur les aveugles, Lettre sur les sourds et les muets, Leçons de clavecin, Deuxième entretien sur le fils naturel*, ecc.

C. W. GLUCK, prefazione all'*Alceste*, 1767. Cfr. inoltre la raccolta delle lettere curate da Ludwig Nohl, Plon, Paris 1870.

J.-F. LA HARPE, cfr. gli articoli contro Gluck in «Journal de Politique et de Littérature», Paris, ottobre 1777.

J.-F. MARMONTEL, *Essai sur les révolutions de la musique en France*, Paris 1777.

G.-M. LE BLOND, *Mémoires pour servir à l'histoire de la révolution opérée dans la musique par M. le Chevalier Gluck*, Napoli-Paris 1781.

B. LA CÉPÈDE, *La poétique de la musique*, Paris 1785.

M.-P.-G. CHABANON, *De la musique considerée en elle-même et dans ses rapports avec les paroles, les langues, la poésie et le théatre*, Paris 1785.

F. ARNAUD, *Lettres sur la musique*, in *Œuvres complètes*, Paris 1808.

Per la teoria musicale e la disputa sull'armonia nel Sei-Settecento:

M. MERSENNE, *Questions harmoniques*, 1634.

– *Harmonie universelle*, 1636-37.

R. DESCARTES, *Musicae compendium*, Amsterdam 1656.

A. WERCKMEISTER, *Musicalische Temperatur*, 1691.

J.-P. RAMEAU, *Traité de l'harmonie réduite à son principe naturel*, Paris 1722.

– *Nouveau système de musique théorique...*, Paris 1726.

– *Génération harmonique ou traité de musique théorique et pratique*, Paris 1737.

– *Démonstration du principe de l'harmonie servant de base à tout l'art musical*, Paris 1750.

– *Nouvelles réflexions sur la démonstration du principe...*, Paris 1752. Non si citeranno le altre numerose opere di Rameau, pamphlets, lettere, trattati, in quanto non hanno piú portato nessun elemento nuovo alla prima formulazione della sua teoria.

J. J. FUX, *Gradus ad Parnassum*, Wien 1725. Questo trattato sul contrappunto costituisce un'interessante difesa dei modi gregoriani.

F. GEMINIANI, *Guida harmonica*, 1742.

– *The Harmonical Miscellany*, 1755.

Tra i numerosi scritti di G. Tartini merita ricordare:

– *Trattato di musica secondo la vera scienza dell'armonia*, Padova 1754.
– *Risposta di un anonimo al celebre signor Rousseau circa il suo sentimento in proposito d'alcune proposizioni del sig. G. Tartini*, Venezia 1769.
– *De' principi dell'armonia musicale contenuta nel diatonico genere*, Padova 1767.

Critica e storiografia:

P. BOURDELOT, *Histoire de la musique*, Amsterdam 1725. Questo trattato, che costituisce uno dei primi tentativi di compilazione di una storia della musica, fu terminato poi dal fratello e dal nipote J. Bonnet, e contiene il testo del *Traité du bon goût en musique* di Lecerf de La Vieville.

C. DE BROSSES, *Lettres familières écrites d'Italie en 1739-40, Spectacles et musique*.

G. B. MARTINI, *Storia della musica*, Bologna 1757-81.

G. CHABANON, *Eloge de Rameau*, Paris 1764.

MARET, *Eloge historique de M. Rameau*, Dijon 1766.

C. BURNEY, *The Present State of Music in France and Italy*, London 1771.
– *The Present State of Music in Germany, the Netherlands and United Provinces*, London 1775.
– *A General History of Music*, 4 voll., London 1776-89.

J. F. REICHARDT, *Briefe eines aufmerksamen Reisenden, die Musik betreffend*, 1774-76. Scritto interessante, tra i molti lasciatici dal R., oltre che per le notizie sulla vita musicale del tempo, anche per la polemica con il Burney.

J.-J. DECROIX, *L'ami des arts ou justification de plusieurs hommes célèbres*, Paris 1776.

J.-B. LA BORDE, *Essay sur la musique ancienne et moderne*, 4 voll., Paris 1780.

J. N. FORKEL, *Allgemeine Geschichte der Musik*, 5 voll., Leipzig 1788.

Problemi riguardanti la musica strumentale:

Tra i numerosi scritti di J. Mattheson, si ricorda:

– *Das neu-eröffnete Orchester*, 1713.
– *Critica musica*, Hamburg 1722.
– *Der vollkommene Kapellmeister...*, 1739.
A. SCHEIBE, *Der Critische Musikus*, Hamburg 1737-40.
F. GEMINIANI, *The Art of Playing Violin*, London 1740.

J. J. QUANTZ, *Versuch einer Anweisung die Flöte traversiere zu spielen*, 1752.

C. P. E. BACH, *Versuch über die wahre Art das Klavier zu spielen*, 1753-62.

L. MOZART, *Versuch einer gründlichen Violinschule*, 1756.

G. TARTINI, *Trattato delle appoggiature sí ascendenti che discendenti per il violino...*, Paris 1782.

J. HAYDN, cfr. l'epistolario curato da L. Nohl, 1883.

Opere di carattere generale sui secoli XVII e XVIII:

G. DESNOIRESTERRES, *Gluck et Piccinni*, Paris 1872.

A. JULLIEN, *La musique et les philosophes au XVIIIᵉ siècle*, 1873.

E. HIRSCHBERG, *Die Encyclopädisten und die Französische Oper im 18. Jahrhundert*, 1903.

S. ÉCORCHEVILLE, *De Lulli à Rameau: l'esthétique musicale*, Fortin, Paris 1906.

L. LALOY, *Rameau*, Alcan, Paris 1907.

A. PIRRO, *Descartes et la musique*, Fischbacher, Paris 1907.

J. TIERSOT, *J.-J. Rousseau*, Alcan, Paris 1912.

L. STRIFFLING, *Le goût musicale en France au XVIIIᵉ siècle*, Paris 1913.

H. GOLDSCHMIDT, *Die Musikästhetik des 18. Jahrhunderts*, Rascherverlag, Zürich 1915.

A. DOLMETSCH, *The Interpretation of the Music of the XVII and XVIII Centuries*, Oxford University Press, London 1916, 2ᵃ ed. 1946.

R. LACH, *W. A. Mozart als Theoretiker*, Hölder, Wien 1918.

G. F. MALIPIERO, *I profeti di Babilonia*, Bottega di poesia, Milano 1924.

W. SERAUKY, *Die musikalische Nachahmungästhetik 1700-1850*, Heliosverlag, München 1929.

A. R. OLIVER, *The Encyclopedists as Critics of Music*, Columbia University Press, New York 1947.

M. BUKOFZER, *Music in the Baroque Era*, Norton Company, New York 1947.

S. CLERK, *Le Baroque et la musique: essai d'esthétique musicale*, Bruxelles 1948.

K. H. DARENBERG, *Studien zur englischen Musikästhetik des 18. Jahrhunderts*, W. de Gruyter, Hamburg 1960.

E. FUBINI, *Gli illuministi e la musica*, Principato, Milano 1969.

– *Gli enciclopedisti e la musica*, Einaudi, Torino 1971.

P. GALLARATI, *Gluck e Mozart*, Einaudi, Torino 1975.

G. STEFANI, *Musica barocca, poetica e ideologia*, Bompiani, Milano 1978.

F. DEGRADA, *Il palazzo incantato*, 2 voll., Discanto, Fiesole 1979.

L'Ottocento.

Per quanto riguarda il pensiero romantico sulla musica, oltre i già citati e fondamentali testi di Wackenroder, Hegel e Schopenhauer, ecc., esistono numerosi altri saggi filosofici significativi, soprattutto nella cultura tedesca. Tralasciando i saggi estetico-filosofici, non dedicati esclusivamente alla musica (Herder, Kahlert, Schleiermacher, Weisse, Oersted, Krause), merita ricordare:

D. SCHUBARTS, *Ideen zu einer Ästhetik der Tonkunst*, 1806.

I. F. MOSEL, *Versuch einer Ästhetik des dramatischen Tonsatzes*, 1813.

A. B. MARX, *Über Malerei in der Tonkunst*, 1828.

F. HAND, *Ästhetik der Tonkunst*, 2 voll., 1837.

G. SCHILLING, *Versuch einer Philosophie des Schönen in der Musik oder Ästhetik der Tonkunst*, 1838.

E. KRUGER, *Beiträge für Leben und Wissenschaft der Tonkunst*, 1847.

Piú significativi, forse, per il pensiero romantico gli scritti di musicisti, letterati, critici:

A.-E. GRÉTRY, *Mémoires ou essais sur la musique*, 1789-97.

J. P. RICHTER, *Vorschule der Ästhetik*, 1804.

M.-H. STENDHAL, *Vies de Haydn, Mozart et Métastase*, 1817.

– *Vie de Rossini*, Paris 1823.

H. BERLIOZ, *Grand traité d'instrumentation et d'orchestration modernes*, 1844.

– *Les soirées de l'orchestre*, 1852.

– *Les grotesques de la musique*, 1859.

– *A travers chants*, 1862.

R. SCHUMANN, *Gesammelte Schriften über Musik und Musiker*, Leipzig 1854.

L. VAN BEETHOVEN, *Epistolario*, a cura di Nohl, 1865-67.

– *Konversationshefte*, a cura di Schünemann, Berlin 1941-43.

F. MENDELSSOHN-BARTHOLDY, *Briefe und Erinnerungen*, a cura di F. Hiller, Köln 1874.

C. M. VON WEBER, *Sämtliche Schriften*, a cura di G. Kaiser, Berlin 1908. Tale volume costituisce la piú completa raccolta di scritti del musicista.

E. T. A. HOFFMANN, *Sämtliche Werke*, München und Leipzig 1908.

H. HEINE, *Divagazioni musicali*, a cura di E. Roggeri, Torino 1928.

– *Cronache musicali 1821-47*, a cura di E. Fubini, Discanto, Fiesole 1983.

C. BAUDELAIRE, *Richard Wagner et «Tannhaüser»*, 1861.

F. NIETZSCHE, *Die Geburt der Tragödie aus dem Geiste der Musik*, 1872.

F. LISZT, *Gesammelte Schriften*, a cura di L. Ramann, 6 voll., 1880-1883.

E. DELACROIX, *Journal*, Plon, Paris 1893-95.

Tra i numerosissimi scritti, saggi, lettere, lasciatici da R. Wagner, si ricorderà qui in ordine cronologico quelli fondamentali per conoscere le sue concezioni sul melodramma e sulla musica in generale:

– *Arte e rivoluzione*, 1849.
– *L'opera d'arte dell'avvenire*, 1849.
– *Il giudaismo nella musica*, 1850.
– *Opera e dramma*, 1850.
– *Comunicazione ai miei amici*, 1851.
– *La musica dell'avvenire*, 1860.
– *La mia vita*, 1870-74.

La maggior parte degli scritti di Wagner si possono ritrovare in:

R. WAGNER, *Sämtliche Schriften und Dichtungen*, Volksausgabe, Leipzig 1916.

Tra l'immensa letteratura musicale della seconda metà dell'Ottocento si citeranno solo alcune delle opere piú significative del pensiero positivista, tralasciando tra l'altro le opere di storiografia per il carattere specialistico che esse presentano, e quindi per lo scarso interesse che offrono per l'estetica.

J. F. HERBART, *Psychologische Bemerkungen zur Tonlehre*, Voss, Leipzig 1811.

E. HANSLICK, *Vom Musikalisch-Schönen*, Leipzig 1854.

– *Die moderne Oper*, 9 voll., 1875-1900.

A. W. AMBROS, *Die Grenzen der Poesie und Musik*, 1856.

H. L. F. HELMHOLTZ, *Die Lehre von den Tonempfindungen als physiologische Grundlage für die Theorie der Musik*, Brunswick 1863.

M. LUSSY, *Traité de l'expression musical*, Paris 1873.

W. WUNDT, *Grundzügen der physiologischen Psychologie*, 1874.

G. T. FECHNER, *Vorschule der Ästhetik*, 1874.

C. STUMPF, *Tonpsychologie*, 1883.

– *Beiträge zur Akustik und Musikwissenschaft*, 1898.

G. ENGEL, *Ästhetik der Tonkunst*, 1884.

Tra gli studi di carattere storico, estetico e teorico del Riemann, interessa qui ricordare:

– *Der Ausdruck in der Musik*, Waldersee, Leipzig 1884.
– *Die Elemente der musikalischen Ästhetik*, Stuttgart 1900.
– *Katechismus der Musikästhetik*, Hesse-Leipzig 1903-904.

F. VON HAUSEGGER, *Die Musik als Ausdruck*, 1885.

R. WALLASCHEK, *Ästhetik der Tonkunst*, 1886.

J. COMBARIEU, *Rapports de la musique et de la poésie considérées au point de vue de l'expression*, Alcan, Paris 1893.

– *La musique, ses lois, son évolution*, Flammarion, Paris 1907.

M. JAELL, *La musique et la psychophysiologie*, Alcan, Paris 1896.

C. R. HENNIG, *Ästhetik der Tonkunst*, 1897.

Sul problema dell'origine della musica:

H. SPENCER, *Essay on the Origin of Music*, 1857.

E. GURNEY, *The Power of Sound*, Smith, London 1881.

K. BUCHER, *Arbeit und Rhythmus*, Leipzig 1896.

R. WALLASCHEK, *Anfänge der Tonkunst*, Barth, Leipzig 1903.

J. COMBARIEU, *La musique et la magie*, Picard, Paris 1909.

C. STUMPF, *Die Anfänge der Musik*, Leipzig 1911.

Opere di carattere generale sul secolo XIX:

M. SEYDEL, *Metaphysik der Musik Arthur Schopenhauers*, Breitkopf und Härtel, Leipzig 1895.

R. LOUIS, *Die Weltanschauung Richard Wagners*, Breitkopf, Leipzig 1898.

A. BAZAILLAS, *De la signification métaphysique de la musique d'après Arthur Schopenhauer*, Alcan, Paris 1904.

P. MOOS, *Richard Wagner als Ästhetiker*, Schuster und Loeffler, Berlin 1906.

P. LASSERRE, *Les idées de Nietzsche sur la musique*, Mercure de France, Paris 1907.

E. GLOCKNER, *Studien zur romantischen Psychologie der Musik*, Steinicke München 1909.

W. HILBERT, *Die Musikästhetik der Frühromantik*, 1911.

A. FAUCONNET, *L'esthétique de Schopenhauer*, Alcan, Paris 1913.

J. M. MÜLLER-BLATTAU, *Hamann und Herder in ihren Beziehungen zur Musik*, Königsberg 1931.

W. REICH, *Musik in romantischer Schau, Worte der Musiker*, Auerbach, Basel 1947.

A. EINSTEIN, *La musica nel periodo romantico*, Sansoni, Firenze 1952. (La prima edizione in lingua inglese apparve nel 1947).

L. RONGA, *Bach, Mozart, Beethoven; tre problemi critici*, Neri Pozza, Venezia 1956.

L. MAGNANI, *I quaderni di conversazione di Beethoven*, Ricciardi, Milano-Napoli 1962.

L. MAGNANI, *La musica, il tempo, l'eterno nella «Recherche» di Proust*, Ricciardi, Milano 1967.

- *Goethe, Beethoven e il demonico*, Einaudi, Torino 1976.

- *La musica in Proust*, Einaudi, Torino 1978.

Il Novecento.

Tra i numerosissimi studi di estetica musicale apparsi nel Novecento si citeranno solamente alcuni dei piú significativi, dividendoli in gruppi a seconda della nazionalità dei loro autori, o meglio a seconda dell'ambiente culturale di provenienza. Come per gli altri capitoli saranno escluse solo per motivi di brevità quelle opere di carattere estetico e filosofico che non abbiano diretta attinenza alla musica.

Bibliografia francese:

A. PIRRO, *L'esthétique de J. S. Bach*, Fischbacher, Paris 1907.

A. BAZAILLAS, *Musique et inconscience*, Alcan, Paris 1908.

C. LALO, *Eléments d'une esthétique musicale scientifique*, Alcan, Paris 1908.

G. BOURGUÉS e A. DÉNÉRAZ, *La musique et la vie intérieure*, Alcan, Paris 1921.

P. LASSERRE, *La philosophie du goût musical*, Grasset, Paris 1922.

A. CŒUROY, *Musique et littérature*, Boud et Gay, Paris 1923.

ALAIN (E. CHARTIER), *Visite au musicien*, Gallimard, Paris 1927.

H. DELACROIX, *Psychologie de l'art*, Alcan, Paris 1927.

J. SEGOND, *L'esthétique du sentiment*, Boivin, Paris 1927.

C. DEBUSSY, *Monsieur Croche antidilettante*, Gallimard, Paris 1927.

P. SERVIEN, *Introduction à une connaissance scientifique des faits musicaux*, Blanchard, Paris 1929.

- *Les rythmes comme introduction physique à l'esthétique*, Boivin, Paris 1930.

V. BASCH, *Du pouvoir expressif de la musique*, in *Essai d'esthétique*, Alcan, Paris 1934.

A. CORTOT, *Cours d'interprétation*, Legouix, Paris 1934.

I. STRAWINSKY, *Chroniques de ma vie*, Denoël et Steele, Paris 1935.

- *Poétique musicale*, Janin, Paris 1945.

- *Strawinsky in Conversation with R. Craft*, Penguin Books, Harmondsworth 1958.

- *Exposition and Developments*, Faber and Faber, London 1959.

M. BITSCH, *L'interprétation musicale*, Puf, Paris 1940.

G. BRELET, *Estétique et création musicale*, Puf, Paris 1947.

– *Le temps musical*, 2 voll., Puf, Paris 1949.

– *L'interprétation créatrice*, 2 voll., Puf, Paris 1951.

A. CUVELIER, *La musique et l'homme*, Puf, Paris 1947.

A. MACHABEY, *Traité de la critique musicale*, R. Masse, Paris 1947.

B. DE SCHLOEZER, *Introduction à J. S. Bach, Essai d'esthétique musicale*, Gallimard, Paris 1947.

R. LEIBOWITZ, *Schönberg et son école*, Janin, Paris 1947.

– *Introduction à la musique de douze sons*, L'Arche, Paris 1949.

J.-C. PIGUET, *Découverte de la musique*, A la Baconnière, Neuchâtel 1948.

A. MICHEL, *Psychanalyse de la musique*, Puf, Paris 1951.

M. BELVIANES, *Sociologie de la musique*, Payot, Paris 1951.

P. SCHAEFFER, *A la recherche d'une musique concrète*, Ed. du Seuil, Paris 1952.

– *Traité des objets musicaux*, Ed. du Seuil, Paris 1972.

M. BEAUFILS, *Musique du son, musique du verbe*, Puf, Paris 1954.

A. SILBERMANN, *Introduction à une sociologie de la musique*, Puf, Paris 1955. (Trad. franc. di P. Billard).

V. JANKÉLÉVITCH, *La rhapsodie*, Flammarion, Paris 1955.

– *La musique et l'ineffable*, A. Colin, Paris 1961.

I. SUPICIC, *La musique expressive*, Puf, Paris 1957.

– *Elementi sociologije muzike*, Zagreb 1964.

J. CHAILLEY, *Précis de musicologie*, Puf, Paris 1958.

R. FRANCÈS, *La perception de la musique*, Vrin, Paris 1958.

A. MOLES, *Théorie de l'information et perception esthétique*, Flammarion, Paris 1958.

B. DE SCHLOEZER e M. SCRIABINE, *Problèmes de la musique moderne*, Ed. de Minuit, Paris 1959.

E. EMERY, *La gamme et le langage musical*, Puf, Paris 1961.

E. ANSERMET, *Les fondaments de la musique dans la conscience humaine*, A la Baconnière, Neuchâtel 1961.

P. BOULEZ, *Penser la musique aujourd'hui*, Schott's Söhne, Mainz 1963.

– *Par volonté et par hasard*, Ed. du Seuil, Paris 1975.

– *Relevés d'apprenti*, Ed. du Seuil, Paris 1976.

C. LÉVI-STRAUSS, *Le cru et le cuit*, Plon, Paris 1964.

I. XENAKIS, *Musique et architecture*, Casterman, Tournai 1971.

H. POUSSEUR, *Musique, Sémantique, Société*, Paris 1972. (Trad. it. *Musica, semantica, società*, Bompiani, Milano 1974).

J.-J. NATTIEZ, *Fondements d'une sémiologie de la musique*, 10/18 Uge, Paris 1975.

J. ATTALI, *Bruits*, Puf, Paris 1977.

S. MARTIN, *Le langage musical. Sémiòtique des systhémes*, Klincksieck, Paris 1978.

F. ESCAL, *Espaces sociaux, Espaces musicaux*, Payot, Paris 1979.

M. IMBERTY, *Entendre la musique*, Dunod, Paris 1979.

- *Les écritures du temps*, Dunod, Paris 1981. (Trad. it. *Suoni Emozioni Significati. Per una semantica psicologica della musica*, Clueb, Bologna 1986).

Bibliografia anglosassone:

L. RAYLEIGH, *The Theory of Sound*, Macmillan, New York 1986.

J. A. ZAHN, *Sound and Music*, McClurg, Chicago 1900.

G. LANSING RAYMOND, *The Genesis of Art Form. An Essai in Comparative Aesthetics, showing the Identity of the Sources, Methods, and Effetcs of Composition in Music, Poetry, Painting, Sculpture and Architecture*, Putnam, New York-London 1909.

D. C. MILLER, *The Science of Musical Sounds*, Macmillan, New York 1916.

H. J. WATT, *The Psychology of Sound*, Cambridge University Press, 1917.

- *The Foundation of Music*, Cambridge University Press, 1919.

C. SEASHORE, *Psychology of Musical Talent*, Silver, Chicago 1919.

- *An Objective Analysis of Artistic Singing, Stud. in the Psychology of Music*, vol. IV, Iowa 1936.

- *Psychology of Music*, MacGraw Hill, New York 1938.

M. D. CALVOCORESSI, *Musical Taste and how to form it*, Oxford University Press, 1925.

- *The Principles and Methods of Musical Criticism*, Oxford University Press, 1931.

W. H. HADOW, *A Comparaison of Poetry and Music*, Cambridge University Press, 1926.

- *The Place of Music among the Arts*, Oxford University Press, 1933.

C. M. DISERENS, *The Influence of Music on Behaviour*, Princeton 1926.

C. PRATT, *The Meaning of Music*, MacGraw Hill, New York 1931.

F. D. TOVEY, *Essays in Musical Analysis*, Oxford University Press, 1935-38.

- *Essays and Lectures on Music*, Oxford University Press, 1949.

S. K. LANGER, *Philosophy in a New Key*, Mentor Books, New York 1942.

- *Feeling and Form*, Scribner's, New York 1953.

H. LEICHENTRITT, *Music, History and Ideas*, Harvard University Press, Cambridge (Mass.) 1946.

K. SACHS, *The Commonwealth of Art. Style in the Fine Arts, Music and the Dance*, Norton, New York 1946.

C. S. BROWN, *Music and Literature*, The University of Georgia Press, Athens 1948.

A. SILBERMANN, *... of Musical Things*, The Graham Book Company, Sydney 1949.

R. SESSIONS, *The Musical Experience of Composer, Performer and Listener*, University Press, Princeton 1950.

R. RETI, *Tonality, Atonality, Pantonality*, Rockliff, London 1958.

– *The Thematic Process in Music*, Faber and Faber, London 1961.

A. COPLAND, *Music and Imagination*, Harvard University Press, Cambridge (Mass.) 1952.

T. REIK, *The Haunting Melody: Psycho-Analytic Experiences in Life and Music*, New York 1953.

J. RUFER, *Composition with Twelve Notes*, London 1954.

L. MEYER, *Emotion and Meaning in Music*, University of Chicago Press, Chicago 1956.

– *Music, the Arts and Ideas*, University of Chicago Press, Chicago 1967.

– *Explaining Music. Essays and Exploration*, University of Chicago Press, Chicago 1978.

D. COOKE, *The Language of Music*, Oxford University Press, 1959.

D. N. FERGUSON, *Music as Metaphor*, University of Minnesota Press, Minneapolis 1960.

J. CAGE, *Silence*, Wesleyan University Press, Middletown 1961.

A. WALKER, *A Study in Musical Analysis*, Barrie and Rockliff, London 1962.

J. KERMAN, *Musicology*, Fontana Press Collins, London 1985.

Bibliografia tedesca:

H. SCHENKER, *Neue musikalischen Theorien und Phantasien*, 1906-35; riedito Universal Edition, Wien 1956.

– *Harmonielehre*, Universal Edition, Wien 1906.

H. SCHERCHEN, *Vom Wesen der Musik*, Mondial Verlag, Winterthur 1906.

F. BUSONI, *Entwurf einer neuen Ästhetik der Tonkunst*, Schmidl, Trieste 1907.

H. SIEBECK, *Grundfragen der Psychologie und Ästhetik der Tonkunst*, Mohr, Tübingen 1909.

R. MAYRHOFER, *Der Kunstklang*, Universal Edition, Leipzig-Wien 1910.

A. SCHÖNBERG, *Harmonielehre*, Universal Edition, Wien 1911.

– *Style and Idea*, Philosophical, New York 1950.

E. MERSMANN, *Einführung in die Ästhetik der Gegenwart*, 1912.

G. ADLER, *Der Stil in der Musik*, Breitkopf und Härtel, Leipzig 1912.

– *Methode und Musikgeschichte*, Breitkopf und Härtel, Leipzig 1919.

W. HARBURGER, *Grundriss des musikalischen Formvermögens*, Reinhardt, München 1912.

– *Die Metalogik*, Reinhardt, München 1919.

– *Form und Ausdrucksmittel in der Musik*, Engelhorns, Stuttgart 1926.

A. SCHUTZ, *Zur Ästhetik der Musik*, 1914.

F. SCHMITZ, *Musikästhetik*, Breitkopf und Härtel, Leipzig 1915.

E. BLOCH, *Der Geist der Utopie*, Verlag von Dancker Humblot, München und Leipzig 1918. (Trad. it. *Lo spirito dell'utopia*, La Nuova Italia, Firenze 1980).

K. BLESSINGER, *Die Musikal-Problema der Gegenwart und ihre Losung*, Filser, Stuttgart 1920.

– *Melodielehre als Einführung in die Musiktheorie*, Klett, Stuttgart 1930.

M. WEBER, *Die rationalen und soziologischen Grundlagen der Musik*, Drei Masken, München 1921.

A. SCHERING, *Die Expressionistische Bewegung der Musik*, in *Einführung in die Kunst der Gegenwart*, Leipzig 1922.

– *Das Symbol in der Musik*, a cura di W. Gurlitt, Köhler und Amelang, Leipzig 1941.

– *Vom musikalischen Kunstwerk*, Leipzig 1949.

F. AUERBACH, *Tonkunst und bildende Künste, Parallelen und Contraste*, Fischer, Jena 1924.

R. LACH, *Vergleichende Kunst und Musikwissenschaft*, Hölder-Pichler-Tempsky, Wien 1925.

H. MERSMANN, *Angewandte Musikästhetik*, Hesse, Berlin 1926.

W. HOWARD, *Auf dem Wege zur Musik*, Simrock, Berlin-Leipzig 1926.

H. WETZEL, *Musiktheorie und Musikästhetik*, Hesse, Berlin 1926-27.

I. PETERS, *Die Grundlagen der Musik*, Teubner, Leipzig-Berlin 1927.

M. SCHLESINGER, *Symbolik in der Tonkunst*, Bard, Berlin 1930.

H. SCHOLE, *Tonpsychologie und Musikästhetik*, Vandenhoeck und Ruprecht, Göttingen 1930.

G. AUSCHÜTZ, *Abriss der Musikästhetik*, 1930.

R. HASS, *Aufführungspraxis der Musik*, Athenaion, Wildpark Potsdam 1931.

E. KURTH, *Musik Psychologie*, Hesse, Berlin 1931.

E. BÜCKEN, *Geist und Form im musikalischen Kunstwerk*, Athenaion, Berlin 1932.

406

E. G. WOLFF, *Grundlagen einer autonomen Musikästhetik*, Heitz, Strassburg 1934.

J. BAHLE, *Eingebund und Tat im musikalischen Schaffen*, Hirzel, Leipzig 1936.

– *Die musikalische Schaffensprozess*, Hirzel, Leipzig 1936.

– *Zur Psychologie des musikalischen Gestalten*, Hirzel, Leipzig 1938.

R. MULLER FREIENFELS, *Psychologie der Musik*, Vieweg, Berlin 1936.

P. HINDEMITH, *Unterweisung in Tonsatz*, Schott, Mainz 1937.

H. CONRADIN, *Ist die Musik Heteronom oder Autonom*, Leemann, Zürich 1940.

G. RÉVÉSZ, *Einführung in die Musikpsychologie*, Francke, Bern 1946.

B. WALTER, *Thema und Variationen*, Bermann-Fischer, Stockholm 1947.

T. W. ADORNO, *Philosophie der neuen Musik*, Mohr, Tübingen 1949.

– *Dissonanzen*, Vandenhoeck und Ruprecht, Göttingen 1958.

– *Einleitung in die Musiksoziologie*, Suhrkamp, Frankfurt am Main 1962.

– *Der Getreue Korreptitor*, Fischer, Frankfurt am Main 1963.

H. EIMERT, *Lehrbuch der Zwölftontechnik*, Breitkopf und Härtel, Wiesbaden 1950.

K. BLAUKOPF, *Musiksoziologie*, Sankt Gallen 1950.

H. H. STUCKENSCHMIDT, *Neue Musik*, Suhrkamp, Berlin 1951.

H. J. MOSER, *Musikästhetik*, De Gruyter, Berlin 1953.

Z. LISSA, *Fragen der Musikästhetik*, Heischelverlag, Berlin 1954.

L. CONRAD, *Musica Panhumana, Sinn und Gestaltung in der Musik*, De Gruyter, Berlin 1958.

A. WEBERN, *Der Weg zur neuen Musik*, Universal Edition, Wien 1960.

V. ZUCKERKANDL, *Die Wirklichkeit der Musik*, Rhein-Verlag, Zürich 1963.

Z. LISSA, *Aufsätze zur Musikästhetik*, Henschelverlag, Berlin 1969.

H. H. EGGEBRECHT, *Zur Geschichte der Beethoven Rezeption. Beethoven 1970*, Wiesbaden 1972.

T. KNEIF, *Musiksoziologie*, Arno Volk Verlag, Köln 1971. (Trad. it. *Sociologia della musica*, Discanto, Fiesole 1981).

B. W. ASSAFJEW, *Die musikalische Form als Prozess*, Berlin 1976 (2 voll., Mosca 1930-40).

C. DAHLHAUS, *Grundlagen der Musikgeschichte*, Arno Volk Verlag, Köln, 1980. (Trad. it. *Fondamenti di storiografia musicale*, Discanto, Fiesole 1980).

H. DE LA MOTTE-HABER, *Musikpsychologie. Eine Einführung*, Arno Volk Verlag, Köln 1982. (Trad. it. *Psicologia della musica*, Discanto, Fiesole 1982).

BIBLIOGRAFIA

Bibliografia italiana:

A. GALLI, *Estetica della musica*, 1900.

F. TORREFRANCA, *La vita musicale dello spirito*, Bocca, 1910.

O. CHILESOTTI, *L'evoluzione della musica*, 1911.

G. BASTIANELLI, *L'opera e altri saggi di teoria musicale*, Firenze 1921.

– *Il nuovo dio della musica*, Einaudi, Torino 1978.

F. LUZZI, *Estetica della musica*, Firenze 1924.

A. PARENTE, *La musica e le arti*, Laterza, Bari 1936.

– *Castità della musica*, Einaudi, Torino 1961.

S. PUGLIATTI, *L'interpretazione musicale*, secolo nostro, Messina 1940.

I. PIZZETTI, *Musica e dramma*, Ed. della Bussola, Roma 1945.

G. PANNAIN, *La vita del linguaggio musicale*, Curci, Milano 1947.

M. MILA, *L'esperienza musicale e l'estetica*, Einaudi, Torino 1950.

A. DELLA CORTE, *L'interpretazione musicale e gli interpreti*, Utet, Torino 1951.

G. GRAZIOSI, *L'interpretazione musicale*, Einaudi, Torino 1952.

L. ROGNONI, *Espressionismo e dodecafonia*, Einaudi, Torino 1954.

– *Fenomenologia della musica radicale*, Laterza, Bari 1966.

R. VLAD, *Modernità e tradizione nella musica contemporanea*, Einaudi, Torino 1955.

– *Storia della dodecafonia*, Suvini Zerboni, Milano 1958.

A. PLEBE, *La dodecafonia. Documenti e pagine critiche*, Laterza, Bari 1962.

AA.VV., *La rassegna musicale*, antologia a cura di L. Pestalozza, Feltrinelli, Milano 1966.

M. BORTOLOTTO, *Fase seconda*, Einaudi, Torino 1969.

A. SERRAVEZZA, *Sulla nozione di «Esperienza musicale»*, Adriatica editrice, Bari 1971.

– *Musica, filosofia e società in Th. W. Adorno*, Dedalo, Bari 1976.

– *La sociologia della musica*, Edt, Torino 1980.

E. FUBINI, *Musica e linguaggio nell'estetica contemporanea*, Einaudi, Torino 1973.

M. PAGNINI, *Lingua e musica*, Il mulino, Bologna 1974.

G. STEFANI, *Semiotica della musica*, Sellerio, Palermo 1976.

– *Capire la musica*, Espresso, Milano 1979.

G. F. MAFFINA, *Luigi Russolo e l'arte dei rumori*, Martano, Torino 1978.

M. DE NATALE, *Strutture e forme nella musica come processi simbolici*, Morano, Napoli 1978.

Indice dei nomi

Stampato per conto della Casa editrice Einaudi
presso le Industrie Grafiche G. Zeppegno & C. s. a. s., Torino

C.L. 59827

Ristampa

10 11 12 13 14 15 16

Anno

87 88 89 90 91 92 93